KB163228

제브데트 씨와 아들들 2

Cevdet Bey ve Oğulları

CEVDET BEY VE OĞULLARI

by Orhan Pamuk

세계문학전집 296

제브데트 씨와 아들들 2

Cevdet Bey ve Oğulları

오르한 파묵

이난아 옮김

민음사

차례

2부

3부 에필로그

1권 차례

2부

32
어느 상인의 고민

대문에 달린 종이 딸랑거리자 오스만은 여느 때처럼 시계를 봤다. 6시 15분이 지나고 있었다. 생각보다 빨리 집에 돌아와서 기뻤다. 정원을 빨리 지나갔다. 자신이 온 걸 아무도 모르게 해서 식구들을 놀래 주고 싶을 때처럼, 현관문을 열쇠로 열었다. 곁눈질로 거울을 보고 계단을 올라갔다. 집 안은 조용했다. 시계가 똑딱거리는 소리만 들릴 뿐이었다. 거실에는 아무도 없었다. 뒤뜰에서 차를 마시고 있는 게 분명했다. 계단참에서, 정원에서 들어오는 에미네 부인을 보았다.

그녀는 오스만을 보더니 "아, 오셨어요?"라고 하며 얼굴을 찌푸렸다. "뒤뜰에들 계세요. 손님이 오셨거든요." 자신에게 손님이란 여분의 찻잔, 접시 그리고 수고라는 의미란 걸 보여 주려는 듯 코끝으로 손에 든 쟁반을 가리켰다. "레일라 부인과 딜다데 부인이 오셨어요!"

오스만은 그녀가 하는 말을 들었고, 알았다는 뜻으로 고개를 끄덕이며 계단을 올라갔다. 중간층에서, 똑딱거리는 시계 밑에 있는 탁자에 담배 가게에서 산 신문들을 내려놓다가 편지 두 통을 보았다. 첫 번째 편지는 글씨체를 보고 알았다. 레피크에게서 온 것이었다. 두 번째 편지에 쓰인 이름을 보자 짜증이 났다. 큰아버지의 아들 지야에게 온 것이었다. 편지는 나중에 신문하고 같이 읽기로 하고 위층으로 올라갔다. 방으로 들어갔다. 재킷을 벗었다. 곁눈으로 창밖 뒤뜰, 나무 아래 앉아 있는 여자들을 보았다. 손과 얼굴을 씻으려고 욕실로 갔다.

퇴근하고 집에 와서는 늘 제일 먼저 손을 씻었다. 오랫동안 비누칠을 하고 손을 씻은 후, 얼굴도 충분히 씻었다. 이렇게 하고 욕실에서 나와야 남은 하루를 기분 좋게 맞이할 충분한 힘과 정신적인 안정을 얻을 수 있었다. 사무실에서 짜증이 날 때마다, 사람들과 부대낄 수밖에 없을 때마다, 돈을 벌면서 삶의 더러운 때가 묻을 때마다, 저녁때 집에 돌아가서 충분한 물과 비누칠하는 즐거움을 만끽하며 오랫동안 손을 씻을 생각을 했다. 일하는 시간과 가족들과 보내는 휴식 기간을 분리해 주는 이 손 씻는 시간에 그날 했던 일을 돌아보곤 했다.

수도꼭지를 돌렸고 물이 나오기 시작했다. 오늘은 사무실에서 두 가지 일을 처리했다. 첫 번째 건은 그리 중요하지 않았다. 어느 독일 페인트 회사로 카탈로그에 나와 있는 가격에서 자기 회사와 협상으로 얼마나 내릴 수 있는지 편지를 쓰고, 넓은 터키 시장에 대한 정보도 주었다. 두 번째 일은 아주 중요했다. 독일에서 온 건축 자재 회사 사장을 만났다. 터키에 수도꼭지나 파이프 같은 욕실 자재를 수출하는 독일 회사의 사장은, 이 분야를 장악하고 있는 영국 회사보다 가격을 낮출 의향이 있으며, 대금 지불 면에서도 편의를 봐주겠다고 했다. 이 회사와 터키 판매 대행사 계약이 성사되면, 최근 성장이 더뎌진 제브데트 씨의 회사에 큰 수익을 가져올 수 있을 것이며, 그가 꿈꾸는 힘 있는 회사로 만들 수 있을 것 같았다. 그는 비누를 문질러 거품을 내며 생각했다. '어쩌면 내가 독일어를 모르고 프랑스어도 그리 잘하지 않아서 계약이 성사되지 못할 수도 있어!' 이런 생각이 들자 답답해졌다. 고개를 들어 거울을 쳐다봤다. 늙고, 지치고, 생기도 없어 보였다. 서른두 살인데 벌써 눈의 생기가 사라졌고, 흰머리도 생겼으며, 약간이지만 등도 굽어 있었다. 아직 청년처럼 보이는 동갑내기들도 있었다. 물로 손을 씻어 내면서 생각했다. '열심히 일하기 때문이야. 아버지가 살아 계실 때도 열심히 했지만, 돌아가신 후에는 더 열심히 했잖아. 가족의 모든 짐이 내 어깨에 실려 있어!' 레피크가 가 버린 다음에는 일이 더 많아졌고, 문젯거리도 더 많아졌다. 제브데트 씨가 돌아가시기 직전에 흘려 보낸 시간을 벌충하고 싶었고, 삶의 유일한 목적은 아버지가 세운 회사를 확장하고 키우는 거라고 생각했다. 두 번째로 비누칠을 하려고 손을 물 밑에서 뺐다. 오늘 했던 또 다른 일, 회사에서 물건을 사 가는 카이세리 출신의 상인과 함께했던 점심 식사를 떠올리자 기분이 좋아졌다. 상인은 일 년에 한두 번 방문하는 이스탄불이 천국이고 유희의 중심지라고 하면서, 자기가 즐겼던 호색 행위도 귀띔했다. 손을 씻은 다음엔 얼굴에도 물을 충분히 끼얹었다. '레피크가 뭐라고 썼을까?' 하는 데 생각이 미치자 좋았던 기분이 사라졌다. '하필 일이 이렇게 많을 때가 버리다니!' 동생이 언제 돌아올지 걱정스러웠다. "그 독일인을 집에 초대해야지!" 그는 문득 이렇게 중얼거렸다. 얼굴에 비누칠을 했다. 독일인과 가족들이 이 초대를 어떻게 받아들일지 궁금했다. 제브데트 씨는 친한 친구 말고는 사업에 관계된 사람은 한 번도 초대한 적이 없었다. 여기에 생각이 미치자 답답해졌지만, 독일인이 그의 집에 와서 즐거워할 것이고, 자신에게 친근감을 느껴 계약을 성사시킬 거라 생각하자 기분이 나아졌다. 그를 집에 초대하면 특히 아내가 빛날 것이며, 독일인도 그녀에게 경탄을 금치 않을 것이다. 네르민이 사람들 사이에서 아주 편안해하고, 다른 여자들과는 달리 사람들, 특히 남자들과 아주 편하게 얘기할 수 있다는 게 자랑스러웠다. 그러다 독일인과 얘기하다가 프랑스어에서 실수한 것이 떠올라 얼굴이 붉어졌다. 그는 갈라타사라이 고등학교를 다녔지만 프랑스어는 잘하지 못했다.* 얼굴에 마지막으로 물을 끼얹으며 '사업 때문에 공부할 시간이 없었어!' 하고 생각했다. 고등학교를 마치자마자 곧장 아버지 회사로 들어갔다. '난 기저귀를 차고 있을 때부터 상인이었어!' 그는 이렇게 생각했다. '기저귀를 차고 있을 때부터'라는 말이 카이세리 출신의 상인을 떠올리게 했다. 상인은 자신이 '기저귀를 차고 있을 때

---

* 터키 최고 명문으로 꼽히는 갈라타사라이 고등학교는 대부분 프랑스어로 수업이 진행된다.

부터 호색한'이라고 하면서 그에게 함께 그런 짓을 하러 가자고 은근히 제의했던 것이다. 물론 오스만은 그의 제안을 냉정하게 거절했다. 그는 수건으로 얼굴을 닦으며 "호색 행위"라고 중얼거렸다. 그것이 아주 우스운 단어라는 듯 웃었다. 문을 열고 밖으로 나갔다. 그는 "케리만!" 하고 중얼거렸다. 일주일에 한 번 만나는 정부를 생각하려다가 참았다. 말끔히 씻은 손과 얼굴이 달콤할 정도로 시원했다. 방으로 들어가 발코니 쪽으로 걸어갔다. 열린 창문으로 기분 좋은 보리수 향기가 들어왔다. 자신이 건강하고 강한 남자라고 느끼며, 쾌활하게 발코니로 나가 난간에 기댔다.

아래에서, 정원의 나무 밑에 앉아 있는 여자들의 목소리가 들려왔다. 먼 곳에서 나무와 기와지붕 위로 제비가 날아갔다. 사이프러스 나무에는 솔개 한 마리가 앉아 있었다. 5월 말이었다. 하루의 가장 좋은 시간을 만끽할 수 있을 것 같았다. 하늘에, 저 먼 곳에, 하루 종일 정원을 달구었던 해가 붉게 물들인 구름 두 점이 걸려 있었다. 해는 곧 하르비예 쪽 아파트 뒤로 사라질 테지만, 손님들은 일어날 기미가 없었다. 오스만에게 그들의 대화가 들려왔다.

부드럽고 가느다란 목소리가 "겨울 동안 난로 네 대를 다 피웠어요. 나이가 들수록 점점 더 추위를 탄다니까요."라고 했다. 딜다데 부인이었다.

젊고 활기 찬 목소리는 라디에이터가 얼마나 편리한지 설명하고 있었다. 푸아트 씨의 아내 레일라 부인이었다.

잠시 후 니갼 부인이 "난 아파트라는 것에는 익숙해지지 않을 것 같아요."라며 한숨을 내쉬었다. 누군가 그녀에게 아파트에 살라고 강요라도 한다는 듯 귀찮음과 불평이 섞인 목소리였다.

네르민이 대화에 끼어들었다. 여름 맞을 준비와 지붕이 새는 헤이벨리 섬에 있는 집에 대해 얘기했다. 오스만은 나무들 사이로 그녀를 보려고 옆으로 움직였다. 페리한이 보였다. 페리한은 여느 때처럼 어린아이 같았다. 그녀는 대화에 끼지 않고 아이처럼 찻잔을 들고 바라보며 앉아 있을 뿐이었다. 오스만은 정원에서 여자들과 차를 마시지 않고, 서재에서 편지와 신문을 읽으며 차를 마시기로 했다. 하지만 그 자리에 그대로 서 있었다. 정원에서 들려오는 여자들의 말소리에 귀를 기울이며, 자신이 건강한 사람이라고 생각했다.

저 아래에는 주부 다섯이 모여 있었다. 그녀들을 생각하자 오스만은 정신 건강, 휴식, 활기 같은 것들이 떠올랐다. 아래에 앉아 있는 여자들, 어머니와 아내, 페리한, 손님 둘을 하나하나 생각해 보았다. 아이셰를 생각하자 답답했고, 어린 딸을 떠올리자 기분이 좋아졌다. 갑자기 또 "케리만!" 하고 중얼거렸다. 하지만 이번에는 그녀를 뇌리에서 지울 수 없었다. 레피크가 떠나기 전, 희생절 전날 밤에 네르민이 그녀의 존재를 눈치챘고, 그들 사이에 다툼이 있었다. 오스만은 다시는 그녀를 만나지 않겠다고 맹세했고, 아내는 그의 말을 믿었다. 그는 딜다데 부인에게 뭔가 말하고 있는 네르민을 보며 생각했다. 어떻게 그리 쉽게 믿을 수 있을까? 그는 이 문제를 떠올릴 때마다 '그녀에게 거짓말을 한 건 그때가 처음이었기 때문이야!' 하고 생각했다. 그러고는 나무 난간 위를 손가락으로 두드렸다. '믿지 않았으면 어떻게 됐을까? 내가 그녀를 다시 만나는 걸 안다면? 알 수 없을 거야. 아주 평온해 보이지만 강한 여자는 아니거든!' 그러다 약간은 답답하지만 자랑스럽게 떠올렸다. '하지만 아버지는 알았을 거야. 어차피 아버지가 살아 계셨을 때는 이런 일을 감행할 용기도 내지 못했을 거야, 난……. 아버지는 아주…….' 그때 정원에서 누군가 자신에게 소리치고 있다는 걸 깨달았다.

"왜 아래로 내려오지 않지, 내려와!"

니갼 부인이었다.

오스만은 아래에서, 나뭇가지 사이로 자신을 보려고 비둘기처럼 머리를 위아래로 움직이는 여자들에게 기분은 좋지만 피곤하며 생각에 잠겨 있는 듯한 태도로 인사했다.

"지금 막 왔어요!"

뭔가 말하려는 레일라 부인에게 선수를 쳤다.

"잘 오셨어요! 일이 좀 있어서요, 나중에 내려갈게요!"

자기를 봤으니 손님들이 곧 돌아갈 거라고 생각하며 안으로 들어가 중간층으로 내려갔다. 신문과 편지를 집어 들고, 아래층을 향해서 차를 가져오라고 큰 소리로 말했다. 서재에 있는 책상에 앉았다. 오스만제국 시대의 동전이 붙어 있는 문구용 칼로 봉투를 열고 읽기 시작했다. 레피크는 편지에 또다시 몇 달 더 늦을 거라고 썼다. 거기서 '나의 계획들'이라는 이상하고 모호한 일을 하고 있다고 설명했다. 모두에게 안부 전하라고 하면서, 마지못해 회사 상황을 물었다. 오스만은 화가 나서 편지를 한쪽으로 던져 버렸다. 그다음엔 지야의 편지를, 무엇이 쓰여 있는지 알면서도, 뻔뻔한 요구에 새로운 걸 덧붙였는지가 궁금해서 읽기 시작했다. 새로운 건 없었다. 앙카라에 있는 이 군인은 서너 달에 한 번씩 이런 편지를 보내왔고, 자신의 권리를 찾겠다고 주장했다. 그러나 이 우스운 주장을 실현하기 위한 행동은 개시하지 않았다. 편지를 찢어 버리려다가 어머니에게 보여 주기로 했다. 잠시 후 화를 가라앉히려고 신문을 펼쳤다. 모든 신문의 1면을 장식한 뉴스는 '하타이 사건'이었다. 오스만은 이 사건이 최근에 어떻게 진행되는지 알지 못했다. 어떤 일이 일어나는지도 알지 못했다. 자신이 관심만 가졌다면 사람들이 여기저기서 언급하던 협의회나 참관인, 위원에 대해 말할 수 있을 것이고, 다른 사람들이 귀를 기울일 만한 자기만의 생각도 갖게 되었을 것이다. '내가 일을 너무 많이 하기 때문이야. 세상이 어떻게 돌아가는지, 무슨 일이 일어나는지 파악할 시간도 없어!' 그는 주의 깊게 신문을 읽기 시작했다. "외무부 차관의 연설. 아라스 박사가 어제 국회 총회에서 하타이 문제에 대해 연설했다. 이의를 제기할 수 없는 하타이의 폭압에 대한 증거들……." 그는 이 기사를 읽다가 자신이 계속 똑같은 생각을 한다는 걸 깨달았다. '하타이가 터키에 포함되는 게 나의 사업에 어떤 이익이 될까? 하타이에는 뭘 팔 수 있을까? 그곳도 결국 시장이니까 터키에 포함되면 좋겠지.' 그는 이렇게 생각한다는 게 부끄러워져서, 아무 생각 없이 신문을 읽기 시작했다. "하타이에서 한 터키인의 비명……. 우리의 권리를 꼭 찾을 것이다!……."

이때 문이 열렸다. 에미네 부인이 늦어서 미안하다며 차를 가져왔다. 그녀 뒤로 랄레가 들어왔다. 오스만은 신문에서 눈을 떼고 열 살짜리 딸을 바라보았다. 딸아이에게 진심에서 우러나오는, 딸을 사랑하는 아버지의 사랑으로 가득한 미소를 지어 보였다.

"아, 오늘 뭐 했나, 우리 딸?"

그는 이렇게 말하며 다시 신문으로 눈을 돌렸다.

"아무것도 안 했어!"

오스만은 아이를 쓰다듬고 예뻐해 주지 않았다는 걸 깨달았다. 아이를 자기 곁으로 불러 입을 맞추고 싶다는 생각이 들었다.

"아가씨가 오늘 수업에서 좋은 성적을 받았대요."

에미네 부인이 말했다. 그녀는 밖으로 나가지 않고, 부녀의 감동적인 장면을 구경하려고, 다른 사람의 행복을 기대하며 쟁반을 든 채 문턱에 서 있었다.

"왜 말 안 했어? 무슨 과목에서 좋은 성적을 받았니?"

오스만은 딸에게 물었다. 미술이라는 얘기를 듣고는 눈살을 찌푸렸다.

"그림도 중요하지만 산수가 더 중요하다. 계산이 무엇보다 중요하지. 산수에서는 몇 점 받았어?"

그는 다시 신문으로 눈을 돌렸고, 오늘은 산수 수업이 없었다는 대답을 들었다. 딸에게 제밀은 어디 있는지 물었다. 방에 있다고 했다. 손님들은 돌아갔는지 물었다. 대답은 알고 있었다. 창문 아래서 작별하는 소리가 들려왔기 때문이다. 신문을 보면서 몇 가지를 더 물었고 짧은 대답을 들었다. 그는 문득 '독일인을 꼭 식사에 초대해야지!' 하고 생각했다. 잠시 후 방에서 나가는 딸에게 아이셰 고모는 어디 있냐고 물었다. 다시 신문을 보면서 "위층 방에서 울고 있어요!"라는 랄레의 대답을 듣자 마음이 답답해졌다.

신문을 보면서, 손님들이 대문을 열어 딸랑거리게 하는 방울 소리를 들으며, 여동생이 왜 우는지 생각했다. 바이올린 케이스를 들고 있던 남자애는 네르민도 봤다고 했다. 오스만은 그에게 단호하게 경고했다. 그런데도 그런 일이 또 있었다면 자신이 아주 화를 낼 거라는 걸 알고 있었다. 화를 내고 신경질을 부리는 게 싫어 신문에서 눈을 뗐다. 방 한쪽 벽에 걸려 있는 아버지 사진을 쳐다보았다. 정확히 일 년 전에 돌아가신 제브데트 씨는 노년의 사진 속에서 생각에 잠긴 채 환한 표정으로 자신을 바라보고 있었다. '우리 가족은 이렇단다. 가정을 꾸리고 이를 지키는 게 쉬울 거라 생각했니?'라고 하는 것 같았다. 문득 자신에게 정부가 있다는 게 떠올라 아버지의 시선을 피했다. 하지만 곧, 요즘 자기가 얼마나 열심히 일했는지, 회사를 키우고 꿈꾸던 공장을 세우려고 얼마나 안간힘을 쓰는지 생각하며 스스로를 용서했다. 집 밖으로 나가지 않고 문간에서 얘기를 나누던 손님들이 드디어 돌아갔다는 걸 들려오는 소리로 알게 되자 신문을 들고 아래층으로 내려갔다. 에미네 부인에게 차를 한 잔 더 달라고 하며, 부엌문으로 해서 뒤뜰로 나갔다.

손님을 배웅한 여자들은 다시 골풀 의자에 앉아 있었다. 오스만은 그들에게 다가가면서, 매일 저녁 그랬듯이, 사랑과 우애와 다정함을 기대하는 표정을 지었고, 기분이 좋아졌다. 그들 한 명 한 명을 바라보며 각각 인사를 건네고 골풀 의자로 걸어갔다. 그러다 어머니를 가까이에서 보고는, 독일 건축 자재 회사의 사장을 집으로 초대할 수 없으리란 것을 확실히 깨달았다. 어머니는 여느 때처럼 얼굴을 찌푸린 채 불만스러운 모습으로 의자에 앉아 있었다. 오스만은 그녀 곁에 앉으면서도, 왜 독일인을 집에 초대하지 못할 거라 생각했는지 알 수 없었다. 하지만 아들이 자기 옆에 앉아서 조금이나마 행복해진 표시를 하지 않고는 배길 수 없다는 듯 눈을 깜박거리는 니갼 부인을 보자 그 이유를 알 것 같았다. 어머니에게는 즐거울 때뿐 아니라 불행할 때도 짓곤 하는 특유의 표정이 있는데, 독일인과 그런 어머니가 마주 보고 한 식탁에 앉아 있는 건 상상도 할 수 없었다. 오스만은 어머니가 교양 있고 부유한 환경에서 자란 파샤의 딸이라는 걸 자랑스러워했기에 더 놀라웠다. 조금 전만 해도 행복해 보이던 니갼 부인이 삶에 진력이 났다는 듯한 표정을 짓자, 어머니가 의자에서 뒤척거리는 모습과 찻잔을 잡는 모습을 처음으로 주의 깊게 관찰하자, 자신은 잘 교육받고, 교양 있고, 부유하다는 의미인 행동이, 독일인에게는 하렘과 동양, 오스만제국 시대의 여인 같은 흥밋거리로 보일 수 있다는 걸 깨달았던 것이다. 그를 식사에 초대하지 못해서 건축 자재 대행사 건을 놓칠지도 모른다고 생각하자 화가 치밀었다. 에미네 부인이 내온 차를 마시면서 어머니와 네르민에게서 그날 하루에 있었던 일을 들었다. 여느 때처럼 중요치 않은 사소한 일들이었다. 니갼 부인은 정원사를 나무랐고, 푸아트 씨 가족이 네르민과 그녀를 식사에 초대했으며, 헤이벨리 섬에 있는 여름 집에 타일 까는 기술자를 보냈으며, 집 안에서 자고 있는 어린 멜렉은 설사를 한다……. 마지막 일을 언급할 때는 잠시 정적이 흘렀고, 오스만은 그 순간 모두가 레피크를 생각한다는 걸 알 수 있었다.

잠시 후 니갼 부인은 이 정적 속에 모두 한 가지 생각을 하는 걸 안다는 듯 "뭐라고 썼든?" 하고 물었다. 그런 후 곁눈질로 페리한을 보았다.

"또 같은 얘기죠! 몇 달 늦을 거고, 글을 쓰고 있다던데요!"

그는 무시하고 비난하는 투로 동생에 대해 몇 마디 하려다가 페리한의 존재를 떠올리고 입을 다물었다. "일이 이렇게 많은 때에!" 하고 중얼거리는 것으로 만족했다.

잠시 침묵이 흘렀다.

니갼 부인이 갑자기 화를 내며 "그럼 다른 애는? 다른 애는 뭐라고 썼어?" 하고 물었다.

오스만은 처음에는 이해하지 못했다. 그러다 어머니가 레피크와 지야를 같은 선상에 둔 걸 깨닫고 놀라면서도 약간은 즐겁기도 했다. 자신이 즐거워한다는 걸 부끄러워하면서 "그도 똑같은 소리죠!" 하고 말했다.

"우편배달부에게 그 미친 놈, 그 무례한 쓰레기 군인의 편지는 배달하지 말라고 해! 돌려보내라고!"

니갼 부인은 이 말을 어떻게 생각하는지 보려고 오스만과 네르민을 번갈아 쳐다보았다. 그러다가 궁금하다기보다는 후

회한다는 듯 "걔는 왜 안 온대? 아, 레피크, 우리가 뭘 어쨌기에!" 하고 신음하며 얼굴을 찡그렸다.

오스만은 '우시겠는걸!' 하고 생각했다. 제브데트 씨가 돌아가신 후 일 년이 지났고, 이제는 니갼 부인이 이유 없이 눈물을 흘리는 데 모두 익숙해졌다. 하지만 여전히 짜증나는 일이었다. 오스만은 신문을 읽고, 보리수 향기를 들이마시고, 평온하게 차를 마시고 싶었다. 그는 걱정스러운 듯 어머니를 바라보았다.

니갼 부인이 찔끔찔끔 흐느끼기 시작했다. 오스만은 어쩔 수 없이 네르민을 쳐다보았다. 자신이 원하는 평온이 집 안에 없다는 걸 그녀에게 눈길로 말하고 싶었던 것이다. 하지만 네르민은 뭔가를 생각하는 것처럼 머리를 가볍게 뒤로 젖혔다.

"딜다데 부인과 레일라 부인이 오는 길에 아이셰를 봤대."

네르민이 말했다. 손에 무거운 가방이 들려 있는 것처럼 어깨를 아래로 떨어뜨리며 덧붙였다.

"또 그 바이올린 켜는 아이와 함께……."

그런 후 '어머니는 사실 그것 때문에 우는 거야.'라고 말하고 싶은 듯 이해한다는 표정으로 니갼 부인을 쳐다봤다.

"레일라 부인은 아이셰가 많이 컸고 예뻐졌다고 했어. 그런 후 그녀 옆에 바이올린 켜는 아이가 있었다는 말을 한 건 실수라는 듯 행동하는 거야!"

'그러니까 이거구나, 응, 이거였어!' 오스만은 이렇게 생각하며 갑자기 벌떡 일어났다. 자기 말을 안 듣는다는 것, 아이셰가 미친 짓을 한다는 것, 그리고 자기가 원하는 평온이 이 집에 없다는 것에 화가 났다.

"걔 어딨어? 여기로 불러와! 불러오라고!"

"아무도 우리에게 존경을 표하지 않아! 아, 제브데트 씨, 당신이 떠난 후론!"

니갼 부인이 중얼거렸다. 오스만은 어머니를 쳐다보며 절대 독일인을 집에 초대하지 못할 거라고 다시 한 번 생각했다.

"어차피 아기를 보러 가야 해요. 위층에 올라가서 아이셰에게 전할게요!"

페리한이 자리에서 일어나며 말했다. 그녀는 울먹이는 듯했다. 곧 불어닥칠 폭풍의 시간에 여기 있을 생각이 없는 것 같았다.

오스만은 폭풍이 몰아칠 것을 알고 있었다. 네르민에게 레일라가 한 말을 다시 한 번 해 보라고 했다. 네르민은 니갼 부인이 아까 위층으로 올라가서 아이셰에게 고함을 쳤다고 했다. '그러니까 그것 때문에 우신 거군!' 그는 화가 치밀어 정원을 서성대기 시작했다. 어머니가 같은 말을 한 번 더 하자 '게다가 어머니는 아이셰를 레일라의 통통한 아들에게 시집보낼 생각을 하고 있어!' 하고 생각했다. '바이올린을 켜는 아이와……. 남부끄러운 줄도 모르고……. 게다가 내가 처음 봤을 땐 주지사 저택까지 왔지!' 정신을 가다듬기 위해 집에서는 저녁 식사 후에 담배를 피운다는 규칙을 깨고 티르야키 담배를 피우기 시작했다. 잠시 후 분노가 한 지점으로 모이는 것 같았다. 폭풍이 몰아친 후에 좋은 결론을 이끌어내려면 지금 빨리 결정을 내려야 한다고 생각했다. '올여름에 꼭 유럽으로 보내야겠어! 스위스에 사는 타지세르 부인에게 보내야 해.' 갑자기 이런 결론을 내렸다. 레일라의 통통한 아들도 그리로 갈 거라는 걸 떠올렸다. '하지만 싫다고 하면 어쩌지?' 이런 생각을 하자 화가 머리끝까지 치밀었다. 작은 보폭으로 정원을 이리저리 서성거렸다. '이 집에서 평온히 지내고 싶어. 하지만 이런 것 때문에…….' 그는 레피크를 떠올렸고 점점 더 화가 났다. 지야의 편지도 생각났다. '걔가 거부하면 내가 어떻게 할지 두고 봐! 집안 꼴이 이게 뭐야! 저 꽃 좀 봐, 저것들마저 시들었군!' 조금 전 봄 냄새를 맡으며 바라보던 녹음 대신 노랗게 썩어 죽은 풀이 보였다. '정원사 하나도 다루지 못하다니…….' 그는 제브데트 씨가 죽기 직전에 키우기 시작했던 이상한 이름의 꽃들을 바라보았다. 니갼 부인이 손수 물을 주곤 했다. 그는 부당한 일을 당한 느낌이었다. 아버지는 최소한 이 집에선 당신이 원했던 질서와 편안함을 찾았다. 그는 정부를 떠올리며 부당하다는 느낌에 균형을 잡으려 했다. '이러니까 다른 데서 평온을 찾는 거야.' 네르민의 크고 자만심 가득한 입과는 전혀 닮지 않은 케리만의 작고 사랑스러운 입과 턱이 떠오르자 기분이 좋아지는 듯했다. 잠시 후 아이셰가 나타났다. 얼굴을 찡그린 채 걸어왔지만 눈은 젖어 있지 않았다. 그는 여동생이 못생겼다고 생각하며 "아, 바보! 멍청이, 그렇게 빨리 속아 넘어가다니……." 하고 중얼거리며 그녀에게 걸어갔다. 골풀 의자에서 몇 걸음 떨어진 곳에서 여동생의 얼굴을 바라보았다. 그의 생각과 달리 그녀의 눈에는 눈물이나 두려움이 아니라, 은근한 도전의 빛이 감돌았다.

"어디 있었어?"

그는 첫 마디가 이렇게 차갑고 무심하게 흘러나온 것에 놀랐다.

"내 방에!"

아이셰의 얼굴에 도전의 빛이 역력해졌다.

"책 읽고 있었어!"

"교과서야? 아니지, 물론 아니지? 읽어, 하지만 읽기만 한다고 다 되니?"

그는 자기 목소리를 들으면서 점점 더 화가 났다.

아이셰는 이런 말이 어디로 도달할지 안다는 듯이 오빠를 바라보며 아무 말도 하지 않고 기다렸다. 이런 자신감이나 도전은 그녀에게 익숙한 것이 아니었다.

"길게 말하지 않겠어!"

그는 얼굴을 찡그리며 말을 이어 갔다.

"네가 또 바이올린 켜는 아이와 함께 있는 걸 봤다는 말을 들었다! 딜다데 부인과 레일라 부인이 봤다고 하더라!"

그는 네르민과 니갼 부인을 보면서 덧붙이고 골풀 의자에 앉으면서 물었다.

"할 말 있어?"

아이셰는 고개를 저었다. 그런 후 여기 나온 건 이런 행동을 하기 위해 왔고, 이제는 들어가겠다는 듯 안달하며 몸을 꼬았다.

"어딜 가려고? 여기 앉아, 앉아서 내 말 들어! 이 문제에 대해 두 번이나 경고했어. 첫 번째는 우연이라고 생각해서 좋은 말로 했고, 두 번째는 진지하게 경고했어……. 그런데 지금 보니 내 말을 한 귀로 듣고 한 귀로 흘려버렸군그래…….”

그는 한 귀로 흘렸다는 말을 하면서 자기 귓불을 손가락으로 잡았다. 이렇게 하는 자신이 우습다는 생각과 부당하다는 생각이 끓어올라 화를 내며 말했다.

“길게 말하지 않겠어. 첫째, 올여름에 스위스로, 타지세르 부인에게로 가. 당장 편지를 쓸 거야. 여름을 거기서 보내……. 둘째, 이제 그 남자한테 피아노 레슨 받지 마.”

그는 자기 말이 아이셰에게 어떤 영향을 미치는지 그녀의 얼굴을 확인하며 덧붙였다.

“이제 널 데리러 누군가 학교로 갈 거야. 누리가 갈 수도 있고……. 그 아무짝에도 쓸모없는 정원사가 갈 수도 있어. 할 말 있니?”

“이젠 피아노 레슨은 받고 싶지도 않아!”

얼굴에 드리웠던 도전의 빛을 마지막으로 한 번 더 반짝이며 아이셰가 중얼거렸다. 그러나 곧 패배와 절망의 빛이 자리 잡았다.

“아냐, 이제 그 남자한테서는 피아노 레슨을 받지 말라는 거야! 올해는 레슨 받지 마. 내년에 받아, 내년에……. 내 말 듣는 거야? 내 말을 들을 땐 내 눈을 쳐다봐. 그래, 그렇게! 그리고 다리는 흔들지 마, 신경 쓰이니까. 잊지 말아야 할 게 있어. 아버지가 돌아가셨어. 이제 난 네 오빠라기보다는 아버지야.”

그는 희미한 승리감에 싸여 먼저 니갼 부인을, 그다음에는 네르민을 쳐다봤다.

니갼 부인도 네르민도 ‘그래, 그래야지!’ 하는 것처럼 아이셰를 바라보며 고개를 끄덕였다. 오스만은 차를 마시기 전에, 신문을 읽기 전에, 마지막으로 해야 할 말이 뭔지 생각했다.

"다시는 바이올린을 들고 다니는 애하고 같이 있는 걸 보고 싶지 않다는 말은 할 필요 없겠지?"

그런 뒤, 대답을 기다리는 눈길로 "있어?"라고 다시 물었다. 그는 갑자기 이렇게 물었다.

"그 애 아버지는 뭐 하는 사람이야?"

"교사!"

아이셰가 중얼거리듯 대답했다.

"교사라고! 교사의 아들……."

그는 화가 나서 자리에서 일어났다.

"널 속인 거야! 분명해! 네가 좋은 집 딸이라는 걸 알고는 널 속여서, 아버지의 유산에서 떨어지는 걸 공짜로 먹으며 평생 편하게 지내려는 거지……. 물론 너한테 빚을 갚는다며 바이올린이나 끽끽 켜 주겠지……."

그는 허리를 앞으로 구부리고 팔로 바이올린 켜는 시늉을 했다. 하지만 이 행동이 우습다기보다, 기대했던 대로 무시하는 행동이 된 것 같아 기뻤다.

"좋은 애야!"

아이셰는 이렇게 말하더니 울기 시작했다.

"좋은 애라고! 네가 좋은 애라고 하는 그 녀석은 교활한 여우야. 널 속였어……. 그 애 의도가 뭔지 모르겠어? 그렇게도 눈치가 없니? 좋은 애? 그 좋은 애가 네 모든 것을 다 가질 거야! 그런 다음엔 바이올린이나 끽끽 켜 주겠지. 돈을 어떻게 버는지는 아니?"

그는 갑자기 역겨움이 치밀어 오르는 걸 느꼈다. 손에 한참 동안 비누칠을 해서 충분한 물로 씻고 싶었다. 그는 점점 더 화가 났다.

"울지 마, 울지 마, 울어 봐야 아무것도 못 얻을 테니까! 우느니 정신이나 똑바로 차려! 이런 비용이 얼마나 드는지, 한 집, 한 회사가 어떻게 세워졌는지 좀 봐……. 아버지가 장작 파는 일로 사업을 시작했다는 거 잊지 마! 좋아, 좋아, 울고 싶으면 우는데, 여기선 안 돼. 방으로 올라가서 울어!"

그는 부엌 쪽으로 걸어가는 동생의 뒷모습을 바라봤다. "이 모든 것, 가족, 회사, 모든 것을." 그는 중얼거렸다. 골풀 탁자에 놓여 있는 차가 식어 있었다. 마음을 진정시키려고 의자에 앉았다. 어머니와 아내를 쳐다보았다. 그런 후 마음속으로 느껴지는 부당함과 불안감을 진정시키려고 하타이 사건에 관한 신문 기사에 정신을 집중했다. 하지만 정신을 가다듬을 수 없었다. 신문을 가슴에 올려놓고, 머리를 골풀 의자에 살짝 기댔다. 정원에 있는 큰 밤나무와 보리수나무를 멍하니 바라보았다.

33
마음의 소리

6월 4일 토요일이었다. 식사를 하고 자리에 누워 베개에 머리를 묻었지만 잠을 이룰 수 없었다. 오전을 건축 엔지니어 사무실에서 보낸 피로를 씻고, 르자 누르의 『터키사』를 읽고 싶었다. 하지만 잠이 오지 않았다. 땀을 흘리며 베개에 닿은 머리와 귀 뒤에서 맥박 뛰는 소리를 들었다. 마히르 알타일르가 "조금이라도 마음의 소리에 귀를 기울여요!"라고 한 게 열흘 전이었다. 무히틴은 마음의 소리를 듣고, 책과 잡지를 읽고 흥분하고 싶었다. 흥분된 마음으로 이성의 불꽃을 끄고 싶었다. 그는 터키주의자가 되기로 했다. 청년이 의사가 되겠다고, 아이가 소방관이 되겠다고 결심하듯, 그는 터키주의자가 되기로 마음먹었다. 하지만 그 결정이 특별하기 때문에 그들과는 다르다고 생각했다. 더워서 이마에서 땀이 흘러내렸고, 베개가 땀으로 푹 젖었지만, 다시 머리를 갖다 대며 '내가 뭘 하는 거지? 내가 옳은 일을 한 건가?'라고 생각했고, 두려워졌다. 잠시 후엔 겁쟁이 같은 태도가 부끄러워졌다. 힘없고 의지가 약한 사람들에게만 해당되는 이런 생각이 자기에게 떠오른 건 그저 졸리기 때문이라고 결론 내렸다. 잠을 잘 수 없을 거라는 걸 알았다. 침대에서 일어나 욕실로 가서 얼굴을 씻고, 안경을 끼고, 책상에 앉았다. 왜 잠을 못 이루는지 생각하기 시작했다.

그는 자신의 생각이 두려워 잠을 이루지 못했던 것이다. 마음속에서 폭풍이 일었기 때문이다. 그 폭풍은 무히틴에게 전혀 익숙하지 않은 질문을 하게 만들었다. '네가 옳은 일을 한 거야?' 지금까지는 자신에게 이런 질문을 한 적이 없었다. 마음의 소리를 듣지 않았기 때문이다. 그는 항상 생각하며 행동했고, 항상 이성으로 꼼꼼하게 주위를 살피며 결정을 내렸다. 책상 위에 놓여 있는 신문과 잡지와 책을 보면서 "이젠 나 자신을 흥분된 마음에 맡길 거야. 한 번도 듣지 못했던 것이 들리지만 익숙해질 거야!"라고 중얼거렸다. 잠시 후엔 책상에도 앉아 있지 못할 거라는 걸 알았다. 그는 방 안을 서성거리기 시작했다.

다른 사람들에게 일어나는 일이 자신에게도 일어났다. 암에 걸렸거나 누군가를 살해하고 나서 그런 일에 익숙해져야 하는 것처럼 불안했다. 불안감의 원인을 알았고, 마음의 소리를 듣는 데 익숙하지 않아서 그렇다는 것도 알았지만, 이런 답답함에서 어떻게 벗어나야 할지는 몰랐다.

'그러니까 머리끝부터 발끝까지 변해야 하는 거군!' 자신의 옛 모습이 떠올랐다. 이 방, 이 책상에 앉아 시를 쓰려고 안간힘을 썼으며, 고뇌에 빠졌고, 결국엔 답답해서 거리로 뛰쳐나가 유희거리를 찾곤 했다. 모든 것을, 모든 사람을 혐오하던 과거의 불행했던 모습이 그리워질 것 같았다. '그때는 모든 것이 내 이성 앞에 아주 명확하게 존재했고, 나는 그저 생각만 하면 됐어! 하지만 생각 말고 달리 한 건 없었지! 그렇다면 지금은 뭘 하는 거지? 지금은 다른 사람이 되고 있어!' 그는 의구심이 들어 방 한가운데에 섰다. '정말로 다른 사람이 되는 걸까, 아니면 모험에 뛰어든 걸까?'

'모험!' 신나는 단어였다. 사무실과 술집에서, 그리고 잠을 자면서 보냈던, 젊은 나이에 이미 곰팡이가 슨 그의 삶을 반짝이게 하는 단어였다. 술집에서 마히르 알타일르와 우연히 만난 지 사흘이 지나 외튀켄 잡지사로 그를 찾아갔다. 마히르 알타일르는 기쁘게 맞아 주었고, 그를 존경 어린 시선으로 바라보는 사람들에게 무히틴을 소개해 주었으며, 그런 후 하타이 사건에 대한 이야기를 시작했다. 무히틴은 터키주의자가 되겠다고 결심해서가 아니라, 호기심과 그즈음 머리를 혼란스럽게 하던 일에서 벗어나기 위해 잡지사로 찾아간 것이었다. 그 사람들을 만나자마자 자신을 보호하고, 절도 있게 행동하고, 말을 조심해야 한다는 걸 알았다. 사람들을 관찰하고, 그들이 누구인지 파악하고, 그들의 영혼을 손안에 넣는 것 같은, 자신들이 잘 아는 게임을 하거나 이 게임에서 기꺼이 활약할 자원자들이 그곳에 모여 있다는 걸 감지했기 때문이다. 그들은 하타이 사건에 대해 얘기하고 있었다. 하지만 무히틴은 그들이 다른 일에 대해서도 언급하면서, 자기들의 재능과 두뇌와 영리함을 보여 주면서 다른 싸움을 할 준비를 하고 있다고 생각했다. 그는 '싸움'이라는 단어가 떠오르자 미소를 지었다. '나는 여느 때와 다름없이 무히틴이야! 노닥거릴 곳을 찾았을 뿐이야!' 하지만 잠시 후 책상 위에 놓인 잡지들을 보고는 이런 생각을 한 게 부끄러워졌다. 마히르 알타일르는 "하타이에서 우리 동포들이 죽임을 당하고 있어요. 그런데 당신들은 여기서 무슨 생각을 하는 거요!"라고 했다. '난 나쁜 사람이야. 추악하고 자만심만 가득한 모습에서 벗어나, 내 마음을 흥분으로 넘치게 해야 돼!' 무히틴은 이렇게 생각하며 다시 책상으로 가 앉았다.

마음을 흥분시켜야 했다. 마음을 흥분으로 가득 차게 만들어 작지만 음흉하고 비열한 이성의 불길을 꺼뜨려야만, 공동체 속에 녹아들고 죄악에서 정화될 것이다. 오랜 세월 동안 자신이 죄악 속에서 헤엄쳤다는 생각이 들어 스스로에게 화를 낸 적도 있지만, 아주 드문 일이었다. 자신의 과거를 생각하면 더 많은 혐오감이 일었다. 이제는 그 혐오감의 목표를 돌리려 했다. 하타이에서 우리 동포를 죽이는 프랑스인들, 우리를 등 뒤에서 찌른 아랍인들……. 아냐, 아냐, 유대인과 프리메이슨에게 더 화가 났다. 공과대학에 다닐 때 유대인이 한 명 있었다. 첫눈에는 좋은 사람이라고 생각할 수 있었다. 시험 볼 때 친구들이 커닝을 하게 해 주기도 하고, 게으른 친구들이 자기 숙제를 베끼도록 보여 주었다. 하지만 이제 무히틴은 그의 이런 행동이 위선이라는 걸 알게 되었다. 그런 후 프리메이슨을 떠올렸다. 프리메이슨 단체는 재산이 복지관에 기부되면서 폐쇄되었다. 하지만 그렇다고 모든 프리메이슨이 더 이상 활동하지 않는 것은 아니었다. 프리메이슨이라고 하면 레피크의 형 오스만이 떠올랐다. 그는 분명 프리메이슨일 것이다. 그에게는 프리메이슨 같은 분위기가 있었다. 자만심에 차 있고, 좋은 사업가이고, 속물에 가까울 정도로 정중하고, 손은 깨끗하고 잘 다듬어져 있었으며, 말투에선 비누 냄새가 나는 것 같았다. 그리고 알바니아인과 체르케스인이 있는데, 이들은 마히르 알타일르의 말처럼 정부 안에 침투해 있기 때문에 위험했다. 다음에는 쿠르드인이 있다. 그리고 물론 공산주의자도 있다.

그는 온 힘을 다해 턱을 벌리고 하품을 했다. 그런 후 기지개를 켜면서 한 번 더 하품을 하고 '내가 미치고 있나 봐!'라고 생각했다. '나한테 무슨 일이 일어나는 거지? 어떤 사람이 되어 가는 걸까? 나는 터키주의자가 되고 있어. 아직 완벽하게 된 건 아니지만 그렇게 될 거야. 어떻게 이렇게 된 거지?' 그러자 마히르 알타일르와 만났던 밤이 떠올랐다. 그날 밤 터키주의자 선생이 술집에서 나간 후 무히틴은 한 잔 더 마셨고, 사창가로 가지 않고 곧장 집으로 돌아왔다. '그래, 모든 게 바로 그것 때문이야! 사창가에 갔더라면 그 선생이 한 말의 마력이 사라졌을 것이고, 가치 없게 보였을 거야. 그랬으면 잡지사에도 가지 않았을 것이고, 예전처럼 살았을 거야. 그럼 난 왜 사창가에 안 갔을까? 그래, 너무 많이 마셨기 때문이야.' 그는 자신이 추측해서 도달한 결과에 놀라면서도 논리적이지 않다고 생각했다. 잠시 후 '맞는 것은 한 가지뿐이야. 난 이제 예전처럼은 되지 못할 거야!' 하고 생각했다. 그리고 지난가을에 레피크가 이런 말을 했던 게 떠올랐다. '그는 지금 뭘 하고 있을까? 농촌 개발이라고 편지에 썼던데 말이야! 그게 나하고 무슨 상관이야! 농촌 개발에 힘쓰느니 터키주의에 관심을 가지면 얼마나 좋아! 그는 관심 없을 거야. 어차피 그는 터키인 같지도 않아. 그도 속물이야. 그의 형은 완전히 프리메이슨 같고!' 자신의 분노가 향하는 방향을 보고 무히틴은 놀라서 머리를 들었다. 맞은편에서, 책장에서 아버지의 사진을 보았다. 아버지에 대한 생각도 바뀌었다는 걸 알게 되었다. 이젠 아버지가 삶을 허비하고 아무것도 이해하지 못한 불쌍한 사람이 아니라, 영웅에다 신념 있는 전사로 보였고, 그가 독립 전쟁에 참전하지 않은 걸 자신이 비난하고 있다는 걸 깨달았다. 정말로 이렇게 생각하는 걸까, 이렇게 생각하고 싶은 걸까. 정확히 알 수 없었다. "둘 다 같은 뜻 아냐? 결국 난 익숙해질 거야." 그는 이렇게 중얼거리며 흥분했다. 익숙해질 것이다. 마음의 소리를 듣고, 공동체 속으로 들어가 섞이고, 곰팡이 낀 의식을 지우고, 그 자리에 흥분하는 마음을 넣는 데에 익숙해질 것이다. 그는 흥분하며 의자에서 일어났다. 그리고 다시 방 안을 서성거리기 시작했다.

방 안을 서성거리며, 훌륭한 터키주의자가 되면 자신에게 무슨 일이 일어날지 생각해 보려 했다. '이 불행에서 벗어날 수 있을 거야. 서른 살에 자살하겠다는 둥 터무니없는 강박엔 휩싸이지 않을 거야. 규칙적이고 신념 있는 삶을 살 거야! 사람들은 나를 존경하겠지!' 그는 갑자기 "존경하겠지!" 하고 큰 소리로 말했다. 눈앞에 외튀켄 잡지사가 떠올랐다. 그곳에 청년 몇이 있었다. 그들은 마히르 알타일르를 존경 어린 시선으로 바라보았다. 자기 또래 남자도 한 명 있는데 그는 무히틴을 의심스럽게, 그렇다, 약간은 무시하는 시선으로 훑어보았다. '왜 이렇게 늦게 터키주의자가 되었어, 그동안 어디 있었던 거야?'라고 말하는 듯한 시선이었다. 베쉭타시의 술집에서 만났던 사관생도들이 떠올랐다. 아직은 그들에게 자신의 신념에 대해 말하지 않았다. '나 자신이 먼저 준비를 해야지!' 스스로 준비를 잘해서 조심해야 한다고 결론 내렸다. 하타이 사건에 대한 논쟁을 떠올렸다. 마히르 알타일르와 한 청년은 평화적인 해결을 반대했고, 다른 둘은 터키가 참여한다는 결론이 나오면 평화적인 해결에 반대하는 건 잘못일 수도 있다고 했다. "이 문제에 대해 난 어떻게 생각하지?" 무히틴은 중얼거렸다. 잡지사에서는 아무 말도 하지 않았다. 한두 마디 할 기회도 있었지만, 두루뭉술하게 차례를 넘겼다. '지금 나의 생각은, 마히르 알타일르가 옳고, 그의 생각이 더 많은 동조를 얻을 것이고, 청년들을 흥분하게 할 거라는 거야. 말 한마디가 사람들을 흥분하게 만드는 건 옳은가 아닌가보다 중요할지 몰라.' 그는 방을 서성이며 곁눈질로 책상 위에 있는 신문을 보았다. 칼럼 여덟 편에 해당되는 지면을 차지하는 기사가 있었다. "하타이에 계엄령 선포!" 총리도 어제 이 문제에 대해 국회에서 설명했다. 그는 일어난 일에 대해 자세히 생각해 보았다. 하지만 하타이가 독립국가이며, 선거가 있었고, 선거 명단을 등록할 때 여러 단체가 충돌했다는 것 말고는 아는 게 없었다. 이 문제와 터키주의 문제에 대해 아무것도 모른다는 게 부끄러져서 다시 책상 앞에 앉았다.

책상 위에는 르자 누르의 『터키사』, 지야 괴칼프의 책들, 논평들, 잡지들, 최근 한 달간의 신문이 놓여 있었다. 지난 잡지를 꼼꼼히 읽고 싶었고, 터키주의자들 사이에서 그리고 적들과 오갔던 논쟁을 잘 알고 싶었다. 그리고 터키 역사를 주의 깊게 읽어 보기로 했다. 르자 누르의 책을 넘기면서 저자를 생각했다. 그가 단순하고 원초적이며 얄팍하다고 생각했다. 어쩌면 자기가 이것보다 나은 역사 책을 쓸 수 있을 것 같았다. 그는 자신이 잡지사에서 만난 사람들보다 영리하다는 결론을 내렸다. 하지만 이런 생각을 부끄럽게 여겨야 한다고 생각했다. 술집에서 마히르 알타일르에게 "나는 민족주의가 옳다고 생각하지 않습니다!"라고 했던 게 기억나 부끄러웠다. 자신의 예전 모습에 화가 나서 자기도 모르게 다시 자리에서 일어났다. 그는 흥분하며 "하지만 난 내 예전 모습이 불만족스럽다고 그에게 말했어!"라고 중얼거렸다. 잊고 싶었던 불행했던 날들의 기억이 마음속에서 되살아났다. 외메르가 약혼하던 날, 술을 많이 마시던 시절, 베이올루의 술집들과 레피크의 집에서 느꼈던 혐오감과 외로움……. "하지만 이런 생각에서 벗어나야만 해!" 그는 혼잣말을 하며 책상에 앉았다. '이런 생각에서 벗어나고, 혼란한 이성에서 벗어나고, 나 자신을 마음의 소리와 흥분 속으로 내려놓아야 해!' 그는 르자 누르의 『터키사』를 펼치고 집중해 읽기 시작했다.

34
잔치

"아, 어서 오세요, 헤르!"

케림 씨가 말했다. 혀끝까지 나오는 이름을 말하기가 귀찮은 듯 잠시 입을 다물었다.

"헤르 루돌프……. 어서 오세요. 그쪽 말고 여기 앉으시죠……."

그들은 식탁에 앉았다. 케림 씨는 외메르도 보았다.

"아, 우리 젊은 건설업자도 있군요……. 어서 와요……."

그는 외메르의 손을 잡고 옆에 서 있는 키가 작고 아몬드 모양으로 콧수염을 기른 남자에게 이끌었다.

"이 젊은이는 우리 마니사 국회의원 친구인 무흐타르 씨 딸의 약혼자라네……."

"아, 나즐르 아가씨? 아주 귀엽고 아주 예의 바른 우리의 딸이죠, 축하합니다!"

외메르는 미소를 지어 보였다. 아몬드 콧수염을 기른 남자도 '이제 자네는 일이 일사천리로 잘 풀리겠군!' 하는 듯한 미소를 지어 보였다. 그는 아마시야 국회의원이자 동부 지역 한 주의 정당 감사관이었다. 케림 씨가 매년 베푸는 이 저녁 식사에 친구들과 건설업자들과 엔지니어들을 초대할 때, 동부 여행에서 돌아온 정당 감사관 이흐산 씨도 올 거라는 소식이 퍼졌다.

"이 사람도 젊은 엔지니어예요."

케림 씨가 이렇게 말하며 레피크를 정당 감사관에게 소개했다. 그런 후 외메르와 레피크를 보며 시작했던 문장을 다른 엔지니어에게 미소를 지으며 끝마쳤다. 그는 이흐산 씨의 팔을 잡고 식탁 반대편으로, 소개할 사람들이 있는 곳으로 갔다.

삼십 분 동안 배고픈 고양이처럼 식탁 주위를 맴돌던 손님들이 천천히 의자에 앉았다. 금방 불 위에서 꺼내 온 양고기를 기다리고 있었던 것이다. 하얀 옷을 입은 요리사와 하인이 약간 떨어진 앞쪽 나무 밑에서 몸을 숙인 채 고기를 썰고 있었다. 케림 씨의 관사 주위, 발전기가 밝히고 있는 넓은 거실에서 무리를 지어 속삭이던 손님들은 이제 조용히 식탁에 앉아 케림 씨의 말을 경청하고 있었다. 케림 씨는 시와스-삼순 철도 공사와 관련된 추억을 들려주고 있었다. 그가 말을 하면 모두 그의 말에 귀를 기울였고, 가끔씩 그의 말에 동조하는 이흐산 씨나, 케림 씨의 말을 아내에게 통역해 주는 덴마크인 엔지니어의 목소리 말고는 아무 소리도 들리지 않았다.

작게 자른 고기를 식탁으로 내오자 사람들이 한 곳으로 집중했다. 흰 가운을 입은 요리사가 고기를 나눠 줄 때 이흐산 씨가 동부 여행 얘기를 꺼냈다. 작년에 있었던 데르심 작전* 이후 동부 지역은 평온해졌고, 이제는 산적 때문에 공포에 떨지 않으며, 내일은 무슨 일이 일어날까 걱정하는 사람이 없다고 했다. 평온과 질서를 가져온 것은 군대의 힘이 아니라, 공화국의 공공사업과 교육 캠페인이라고 했다. 이흐산 씨는 주로 케림 씨를 보면서 말했지만, 사실은 이 정당 감사관이 식탁에 앉아 있는 모두에게, 특히 지난해에 있었던 작전 때문에 돈을 제때 받지 못한 건설업자들에게 말하고 있다는 건 다들 알고 있었다. 감사관은 이 얘기를 끝내고 엘라즈 다리 공사 기념식에서 있었던 우스운 사건을 들려주었다. 따가운 태양 아래서 진행되던 주지사의 연설이 장황해지던 차에, 당나귀가 울기 시작했다. 멀리 있던 누군가가 "당나귀 입 좀 막아!"라고 했고, 공무원 하나가 웃고 말았다. 이날 저녁 주지사는 웃었던 하급 공무원과 당나귀의 주인을 파출소로 연행해 매질하도록 했다. 정당 감사관은 이 얘기를 마치고는 너그러운 미소를 지어 보였다. 식탁에 모인 사람들에게 '삶에는 좋은 일도 있지만, 안타깝게도 나쁘고 안타깝고 우스운 일도 있어요. 나는 이런 얘기를 들려주는 걸 주저하지 않아요!'라고 말하는 듯했다.

이흐산 씨의 말이 끝나자, 나이 든 정부 파견 감사관도 이런 부드러운 분위기에 힘입어 필요스 철도 노선에서 일어난 사

---

* 터키 동부의 툰젤리 군에서 1937년에 정부와 데르심 유목민 사이의 불화로 발생한 사건. 데르심 지역에서 군대가 작전을 개시한 결과 1만 3000명 이상의 주민과 199명의 군인이 사망했으며, 2000명이 강제 이주 했다.

건을 들려주었다. 그도 말을 하면서 가끔 케림 씨를 쳐다봤고, 손님들은 앞에 놓인 대접 속의 차가운 밀주 라크를 마시며 그의 말을 들었다. 바람 한 점 없이 잠잠한 6월의 저녁이었다. 어둠 속으로 퍼져 오는 멀리 노동자 막사의 불빛만이 보였다.

식탁으로 고기와 함께 커다란 쟁반에 담은 밥도 날라져 왔다. 밥을 나눠 주는 데 시간이 걸렸기 때문에 식사가 시작되지 못했고, 손님들은 빈속에 라크를 마셨다. 외메르는 식사보다 먼저 나온 술에 몇몇 사람들이 긴장을 풀었고, 식탁의 질서와 정중한 분위기가 서서히 무너져 가는 걸 눈치챘다. 그도 이런 분위기에 휩쓸려 뭔가 말하고 싶었다. 케림 씨가 사람들을 억누르며 모든 걸 지배하는 듯한 모습에 기죽지 않는다는 걸 보여 주면서 자기 존재를 인식시키기 위해서인지, 그저 쾌활해지고 싶어서인지는 알 수 없었다. 하지만 시간이 지날수록 이런 마음이 강해져 가는 걸 느꼈다. 한동안은 루돌프나 레피크하고만 말을 주고받았지만, 그들과 이런 자리에서 할 수 있는 이야기는 한정돼 있었다. 소곤소곤 말할 수는 없었기 때문이다. 게다가 몇 달 동안 이들하고만 이야기를 했기 때문에 이젠 할 말도 남아 있지 않았다. 필요스 노선에서 경험한 일을 설명한 늙은 정부 파견 감사관이 이야기를 마치고 웃자, 이흐산 씨는 이 이야기에서 무슨 교훈을 얻어야 하는지 말하기 시작했다. 외메르는 어찌되었든지 간에 누군가에게 뭔가를 설명하고 자기 목소리를 내기 위해, 맞은편에 조용히 앉아 있는 중년의 엔지니어에게 지난해 자신이 경험한, 전혀 관심을 끌 만한 일이 아닌 어떤 사건에 대해 말하기 시작했다. 그 엔지니어가 다른 곳을, 케림 씨를 보지 못하도록 그의 눈을 똑바로 쳐다보며 그를 놔주지 않았다. 하지만 이야기가 끝나고 웃어야 할 때가 되었을 때 엔지니어가 미안하다는 듯이 식탁 중앙을 주시하는 걸 보자, 자기가 원하는 쾌활함은 찾을 수 없을 거라는 걸 깨달았다. 식탁에서 일어나고 싶은 생각이 굴뚝같았지만, 편하게 배를 채우고 있는 레피크를 보니 그럴 수 없었다.

레피크는 아무 말도 하지 않고, 식탁에서 오가는 말을 듣고 사람들을 구경하면서 마음껏 먹고 있었다. 오랫동안 만족하지 못했던 몸은 음식으로 채우고, 눈은 여러 사람들의 얼굴로 채우려고 이 자리에 온 것 같았다. 이야기를 들으며 다른 사람들처럼 가식적으로 흥분하고, 가끔 미소를 짓고, 접시에 다시 밥을 담고, 근심도 걱정도 없이 앉아 있었다. 길고 피곤한 일을 성공적으로 끝내고 잔치상 앞으로 달려온 사람처럼 편안하고 평온해 보였다. 하지만 외메르는 그가 밤마다 편히 자지 못한다는 것을, 몇 달 동안 연구해 온 '농촌 개발' 프로젝트 때문에 미래와 인생을 걱정하면서 두려움에 휩싸여 있다는 것을 알고 있었다.

케림 씨와 이흐산 씨는 한 노인의 말을 듣고 있었다. 외메르도 일 때문에 알고 지내는 노인은 엔지니어가 아닌데도 지난해 정부의 공식 감사관으로 채용되었다. 계산에 대해 아무것도 모르는 그가 채용된 건 그의 경험과 병적인 꼼꼼함과 도덕성 때문이라고 했다. 지난해에는 이 직책을 맡지 않아서 이 식사에 초대되지 않았다. 지금은 처음으로 초대된 이런 식사 자리에서 정당 감사관을 만나서 그런지 무척 들떠 있는 것 같았다. 뭔가를 열심히 설명하고 있었고, 부당한 상황을 바로잡으려면 어떤 조치를 취해야 하는지 말하고 있었다. 아마도 이미 생각하고 준비해 온 듯한 문장들이 흥분해서 서로 뒤섞이고, 평생 한 번 올 이런 기회를 잘 활용하지 못하고 있는 자기 자신에게 화를 내는 것도 같았다.

늙은 감사관이 말을 마치자 이흐산 씨는 노인 옆에 있는 청년에게 물었다.

"당신도 엔지니어죠, 그렇죠? 이런 상황에서 어떻게 해야 하나요?"

"이런 상황에선 작업 지시서 작성과 측량을 한 달 전에 시작해야 하고, 이런 불만은 즉시 제대로 해결해야 합니다."

젊은 엔지니어가 대답하자 정당 감사관은 노인에게 급히 물었다.

"들으셨죠?"

그는 당황한 노인이 대답하도록 기다리지 않고 식탁 주위에서 분주하게 움직이는 요리사에게 "밥 좀 더 주시게!" 하고 말했다. 잠시 후 아몬드 모양 콧수염 아래 숨어 있는 작은 입에 라크 잔을 대고 한 모금 마신 후, 곁눈질로 늙은 감사관을 보면서 말했다.

"혁명과 정부를 믿어요. 물론 모든 게 완벽하지는 않죠. 하지만 그렇게 작은 결점을 과장하다간 혁명의 적들 곁으로 가게 될 거요. 잘못하는 걸 두려워하는 사람은 모두 정부와 함께 해야 합니다. 게다가 지금은 하타이 사건이 무엇보다도 중요합니다……."

쾌활한 분위기와 소리가 점점 퍼져 나갔다. 이제 대화는, 식탁 중심부에서 주도하는 것이 아니라, 손님들끼리 나누고 있었다. 가끔 사람들의 목소리를 제압하는 케림 씨의 목소리가 들렸지만 손님들은 계속 대화를 이어 갔다. 식탁 한쪽 끝에 여자 둘이 앉아 있었다. 덴마크인 엔지니어들의 부인들이었다. 그들은 나란히 앉아 자신들 모국어로 말하면서, 조심스럽게 라크를 마시고 웃었다. 식탁 다른 쪽에 있는 남자들은 가끔 이 여자들을 쳐다보며, 라크를 마시고 담배를 피우며 남들의 대화를 들었고, 아무하고도 눈이 마주치지 않는 순간에 다시 여자들을 바라보며 생각에 잠겨 담배를 피워 댔다. 외메르는 그들의 얼굴을 보고 그들이 이 외국 여자들과 자신의 삶과 희망에 관해 생각하고 있다는 걸 깨달았다. 그중 하나가 추한 표정으로 여자들을 바라보는 걸 보고는 나즐르를 떠올렸다. 자신이 나즐르를 떠올렸다는 것에 놀라서, 혼자 화를 내고, 잠시 후에는 그도 그들처럼 많이 마시고, 담배에 새로 불을 붙이며, 끼리끼리 모여 나누는 대화에 귀를 기울였다.

식탁에는 두 종류의 그룹이 있었다. 나이가 좀 들고, 점잖고 신중한 남자들이 모인 첫 번째 그룹은 철도 건설공사로 부자가 된 건설업자들이었다. 성법(姓法)이 발효되던 칠 년 전만 해도 이들은 소규모 하청업자이거나 갓 졸업한 엔지니어, 공무원이었다. 그들은 머리와 진취적인 기질을 활용하여 철도 건설공사로 부자가 되었다. 사오 년 안에 이룩한 예상 밖의 부유함에 스스로도 놀라서 아주 신중하고 조심스럽고 꼼꼼하게 행동했다. 그들은 아무도 불평하지 않고, 아무도 부당한 대우를 받지 않고, 아무도 철도 체제에 불만을 갖지 않기를 바랐다. 누군가 불평을 하고 우는소리를 하면 수중의 재산이 달아나기라도 할 것처럼 당황했다. 그래서 그들은 공화국의 성공, 하타이 사건, 쿠르드족 반란 진압, 우애와 협력이라는 말을 기쁘게 받아들였다. 두 번째 그룹은 정부 파견 감사관, 공무원, 월급쟁이 엔지니어였다. 이들은 첫 번째 그룹이 어떻게 부자가 되었는지 아주 잘 알았기 때문에 이들을 경멸하면서도 대체로 첫 번째 그룹에 어서 끼고 싶어 했다. 이제 아무것도 할 수 없어서 구경만 하는 사람들도 있었다. 하지만 이들도 철도 사업으로 부자가 된 사람들과 마찬가지로, 그들의 재산과 미래가 이흐산 씨 같은 국회의원이나 케림 씨 같은 사람들에게, 정부에 달려 있다는 것을 알고 있었다. 그렇기 때문에 식탁에서 이 눈치 저 눈치 보지 않고, 케림 씨나 이흐산 씨에게 두려움과 존경을 표하며 어려워하지 않고, 솔직한 쾌활함과 흥분을 표현하고, 진심에서 우러나오는 말을 하는 사람은 외국인 엔지니어나 어차피 이 관계망 밖에 있는 술에 취한 젊은 엔지니어들뿐이었다. 헤르 루돌프는 별로 말을 하지 않았고, 레피크는 눈과 몸의 희열을 채우느라 바빴다.

외메르도 레피크처럼 계속 술을 마시면서, 자신의 존재가 유명한 국회의원이자 지주이자 건설업자인 케림 나지 씨의 존재 아래서 억눌리지 않는다는 걸 알리고 싶었다. 그러려면 조금 전처럼 온 힘을 다해 소리를 질러 가며 말을 하든지 아니면 뭔가 튀는 행동을 해야 했다. 먹고 마시며 몸을 힘들게 하든지, 쉬지 않고 뭐든 해야 하는 것이다. 그는 두 번째로 돌마를 담아 오면서 요리사에게 라크를 더 달라고 하며 이렇게 생각했다. 그러다 문득 이 자리에서 일어나 돌아가고 싶은 마음이 들었다. 막 실행에 옮기려다가 자신이 취했다는 걸 깨달았다. 이런 생각과 늘 함께 찾아오는 위안을 떠올렸다. '술은 내 위장을 취하게 할 뿐이야!' 그는 자리에서 일어났다. 그때 헤르 루돌프와 눈이 마주쳤고, 그는 아무 생각 없이 중얼거렸다.

"화장실 갑니다!"

헤르 루돌프는 이해한다는 듯한 미소를 지어 보였다. 옆에 앉아 있던 엔지니어도 웃었다. 외메르는 화장실로 걸어갔다. 작년에도 케림 나지 씨의 관사에서 식사를 했기 때문에 욕실이 어디 있는지 알고 있었다. 그는 들어가 문을 닫았다. 변기 쪽으로 가면서 '토할 것 같아!' 하고 생각했다. 변기 구멍에 대고 몸을 숙여 토했다. 수돗물로 천천히 얼굴을 씻었다. 거울을 쳐다봤다. 얼굴은 창백하지 않았다. 화색이 돌고 건강해 보였다. 화장실에서 나왔다. 식탁에서 사람들 소리가 들려왔지만 가고 싶지 않았다. 옆에 문이 보였다. 그곳을 통해 아무런 미동도 없는 밤 속으로, 조용한 어둠 속으로 나갔다. 땅과 풀 냄새를 들이마시며 심호흡을 했다. 사람들에게서 벗어나 밤의 존재를 느끼는 즐거움을 만끽했다. "나는 달라! 나는 그들 중 하나가 아냐. 나는 그들처럼 되지 않을 거야!" 그는 중얼거렸다. 스스로가 두려워졌다. 담배를 피우며 관사 주위를 걸었다. 한쪽에 서서 부엌의 불빛을 바라보았다.

부엌 창문으로 다가가 안을 들여다보았다. 요리사는 바클라와* 접시 위에 뭔가를 뿌리고 있었다. 그런 후 화가처럼 한 걸음 물러나 작품을 바라보았다. 손에 칼을 들고 다시 접시로 다가가 다듬기 시작했다.

'그래, 난 그들처럼 되지 않을 거야! 저 사람처럼, 그리고 저 막사에 있는 사람들처럼 될 순 없어, 물론이지, 암, 그렇고말고!' 외메르는 이렇게 생각하며 식탁으로 걸어갔다. '주인과 노예들. 케림 나지 씨! 내가 왜 그를 증오하지?' 그는 헤르 루돌프의 말을 떠올리며 '그가 모든 곳을, 사방을 다 차지하고 있기 때문이야!'라고 생각했다. '이게 맞을까? 이게 맞는다면 그에게, 정부에게, 그리고 정부의 끔찍한 노예들에게 대항해서 내가 할 수 있는 건 없어! 하지만 뭐든 하고, 모두 다 깨부수고 싶어! 나는 주인이 되고 싶어, 케림 씨보다 훨씬 더……. 더 영리한 주인!' 그는 다시 노동자들 막사를 바라봤다. '그들은 날 선망하지 않을 거야……. 날 찾아와서 일을 달라고는 하겠지. 어쩌겠어? 돈을 더 많이 벌어야지. 이런 쓸데없는 생각은 그만해야겠군……. 생각, 도덕! 이게 왜 필요하지? 그래, 가서 다시 앉아야겠어. 일 말고 다른 건 생각하지 말자! 그런데 모두들 그를 쳐다보고 있을 때 난 뭘 해야 하지? 그런 건 생각하지 말자!'

그는 식탁에 가서 앉았다. 요리사가 바클라와 접시를 가져왔다. 모두 접시를 쳐다봤다.

---

* 중동, 터키, 그리스에서 즐겨 먹는 마름모꼴 모양의 후식.

35
항상 똑같은 지루한 논쟁

과일과 바클라와를 먹고 나자, 케림 씨는 날씨가 선선해졌다고 하며 손님들을 관사 안으로 데려갔다. 커피는 거기서 마셨다. 케림 씨는 벽에 걸려 있는 친척들 사진과 장총, 아흐메트 무흐타르 파샤의 조부가 선물한 벨트에 관한 이야기를 들려주었다. 그러다 이런 데도 점점 신경 쓰지 않고 몇 번 하품을 하자, 손님들도 이제 돌아갈 시간이라는 걸 깨달았다.

케림 씨는 문 앞에서 서서 손님들과 일일이 작별 인사를 했다. 옆에는 정당 감사관 이흐산 씨가 서 있었다. 외메르에게는 이번에도 '이제 자네는 모든 게 일사천리로 풀리겠군!'이라고 하는 듯한 시선을 던지며 고개를 끄덕였다. 외메르를 볼 때마다 그렇게 느끼는 모양이었다. 케림 씨는 누구나에게나처럼 외메르를 보고도 습관적으로 웃어 보였다. 헤르 루돌프에게는 곧 나올 특별 후식을 기다릴 때처럼 쾌활하게 말했다. 모두에게 건네던 말을 그에게도 하더니 갑자기 외메르를 보고 물었다.

"결혼식은 언젠가?"

"9월 이후입니다!"

외메르는 이렇게 대답하고 케림 씨의 얼굴을 가까이에서 바라봤다. 이마가 좁았고, 눈썹이 두꺼웠고, 커다란 두 눈 사이가 가까웠다.

"9월까지 다리와 터널이 끝나겠는가?"

커다란 눈을 반쯤 덮은 눈꺼풀이 천천히 움직였다. '마친다고 하든 못 마친다고 하든 난 상관없어! 나에게, 나의 세계에, 너의 말이 무슨 가치가 있겠어!'라고 하는 것 같았다.

"끝나게 해야죠, 꼭!"

"꼭 그래 주길 바라네!"

케림 씨는 레피크와 급히 악수를 마치고 그들 뒤에 서 있는 늙은 건설업자 쪽으로 향했다.

외메르와 레피크, 헤르 루돌프는 관사에서 나온 후 한동안 아무 말 없이 걸었다. 잠시 후 레피크가 기지개를 켜며 하품을 했다.

"대단한 저녁이었어!"

아무도 대답을 하지 않자 그는 의아하다는 듯 덧붙였다.

"정말 즐거웠잖아, 그렇지?"

그러자 외메르가 말했다.

"즐거웠습니까, 헤르 루돌프?"

"즐겁지 않았어요, 배는 부르지만!"

독일 엔지니어는 이렇게 대답한 후 신경질적으로 폭소를 터뜨렸다.

"신께서 모두에게 저주를 내리시길!"

외메르가 이렇게 고함을 질렀다. 멀리 떨어진 케림 씨의 관사까지 들리길 바라는 듯 다시 한 번 큰 소리로 외쳤다. 그런 다음엔 "빌어먹을, 난 취했어!"라고 했다. 그는 이 말에 억지스럽거나 무례하게 행동하고 싶은 자신의 마음이 드러났으리라 생각했다.

"저놈들을 보면 무례하게 굴고 싶어진다니까!"

"아, 나는 우리가 그럭저럭 즐겼다고 생각했는데!"

레피크가 외메르를 쳐다보며 말했다.

"뭐가 있었다고, 즐길 만한 게 뭐가 있었는데?"

외메르는 소리쳤다. 그러고는 자신이 다시 무례하게 굴고 싶은 마음이 발동했는지 한번 생각해 봤다.

"음식은 좋았어. 그리고 색다른 사람들도 만났고."

레피크가 말했다. 마치 오늘 저녁에 즐긴 걸 되새겨 보는 양, 순진하게 생각에 잠겼다.

"그러니까 그냥 색다른 거 말이야!"

"색다른 거라고!"

외메르가 고함을 질렀다.

"우리 삶과 일이, 우리의 생명줄이 색다른 거라네요, 헤르 루돌프, 당신은 색다른 것에 대해 어떻게 생각해요?"

독일인은 논쟁을, 지긋지긋한 말싸움을 다시 시작하고 싶지 않다는 듯 손사래를 쳤다.

"그러니까 색다른 거란 말이지! 여기 온 것도 그것 때문인 모양이네. 색다른 걸 보려고 동물원에 가는 것처럼 우리를……."

외메르는 다시 고함을 지르다가 입을 다물었다. 레피크의 표정을 봤기 때문이다.

"그래, 난 짐승 같은 놈이야, 레피크!"

그는 이렇게 말하면서 친구의 팔짱을 꼈다. 한동안 정적이 흘렀다. 외메르는 레피크의 팔을 꽉 끼고는 자신이 취했나 생각했다. 결국 취하지 않고 흥분했을 뿐이지만, 취한 것처럼 구는 게 재미있다고 결론 내리고 레피크에게서 팔을 뺐다. 어둠 속에서 잘 보이지 않는 흙더미를 뛰어넘었다. 그런 후 마니*를 읊기 시작했다. "나는 초록색 등불이다. 깜박거린다. 나는 약혼하지 않았다. 아무에게나 갈 수 있다." 왜 이게 떠올랐을까? 기억이 났다. 할머니가 읊던 시였다. 예닐곱 살쯤에 지루해하며 들었던 기억이 났다. '멋지지만 허튼소리야!' 할머니와 아버지, 이모 그리고 다른 사람들이 떠올랐다. "이런 쓸데없는 걸 생각하고 읊을 권리가 있는 것처럼 행동하고 있어. 취한 척하고 있어, 멀쩡하기만 한데!" 그는 이렇게 중얼거리고 입을 다물었다.

그들은 한동안 아무 말도 하지 않고 걸었다. 가끔 개 짖는 소리, 귀뚜라미 소리, 카라수 강의 물소리가 들렸다. 헤르 루돌프는 숙소를 보며 "이제 나한테는 미국밖에 없어!"라고 했

---

* 터키 민중문학을 대표하는 4행시.

다. 혼잣말을 하는 것 같았다. "미국밖에 없어!" 그러다 갑자기 레피크에게 말했다.

"그런데 당신을 뭘 할 거요? 어떻게 해 나갈 거요? 이 어둠 속에서?"

그는 하늘과 땅을 손가락으로 가리켰다.

"모든 밤은 아침을 품고 있어요, 친구! 우리 걱정은 하지 마요!"

외메르가 조롱하듯이 웃기 시작했다. 레피크도 거들었다.

"난 그렇게 불행하지 않은걸요!"

"그렇다면 들어와요, 커피를 대접할 테니 얘기나 나누죠!"

헤르 루돌프가 말했다.

이 주제에 대해서는 무수히 많은 얘기를 나누었고, 그때마다 아침까지 아무 결론도 내리지 못했기 때문에 외메르는 들어가고 싶지 않았다. 하지만 얘기를 나누고 싶어 하는 독일인이 안쓰러워서 자신은 논쟁에 끼지 말아야겠다고 생각하며 잠시 들어가겠다고 대답했다. 그들은 안으로 들어갔다. 헤르 루돌프는 아침까지 안 잘 거라고 하면서 발전기를 작동시켜 커피를 끓였다. 그는 늘 앉던 의자에 앉으면서, 외메르가 이번에도 조롱하고 비꼬는 말로 논쟁을 끊으려 할지 궁금한 듯 그를 쳐다봤다. 그런 후 레피크에게 사과하듯 말했다.

"당신에게 새로운 얘기는 하지 않겠소. 똑같은 얘기를 하죠. 당신도 똑같은 대답을 하겠죠. 하지만 그래도 말하겠소. 헤르 파티흐를 지루하게 만들겠지만……. 그래요, 내가 보기에 이곳은, 그러니까 동부는 어둠과 노예의 땅이오. 이게 무슨 뜻인지 설명한 적이 있소. 여기선 사람들이 자유롭지 않고, 형이상학적으로 표현한다면, 정신이 포로로 잡혀 있다고 말하고 싶소. 이런 말도 전에 한 적이 있으니 여기에 대해선 반박할 말이 없는 걸로…….”

“예, 없어요. 하지만 난 당신이 말하려는 걸 다르게 표현한 적이 있어요. 그 정신이라는 것에 중점을 두지 않고! 터키에도 최소한 자유에 대한 법적인 기초는 있다는 점을 환기하면서, 또…….”

외메르는 그들의 말을 듣고 있을 수 없어서 자리에서 일어났다. 방 안을 서성거렸다. ‘저들은 어린애야! 우습지, 교과서에나 나오는 지루한 논쟁만 하고 있어. 새로운 얘기라면 또 몰라!’ 이렇게 생각하며 하품을 했다. 헤르 루돌프의 체스 잡지를 책장에서 꺼내 펼쳤다. ‘두 번 움직여서 흰색을 잡는 수가 있다고! 말에는 손도 대지 않고! 어떻게?’

레피크가 계속 얘기를 하고, 헤르 루돌프는 대화가 이어지도록 대답해 주고 있었다. ‘사람은 목표가 있어야 해, 살아가야 해. 나의 목표는 파티흐가 되는 거야!’ 잡지만 보고서는 체스 문제를 풀 수 없다는 걸 깨닫고, 체스판과 말을 꺼내 정렬한 뒤 고민하기 시작했다. 한참 후, 자신이 체스에 몰두해 있는 걸 보고 레피크와 독일인이 안심하는 것 같았다. 그들끼리 얘기하도록 문제를 하나 더 풀었다. 그런 다음 십오 분이 주어진 문제를 이십 분 만에 풀었다. 또 다른 문제는 십 분 만에 풀었다. 잡지에는 그 시간 안에 풀면 도제 단계라고 쓰여 있었다. 그는 자신이 도제가 아니라 장인이라는 걸 증명하려고 한 문제를 더 풀었다. 하지만 장인 단계에 이르지 못하자 잡지가 말이 안 된다고 생각하며 화를 냈다. 이때 헤르 루돌프가 또다시 횔덜린의 시를 읊자 자리에서 일어났다.

"맞는 말이네요! 이제 잘 시간이에요!"

지금까지 그들의 논쟁을 조롱하거나 가시 돋친 말로 가로막지 않았던 외메르에게 화를 낼 수 없었던 헤르 루돌프는 여느 때처럼 "아, 아, 언젠가는 이해하게 될 거요!"라고 했다.

돌아오는 길에 외메르는 레피크에게 물었다.

"그 사람하고 얘기할 게 그렇게 많아? 늘 똑같은 얘기뿐이잖아!"

"그래, 우린 늘 같은 얘기를 하지, 맞아! 하지만 얘기할 가치는 있어."

레피크는 침착하게 선생처럼 대답했지만 외메르는 손사래를 쳤다.

"쓸데없는 얘기야, 쓸데없는 말……."

"우리 셋이 얼마나 논쟁을 많이 했는데 그래? 너, 나 그리고 무히틴……."

"맞아! 우린 논쟁을 하곤 했지. 하지만 순전히 생각뿐이었어. 좋아, 인상 쓰지 마, 네가 원한다면 논쟁을 하자고. 그런데 뭐에 대해 논쟁하지? 논쟁으로 뭘 해결할 수 있지? 논쟁이 될 만한 건 아까 그 잔치뿐이야. 그 잔치가 왜 그랬지, 왜 그렇게 단순하지? 하지만 넌 그 잔치가 즐거웠다고 했지! 오늘 저녁이 왜 그랬는지 넌 말 못할 거야."

"우리도 바로 그걸 말하고 있는 거야. 오늘 저녁이 왜 그랬을까?"

그들은 어둠 속에서, 잘 보이지도 않는 나무 앞에 멈춰 서서 서로를 바라보았다.

"왜 그랬지? 아주 역겹고, 아주 단순했어!"

외메르는 이렇게 말하다가 언제 결혼할 건지, 입찰받은 일을 제때 마칠 수 있는지 묻던 케림 씨가, 눈꺼풀이 늘어지고 사이가 가까운 그의 커다란 눈이 떠올라 고함을 쳤다.

"뭔가 얘길 한다면 이런 걸 가지고 얘기해야 돼! 그들은 왜 그렇게 단순하고, 왜 노예의 영혼을 가지고 있지, 왜 모두들 그렇지? 그렇게 생각하지 않아?"

"누구?"

"모두!"

"아니! 정당 감사관도 있었고, 신흥 부자인 건설업자들도 있었잖아. 그들은 달라. 정당 감사관은 혁명에 충실한 사람이야!"

"그리고 물론 이 혁명이 터키에 빛을 가져다줄 거고, 그렇지? 넌 그런 걸 믿어? 아무 말도 못하는군. 넌 믿어, 당연히 믿을 테지. 그리고 앙카라에 있는 그들에게 '농촌 개발' 프로젝트에 대해 편지를 쓰겠지……. 하하하! 상황이 어떤지 알겠어?"

외메르는 조롱하듯 말했다.

"일단 난 네가 언급한 사람들이 아니라 쉴레이만 아이첼릭과 서신을 교환하고 있어. 그리고 혁명에 대해 네가 이렇게 불신하고 있는 줄은 지금 처음 알았어!"

"말 돌리지 마, 그들과는 아무것도 할 수 없다는 건 너도 알고 있다고 생각하는데. 그들과는 아무것도 이룰 수 없어!"

"바로 이 지점에서 우리의 생각이 다른 거야!"

레피크는 지금까지 모든 문제에서 서로 동의했지만 여기서만 불일치한다는 듯 흥분했다.

"난 뭔가 될 수 있을 거라 믿는데, 넌 아무것도 믿지 않는구나!"

"난 앞으로 내가 할 일들만 믿어!"

외메르는 재빨리 대답했다. 긴 정적이 흘렀다.

"아니야, 난 바로 그걸 이해 못하겠어!"

레피크는 이렇게 말하고 한참 후에 덧붙였다.

"넌 바뀌어 가는 걸 보고 있잖아. 이젠 모두가 예전보다 자유로워. 저 어둠도 예전에 비해 덜 어두워. 이 말 명심해. 뭔가 되고 있고, 되었고, 될 거야!"

그는 할 말이 많지만 지금은 떠오르지 않는다는 듯 신경질적으로 발걸음을 옮겼다.

"뭐, 더 자유롭다고!"

외메르는 조롱하듯이 말하고 싶었지만, 감정 섞인 거친 목소리만 나올 뿐이었다.

"더 자유롭다고! 제일 자유로운 건 저 사람들이야!"

그는 어둠을 가리켰다. 그들이 삼십 분쯤 걸어왔으니, 아마도 그쪽에는 노동자들 막사가 있을 것이다.

"제일 자유로운 사람들……. 우리에게 일을 달라고 애걸하지. 이 년 전에는 통행료 6리라도 못 내고, 돈도 못 받으며 일했어. 어쩌면 자유로운 사람들은 네가 재미있었다던 색다른 잔치에서 본 사람들일 수도 있지. 어떻게 생각해? 모두 케림 씨만 보고 있었는데, 어쩌면 그들이 제일 자유로운 사람들일지도 몰라."

그는 갑자기 입을 다물었다. 먼 곳에서 개가 짖었고, 강물 소리가 들렸다. 가까운 곳에 이상한 냄새를 풍기는 나무나 꽃이 있는 것 같았다. 달콤하고 부드러운 향기가 났기 때문이다. 레피크 역시 아무 말도 하지 않았다.

외메르가 다시 소리를 질렀다.

"여기선 모두가 다 노예야. 여기선 모두가 위선적이고 얄팍하고 거짓말쟁이고 나빠. 나빠, 나빠, 좋은 게 하나도 없어! 좋다고 할 수 있는 건 불쌍한 존재들, 식탁에 앉아 있던 사람들이야……. 하나같이 개성이 없는 모방자야, 불쌍하지……. 작년에 데르심에서 어떤 일이 있었는진 너도 알 거야. 정당 감사관이 하는 말 들었겠지. 그런데 그게 나하고 무슨 상관이야! 난 이런 건 얘기도 하고 싶지 않아. 넌 루소 같은 것에 대해 말하지만 그게 이곳과 무슨 상관이 있어? 루소가 터키에 살았다면 곤장을 쳐서 정신을 차리게 했을 거야."

"모든 게 다 그렇게 나쁘진 않아! 네가 한 말 중에 사실인 부분도 있어. 하지만 세상을 그렇게 나쁘게 봐서 이로울 게 뭐야? 그렇게 되면 이성으로 믿을 수 있는 건 아무것도 없게 될 거야!"

레피크는 걸음을 옮기며 한숨을 내쉬었다.

"그래, 그 말은 맞아. 여기선, 터키에선 이성으로 믿을 수 있는 게 아무것도 없어."

외메르는 노동자 막사를 가리키며 다시 말했다.

"저들처럼 신을 믿거나 아무것도 믿지 않거나 둘 중 하나야. 여기선 모든 게 가짜니까. 모든 게 모방이야! 모든 게 거짓이고 위선이고 속임수야. 루소라고 했지. 우리의 루소는 누구야? 나믁 케말이야? 그의 책을 읽을 수 있어? 읽으면 마음속에 뭔가 생겨? 어쩌면 한때는 누군가에게 뭔가를 불러일으켰겠지. 그래도 그들 중에선 그가 제일 괜찮았다니까. 그다음엔? 저 독일인 말이 맞아. 프랑스에서 그 단계까지 가는 데 최소한 오십 년이 걸렸지만, 우리는 다섯 달도 걸리지 않았어. 모든 게 과거의 단순함과 위선 속에 다시 묻혀 버렸어. 이게 바로 터키야……. 아, 터키, 생각하면 울고 싶을 지경이야. 하지만 이렇다고……. 생각하지 말아야 해!"

"네가 하는 말이 진심이라면 아주 나쁜 일이야!"

"나쁜 게 뭔데? 현실을 직시한다고 말하는 거? 환상에 빠지는 게 더 나빠. 이제 이런 얘긴 그만하자. 몇 시야? 이제 곧 날이 밝겠군……."

"얘기하자, 얘기하자니까! 지금 머리에 떠오르는 걸 너한테 다 말하고 싶어. 네가 옳다고 생각하지 않아. 그런 생각을 품고, 아무것도 믿지 않고, 어떻게 살아가려고? 모르겠어?"

"그게 어때서? 다들 그렇게 사는데. 아무것도 믿지 않고 사는 사람이 나쁜이야? 넌 일 년 전에 뭘 믿었는데?"

"나?"

레피크는 순진한 미소를 지으며 대답했다.

"그때는 뭔가를 믿거나 믿지 않는 게 필요하다고도 생각하지 않았지!"

그러고는 흥분해서 덧붙였다.

"하지만 넌……. 너도 알잖아. 한번 알게 되면 어쩔 수 없다는 거."

36
섬에 가다

니갼 부인은 배의 우등석으로 가는 계단을 천천히 오르다가 난간을 꼭 붙잡았다. 어릴 때부터 배의 좁고 가파른 계단을, 사실은 배의 모든 걸 몹시 무서워했다. 배를 그렇게 무서워하면서도 섬에 집이 한 채 있었으면 했다. 계단은 넓은 홀로 이어졌다. 넓은 홀과 나무 바닥과 천장 색을 보니 잠시 기분이 좋아지는 것 같았다. 넓고 관리도 잘돼 있는 새 배였다. 이름도 기억났다. 칼렌데르. 사소하지만 마음을 즐겁게 해 주는 걸 새로 볼 때마다 터키에 대한 비관적인 생각에서 벗어날 수 있었다. 게다가 배는 제시간에 출발했다. 바닥도 깨끗했다. 담배꽁초와 승차권 조각이나 오물이 묻어 있는 종이나 쓰레기를 밟지 않아도 됐다. 하지만 만원이었다. 니갼 부인은 얼굴을 찡그리며 좌석을 꽉 채운 사람들의 얼굴을 바라봤다. 잠시 후 모자와 가방, 상자를 가득 올려놓은 긴 의자에 앉아 있는 에미네 부인이 보였다. 자리를 맡아 놓으라고 그녀를 먼저 보냈던 것이다.

"아, 마님, 배를 놓치신 건가 생각하는 중이었어요! 이 자리에 앉으려는 사람들이 있었는데 안 내줬어요!"

그녀는 일어나 자리를 비켰다. 니갼 부인은 자리에 앉았다. 옆에는 페리한이 앉았다. 그들 사이에는 한 살 된 아기를 눕혔다. 니갼 부인 맞은편에는 네르민이 앉았다. 오스만이 그녀 옆에 앉더니 담배를 한 대 피워 물었다. 어린 손주들은 페리한 곁으로 다가갔다. 에미네 부인은 구석으로 물러났다. 레피크가 없었고, 스위스로 보낸 아이셰도 없었다. 요리사 누리는 아래층에서, 밧줄 더미 옆에 세워 둔 냉장고를 지키고 있었다. 올해도 헤이벨리 섬에서 쓸 냉장고는 사지 않았다. 이 문제는 긴 논쟁과 다툼을 불러일으켰다. 하지만 지금 니갼 부인은 좋은 생각만 하며 여행을 즐기고 싶었다.

그들은 헤이벨리 섬으로, 제브데트 씨가 죽기 일 년 전에 지었던 여름 집으로 가는 길이었다. 지난해에는 갈 준비를 하다가 제브데트 씨가 숨을 거두는 바람에 가지 못했다. 올해는 니갼 부인이 준비를 빨리 하는 게 불길하다고 해서 늦게야 준비를 시작했다. 그래서 이렇게 늦게, 그러니까 7월 첫 주 일요일에 가게 된 것이었다. 아이셰의 고등학교 졸업 시험 때문에 늦은 것도 있었다. 그녀를 스위스로 보내기 위해 애를 많이 써야 했고, 오스만에게도 일이 생겼다. 모두들 조금씩 늑장을 부려서 이렇게 늦어졌다.

"혹시 잊어버린 건 없나?"

니갼 부인이 갑자기 중얼거렸다. 하지만 좋은 생각만 하기로 한 걸 떠올리며 창밖을 내다보았다. 배는 천천히 사라이부르누 앞을 지나갔다. 언덕 위로 톱카프 궁전이 보였고, 그 아래로는 손을 허리에 얹고 바다를 응시하는 아타튀르크의 동상이 보였다. 아타튀르크가 아프다는 소식을 들었다. 니갼 부인은 사람들을 꾸중하거나 칭찬하는 습관이 있는 사람답게 '그가 한 일들은 높이 살 만하지!' 하고 생각했다. 자신이 눈을 깜박이기 시작한다는 걸 깨달았다. 지금까지 해 본 여행뿐만 아니라, 어쩌면 올여름 중 가장 달콤한 순간일 것이다. 모든 게 제대로 돌아가고 있었고, 그녀 자신에게도 만족했다. 그녀는 모든 걸, 모든 사람을 잊고 자신을 생각하기 시작했다. 자신이 쉰 살이라는 걸 생각하며 추억에 파묻혔다.

행상인의 고함 소리에 정신이 들자 즐거웠던 기분이 사라져 버렸다. 아주 기분 좋은 생각을 하고 있었는데 말이다. 제브데트 씨와 처음 니샨타쉬에서 살기 시작했던 시절을 생각했다. 그녀는 제브데트 씨에게 섬에도 집이 있었으면 좋겠다고 했다. 제브데트 씨는 지금은 섬에다 집을 빌리는 걸로 만족하자고 했다. 그 당시 그들은 뷔윅아다 섬으로 가곤 했다. 그런 후 어느 날 제브데트 씨는 헤이벨리 섬에 땅을 샀다고 말했다. 니갼 부인이 뷔윅아다 섬을 마음에 두고 있다는 걸 아는 그는 이렇게 덧붙였다. 크날르 섬은 아르메니아계, 부르가즈 섬은 그리스계, 뷔윅아다 섬은 유대인이 차지했으니 터키 상인에게 남은 건 헤이벨리 섬뿐이라고. 제브데트 씨는 농담도 했다. 이스메트 파샤도 터키 상인들과 군인의 친구라서 터키

상인과 사관 고등학교가 있는 헤이벨리 섬에다 집을 샀다고. 이런 말을 들은 니갼 부인은 더 이상 못마땅한 표정을 지을 힘이 없어서 그냥 웃고 말았다. 자신은 작은 걸로 만족할 줄 아는 사람이라고 생각했다. 이제 이런 일들을 떠올리며 눈을 깜박였다. 하지만 즐거운 마음은 오래가지 않았다. 행상인이 목이 터져라 고함을 질러 댔기 때문이다.

예순 정도의 꼬질꼬질한 백발 남자였다. 한 손으론 낡은 가방을 들고, 다른 한 손으론 가방에서 꺼낸 온도계를 흔들면서 좋은 점을 설명하고 있었다. 그 유럽산 온도계가 니스 칠이 된 나무 케이스 안에 들어 있어서 배처럼 뜰 테니 바닷물의 온도를 재는 데 유용하겠다는 생각이 들었다. 아기나 환자의 목욕물을 재는 데도 쓸 수 있을 것 같았다. 행상인이 의자 사이를 돌아다니다가 그들 쪽으로 다가오자 니갼 부인은 그를 자세히 쳐다보았다. 재킷의 올은 나가 있고 바지에는 기름 얼룩이 묻어 있었다. '이 민족은 언제나 옷을 깨끗이 입고, 말을 제대로 하고, 아침마다 씻고 면도하는 걸 배우게 될까?' 그녀는 다시 아타튀르크를 떠올렸고, 그가 아프다는 걸 생각하자 가슴이 아팠다. 행상인이 자신에게 다가오지 않도록 눈을 돌렸다. 하지만 온도계가 유용할 거라는 생각이 들었다. 터키는 이랬다. 상점엔 아무것도 없었다. 필요한 물건은 유럽에서 가져와야 했고, 그러지 못하면 저 파나마모자를 쓴 남자처럼 배 안을 돌아다니는 행상인에게 살 수밖에 없었다. 니갼 부인은 깨끗하고 관리가 잘된 새 배에 들어올 때 느꼈던 기분에서 벗어나, 터키에 대한 비관적이고 절망적인 생각으로 돌아갔다. 행상인도 손님을 찾아선지 점점 더 큰 소리로 고함을 쳤고, 승객들의 눈앞으로 물건을 들이대기 시작했다.

그리스계, 아르메니아계, 유대계 승객들이 움직이기 시작했다. 크날르 섬에 가까워졌기 때문이다. 그렇지 않아도 소란스러운 배 안은 크날르 섬에서 내릴 사람들, 뭔가 잊어버리지 않으려고 고함을 지르는 어머니들, 서로를 잃어버리지 않으려고 아우성치는 상인의 아이들, 투덜거리는 아버지들의 소리로 견딜 수 없는 지경이 되었다. 니갼 부인은 이럴 때마다 상인 가족이나 소수민족이 혐오스러웠다. 죽은 남편이 소수민족들과 사업을 잘했다는 걸 알면서도, 그는 다른 종류의 사람이라고 생각했다. 제브데트 씨는 다른 종류의 사람이었다. 그는 정원에 인동덩굴이 자라는 모슬렘 집안 출신이었고, 파샤의 딸과 결혼한 사람이었다. 니갼 부인은 다른 사람을 향하던 눈길을 거두어 맞은편에 앉아 있는 아들과 며느리를 바라봤다. 그들을 보니 마음이 놓였다.

그들은 나란히 앉아 있었다. 얌전한 아이들처럼 낮은 소리로 얘기를 나누었고, 가끔 창밖을 바라보았다. 니갼 부인은 그들이 시끄러운 저들과 달라서 다행이라고 생각했고, 자기 가족이 새삼 마음에 들어 존경 어린 마음으로 제브데트 씨를 떠올렸다. 하지만 잠시 후 네르민과 오스만이 이틀 전처럼 거칠게 말다툼을 시작했다. 이런 걸 두고 다른 사람들은 말다툼보다 더 격한 단어를 쓰겠지만, 니갼 부인은 그들에게 더 심한 말을 할 수 없었다. 그들은 사흘 전 식탁에서, 저녁 식사 시간에 모든 사람들 앞에서 말다툼을 했다. 지금 누리가 지키고 있는 냉장고 때문이었다. 하지만 니갼 부인이 당황할 정도의 화제도 입에 올렸다. 네르민은 종일 여행 준비를 하며, 상자를 비웠다 채우고, 접시와 찻잔을 날짜 지난 신문으로 싸면서 여자들이 흔히 그러듯이, 냉장고를 새로 사야 한다고, 니샨타쉬의 냉장고를 매년 여기서 거기로, 거기서 여기로 옮기는 건 이제 그만해야 한다고 푸념했을 뿐이었다. 그러나 오스만은, 섬에서는 일 년에 세 달만 머물고 저녁 8시가 지나면 전기가 나가는 걸 생각하라며, 일이 이렇게 많고 회사에도 돈 들어갈 일이 많은데 아내라는 사람이 쓸데없는 데 돈 쓸 생각이나 하는 게 말이 되느냐고 했다. 오스만은 이미 얘기가 끝난 문제를 가지고 다시 이렇게 고집을 부리는 진짜 이유는, 돈을 어떻게 버는지 모르기 때문이라고 했다. 그러자 네르민은, 니갼 부인을 당황스럽게 하고, 오스만의 얼굴을 새빨갛게 만든 말을 해 버렸다. 회사를 위해 돈을 아껴야 한다면, 가족의 지출이 아니라 절대 좋게 봐 줄 수 없는 그의 지출을 줄여야 한다고 했던 것이다. 큰며느리는 이렇게 말한 다음 화를 내며 남편과 니갼 부인을 번갈아 쳐다봤는데, 그의 사적인 지출이라는 게 뭔지 말해 버릴 태세였다. 식탁에는 정적이 흘렀다. 니갼 부인을 당황케 했던 것은 이 일만이 아니었다. 밤늦게까지 그들 방에서 흘러나오는 불빛을 보거나, 자신의 목청은 생각지 않는 네르민이 화를 내며 고함을 지르는 걸 들었던 것이다. 니갼 부인은 맞은편에 얌전히 앉아 있는 며느리와 아들을 보면서, 오스만에게 다른 여자가 있었지만 이젠 정리했다는 결론을 내리고 골치 아픈 문제는 나중에 생각하기로 했다. 그녀는 아들을 죽은 남편과 비교하지는 않았다. 그렇지 않아도 오스만도 그렇게 비교당할까 봐 두렵다는 듯 신문을 펼쳐 들고 그 뒤에 숨어 있었다.

배가 부르가즈 섬으로 다가갔다. 파나마모자를 쓴 남자가 자리에서 일어났다. 제브데트 씨가 그런 농담을 할 정도로 달라 보이는 섬은 아니었다. 하지만 이 사람은 그리스계일 것이다. 니갼 부인은 재봉사이며, 베이올루에 가게를 갖고 있는 그리스계 부인을 떠올렸다. 늘 웃고 매력이 넘치는 수다쟁이 여자였다. 한번은 그녀가 못생긴 딸에게 좋은 남편을 찾아 주려고 매년 여름 부르가즈 섬에 간다는 말을 입 밖에 내고 말았다. 니갼 부인은 아이셰가 떠올랐다. 그 아이를 스위스로 보내기 위해 겪었던 갈등과 딸의 경솔한 행동이 떠올랐다. 새삼 두려움을 느끼며 "바이올린을 켜는 애하고!" 하고 중얼거렸다. 잠시 후 이 문제와 아주 딱 떨어지는 속담이 생각났다. "그 아이는 북 치는 사람이나 피리 부는 사람한테나 시집갈 정신머리야!" 하지만 그녀는 불쾌한 생각을 하고 싶지 않았다. 어차피 딸을 스위스로 보냈으니 말이다. 레일라의 아들도 거기로 갈 것이다. 렘지는 교양 있고 예의 바르고 점잖은 아이다. 좀 뚱뚱하고 손과 팔만큼이나 머리도 느릿느릿 움직이지만, 바이올린이나 켜는 선생 아들보다는 훨씬 낫다.

카쉭아다 앞에서 갑자기 배가 흔들리기 시작했다. 니갼 부인은 돌아가신 어머니에게서 배운 기도 하나를 되는대로 읊조렸다. 날이 갈수록 종교에 매달리게 된다는 생각이 들었다. 물론 제브데트 씨가 죽은 직후처럼 이상하고 예기치 못한 집착은 아니었다. 또래들의 대화가 자연스레 나빠진 건강 얘기로 흘러가는 것처럼, 그녀도 전에는 웃으며 넘기던 이 문제에 이제는 입을 다물었고, 라마단 기간에 금식하는 가정부나 요리사를 조롱하지도 않았다. 하지만 자신의 건강에는 아무 문제가 없었다. 진지하게 생각할 만한 불편함도 없었다. 그녀는 자신이 아주 오래 살 거라고 믿었다. 화가 날 때는 모두가 듣게끔 큰 소리로 "제브데트, 기다려요, 곧 당신 곁으로 갈게요, 당장 가고 싶어요!"라고 했지만, 자신이 오래 살 거라고 믿었다. 종교에 대해서도 맹목적으로 집착하지 않을 거라는 걸 잘 알았다. 지금도 헤이벨리 섬 꼭대기에, 소나무 사이에 서 있는 기독교 성직자 학교를 너그러운 시선으로 바라보았다. 어린 손주들은 두려워하고 요리사와 가정부는 끔찍해하는 검은 수염에 커다란 모자를 쓴 말쑥한 헤이벨리 성직자는, 니갼 부인에게는 우스운 이야기를 듣는 듯한 즐거움과 유럽에 대한 그리움을 불러일으켰다.

배가 천천히 헤이벨리 섬 주위를 돌았다. 조금 있으면 소나무 사이로 그들 집의 지붕이 보일 것이다. 어린 손주들은 창에 기대어 밖을 내다보았다. 페리한도 아기를 품에 안으며 자리에서 일어났다. 니갼 부인은 여느 때처럼 아기 생각을 했다. 그리고 레피크를 떠올렸다. 그도 어린애였다. 하지만 버릇없는 행동은 너그럽게 봐 줄 수 없었다. 얼마 전에도 더 늦어진다고 또 편지를 보냈다. 이 문제는 니갼 부인의 마음에 상처로 남았다. 이 말을 혼자 되뇌면서, 때로는 이 상처가 페리한 탓이라 여기기도 했다. 작은며느리가 남편을 집에 묶어 놓지 못했던 것이다.

배가 헤이벨리 부두로 다가가자 그들은 일어났다. 니갼 부인은 잊어버린 게 없는지 다시 생각해 봤다. 계단을 내려가면서 난간을 꼭 잡았고, 손주들이 조심을 안 한다고 혼잣말을 했으며, 냉장고 앞에서 기다리는 요리사 누리를 바라봤다. 배 밖으로 연결해 놓은 좁은 나무 판자 위를 조심조심 작은 보폭으로 건넜다. 육지에 내리자 말과 말똥 냄새가 났다. 제브데트 씨와 처음 섬에 왔을 때가 떠올라 우울해졌다.

배에서 내린 사람들은 마차가 기다리는 쪽으로 몰려갔다. 오스만은 큰 소리로 마차를 불렀다. 모두가 그 안에 앉기까지는 꽤 시간이 걸렸다. 손자 제밀이 마부 옆에 타고 싶어 하다가 혼이 났다. 무거운 짐을 다 실은 마차가 천천히 움직였다. 속도를 내자 이쪽저쪽으로 흔들렸다. 규칙적인 말발굽 소리에 니갼 부인은 어린 시절과 처녀 시절에 가끔 갔던, 늘 기다려지던 여행을 떠올렸다. 시장 안을 지나갈 때, 오스만은 아는 사람들에게, 섬 주민이 된 지 이 년밖에 되지 않았는데도 그들을 알아보는 상인들에게, 손을 모자로 가져가며 인사를 건넸지만 모자는 한 번도 벗지 않았다. 인사를 건넬 때마다 누구에게 인사했는지를 어머니에게 일러 주었다. 이런 설명이 필요할 정도로 시력이 나쁘진 않았지만 그래도 니갼 부인은 귀를 기울였다. 푸주한 포티는 가게를 옮겼다. 미흐리마흐 부인의 집도 이사를 하고 있었고, 연초 사업에 뛰어든 제케리야 씨는 딸과 함께 시장으로 내려가고 있었다. 교회 맞은편에서는 집을 짓고 있었고, 철강 상인 사지트 씨 댁은 아직 이사 전이었으며, 변호사 제납 소라르 씨는 작은 집의 작은 정원을 일구느라 분주했다. 이스메트 파샤 저택의 베니션 블라인드는 열려 있었고, 비리가 드러나자 유럽으로 도망간 상인 레온의 집에는 다른 사람이 살고 있었다.

"시간이 얼마나 빨리 지나가는지!"

니갼 부인은 이렇게 중얼거리고 자기 말을 들었는지 아들과 며느리를 차례로 쳐다봤다. 못 들은 것 같았다. 다들 자기만의 생각에 빠져 있었다. 오스만이 말을 하고 그들은 듣고 있었다. '시간이 얼마나 빨리 지나가는지!' 니갼 부인은 섬으로 가는 다른 상인 가족을 보며 생각했다. 자신과 그들의 공통점이 느껴졌다. 당나귀로 물을 나르고 있는 물장수가 보였다. 그러다 자신의 가족이 특별하다는 새로운 증거를 찾아냈다. 페리한은 아주 아름다웠고, 손주들은 건강했으며, 아들은 부지런했다. 하지만 이것들 역시 완전히 확신할 수 있는 건 아니었다. 답답했다. 마차는 집에 가까워지고 있었다. 한 번도 느껴 보지 않은 어떤 감정이, 자기 가족이 평범한 상인 가족이라는 느낌이 들었다. 다행히 곧 과거를 회상하며 스스로를 위로했다.

과거. 그녀에게 자부심과 삶에 대한 애착을 가져다주는 건 과거였다. 미래는 끔찍하고 불확실했다. 모든 게 사라져 버리고, 회사와 가족이 어느 날 이해할 수 없는 끔찍한 파도로 인해 뒤집어지지 않는다고 어떻게 확신하겠는가? 시간은 아주 빨리 지나간다. 그녀는 시간이 천천히 흘렀으면 싶었다. 모든 게 아주 천천히 바뀌고, 새로운 것은 과거를 너그럽게 받아들이고, 모두들 주위를 감싸고 있는 시간과 존재에 만족하고, 누구도 누군가에게 지나친 관심을 보이지 않기를 바랐다. 조심스럽게 마차에서 내렸다. 지친 말 한 마리가 고개를 흔들고 화를 내며 히힝거렸다. 여름이 시작되었다.

37
철도가 깔리다

무슨 소리가 들려 레피크는 잠에서 깨어났다. 밖에서, 창문 바로 밑에서 개가 짖고 있었다. 소리로 알 수 있었다. 하즈의 털북숭이 양치기 개였다. 하즈의 목소리가 들렸다.

"쉿, 토라만, 쉿!"

레피크는 시계를 봤다. 12시가 지나고 있었다. '오늘 드디어 끝나겠군! 오늘 1938년 9월 8일.' 선로 부설차가 외메르의 터널로 들어오는 날이었다. 외메르는 입찰 조건에 맞춰 제때에 기차에 길을 내주거나 반나절에 1000리라를 내고 지연을 만회할 계획이었다. 하지만 레피크는 외메르가 제때 끝낼 거라는 걸 잠들기 전에 이미 알았다.

그는 네 시간 전에 터널로 올라가서 분주히 움직이는 사람들을 봤던 것이다. 외메르는 어쩌면 반나절쯤 지연될 수도 있지만, 아마 다 마칠 수 있을 거라고 했다. 외메르는 이틀 동안 잠을 자지 않았다. 노동자들도 대부분 두 배로 일을 하고 있었다. 레피크는 침대에서 일어났다. 기지개를 켜며 방 안을 서성거렸다. 어젯밤엔 잠을 이루지 못했다. 터널에서의 끔찍한 작업 때문이기도 했고, 자신의 미래를, 정리만 남은 '농촌 개발' 프로젝트를 어떻게 해야 할지 알 수 없었기 때문이기도 했다. 몇 달 동안 밤새 책상에 앉아 써 온 걸 읽어 보았고, 여기저기 지우고 수정한 후에 자려고 누웠으나 잠을 이룰 수 없었다. 그러다 아침에 터널에 갔다 돌아온 후에도 계속 짖어 대는 개 때문에 잠을 설쳤던 것이다.

그는 침대에서 일어나 화장실로 갔다. 화장실에 들어갈 때마다 여기 처음 왔던 날, 화장실의 돌바닥을 보면서 외메르와 나눈 얘기가 떠올랐다. 거울을 쳐다봤다. 얼굴은 건강해 보였다. 페리한이 봤다면 "얼굴에 생기가 도네!"라고 했을 것이다. 여기 와서부터 콧수염도 잘랐다. 일곱 달이 돼 간다. 얼굴에 찬물을 끼얹고 다시 방으로 갔다. '일곱 달!' 하고 생각하며 침대에 앉았다.

책상 위에 '나의 계획'이라고 불렀던 게 놓여 있었다. 한 손으로는 무게를 가늠할 수도 없을 정도의 종이 뭉치였다. 반복해서 읽은 책도 놓여 있었다. 그 옆에는 액자에 끼워 놓은 괴테의 사진도 있었다. 한 달 전에 헤르 루돌프가 미국에 가면서 준 사진이었다. 그는 여행 가방 두 개, 물건을 꽉꽉 채워 넣은 궤, 책들을 트럭에 싣다가 쑥스러워하며 레피크에게 사진을 건네주었다. 한동안 더듬거리며 뭔가 말을 하며 얼굴을 붉혔고, 나중에는 그가 '폰'이고 아버지가 장군이라는 걸 연상시키는 태도로 고개를 약간 위로 들고는 레피크와 외메르가, 이 나라 청년들이, 이 젊은 나라 터키의 미래가 아주 궁금하다고 했다. 레피크는 침대에서 일어났다. "앞으로 어떻게 될까? 그런데 이젠 뭘 하지?" 그는 이렇게 중얼거렸다. 프로젝트는 다 써서 끝냈다. 지난 열흘 동안은 이걸 반복해서 읽기만 했다. 외메르와 함께 앙카라로 갈 예정이었다. 앙카라에서 『혁명과 조직』이라는 책의 저자이자 '조직'라는 운동의 리더인 쉴레이만 아이첼릭을 만나고, 외메르의 장인에게서 도움을 받아 국회의원이나 장관 들과 관계를 맺기 위해 애써 볼 생각이었다. '이젠 뭘 하지? 페리한에게 편지를 써야지. 이젠 무슨 일이 일어나도 앙카라에서 일어날 거야!'

그는 페리한에게 편지를 쓰려고 책상에 앉았다. 하지만 쓰지 못했다. 언제나 조금 늦어질 것이고, 그녀와 아이가 그립다는 말밖에 쓸 수 없었기 때문이다. 가끔은 이곳 생활에 대해, 이곳 사람들에 대해 언급했지만, 그런 건 페리한의 화만 돋울 것 같았다. 그래도 뭔가를 써 보려고 했지만 결국은 그만두었다. 그러다 책상 위에 놓인 소설이 눈에 들어왔다. 레피크는 야쿱 카드리*의 『앙카라』라는 이 소설을 몇 번이나 읽었고, 혁명과 새로운 터키에 대해 열변을 토하는 작가의 의도를 기꺼이 받아들였다. 읽을 때마다 자기처럼 뭔가 해 보려는 사람들이 존재한다는 생각에 마음이 놓였고, 약간이나마 근심에서 벗어날 수 있었다. 그는 책을 읽기 시작했다. 반 페이지나 읽

* 1889~1974. 터키의 소설가, 시인.

었을까, '지금 터널에선 어쩌고 있을까, 끝마칠 수 있을까?'라는 생각이 들어 자리에서 일어났다. 잠시 방 안을 서성거렸다. 그러다 터널에 가 볼 생각으로 밖으로 나갔다.

문 앞에서 하즈를 보았다. 여느 때처럼 평온하고 침착하게 감자 껍질을 벗기고 있었다. 죽을 때까지 여기서 감자 껍질을 벗기고, 오늘 여기에 선로 부설차가 오는 것도 모른다는 듯이, 일주일 안에 건설 현장이 정리되지도 않으리란 듯이, 막사가 텅 비지도 않으리란 듯이, 편안해 보였다. 개도 그 옆에서, 햇볕을 쬐며 자고 있었다. 레피크는 자신 때문에 그들이 불편하지 않도록 조용히 그들 곁을 지나 언덕으로 올라갔다. 사람들이 수없이 지나다녀서 생긴 좁은 길이 아니라, 바위와 가시덤불 사이를 내키는 대로 걸으면서 주위를 둘러보았다. 일곱 달 전에는 눈에 덮여 있던 땅이 이제는 풀과 가시에 덮여 있었다. 막사들은 그대로 저 아래에, 움직이는 사람들 사이에 있었다. 노랗게 칠해 놓은 합판, 대충 덮어 놓은 지붕, 작은 창문과 벽이 이제는 낯설지 않았다. 먼 곳에 있는 강도 그랬다. 전에는 강이 있는지를 알려면 물소리를 듣고 가서 봐야만 했지만 이제는 강물 소리가 익숙했다. 다시 여느 때처럼 빛에 익숙해지려고 하늘을 향해 시선을 돌렸다. 처음 왔을 때 그를 흥분시켰던 하늘이었다. 청명하고 넓고 잠잠하고 깊은……. 하지만 지금은 하늘을 보면서 다른 생각을 했다. '농촌 개발은 어떻게 될까? 페리한은 뭘 하고 있을까? 국회의원이 누굴 소개해 줄까? 휴, 숨이 차군, 여기 처음 온 날 매일 운동을 하기로 결심했는데!'

터널 입구로 들어가면서, 올 때마다 마음을 휘감는 후회와 죄책감에 빠져들었다. 하지만 곧 그 안의 움직임에 빠져들었다. 터널 공사는 끝이 났고, 선로를 깔 바닥을 만드는 작업과 몇 군데 벽을 쌓는 일만 남아 있었다. 이제 터널 안에서는 두 곳에서만 작업을 하고 있었다. 터널 중간쯤에서 벽 공사를 하고, 레피크가 들어온 입구 근처 바닥에 돌을 깔고 있었다. 협궤는 덮여 있어서 당나귀를 이용해서 아주 원시적인 방법으로 돌을 운반해 왔고, 그래서 엔지니어들이 거기에 신경을 쓰고 있었다. 이제는 할 일도 없었지만 젊은 엔지니어 둘도 외메르와 함께 거기 있었다. 끝까지 신중해야 하고 귀중한 시간을 허비해선 안 된다고 여기저기 뛰어다니며 소리를 지르고, 당나귀 등에서 짐을 부리는 걸 거들고, 돌을 나르고 있었다. 노동자들은 엔지니어들이 막일을 하는 게 자기들 탓이라는 듯 민망해하며 그들이 손을 뻗는 곳으로 달려갔고, 그들이 일을 하도록 두지 않았다. 지쳐서 아무 일도 못하는 사람들도 있었고, 어떤 일에 우르르 몰려오는 사람들도 있어서 작업의 마무리가 더뎌졌다. 이 소란 통에서 레피크를 발견한 외메르는 조롱하듯 고개를 끄덕이며 웃어 보였다. 레피크는 당나귀에서 짐을 내리는 걸 도와주려고 다가갔다가, 당나귀 등에 있는 바구니에 손을 대는 순간 부끄럽고 가식적인 행동이라는 걸 깨닫고 돌아왔다. 터널의 반대편 입구로 나올 때까지도 고함 소리와 바구니에서 짐 내리는 소리가 들려왔다. 조용히 일하는 벽공도 있었다. 하지만 후회와 수치심이 다시 그의 마음을 휘감아서 그들을 돌아보지는 않았다.

터널을 나와서는 선로를 까는 데 쓸 돌 위를 걸어서 서쪽으로 향했다. 기차가 보여서 터널에 얼마나 가까이 왔는지를 알 수 있었고, 주위 다른 건설 현장을 마지막으로 한 번 더 보기로 했다. 자신의 계획, 페리한과 집, 외메르가 일하는 모습, 자신의 미래를 다시 떠올렸다. 하지만 하나하나를 길게 생각하여 결론짓는 게 아니라, 이 주제에서 저 주제로, 이 생각에서 저 생각으로 건너뛰며, 가끔 눈에 들어오는 흥미로운 것들, 강이나 이상한 식물, 막사나 사람 얼굴을 연상시키는 구름을 보며 걸어갔다.

600미터쯤 걸어가니 케림 씨가 건설한 다리 위로 기차가 보였다. 기관차와 일하는 사람들에게 다가가지 않고, 철도 수업 시간에 자세히 배운 '선로 부설'이라는 작업을 멀리서 바라보았다. 그러다 철도 수업에서 교수가 언급했던 터키의 유일한 선로공(線路工)인 베키르 씨도 보았다. 철도 건설업자라면 누구나 싫어하는 이 사람을 니샨타쉬 지역에서도 본 적이 있어서 알고 있었다. 선로 부설 작업으로 번 돈으로 니샨타쉬에 땅을 사고, 다시 자신이 데리고 있는 기술자들과 함께 선로를 깔고, 또 땅을 샀다. 담배를 피우며 돌아다니던 노동자 하나와 눈이 마주치자 "내가 여기서 뭘 하고 있지?" 하고 중얼거렸다. 그러다 선로를 까는 사람들을 보며 갑자기 "내 삶은 궤도를 이탈했어!"라고 말하고는 스스로를 비웃었다. 그리고 돌아갔다.

잠시 후 막사로 돌아왔다. 문 앞에 하즈와 개가 보이지 않자 뭔가 빠진 느낌이 들었다. 책상 앞으로 가서 앉았다. 『앙카라』

를 뒤적거렸다. 읽을 수 없다는 걸 깨닫고, 도저히 시작할 엄두를 내지 못했던 편지를 억지로 쓰기 시작했다. 항상 썼던 얘기, 아이는 어떤지, 페리한과 식구들이 뭘 하는지를 습관적으로 빠르게 쓴 다음, 역시 여느 때처럼 집에 가는 게 늦어질 거라고 덧붙였다. 이렇게 쓰는 게 부끄러웠다. 등에서 땀이 흐르는 걸 느끼며 늦어지게 된 이유도 쓰기 시작했다. 그러다 '농촌 개발' 프로젝트를 떠올렸다. 프로젝트의 본질을 이루고 있는 '우리는 서로 닮았다.'라는 생각과 이 생각에서 출발하여 통합된 마을 단위에 현대적인 도시에 있는 모든 시설을 낮은 비용으로 들여오는 방법을 설명하는 장이, 『앙카라』에 등장하는 것 같은 혁명을 믿는 선한 사람들에게 미칠 영향을 생각하자 기분이 좋아졌다. 그러다 흥분해서 "이 프로젝트는 반드시 수용될 거야, 그렇게 될 거야, 난 알아!"라고 중얼거리고는 자리에서 일어났다. 괴테의 사진을 보고 담배를 피우면서 방 안을 서성거렸다. 그런 후 다시 책상에 앉아 급히 편지를 마무리 지었고, 기지개를 몇 번 켠 후에도 계속 잠이 몰려오자 그대로 잠을 청했다.

일어나니 날이 어두워져 있었다. 시계를 봤다. 10시! '일곱 시간을 잤군!' 침대에서 일어났다. 촛불 아래서 책상 위에 놓여 있는 편지를 읽어 봤다. 마음에 들었다. 중간 방에서 말소리와 웃음소리가 들려왔다. 그리로 가 보았다. 지독한 라크 냄새가 훅 끼쳐 왔다.

"와, 우리 식구가 왔네! 어디 있었나?"

누군가가 말했다.

"잠이 들었어."

좀 전에 말을 건 사람이 살리흐라는 걸 알았다. 다른 한 사람은 엔베르였다.

"넌 더 자! 우린 일을 마쳤어, 끝났어, 끝났다고. 지금은 선로를 깔고 있어. 기관차가 왔어. 기적을 울렸지. 우리도 초록색 깃발을 흔들었고. 깃발을 이렇게 흔들었다니까! '이리 와, 인마, 이리 와 봐, 선로를 깔아 봐, 선로공 베키르.'라고 했지!"

엔베르는 이렇게 말하고 웃음을 터뜨렸다. 그런 후 갑자기 뭔가 기억났다는 듯 진지해지더니 "너도 마실래?" 하고 물었다. 그는 탁자 위에 있는 라크 병을 들어 건넸다.

레피크는 탁자와 한쪽 구석에서 타고 있는 가스램프에 눈이 익숙해지도록 하면서 '끝났군, 제시간에 마쳤어!' 하고 생각했다.

엔베르는 거칠게 "너도 마실래?" 하고 다시 물었다.

"외메르는 어디 있어?"

"사장님은 밖에 있는 것 같은데. 뇌물을 퍼 준 공무원하고 얘기하고 있어……."

엔베르는 조롱하는 투로 말했다.

레피크는 밖으로 나갔다. 문을 닫을 때 뒤에서 웃음소리가 들려왔다. 막사 앞에 내다 놓은 탁자 위에서 가스램프가 타고 있었다. 탁자 양쪽에는 외메르와, 레피크가 석 달 전에 케림 씨의 잔치에서 본 적이 있는 감사관이 앉아서 뭔가 얘기를 나누고 있었다. 멀리 노동자 막사 쪽에서 북 소리가 들려왔다.

"아, 일어났어?"

외메르는 레피크를 보고 말했다. 레피크가 그에게 축하한다는 말을 하려는데, 감사관이 자리에서 일어났다. 급하게 뭔가 말을 건네면서 외메르와 악수를 했다. 그런 후 레피크의 손도 붙잡으며 축하 인사를 건넸다.

감사관이 돌아간 후에야 레피크는 부끄러운 듯이 말했다.

"축하해!"

"그럴 필요가 전혀 없었는데 저 사람한테도 뭔가 줄 수밖에 없었어!"

외메르는 어둠 속으로 사라져 가는 감사관을 가리키며 말했다. 그는 심호흡을 하고 한숨을 몇 번 내쉬었다.

"신께서 모두에게 저주를 내리시길!"

"그래, 한 일도 없으면서 뇌물을 받는 건 아주 추잡한 짓이지!"

"아냐, 그런 뜻이 아냐. 모든 일, 모든 관계, 앙카라에서 온 공무원들, 케림 씨, 모든 것, 모든 것에 신께서 저주를 내렸으면 좋겠어!"

"왜? 다 끝났잖아!"

레피크는 걱정스럽게 물었다.

"그래 끝났어, 돈을 엄청나게 많이 벌었지, 끝났어!"

둘 다 아무 말도 하지 않았다. 노동자 막사에서 들려오던 북소리에 바이올린 소리도 합세했다. 경쾌하고 듣기 좋은 음악이 잠잠한 밤 속으로 퍼져 나갔다. 막사 안에서도 술에 취해 크게 웃는 소리가 가끔씩 들려왔다.

"나도 마셔야겠어."

외메르는 음악이 들려오는 쪽으로 고갯짓을 했다.

"봐, 모두가 즐기고 있어. 집시가 왔대. 찻집 앞은 야단이 났어. 모두 이 철도를 저주하면서 즐기고 있지. 나도 마셔야겠어."

"가 볼까?"

"좋아, 자, 가 보자!"

그들은 노동자들 막사 쪽으로 걸어갔다. 음악은 점점 흥겨워졌지만, 잠잠한 밤에 길들여진 레피크에게는 익숙하지 않아 멀고 생소하게만 느껴졌다. 전에도 본 적이 있어서 외메르는 집시 무리를 알고 있었다. 그들은 오래전부터 시와스에서 에르주룸까지, 봄부터 가을까지, 건설 현장마다 돌아다니고, 여자들이나 하청업자, 기술자 들 옆에서 잠을 잔다고 외메르가 설명해 주었다. 작년에 왔을 때는 케림 씨의 건설 현장에서 젊은 집시 여자 때문에 늙은 하청업자 둘이 싸움을 했다고, 그 여자가 아주 아름다웠다고 투덜거리며 덧붙였다. 찻집이 가까워지자 외메르는 갑자기 레피크에게 이렇게 말했다.

"나를 어떻게 생각해?"

이렇게 물어본 걸 곧바로 후회했던지 사람들 중 어떤 여자를 가리키며 물었다.

"자, 봐, 조금 전에 말했던 그 여자야! 어때 예뻐?"

찻집 앞에 노동자들이 오륙십 명쯤 모여 있었다. 북과 바이올린을 다루는 사람은 한구석에서 연주를 했고, 중간에서 여자 둘이 춤을 추고 있었다. 둘 다 아름답지 않았다. 지쳐 보였고, 억지웃음을 짓고 있었다. 그들을 둘러싸고 있는 노동자들도 별로 즐거워 보이지 않았다. 열 명 정도가 손뼉을 치며 장단을 맞추었고, 한 명이 소리를 지르고 있었지만, 대부분은 지치고 졸린 눈으로 '이게 끝나야 가서 좀 잘 텐데.' 하고 생각하듯 하품을 했다. 오랫동안 계속되고 비용도 많이 치른 유혈의 전쟁에서 승리한 후 집으로 돌아가기를 기다리면서도, 한편으로는 전쟁이 끝났다는 걸 믿지 못하는 지친 병사들처럼 뭔가를 기다리며 서 있었다. 찻집 안에도 탁자에 엎어져 조는 사람들이 있었다. 찻집 문에 기대어 흔들거리며 손뼉을 치고 가끔 소리를 지르는 사람도 있었다. 잠시 북소리가 그쳤다. 주위가 잠잠해졌다. 한 여자가 돈을 걷다가 시비를 걸어오는 남자를 밀어냈다. 몇 명이 웃었다. 사람들이 움직이기 시작했다. 찻집 문이 열렸다 닫혔다. 네다섯 명이 천천히 막사를 향해, 잠을 향해 걸어갔다. 북소리와 바이올린 소리가 다시 흘러나왔다.

북소리가 나자, 사람들은 뭔가 기대하는 눈으로 쳐다보았다. 레피크는 이 사람들을 위해 뭐든 해야 한다고 생각했다. 터널로 들어갈 때마다 엄습해 오던 후회감과 수치심이 다시 몰려왔다. 그는 생각했다. '저 사람들 속으로 들어갈 수 있을 거라고 생각한 적은 없어. 하지만 이렇게 밖에만 있는 것도 못난 짓이야……. 내가 왜 그들을 보고 있지? 그들은 일을 끝냈고, 피곤에 지쳐 자기 전에 잠시 즐기는 것뿐인데. 나는? 그들은 그곳에 있고, 나는 그 사람들로부터…….'

"어, 뭘 그렇게 생각해?"

외메르가 물었다.

“아무 생각도 안 해!”

“생각하고 있던걸. 돌아가서 술이나 마실래.”

“그래, 나도 곧 따라갈게. 잠시 돌아다니다가.”

38
마지막 저녁

외메르는 음악 소리를 뒤로하고 자신의 막사로 걸어갔다. '아, 즐겁게 마셔야지……. 다행히 끝이 났어! 난 이제 부자가 됐어……. 이제 다들 나를 두고 부자 놈이라고 말하겠지……. 하지만 지금은 그런 걸 생각할 때가 아니야!' 막사에 켜진 불빛이 보였다.

막사의 문을 열면서 희미한 신음 소리를 들었다. 안으로 들어가자 소리가 끊겼다. 살리흐가 노래를 부르고 있었던 모양인데, 외메르를 보자 입을 다문 것이다. 살리흐와 엔베르는 탁자 끝에 앉아 있었고, 앞에는 커다란 라크 병이 놓여 있었다. 어둠에 잠겨 있는 탁자 반대쪽에도 빈 병이 두 개 보였다.

"안녕, 친구들!"

엔베르는 돌아보지 않았다. 살리흐의 어깨를 툭툭 치면서 "왜 그만하는 거야, 계속 불러!"라고 할 뿐이었다.

살리흐는 노래를 흥얼거리려다가 외메르를 보고는 입을 다물고 생각에 잠겼다. 그러다 웃으며 말했다.

"사장을 보면서 노래를 할 순 없잖아!"

"그럼 어때? 내가 부르지, 그럼."

엔베르는 도전적으로 대꾸했다. 그는 일부러 고래고래 고함을 지르며 노래를 부르기 시작했다. 그렇게 잠시 노래를 부르더니 투덜거렸다.

"게다가 이젠 사장도 아니잖아. 그는 동업자야, 안 그래? 영광의 동업자!"

"물론 그렇지만, 그래도 사장 비슷하잖아! 사장 비슷해!"

살리흐는 순진하게 말하더니 외메르를 쳐다봤다.

"화내는 거 아니지?"

"즐겁게 마셔!"

외메르는 짐짓 자상한 척 대꾸했다.

"영광의 동업자, 영광을 위하여! 너도 좀 마셔 봐, 동업자!"

엔베르가 말했다. 그는 한동안 '어떻게 좀 놀려 줄까?'라고 생각하는 듯 외메르를 쳐다봤다. 그러다 살리흐에게 말했다.

"정말 영리해, 동업자! 다른 사람들은 임금을 주고 일을 시키는데, 이 친구는 우리 몫을 떼 주고 동업자로 만들었지. 그래, 동업자로 만들었어. 그래서 내 일처럼 죽도록 일했고. 엔지니어 열 명이 할 일을 우리 둘이 했어."

그는 살리흐에게, 외메르는 안중에도 없다는 듯, 살리흐는 모르는 일이라는 듯, 열띠게 설명했다.

외메르는 부엌으로 들어갔다. 전에 놓아둔 라크 병을 찾았지만, 거기 없었다. '내 걸 가져다 마셨나?' 잠시 후에야 어디다 두었는지 기억났다. 막 부엌에서 나오다가 잔을 가져오지 않은 걸 깨달았다. '잔……. 잔…….' 그는 이렇게 중얼거리며 부엌 안을 돌아다녔다. 그런 후 자기 머릿속에 다른 생각이 가득하다는 걸 알았다. '저들이 무슨 얘기를 하고 있지?' 그들의 목소리가 들렸다. 엔베르가 뭔가를 설명하고 있었다. 둘은 큰 소리로 웃기 시작했다.

외메르는 술병과 잔을 들고 나갔다. 다른 문으로 나가서 밖에 있는 탁자에서 혼자 마실 생각이었다.

"왜 우릴 동업자로 선택했을까?"

"왜긴 왜야? 우리가 능력 있는 엔지니어라는 걸 알아준다고 기뻐했지만, 그는 우리한테서 돈을 뜯어 가고, 미친 듯이 부려 먹었잖아!"

엔베르가 말했다.

"참 나, 그럼 일을 하지 말지 그랬어!"

외메르는 이게 바보 같은 말이고, 그래서 엔베르가 더 즐거워한다는 걸 알 수 있었다. 엔베르는 그의 말을 안 듣는 척하면서 살리흐에게 다시 설명했다.

"그래, 교활한 놈이야. 게다가 사장 같지 않게, 친구나 형처럼 굴려고 했어. 이렇게 말은 하지만, 우린 대가도 지불했어. 우릴 꼬드겼어, 꼬드겼다고! 그런 다음에 돈을 뜯어 갔지."

"돈을 더 원하는 거야?"

외메르가 갑자기 물었다. 하지만 이번에도 자신이 잘못했다는 걸 알았다.

"하! 하! 우리가 돈을 구걸한다고 생각하는군. 우린 원하는 거 없어, 인마, 너한테 말이야! 돈을 뜯어 가고도 모자라 우릴 거지로 생각하는 거야. 살리흐, 이 친구 좀 봐!"

"난 한 번도 구걸한 적 없어. 불쌍한 우리 어머니가 말씀하시길……."

엔베르가 큰 소리를 내자 살리흐가 조심스럽게 말했다. 외메르는 밖으로 나가려고 했다.

"잠깐, 어딜 가는 거야! 같이 있지그래. 얘기나 하자."

엔베르가 큰 소리로 말했다.

"너희들 너무 취했어."

"취하면 좀 어때? 안 마실거야? 여기 앉아서 같이 마셔, 자. 자, 앉아서 마셔! 그래, 우리가 원하는 건 그거야. 그렇지 않아, 앉아서 우리와 함께 마시는 거 아니었어, 살리흐, 말해 봐!"

"형, 같이 마시지그래요!"

살리흐도 말했다.

"너 왜 아부하는 거야! 같이 있기 싫으면 말라고 해!"

"앉는다고, 앉잖아, 지금."

외메르는 자상하게 보이려고 애를 쓰면서 의자를 끌어 당겨 탁자 한쪽 끝에 앉았다.

"봐, 네가 아부를 해서 저-쪽에 가서 앉았잖아! 우리 옆에 안 앉았어. 우리가 달라붙어 놀리는 게 안 어울린다고 생각하는 거겠지. 그래도 용케 자신을 낮추네, 그렇지?"

"거긴 자리가 없잖아!"

외메르는 이렇게 대꾸하고, 갑자기 부끄워져서 잔에 라크를 채우고 단숨에 들이켰다.

"왜 우리 옆에 안 앉고 저쪽 멀리서 우리를 보는 거지? 왜? 왜냐하면 저 친군 눈을 높은 데로 향하고 있거든. 케림 씨나 그 유럽 엔지니어하고 마시고 싶은 거야. 우리같이 불쌍한 인간들하고 뭘 하고 싶겠어?"

그는 이렇게 말하고 갑자기 고함을 질렀다.

"하지만 우린 불쌍한 놈들이 아니야!"

외메르는 '더 마셔야겠어!' 하고 생각했다.

"여자 같은 그 독일인하곤 뭐든 같이 하는 걸 좋아하지. 카드도 다르다니까. 우리가 하는 카드 게임은 안 해! 브리지*나 하지! 그리고 체스, 두뇌 게임! 하하하!"

그는 이렇게 말하고 목소리를 낮춰 흉내를 냈다.

"몽셰리, 몇 장 달라고 했죠?"

"근데 몽셰리는 프랑스인들이 쓰는 말인걸!"

살리흐가 조용히 중얼거렸다.

"결국 모두 불신자들이야, 그렇지? 저놈도 불신자들하고 친하게 지내는 걸 좋아하잖아? 유럽인들이 우리보다 우월하다고 보니까. 난 질렸어, 질렸다고. 학교에서도 그들이 더 낫다고 하고, 집에서도 그들이 더 낫다고 하고, 영화에도 잡지에도 그들이 나와. 지금 여기서도 저 속물은 그들하고 친하게 지내는 걸 더 좋아하지."

---

* 네 명이 하는 카드 게임.

엔베르가 소리를 질렀다. 외메르는 가만히 귀를 기울였다.

"눈도 높은 데로 향해 있지"

엔베르는 방에 없는 사람 얘기라는 듯이 말했다.

"눈이 위를 향하고 있어서 그 국회의원 딸을 잡은 거야. 국회의원의 딸을 붙잡았다니까. 국회의원 딸은 어떤 여잘까? 우리 친구는 아주 잘생겼는데 말이야. 우리 친구가 잘생겼다는 건 알겠는데, 그 여자는 어떻게 생겼을까? 분홍색 봉투에 편지를 넣어 보내는 사람이 못생겼으면 어쩌지?"

그는 한 단어 한 단어 강조하면서 설명하다가 갑자기 입을 다물었다. 잠시 침묵이 흘렀다. 그는 다시 가식적으로 화를 내며 고함을 질렀다.

"넌 도대체 어떤 놈이야! 얼굴에 침을 뱉어도 아무 말도 하지 않을 놈이군!"

"넌 취했어! 네 말을 진지하게 받아들이지 않겠어!"

외메르는 화가 난 척하며 말했다. 하지만 평범한 말이었다. 잘난 척하지만, 평범하고 조심스럽고 이성적인 신흥 부자의 평범하고 조심스러운 말들…….

"뭐, 진지하게 받아들이지 않겠다고! 진지하게 받아들이지 않겠단 말이지. 좋아, 그럼 내가 말하지, 진지하게 받아들이든 말든 마음대로 해. 내가 말하겠어……."

그는 잠시 생각했다.

"케림 씨 있잖아, 케림 씨. 넌 그 사람 손톱에 낀 때도 못 돼, 알아, 손톱에 낀 때……."

'왜 갑자기 저런 말을 하지? 어떻게 내 목표를 알았지?"

"케림 씨는 너하고 달라. 넌 죽을힘을 다했잖아, 우릴 미친 듯이 부려 먹었고. 제때 일을 마치려고. 마치기도 했지. 돈도 많이 벌었지! 하지만 케림 씨를 봐, 케림 씨를……. 그는 모든 면에서 부자야. 영혼이든 지갑이든, 출신이나 마음도……. 한 달을 돌아다녀도 그의 땅을 다 못 둘러본다고. 그는 너와 달라. 돈을 벌려고 용을 쓰지 않아. 노느니 돈이나 좀 벌어 볼까 하는 사람이야. 아버지는 지주이고. 말을 타고 하루 종일 다녀도 그의 땅을 다 못 돌아봐. 네가 그 사람 손톱의 때라도 될 것 같아? 네 아버지는 변호사였던가, 아니면 소상인?"

'내 얼굴을 보고 안 거야! 내가 목표를 찾았다는 걸 눈치채고, 지금 그걸 놀려 대는 거야!'

"변호사였어? 우리 아버지는 군인이었어. 얼마나 충직한 군인이었냐 하면 장군에 대한 존경심으로 내 이름을……."

"우리 아버지는 웨이터였어, 웨이터. 어머니는 지금 나한테 돈을 바라고 있어!"

살리흐가 말했다.

"잘됐네! 돈을 벌었잖아. 고맙게도 우리 동업자가 돈을 많이 벌게 해 줬다고!"

엔베르는 자리에서 일어나 서성거리기 시작했다. 그러더니 갑자기 외메르에게 다가왔다.

"쟤 아버지가 웨이터라는 거 알고 있었어?"

"지금 알았어!"

외메르는 목소리에 슬픈 기운이 배어 있는 것 같아 부끄러웠다.

"하, 그래, 알아 두라고! 아버지가 웨이터래. 토카틀르얀 호텔에서 일한대, 알고 있었어? 너처럼 부유하고 별난 사람들이 빵을 절반만 먹고, 상류사회 창녀들이 아양을 부리는 식당에서 웨이터로 일했다는군, 알겠어?"

그는 마치 형처럼 살리흐를 감싸 주며 덧붙였다.

"저 애는 상류사회 여자들 때문에 식당에 안 가, 알고 있었어?"

외메르는 아무 말도 하고 싶지 않아서, 급하게 라크만 마셨다. 이렇게 급하게 마시다가는 밖으로 나가기도 전에 토할 것 같았다.

"상류사회 여자들 때문에!"

엔베르는 한동안 입을 다물었다가 의자에 앉더니 다시 고함을 지르기 시작했다.

"나도 상류층 여자를 붙잡을 거야, 인마! 상류층 여자를 잡을 거라고……. 관능적인 여자를 꼬드길 거야, 살리흐. 대단한 여자지, 그렇지? 이봐 동업자, 넌 알겠지, 상류층 여자들을 어떻게 꼬드기는지, 말해 봐, 응? 어떻게 해야 하지? 말해 봐, 뭘 좋아하지? 난 매일 극장에 데려갈 거야!"

그는 갑자기 살리흐의 어깨에 손을 올려놓았다.

"살리흐, 우리에겐 돈이 있어. 이스탄불에 가면 상류층 여자를 한 명씩 꼬드기자. 우리에겐 돈이 있잖아, 엔지니어고. 넌 잘생겼어. 난 어떠냐고? 나야 똑똑하지!"

"화내지 마, 넌 술고래 같아!"

"중요하지 않아! 중요한 건 내면의 아름다움이니까."

엔베르는 살리흐의 말에 당당하고 단호하게 대꾸하면서 폭소를 터뜨렸다.

"내면의 아름다움!"

그러고는 다시 한 번 큰 소리로 웃어 젖혔다. 그러다 갑자기 진지해졌다.

"하지만 사실은 난 저 집시만으로 만족해. 하지만 상류층 여자들도……."

그는 갑자기 외메르를 쳐다보았다.

"넌 말을 안 해 주고 있어. 아, 살리흐, 사실은 누구한테 물어봐야 되는지 알아? 저 친구, 레피크야. 그는 그런 일을 잘 알 거야!"

'레피크!' 외메르는 그를 떠올렸다. 조금 전에 그곳에, 노동자들 옆에 함께 있었다. '내 진정한 친구, 그는 가장 가까운 친구야! 그는 내가 누구인지, 무엇인지 알아.'

"그는 그런 일을 잘 알 거야. 지난겨울에 니샨타쉬에서 본 적이 있거든. 정말 아름다운 여자가 옆에 있던걸!"

'난 레피크의 생각을 조롱했어. 그의 생각을 무시했어. 하지만 그는 언제나 나보다 도덕적이고 양심적이고, 더 나은 사람이야.'

"아주 젊고 아름다운 여자였어! 니샨타쉬에서, 그 우아한 지역에서 팔짱을 끼고 걸어가는 그들을 봤어. 나도 이스탄불에 가면 니샨타쉬 여자를 꼬드길 거야. 레피크한테 물어보자. 그는 니샨타쉬 출신이니 그 방법을 잘 알겠지……."

"그만해!"

외메르가 말했다.

"왜, 기분 상했어? 저것 좀 봐, 살리흐, 친구에 대해 싫은 소리를 못하게 하네……. 인마, 우리는 너도, 네 친구도 어떤 사람인지 잘 알아……. 학교 다닐 때 어땠는지 기억나지……. 이놈하고 레피크 그리고 그 난쟁이 같은 애도 옆에 하나 있었지. 다른 애들을 무시하듯이 쳐다보곤 했지. 이놈은 속물이었어. 제일 멋진 넥타이에 재킷을 입고 파이프 담배를 피웠어. 난쟁이는 아픈 놈 같았고. 안경 너머로 보이는 눈길이 악마와 다를 게 없었어. 우리는 1학년이었지 그때. 기억나, 속물 삼총사……. 그들은 모든 걸 우습게 봤어. 그중 나은 게 레피크였어. 그에게는 선의가 느껴졌지. 하지만 이제 알아, 왜 그런지. 유약하고 순진하기 때문이었어!"

"그만하지 못해!"

외메르가 고함을 질렀다.

'레피크가 곧 올 텐데……. 이런 험한 소리는 듣지 말아야 해. 이런 건 그에게 맞지 않아!'

"저것 좀 봐, 친구에 대해 싫은 소리를 못하게 하는 것 좀 보라고. 유약하고 순진한 니샨타쉬 상류층 편을 들고 있어. 놈은 그 아름다운 여자를 두고 여기 왔어. 왜 왔을까? 울기 위해서……. 늑대들, 굶주린 사람들, 나라의 빈곤함을 직접 보려고……. 농촌을 개발하기 위해 글을 쓰고 울기도 하지. 그 여자 같은 독일인에게 가서 울었어. 상인이라면 이스탄불에서 잘 먹고 잘살면서 일을 하고, 아름다운 부인의 침대를 비우지나 말 것이지! 아니, 그럼 안 되지! 여기 와서 울어야 해!"

"닥쳐, 닥치지 못해, 인마!"

엔베르는 곁눈질로 외메르를 보면서 말을 이었다.

"순진한 놈이야. 비망록도 쓰는 거 알아? 책상 위에 놓아두었더군. 얼마 전에 펼쳐서 읽어 봤지. 우스워 죽는 줄 알았어. 거의 울더라니까. 아, 가난을 어쩌지, 아, 이 나라를 어쩌지 하면서! 가끔은 '사랑하는 여보'라고도 썼더군! 웃느라고 오줌을 쌀 뻔했다니까! 부인 이름이 페리한이래. 페리* 같은 미녀! 침대도 비어 있지 않을걸. 상류층들 알잖아. 난 멀리 가니까 네가 우리 페리를, 하고 누군가에게 말해 놨겠지……."

외메르가 의자에서 벌떡 일어나 엔베르에게 걸어갔다. 그는 싸움을 떠올렸다. 싸움꾼은 싸우기 전에 상대의 눈을 들여다보며 천천히 걷는다. 엔베르도 자리에서 일어났다. '그가 취했으니까 바닥에 때려눕힐 수 있을 거야!' 외메르는 이렇게 생각하면서도 "살리흐가 말리겠지!" 하고 중얼거렸다. 그는 지금까지 한 번도 싸움을 해 보지 않았다는 걸 떠올렸고, 엔베르도 싸우기 싫어한다는 걸 알았다. '치고받고 싸우는 건 정말 바보 같은 짓이야! 서로 치고……. 서로 때리고……. 누가 이겼는지 알 수도 없을 거야……. 병과 잔이 깨지겠지……. 레피크가 자기 때문에 싸웠다는 걸…….'

"난 너하고 싸울 생각이 없어!"

엔베르가 갑자기 이렇게 말하더니 다시 자리에 앉았다.

외메르는 병을 들고 밖으로 나왔다. "술은 내 위장을 취하

* '요정'이라는 의미.

게 할 뿐이야!" 하고 중얼거렸다. 밖에 내놓은 탁자에 앉았다. 병에 남은 술을 잔에 부었다. 밤에 귀를 기울였다. 지친 듯한 북소리가 아직도 들려왔고, 바이올린 소리는 가냘프게 이어졌다. '끝났어! 이제 뭘 하지?' 나즐르와의 결혼을 생각했다. '국회의원의 딸! 부엌이 하나 생기겠지!' 막사에서 무슨 소리가 들려오는지 귀를 기울였다. 더 이상 아무 소리도 들려오지 않았다. '레피크를 기다려야지. 그가 오면 얘기나 나눠야겠어. 그런 다음엔 같이 앙카라로 갈 거야. 난 국회의원의 딸과 결혼할 거고. 그것 말곤 뭘 하지? 어떻게 살지? 평범한 삶에 반대하는 말을 장황하게 해 놓았는데! 여기다 농장을 하나 살 수 있겠지. 하즈가 보여 준 농장. 얼마나 할까? 이 일로 전부 얼마를 벌었지? 잠깐, 첫해에 땅을 세제곱미터당 얼마로 계산했더라?' 절대 잊어버릴 거라 생각지 않았던, 몇 백 번이나 계산했던 숫자를 잊어버렸다는 걸 깨닫고 무척 놀랐다. 돈을 중요하게 여기지 않아서 잊어버린 거라 결론을 내리고 스스로를 자랑스러워할 참에 숫자가 기억났다. 그는 나즐르를 생각했다. 영국에서 돌아오던 때를 떠올렸다. 그런 후 천천히 다가오는 레피크를 보았다. 조금 전 막사에서 그에 대한 얘기가 나올 때 마음속에서 일었던 애정은 이제 사라지고 없었다. 졸음이 몰려와서, 며칠 동안 제대로 잠을 자지 못했다는 걸 기억하고 기지개를 켜며 하품을 했다.

39
가을

"제브데트 씨가 직접 심은 꽃들도 죽여 버렸어!"

니갼 부인은 자리에 앉아서 말했다. 그녀는 고갯짓으로, 고인이 된 남편이 라틴어 이름을 외우곤 했던 꽃들이 있던 곳을 가리켰다.

니갼 부인과 페리한과 네르민은 뒤뜰의 나무 아래 놓인 골풀 의자에 앉아 있었다. 오스만이 집에서 나간 지 한 시간이 지났지만, 나뭇잎과 풀 위의 습기는 아직 사라지지 않았고, 가냘픈 가을 햇살은 아침의 서늘함을 정원에서 몰아내지 못했다. 9월의 마지막 날이었다. 섬에서 돌아온 지 이 주가 지났다. 이 주 동안 니샨타쉬 저택은 깊고 숨막히는 불행과 가을 분위기에 싸여 있었다. 요리사 누리가 이 주 전, 섬에서 이스탄불로 돌아오던 날 아침에 사망했기 때문이다.

"제브데트 씨가 직접 심은 꽃들도……."

니갼 부인은 다시 한 번 말했다. 그러나 말을 끝맺지 못하고, 모두가 짜증스럽게 여기는 불행한 표정을 지으며 입을 다물었다. 그녀는 모두를, 모든 것을, 고인이 된 제브데트 씨를 제외하고 온 세상을 비난하는 눈길로 며느리들을 바라봤다.

"누리도 마침 아주 필요할 때 떠나 버렸어! 그는 최소한 제브데트 씨를 존경하면서 꽃에 물을 주곤 했지."

"아버님이 꽃 이름을 종이에 써 놓으신 것 같던데요. 오늘 에미뇌뉘에 가서 사 올게요."

네르민은 말을 마치고는 페리한을 표독스럽고 차갑게 쳐다봤다. '오늘 오후에 내가 어디 갈지 알아?' 하고 묻는 것 같은 표정이었다.

페리한은 두려운 듯 네르민의 눈길을 피했다. 페리한은 한 달 전 그 우연한 사건이 있은 후, 네르민이 보이는 도전적인 태도를 이해할 수 없었다. 그녀는 한 달 전 어느 날, 시르케지 기차역에서 네르민이 키 크고 잘생긴 남자와 팔짱을 끼고 있는 걸 봤다. 페리한은 이 문제를 생각하고 싶지 않아 니갼 부인의 말에 귀를 기울였다. 니갼 부인은 똑같은 씨앗은 절대 찾을 수 없고, 찾는다고 하더라도 아무짝에도 쓸모없는 정원사가 죽여 버릴 거라고 하면서, 손가락 끝으로 어깨에서 흘러내리는 숄을 끌어당겼다. 잠시 후 에미네 부인이 쟁반을 들고 부엌에서 나오자, 그녀가 다가오는 걸 기다렸다가 물었다.

"일어났어?"

나흘 전 유럽에서 돌아온 아이셰를 말하는 것이었다. 에미네 부인은 고개를 저었고, 쟁반을 탁자에 올려놓기도 전에 페리한에게 말했다.

"작은며느님, 딸이 울고 있어요!"

이제 열다섯 달이 된 멜렉을 '아기'나 '아이'가 아니라 '딸'이라고 불렀다. 페리한은 자리에서 일어났다. 쟁반 위에 있던 차가 든 찻잔과 신문 하나를 집어 들고 집으로 향했다. 부엌문을 통해 위층으로 올라갔다. 계단을 오르면서 딸이 우는 소리, 작아졌다 커지는 울음소리를 듣고 응가를 했다는 걸 알았다. 방으로 들어가자마자 작은 침대로 갔다. 울고 있는 딸을 보며 미소를 지었다. 멜렉도 그녀를 보더니 울음을 잠시 그쳤지만 곧 다시 울기 시작했다. 페리한은 들고 있던 차와 신문을 탁자에 놓고, 작은 꾸러미를 들듯 딸을 침대에서 들어 올렸다. 다리 사이에 부드럽고 따스한 기운이 느껴져 "아, 장난꾸러기 같으니!" 하고 투덜거렸고, 안고 있던 아이를 두꺼운 덮개가 깔린 탁자에 내려놓았다.

여느 때처럼 딸에게 말을 걸면서 옷과 얇은 기저귀를 벗기기 시작했다. 맨 위의 겉옷을 벗기면서 "아휴, 땀이 났네!" 하며 옷을 너무 많이 입혔다고 생각했다. 그러다 날씨가 추워진 걸 떠올리며 "하지만 아픈 것보단 낫겠지?" 하고 중얼거렸다. 멜렉이 뭐라고 웅얼거리자 딸이 자기 말이 맞는다고 대답하는 것 같아 기뻤다. 레피크가 떠올랐다. 제일 마지막으로 쓴 편지에서 일주일 후에 이스탄불로 올 거라고 했다. 페리한은 한 달 더 늦을 거라는 편지가 다시 올까 봐 두려웠다. 잘 열리지 않는 옷핀을 열려고 안간힘을 쓰면서 "네 아빠가 가 버린 지 일곱 달이 됐어!"라고 했다. 잠시 후 계단을 올라오는 발소리가 들려서 겁이 났다. 옷핀을 열고서 '이젠 오겠지.' 하고 생각했다. 기저귀에 묻어 있는 똥을 보고 얼굴을 찡그렸다. 더러운 기저귀를 한쪽에다 놓고 딸을 품에 안고 욕실로 가서 씻겼다. 그러면서 레피크와 자신의 상황에 대해 생각했다. 물이 차가웠는지 딸이 재채기를 하는 바람에 순간 당황했다. 의사인 친정아버지가 떠올랐다. 딸이 갑자기 울기 시작하자 '이 집에서 나가 친정으로 가는 게 나았을까?' 하고 생각했다. 이에 대해 고민을 많이 하고, 석 달 전에는 결정도 내렸지만, 친정어머니 때문에 포기했다. 레피크는 그녀를 떠난 게 아니라 이스탄불을 떠난 거라고 했던 것이다. '말도 안 돼!'라고 생각하다가, 다시 "말이 안 되진 않지!" 하고 중얼거렸다. 모두 자기 잘못이라고 용서를 빌던 레피크의 편지가 떠올랐다. 그에게 쓴 답장도 생각했다. 집을 나가는 건 생각해 본 적도 없다고 쓴 게 다행스러웠고, 레피크도 그렇게 생각할 거라고 믿었다. 딸이 감기에 걸릴까 봐 빨리 방으로 와서 깨끗한 기저귀와 옷을 꺼냈다. '다른 여자라면 어떻게 했을까?' 여느 때처럼 여기에 대해선 답을 찾지 못했다. 자기 상황이 예외적이라고 생각했기 때문이다. 이 상황이 예외적이라고 생각하는 이유는 레피크가 예외적이었기 때문이다. 자기가 아는 여자 중에서 레피크 같은 남편을 둔 사람은 아무도 없었다. 딸이 옷을 입고도 재채기를 한 번 더 하자 미안해졌다. '난 여전히 이 집에서 살고 있어. 자존심이 없기 때문이야!' 딸을 침대에 눕히자 마음이 놓였다. 일곱 달 동안 머릿속을 돌아다녔던 이 생각에서 벗어나려고 탁자 위에 놓인 찻잔을 집어 들고 신문을 펼쳤다.

차는 식어 있었다. “세계 평화가 이루어졌다. 뮌헨에서 완전한 합의에 이르렀다!” 그 아래로 “달라디에*, 히틀러, 체임벌린**, 무솔리니”라고 쓰여 있었다. 페리한은 여느 때처럼 다른 세계로 들어가고 싶어 허겁지겁 신문을 읽기 시작했다. 이 집 안에서 국내나 외국 소식에 그녀만큼 관심을 갖고 찾아보는 사람은 없었다. 뮌헨 회담과 관련된 기사를 다 읽었을 즈음, 노크도 없이 문이 열렸고, 네르민이 들어왔다.

“혹시 초록색 실 있어? 이 색 말이야!”

네르민이 물었다. 그녀는 연한 초록색 단추를 들어 보였다. 페리한은 또다시 알 수 없는 두려움에 휩싸이며 자리에서 일어났다. 이 방에 그녀와 단둘이 있는 게 잘못이고, 이 상황에서 한시라도 빨리 벗어나야 한다는 듯 반짇고리로 쓰는 예전 초등학교 책가방을 꺼내서 그녀가 원하는 걸 다급하게 찾아서 건네주었다.

“여기 있어요!”

다른 손으로는 어린 시절을 떠올리게 하는 가방을 급히 닫았다.

“고마워!”

네르민은 이렇게 말하고는, 그 가방을 볼 때마다 늘 그랬듯이 미소를 지었다. 그러고는 단추와 단추를 달아야 하는 옷으로 다시 생각이 미쳤다는 얼굴로 방에서 나갔다.

---

* 1884~1970. 1933년 프랑스의 총리를 지낸 정치가.

** 1869~1940. 1937년부터 1940년까지 영국의 총리를 지낸 정치가.

네르민이 초등학교 가방을 보고 미소를 짓는 게 이제는 사랑스럽지 않았다. 차갑게 깔보는 것 같았고, 게다가 도전적으로도 느껴졌다. 닫힌 문을 바라보며 이런 생각이 틀렸는지 아닌지 생각해 봤다. 그녀가 잘생긴 남자와 함께 있는 걸 본 그 날을 떠올렸다. 그때의 우연한 만남은 날이 갈수록 다른 모습으로 떠올랐다. 남자가 잘생겼다고 생각했지만, 긴 구레나룻에, 얼굴은 햇볕에 그을렸고, 콧수염과 손은 아주 정갈해서, 페리한은 두렵기도 하고 역겹기도 한 느낌이 들었던 것이다. 페리한은 카라쾨이에서 만난 친정어머니를 교외 전차에 태워 주려고 그 기차역에 갔다. 네르민과 웬 남자가 기차역 식당에서 나오고 있었다. 둘은 동시에 서로를 발견했는데, 페리한은 시선을 피하지 않았다. 네르민은 처음에는 당황했지만 점점 페리한이 두려울 정도로, 놀라울 정도로 도전적인 미소를 지어 보였다. 서로 열 걸음 정도 가까워졌을 때, 갑자기 둘은 시선을 다른 데로 돌렸다. 페리한이 산 물건에 대해 얘기하던 친정어머니는 네르민을 보지 못했다. 저녁이 되어 오스만과 셋이 함께 섬으로 돌아갈 때 네르민이 너무나 냉정하게 행동해서, 기차역에서 본 사람이 네르민의 쌍둥이었나 생각될 정도였다. 하지만 이 우연한 만남이 있은 지 몇 주 후에, 오스만은 돈 버는 기계일 뿐이라며 그가 정부를 만든 적도 있다고 네르민이 화를 내며 말했던 걸 떠올렸고, 그녀가 한 짓에도 그럴 만한 근거가 있다는 생각이 들었다. 그런 후에 네르민의 도전적인 말과 행동을 보자 그 우연한 만남이 또 다른 모습으로 떠올랐다. 날이 갈수록, 시르케지 기차역에서 본 네르민의 미소가 머릿속에서 변해 가면서 자신을 조롱하는 것 같았다. 그 미소는 "봐, 난 이런 일도 서슴없이 저지르는 사람이야! 네가 이해할 수 없을 만큼 자유로운 여자라고. 넌 이런 걸 두려워할 뿐만 아니라, 얌전히 남편이나 기다리고 있지!"라고 하는 것 같았다. 그녀는 다시 이런 생각이 떠올라 두려워졌고, 네르민이 오후에 초록색 옷을 입고 어딜 갈 거라고 생각하는 걸 깨달았다. 다른 생각을 하려고 신문을 펼쳤다. 한두 문장을 읽었는데 누군가 문을 두드렸고, 아이셰가 웃으며 들어왔다.

아이셰는 문을 닫으며 하품을 했다. 페리한의 볼에 입을 맞추고, 다시 미소를 지었다. 그녀는 멜렉의 침대로 다가갔다.

"말썽꾸러기, 정말 많이도 울더구나!"

"아, 아가씨를 깨웠나 봐!"

"아니에요, 일찍 일어나려고 했어요!"

아이셰는 이렇게 대답하고 창문으로 가서 기지개를 켰다.

"아, 날씨가 정말 좋네!"

그런 후 다시 아기 침대로 갔다. 침대 옆에 있던 작은 딸랑이를 들더니 멜렉의 얼굴에 대고 흔들기 시작했다. 그녀는 푸른색 비단 잠옷을 입고 있었다. 페리한은 그녀의 하얀 목과 가슴팍을 보고, 스위스에서 아주 다른 사람이 되어 돌아왔다고 생각했다.

"아, 아, 얘 좀 봐요, 얘 좀! 고모를 알아봤어, 고모를 알아봤니, 우리 작은 멜렉?"

아이셰는 이렇게 말했다. 그런 후 딸랑이를 침대 가에 두고 기지개를 켜며 하품을 했다. 머리를 매만지며 긁기 시작했다.

"잠이 좀 모자랐나 봐!"

"늦게 잤어요. 새벽 2시에……. 하지만 얼마나 재미있게 놀았는지……."

페리한은 그녀가 푸아트 씨와 레일라 부인의 아들 렘지 그리고 그의 친구들과 함께 있었다는 걸 알고 있었다.

"어딜 갔는데?"

"베이올루 튀넬에 새로 식당이 생겼어요! 아주 멋진 곳이에요. 이제 터키에도 멋진 곳이 생기네요. 그래서 무척 기뻤어요. 그다음엔 함께 레일라 아주머니 집에 들렀어요. 돌아오는 길에는 에미르갼에서 차를 마시고요! 엄마는 내가 몇 시에 집에 돌아왔는지 혹시 알아요?"

"일어났는지 조금 전에 물으셨어!"

페리한은 비밀을 나누는 친구처럼 이렇게 대답했다.

"늦게 오면 좀 어때요! 넉 달 전엔 엄마가 이렇게 놀러 다니라고 했는데."

그녀는 창문으로 다가가더니 갑자기 돌아서며 말했다.

"정말 좋은 애예요!"

페리한은 "누가?"라고 묻지 않았다. 이해한다는 듯 미소를 지었다.

"렘지는 정말 좋은 애예요! 항상 나를 위해 주고, 나를 먼저 생각해 줘요. 완벽한 신사예요. 정중하고 너그럽고 정직해요. 아, 엄마 좀 봐, 얼굴을 찡그리고 날 기다리네요!"

아이셰는 이렇게 말하고는 아래를 향해 소리쳤다.

"일어났어요! 알았어요, 알았다고요, 곧 내려가요!"

그녀를 페리한에게 돌아서며, 조금 전에 하던 말이 뭔지 생각해 보더니 말을 이었다.

"아, 그래요. 정말 좋은 애죠. 스위스에서도 나한테 잘했어요. 그런 애라는 걸 여기선 왜 몰랐는지 나 자신에게 화가 날 정도였다니까요. 왜 전에는 그런 애를, 물론 그것도 다른 얘기지만……. 어쩌면 인생관이 달라진 건지도 몰라요! 웃는 거예요? 아니, 아니에요, 거기 가면 모든 걸 보는 시선이 변해요!"

그녀는 눈을 반짝이며 말을 이어 갔다.

"거기선 모든 게 얼마나 다른지, 여기와 비교하면 얼마나 다르고 멋진지! 우리는 언제 그렇게 될까 생각했어요. 우리도 그렇게 될 수 있을까요? 우리도 언젠가는 그들처럼 됐으면 좋겠어요, 그렇죠? 새언니, 새언니도 언젠간 꼭 가 봐야 돼요! 오빠하고 같이요."

그러다 갑자기 말을 잘못했다는 듯 입을 다물었다.

"모르겠는걸."

"항상 여기, 이 방에만 있을 거예요, 예? 내가 오빠에게 말할게요. 어쩌면 같이 갈 수도 있어요! 거기선 모든 게 다르게 보여요. 내 삶이 얼마나 달라졌는지 몰라요. 거기 가면 누구나 다른 사람이 돼요. 그들과 함께……. 뭐 어쨌든……. 난 이 집에서 이렇게 갇혀 지내진 않을 거예요……. 대학에 등록하고, 그렇게 깊이 생각하진 않았지만요. 어쩌면 일 년 후에는……."

그녀는 미소를 지으며 얼굴을 붉혔다.

갑자기 문이 열렸다. 요리사 누리의 아들 일마즈였다. 손에 봉투가 들려 있었다. 페리한은 멀리서 그 봉투를 보자마자 레피크에게서 온 편지라는 것을, 그가 한 달 더 늦을 거라고 썼다는 것을 알 수 있었다.

"마님이 아래서 기다리십니다."

일마즈는 봉투를 아이셰에게 내밀었다. 그는 아이셰가 드러낸 목에 시선을 두지 않으려고 눈을 돌렸다.

"알았어요, 지금 가요!"

일마즈는 다시 얼굴을 붉히며 또 아이셰의 목 아래에서 눈을 돌리려고 애를 썼다.

"아침 식사는 정원으로 가져갈까요?"

"늦었어요!"

아이셰는 이렇게 말한 후 갑자기 손으로 드러난 목 아래를 감추고 잠옷을 여몄다.

"그냥 먹을 걸 좀 가져다줘요. 그리고 엄마에게도 곧 간다고 전해 줘요!"

문이 닫히자 손으로 문을 가리키며 말했다.

"노크를 먼저 해야 하는 거 아니에요!"

"노크 안 했나?"

페리한은 놀라서 물었다.

"안 했잖아요! 근데 저 사람 코가 아주 웃기게 생기지 않았어요? 얼굴도 금방 빨개지고. 자기 아버지를 정말 많이 닮았어요. 아, 누리의 죽음에 정말 마음이 아팠어요. 장례식에 참석하고 싶었는데. 알죠, 나한테 '씨앗'이라고 한 거. 내가 씨앗처럼 작고 메마르고 활기도 없어서 그랬을 거예요. 누리를 한

번만 더 보고 싶어요. 나를 정말 예뻐했는데. 어떻게 심장마비로 그렇게 가 버릴 수 있어요? 어쨌든 오빠가 그 사람 아들을 고용한 건 잘한 일이에요. 잘 생각한 거예요……. 그렇게 오랫동안 우리에게 음식을 해 주었던 사람의 아들을, 학교에 못 다녔다고 창고 짐꾼으로 쓰는 건 도리가 아니죠. 그도 이제 차차 배워 가겠죠."

페리한은 멍하니 듣고 있었다. 그녀는 아이셰의 손에 들려 있는 봉투를 보고 있었다. '같은 내용이겠지! 또 늦을 거라고 썼겠지!'

아이셰는 페리한이 어딜 보고 있는지를 알아챘다.

"참, 새언니한테 편지가 왔지, 그렇죠?"

그녀는 겉봉투를 살펴봤다.

"오빠한테서 온 거네! 세상에, 수다를 떠느라!"

그러면서 봉투를 페리한에게 건넸다.

"엄마도 기다리겠네!"

그녀는 문으로 갔고, 막 나가려다가 침대에 누워 있는 조카를 봤다. 작은 딸랑이를 한 번 더 흔들어 주고는 쾌활하게 밖으로 나갔다.

페리한은 닫힌 문과 손에 들려 있는 봉투를 멍하니 바라보았다. 화장대 서랍에서 손톱 줄을 꺼내서 봉투 한쪽에 쑤셔 넣었다. 급하게 뜯지는 않았다. 레피크한테서 온 편지는 늘 이렇게 천천히 뜯었고, 그러면서 편지에 뭐라고 쓰여 있으면 좋을까 생각했다.

'뭘 바라는 거지? 당장 돌아오겠다고 했으면 좋겠어! 당장

돌아오면 어떻게 되지? 형과 함께 사무실에 나가겠지!'

오스만에 대해 '돈 버는 기계'라고 했던 네르민의 미소를, 그리고 아이셰를 생각했다. 그 순간 자신의 생각과 바람이 허황되고 해결할 수도 없는 문제처럼 느껴져서 두려웠다. 아무것도 생각하고 싶지 않아 봉투를 열어 편지를 읽었다. 똑같은 내용이었다. 또 늦을 거라고 했으며, '농촌 개발'이라는 것에 대해 더 자세히 써 놓았다. 페리한은 이게 무슨 말인지, 레피크가 농촌 개발 프로젝트와 아내와의 삶을 어떻게 연관시킬지 생각하며 편지를 다시 읽기 시작했다.

40
앙카라

무흐타르 씨는 갑자기 화를 내며 자리에서 일어났다. 천장이 높은 정부 청사 복도를 서성거리기 시작했다. "약속을 했는데도 삼십 분 동안 여기서 기다리고 있군! 날도 어두워졌어! 여태 안에서 무슨 얘기를 하고 있는 거야!" 그는 이렇게 투덜거리며, 마치 레피크가 대답을 줄 수 있다는 듯 그를 바라보았다. 하지만 부끄러운 듯 레피크의 눈을 똑바로 바라보지 못하고 시선을 피했다. "다른 때 와도 되는데!" 그는 갑자기 몸을 돌려 단호하게 장관 비서실 문을 열면서 "이보게, 난 마니사 국회의원 무흐타르네. 착오가 있는 건 아닌가?" 하고 물었다. 그는 비서의 대답을 들으며 얼굴을 찡그렸다. 잠시 후 약간은 억지스럽게 "저 독일 대표단이 무역 분과라면, 나는 터키 민병대에서 왔소."라고 했다. 그는 문을 두드릴 것처럼 하다가 그만두고 조심스럽게 손잡이를 놓았다. 다시 복도를 서성거렸다. 잠시 후 레피크 옆으로 와서 앉으며 "봤지, 이게 앙카라야!"라고 했다.

그들은 농림부 장관실 앞에서 기다리고 있었다. 이 국회의원은 외메르와 함께 앙카라로 온 레피크의 프로젝트와 계획을 알고 나자 예비 사위의 친구를 도와주기로 마음먹었던 것이다. 그는 장관을, 나아가 이스메트 파샤를 만나게 해 주겠다고 했지만, 기다려도 기회는 오지 않았다. 그와 가까운 장관들은 너무 바빴고, 대부분 앙카라에 없었다. 아타튀르크의 중환 때문에 모든 게 뒤죽박죽이 됐고, 다들 뭔가 기다리기 시작했던 것이다. 레피크는 케마흐에 있을 때 서신을 교환한 작가 쉴레이만 아이첼릭도 아직 만나지 못했다. 앙카라에 온 첫날부터 자신의 프로젝트에 대해 확실한 대답을 얻기 위해 애를 썼지만, 작가가 휴가 중이라 자리를 비웠다는 걸 알게 되었을 뿐이었다. 앙카라에 온 지 이십 일이 됐지만, 아직 프로젝트와 관련해서는 아무도 만나지 못했다.

"이게 앙카라야! 하지만 걱정하지 말게! 우리가 자네 같은 사람도 돕지 못한다면……."

국회의원은 이렇게 말하다가 생각에 잠긴 듯 잠시 입을 다물었다.

"자네 같은 사람을 유용하게 쓰지 못한다면……."

그는 한 시간 전에 레피크가 머무는 호텔로 전화를 걸어와서, 국회에서 농림부 장관을 만났으며, 저녁 5시에 그와 약속을 잡았으니 급히 크즐라이로 오라고 했다. 그들은 크즐라이에서 만나 정부 청사로 달려갔지만, 비서에게서 장관이 바쁘다는 말을 들은 게 이미 삼십 분 전이었다. 마니사 국회의원 무흐타르 라친은 다시 화를 내며 자리에서 일어났다. 왜소한 나즐르와 달리 늙었지만 풍채가 좋은 그는 청사 복도를 서성거리기 시작했다.

잠시 후 문이 열리고 시끄러운 소리가 나면서 사람들이 나오기 시작했다. 피부색과 거만하고 꼿꼿한 걸음을 보고 안에서 나오는 사람들 중 일부가 독일인이라는 걸 알 수 있었다. 그들 뒤를 따라 장관으로 보이는 사람과 통역관이 나왔다. 그들은 복도 끝까지 함께 걸어갔다. 그사이 장관은 곁눈질로 무흐타르 씨에게 인사를 건넸다. 그런 다음 급히 방으로 다시 들어갔다. 비서가 무흐타르 씨를 부르러 왔지만, 그는 이미 레피크의 팔짱을 끼고 장관의 방으로 화를 내며 들어가고 있었다. 레피크는 '그런데 장관에게 뭐라고 하지? 그에게 어떻게 다 요약해서 말을 하지! 내 프로젝트의 본질과 핵심 아이디어를 말해야지!' 하고 생각했다.

그들은 여러 가지 물건들로 가득한 넓은 방으로 들어갔다. 장관은 책상에 앉아 있지 않고, 창가에서 밖을 내다보며 담배를 피우고 있었다. 레피크의 눈에는 신문에서도 자주 보지 못한 그 장관이 두렵거나 존경을 표시해야 할 사람으로 보이지 않았다. 그는 어차피 늘 한자리를 차지하고 있는 정당의 핵심 멤버가 아니었다. 젤랄 바야르와 친분이 있어서 장관에 오른 것 같았다.

장관은 그들이 들어오는 소리를 듣고는 돌아섰다. 무흐타르 씨에게 기다리게 해서 미안하다고 했다. 그런 후 창밖을 가리키며 말했다.

"저 독일인들……. 지금 앙카라 전체가 저 독일인들을 좇고 있소! 총리께서 기술적인 세부 사항 때문에 우리도 대표단과 만나야 한다고 하셔서 당신들을 기다리게 한 거요. 무역협정을 맺을 수도 있을 거요. 만약을 위해 세부적인 사항도 확인하라고 해서……. 아, 그렇지, 당신이 말했던 젊은이가 이 사람이오?"

그는 레피크에게 악수를 청했다.

"무흐타르 씨가 자네 얘길 했네. 엔지니어라고……."

"예!"

레피크는 중얼거리듯 대답했다. 속으로는 '제 프로젝트의 본질은…….' 하고 생각하기 시작했다.

"자네처럼 뭔가 해 보려고 안간힘을 쓰는 젊은이가 터키에 얼마나 필요한지 아는가?"

장관은 물었다. 그런 후 무흐타르 씨에게 그가 아주 어려운 조건에서 임무를 수행하고 있다는 표정을 지어 보였다.

"조금 전 그 아이! 독일어 한 문장을 통역하는 데 삼십 분을 생각하더군……. 정말 부끄러웠소!"

그런 후 다시 레피크를 쳐다보았다.

"터키에는 지식이 있는, 공부한 사람이 필요하오!"

"이 젊은이는 건축 엔지니어입니다!"

무흐타르 씨는 자랑스럽다는 듯 말했다.

그사이 책상에 앉은 장관은 뭔가 생각하는 표정으로 서류를 뒤적였다.

"아, 그러니까 건축 엔지니어군……. 아주 흥미로워. 건축 엔지니어가 농림부에 제안을 한다 이 말이지. 왜냐하면……. 왜냐하면……. 그거 때문에? 뭐 때문이었지?"

그는 갑자기 고개를 들었다. 하지만 레피크의 대답을 듣지 않고 "아, 그렇지, 그렇지!" 하며 생각났다는 듯 고개를 끄덕였다.

"저한테 몇 가지 프로젝트 계획이 있습니다. 농촌 개발을 위한 몇 가지 원칙을 세웠습니다……."

"그렇지, 그렇지. 출판을 하려고?"

"이걸 읽고 토론하고, 이 문제에 대한 다른 관점을……."

"우리 부서엔 특수 출판을 위한 비용이 있어! 자네 책이 두껍나? 가져왔으면 한번 보여 주지."

"아직 타이핑하지 못했습니다!"

레피크는 이렇게 말하고 당황해서 땀을 흘렸다.

"알겠네, 두꺼우면 요약본을 보내도 되지!"

"내가 잘못 아는 게 아니라면, 이 젊은이는 그 문제가 논의되기를 바라는 것 같아요."

무흐타르 씨가 끼어들었다. 그러자 레피크가 덧붙였다.

"읽고 논의해야 합니다!"

"물론 그 책을 제일 먼저 읽는 사람은 나일 것이네! 우리 농촌의 개발과 농업에 관해서라면 새로운 아이디어를 높이 평가하니까!"

장관은 이렇게 말한 후 다시 앞에 놓인 서류로 눈을 돌렸다. 시계를 보고, 서랍을 뒤적거렸다.

"그런데, 앉지그래요?"

그는 앞에 서 있는 두 사람에게 물으며 자신은 자리에서 일어났고, 비서를 불렀다.

'장관에게 또 뭘 더 얘기하면 될까? 내게 중요한 건 논의를 거쳐 통합될 마을 단위에 도시의 현대적인……. 내게 중요한 건 내가 쓴 글이 출판되는 게 아니라고 말해야겠어. 그는 비서하고 얘기하고 있나? 아, 정신이 없군!'

"그렇다면 자네 책을 요약해서 우리 부서에 제출하게. 내가 출판 위원회 위원들과 만날 테니. 다른 방법도 있네. 요약하지 않고 자네 힘으로 출판하는 거지. 우리 부서는 일정 수량을 구입해 주고."

비서와 몇 마디 나눈 장관이 이렇게 말했다. 이런 해결 방법을 제시할 정도로 관대하다는 듯 그는 고개를 약간 들고 무흐타르 씨에게 미소를 지어 보였다. 그런 후 서랍에서 커다란 가방을 꺼내더니 책상 위에 놓여 있던 서류와 서랍 속 종이를 급히 쑤셔 넣기 시작했다.

'아냐! 내가 원하는 건 이런 게 아냐! 하지만 이 사람은 나를 도와줄 수 있을 거야!'

비서가 헐레벌떡 가져온 서류도 장관은 가방에 넣었다.

"미안하오! 기다리게 했는데, 지금 어딜 가야 되오! 풍크 박사에게 경의를 표하는 의미로 독일 대사관에서 만찬을 연다는군!"

그는 가방을 집어 들고 담배를 재떨이에 비벼 끈 다음 레피크 쪽으로 오더니, 그의 팔을 잡고 무흐타르 씨를 바라보았다.

"이 젊은이를 내게 데려와 줘서 고맙소. 이 사람을 꼭 도와 줍시다!"

"고맙습니다. 하지만 이런 것보다는, 논의의 장이 열렸으면 합니다!"

레피크는 이제라도 이 말을 해야 할 것 같았다. 그러나 장관은 젊은이가 무슨 생각을 하는지, 어떤 사람인지를 근육만 만져도 안다는 듯 레피크의 팔을 쥐었다.

"어떤 논의를 말하는 건가?"

"예를 들면 잡지《조직》에 나오는 그런 것 말입니다!"

레피크의 말에 장관은 기분이 상한 것 같았다. 무흐타르 씨 역시 놀란 표정이었다. 장관은 갑자기 레피크를 팔을 놓았다.

"아,《조직》. 조직 활동. 하지만 그건 유행이 지났소. 지났지, 그렇지 않소?"

그는 무흐타르 씨에게 물었다. 잠시 후 뭔가 기억났다는 듯 덧붙였다.

"이스메트 파샤는 어떻소?"

"나도 장관님이 아는 정도만 알고 있습니다!"

무흐타르 씨가 대답했다. 얼굴이 상기되어 있었다.

레피크는 나즐르가 해 준 얘기가 떠올랐다. 그녀 아버지가 이스메트 파샤의 측근이며, 집안의 성을 이스메트 파샤가 지어 주었다고 했던 것이다. 그는 뭔가 말을 잘못했다는 걸 깨달았지만 그게 뭔지는 알 수 없었다.

"우린 모두 이스메트 파샤에게 충성하오. 하지만 지금 총리는 젤랄 씨요! 게다가 그분은 가지*가 그렇게 중병인데 왜 이스탄불에 한 번도 가지 않는 거요?"

장관은 이렇게 말하고 문을 향해 천천히 걸어갔다. 그러다가 갑자기 무흐타르 씨를 향해 손에 든 가방을 들어 보였다. 하지만 화가 난 것 같지 않았고, 미소도 지어 보였다.

"난 과중한 업무에 시달리고 있소! 오늘은 독일 경제부 장관 풍크, 내일은 또 영국 경제부 장관 누구. 뮌헨 회담은 믿지 마시오. 세계 전쟁이 일어날 거요. 모두 자기들 쪽으로 우리를 끌어들이려 한다오. 그렇지 않소?"

자기 말에 동의를 구하며 말을 이었다. 방에서 나가, 셋이 함께 복도를 걸었다.

"어제 사고에 대해 어떻게 생각하오?"

어제 독일 경제부 장관 풍크 박사의 부인을 태우고 농장을 둘러보던 자동차가 전복되어 그녀가 팔을 다친 사고를 말하는 것이었다.

"그리고 지난 연회에서 말한 건? 우리와의 무역이 우리의 다른 나라와의 무역에 걸림돌이 되지 않는다고 하더군. 걸림돌 말이야. 안타깝지만 가지는 편찮소. 우린 기다리고 있소. 그래서 어쩐단 말이오?"

장관은 계단을 내려가다가 갑자기 문턱에서 멈춰 섰다. 그러더니 뭔가 찾는 듯이 주위를 둘러봤다.

"이봐, 그것 좀 가져와!"

방지기가 외투를 건네자 걸쳐 입었다. 그런 후 다시 레피크

---

* '전사'라는 뜻이며, 아타튀르크를 가리킨다.

의 팔을 잡으며 무흐타르 씨에게 말했다.

"이 젊은이를 내게 데려와 줘서 고맙소! 도와주겠소."

그런 후 의심스러운 눈길로 레피크를 쳐다보며 "최선을 다해 도와주겠네."라고 한 후 무흐타르 씨에게 "국회의원들의 바람이 우리에겐 명령이오……. 어느 쪽으로 가시오?" 하고 물었다. 그는 공무 차량을 가리키며 물었다.

"우린 걸어갈 거요!"

무흐타르 씨는 다시 거친 목소리로 대답했다.

"그렇다면 난 이 젊은이를 위해 출판 위원회 위원과 얘기를 나눠 보겠소!"

그런 후 장관은 정중하면서도 무시하는 듯한 미소를 지으며 차에 올랐다. 자동차가 소음을 내며 출발했다.

"광대, 사기꾼, 비열한 놈!"

무흐타르 씨는 어둠 속으로 사라지는 차를 바라보며 소리쳤다.

그들은 함께 크즐라이로 걸어갔다. 날은 춥고 건조했으며, 바람 한 점 없었다. 예니셰히르 거리는 사무실에서 나온 직장인들, 저녁 장을 보는 사람들, 집으로 가기 전에 간단하게 뭔가 마시는 사람들로 붐볐다. "기다리겠소!" 장관은 이렇게 말했다. 사람들은 진열장 앞에서, 작은 술집에서, 꽃가게에서, 버스 정거장에서 기다리고 있었다. '나도 기다리고 있잖아!' 레피크는 생각했다.

"장관이라는 사람이, 직급도 낮은 독일 공무원을 따라 어디까지 가는 거야! 이 정부의 품위는 어디 있는 거야? 그리고 감히 이스메트 파샤를 비꼬며 가시 돋친 말을 하다니!"

무흐타르 씨가 화를 내며 말했다.

'페리한이 집에서 날 기다릴 거야! 형은 사무실에서, 어머니는 거실에서!' 레피크는 생각했다. 그러자 스스로가 부끄러워져서 더 이상 생각하고 싶지 않았다.

"봤지, 그는 우리가 돈을 원한다고, 책을 팔고 싶어 한다고 생각한 거야. 그들에게는 이상주의라는 게 눈곱만큼도 없기 때문이지. 여전히 똑같은 세력들이야. 곧 모든 게 바뀌겠지!"

무흐타르 씨는 계속 투덜거렸다. 그러고는 한숨을 내쉬었다.

"당연히, 곧 모든 게 바뀔 거야!"

'그런데 난 뭐가 되지?' 레피크는 생각했다. 거리의 사람들은 생기도 활기도 없었고, 지쳐 보였다. 호텔 침대 맡에 놓여 있던 『앙카라』가 떠올라 웃음이 났다. 스스로를 조롱하려다 겁이 나서 중얼거렸다.

"아무것도 생각하고 싶지 않아!"

"아, 인상 쓰지 말게! 모든 게 잘될 거야. 재무부 장관이나 법무부 장관을 만나게 해 주겠어. 자네가 쓴 글은 그 부서하고도 관련이 있지, 그렇지? 인상 쓰지 말게! 기다릴 줄도 알아야 해. 신중해야 하고. 《조직》 얘긴 왜 꺼냈나? 뭐 어쨌든, 어쨌든. 아주 안 좋은 시기에 여기 온 거야, 자네는. 모든 게 바뀌겠지, 바뀔 거야. 이스메트 파샤는 그 사람에게 장관직은 고사하고, 가방도 들라고 주지 않을 걸세!"

그들은 크즐라이 모퉁이까지 왔다. 국회의원은 레피크의 어깨에 손을 얹으며 "내일 저녁에 외메르와 함께 저녁 들러 오게!" 하고 말했다.

레피크는 울루스에 있는 호텔로 돌아왔다. 방으로 올라갔다. 작은 탁자 위에 올려놓은 괴테 사진을 바라봤다. "난 뭘까?" 그는 혼잣말을 했다. 침대에 누웠다. 장관과의 대화, 여기서 기다린 이십 일, 철도 현장에서 보낸 일곱 달, 이스탄불과 페리한을 생각했다. 일 년 전 어느 날 베쉭타시에서 무히틴에게 자신이 과거와 같은지 다른지 물은 적이 있다. '지금은 어떻지?' 하지만 그의 머릿속에선 그런 생각이 아니라, 장관의 말, 추억들, 페리한, 니샨타쉬의 집, 예전의 삶이 스쳐 지나갔다. 한동안 아무것도 생각하지 않고 지저분한 전구를 바라보면서 누워 있었다. 잠시 후 야쿱 카드리의 『앙카라』를 펼쳤다. 언제나 그렇듯 자신이 읽고 있는 책이 우습고 한심해 보였다. 하지만 곧 작가의 열정을 믿으려 안간힘을 썼다.

41
공화국의 딸

닭이 울었다. 닭이 한 번 더 울었다. 나즐르는 일어났다. '공화국 기념일이야!' 시계를 봤다. 7시. 닭이 한 번 더 울자 침대에서 일어났다. 방은 추웠다. 창밖을 내다봤다. 옆집 뒤뜰에 닭이 있었다. 그녀는 다시 한 번 '공화국 기념일이야!' 하고 생각했다. 마음이 들떴다. 하루의 첫 햇살이 닭장을 비추었다. 닭이 울던 정원에선 파자마 위에 외투를 걸친 남자가 슬리퍼를 신은 채 담배를 피우고 있었다. 국방부에서 일하는 무자페르 대령이었다. 십 년 전 아버지가 국회의원으로 선출되어 앙카라에 왔을 무렵, 그는 공화국 기념일마다 아내와 함께 방문을 했다. 최근에는 오지 않았다. 이젠 기념일을 신경 쓰지 않는 것 같았다. 긴 턱수염에 빛바랜 파자마 차림의 그는 공화국 설립 십오 주년을 맞이하는 군인이라기보다는, 병원 정원을 거니는 폐결핵 환자 같았다. 나즐르는 우울한 분위기를 풍기는 그 광경을 보고 싶지 않았다. 이른 시간이었고, 아직 아무도 일어나지 않은 것 같았다. 그녀는 크즐라이까지 걸어갔다 오기로 했다.

서둘러 씻고 옷을 입었다. 어떤 옷을 입을지는 생각하지 않았다. 기념일 전날이면 늘 그랬듯이 어젯밤 잠들기 전에 미리 결정해 두었기 때문이다. 그녀는 하얀 줄무늬가 있는 빨간 옷을 입고 장식장에 달린 거울을 바라보며 흡족해했다. 그러고는 난로를 피웠다. 식구들이 이제 곧 깨어날 것이고, 집이 따스하면 좋아할 것이며, 나즐르가 제일 먼저 일어났다고 생각할 것이다. 자신은 그때 이미 크즐라이에서 산책을 하고 있을 것이다. 이런 걸 생각하자 마음이 뿌듯해졌다. 자신이 건강하고 똑똑하고 사랑스럽다고 생각했다. 잠시 고양이를 쓰다듬어 주었다. 먹이를 좀 주려다가, 당장 거리로 나가고 싶은 마음이 들어 계단을 내려갔다. 아무도 듣지 않게 조용히 문을 잡아당겼다. 안개가 끼었고, 메마른 하늘이 앙카라 위에 걸려 있었고, 기념일 분위기가 났다. 그녀는 걷기 시작했다.

기념일 아침 산책은 이젠 잊혀 가는 오랜 집안 전통이었다. 어머니가 젊었을 때는 공화국 기념일뿐 아니라, 다른 국경일에도 해가 뜬 직후에 모두 함께 예니셰히르로 걸어갔다 오곤 했다. 아버지는 열심히 교훈적인 얘기를 들려주었고, 어머니는 농담을 했다. 나즐르는 어머니와 아버지가 자신을 사랑하고, 모두 함께 이렇게 걷는 게 정말 좋다고 늘 생각했다. 아버지는 국기를 달지 않은 집을 가리키며 걱정 어린 비난을 했고, 그러면 나즐르는 사람들이 참 나쁘다고 속상해했다. 지금은 정원이 있는 집들, 똑같이 생긴 집들 사이를 걸어가면서 국기가 걸린 게 보여서, 그렇지 않은 집이 없어서 기뻤다.

그녀는 아주 급한 일이라도 있는 양, 제시간에 도착해야 할 곳이라도 있는 양 빨리 걸었다. 사람들이 깨어날 때까지는 아직 시간이 많이 남아 있었다. 그녀 앞에 아주 길고 아무도 손대지 않은 하루가 온전히 기다리고 있었다. 외메르와 그의 친구 레피크가 오전에 오기로 했다. 그 후에는 분명 레페트 아저씨가 와서 함께 식사를 할 것이다. 그런 다음 아버지는 국회 축하 행사에 갈 것이고, 다시 그다음엔 다 함께 경기장으로 갈 것이며, 저녁때는 다 함께 예니셰히르로 산책을 나갈 것 같고, 울루스에 가서 폭죽 행사를 구경할 것이다. 그녀는 이런 걸 생각하며, 국기가 달려 있지 않은 집의 주인들에게 화를 내던, 즐거웠던 예전 기념일을 떠올리려 했다. 하지만 그녀의 머릿속은 다른 생각이 채우고 있었다. 그리고 이 생각에서 쉽게 벗어나지 못하리란 것을 알고 있었다. '외메르와 나는 어떻게 될까?' 머릿속에 가득한 이런 생각이 두려워서, 지나치던 학교 창문을 바라봤다. 주름 종이, 아타튀르크 사진, 아타튀르크 사진이 들어간 깃발이 창문에 붙어 있었다. 마니사에서 보낸 어린 시절의 기념일이 생각났다. 그땐 아버지가 모든 것의 중심이었다. 주지사 무흐타르 씨가 공화국 기념일 연설을 했고, 도시의 유지들이 축하 인사를 건넸고, 빨간 옷을 입고 머리를 땋아 하얀 리본을 단 주지사 딸의 머리를 쓰다듬어 주었다. 어머니는 이런 일이 약간은 우습고 약간은 슬프다는 듯 미소를 지었다. 폐병이 점점 심해졌고, 해야 할 일과 하지 말아야 할 일

사이의 명확한 선을 부드러운 단어로 딸에게 확인시키곤 했다. 당시 그 주를 방문하기로 되어 있던 아타튀르크는 이제 몸이 아프다. 그녀의 어머니는 돌아가셨다. 나즐르는 학업을 위해 이스탄불로 갔다가 돌아왔다. 아타튀르크도 어머니처럼 회복되지 못할 거라는 말이 있었다. 아버지는 어젯밤, 경기장도 그를 위해 준비했지만 소용없을 것이고, 기념일은 흥분보다는 두려움과 기대 속에 지나갈 거라고 했다.

그녀는 걸었다. 들뜨고 즐거운 마음으로, 한편으로는 걱정하는 마음으로 대로로 나갔고, 이제 7시 20분이 지나고 있었다. 이제 대로에도 움직임이 시작되었다. 환경미화원이 대로 가의 작은 나무에서 떨어진 낙엽을 쓸어 냈다. 한 튀르크쿠쉬* 학생이 푸른색 옷을 입은 게 부끄러운 듯 어떤 새 아파트 현관 안에서 뭔가 기다리고 있었다. 국기를 든 아이가 아버지의 손을 잡고 있었다. 아이의 아버지는 고개를 숙이고 바닥에 깔린 신문을 보고 있었다. 신문에는 '십오 주년'이라고 쓰여 있었다. '난 스물두 살이야. 결혼을 할 거야. 그런데 언제?' 자주 인상을 쓰는 외메르를 떠올렸다. 외메르는 집에 와서는 베네치아 풍경화를 넣어 둔 액자 맞은편 안락의자에 앉아서 나즐르를 바라보았다. 하지만 그 시선은 나즐르를 지나 그녀 뒤에 있는 어떤 지점에 머물렀다. 그의 관심을 끌 만한 말을 하고 싶었지만, 별로 떠오르는 게 없었다. 자신이 멍청하거나 특징이 없는 사람이라고 생각한 적은 없었다. 외메르에게 쓴 편지들에도 '현

* '터키 새'라는 뜻으로, '공군 사관학교'를 일컫는다.

대적인' 처녀의 특징이 모두 담겨 있었다고 믿었다. 그녀는 혁신과 혁명을 위해 싸우는 선구자의 딸이었다. 부끄러움을 타지 않았고, 모든 일에 대해 자기 나름의 생각을 갖고 있었다. 아름답지는 않았지만 못생긴 것도 아니었다.

답답한 마음을 떨치려고 맞은편 인도로 건너갔다. 새로 지은 아파트의 나무 블라인드 밖으로 포스터가 붙어 있어 있었다. 며칠 전부터 도시 전역에 이런 포스터가 나붙었다. 그녀는 곁눈으로 바라보았다. 국민과 함께, 국민을 위하여. 이 포스터 바탕에는 스카프를 쓰고 아이를 안은 아주머니 사진이 깔려 있었다. 공화국의 새로운 교육. 이 포스터에는 야구 모자를 쓴 시골 사람들 사진과 함께, 어느 해에 읽고 쓸 줄 아는 사람들이 증가했는지, 증가 비율은 얼마인지가 쓰여 있었다. 레피크가 떠올랐다. 안타까운 마음이 들었다. 몇 달 동안 안간힘을 썼고, 지금까지 시행되던 정책을 더 발전시킬 프로젝트를 계획했지만 그가 마주한 건 몰이해의 벽이었다. 무흐타르 씨가 그를 장관들에게 데려가고, 그를 소개시켜 주려고 국회의원들을 식사에 초대했지만 늘 결론은 같았다. 모두들 결과가 부정적일 거라는 걸 아는 것 같았다. 나즐르는 레피크가 이걸 깨닫지 못하는 게 놀라웠다. 그렇게 명석하고 교양 있는 엔지니어가 어떻게 그렇게 현실과 멀어질 수 있을까? "현실은 뭘까?" 그녀는 중얼거렸다. 아버지는 레페트 씨가 현실주의자라고 했다. 레페트 아저씨는 정치를 그만두고 사업을 했다. 케치외렌에 포도원을 갖고 있었다. 아버지가 국회의사당 복도를 돌아다닐 때, 그는 벽난로 앞에서 타울라를 하고 와인을 마시며, 정치계 친구들에게 현실을 보라고 조언했다. 그녀의 아버지는 현실주의자가 아니었다. 모든 사람들이 이미 본 것을 보지 못하는 레피크도 절대 현실주의자가 아니었다. 외메르를 생각했다. 철도 일로 돈을 많이 벌었다. 그가 현실주의자인지 곰곰이 생각하다가 마음속에 두려움이 일어 그만두었다. 좋지 않은 생각이 그녀를 가만두지 않았던 것이다. 피곤하기도 했다. 그녀는 다시 맞은편 인도로 건너갔고, 집에 돌아가기로 했다. 잠시 후 "그럼 난 현실주의자인가?" 하고 중얼거렸다. 몇 걸음 걸어가다 '외메르는 똑똑하고 잘생기고, 게다가 이젠 부자이기까지 해!' 하고 생각하며 얼굴을 붉혔다. 그녀는 빨간 옷을 입은, 주지사의 어린 딸처럼 순진무구하게 남고 싶었다. 갑자기 공화국도 자신도 죄악에 파묻혀 버렸다고 결론을 내렸다. 이런 결론을 어떻게 내렸는지는 알 수 없었지만, 벽에 붙어 있는 포스터가 우습고, 기념일 아침에 파자마를 입고 담배를 피우는 이웃집 대령이 정당하다는 생각이 들었다. 잠시 후 '난 공화국의 딸이야!' 하고 생각했다. 아버지가 라크를 두 잔쯤 마시면 가끔 하는 말이었다. '공화국의 딸이 십오 주년에 길을 걸어간다!'라고 생각하고 싶진 않았다.

대로로 연결되는 거리 모퉁이에서 꽃장수가 꽃을 팔고 있었다. 맞은편 적신월사* 건물이 커다란 국기로 덮여 있었다. 신나게 하루를 시작하는 한 아이가 자전거를 타고 돌아다녔

---

* 붉은 초승달 모양의 표장을 사용하는 이슬람권의 적십자사.

다. 경비원 둘이 시미트*를 먹으며 걸어갔다. 맞은편에선 걸스카우트 옷을 입은 소녀가 걸어왔다. '저 애도 공화국의 딸이야!' 소녀가 가여웠다. 어머니의 슬픈 미소가 떠올랐다. '공화국의 딸은 어때야 하지?' 남자들 머릿속에 있는 '젊고 현대적인 소녀'의 모습을 생각해 봤다. 어떤 신문이 이에 대해 설문 조사를 한 적이 있었다. '현대적인 여성은 어떠해야 한다고 생각하는가?' '남녀 관계에 소극적이지 않아야 한다. 아타튀르크가 믿는…….' 그녀는 지루해졌다. 자신이 점점 빨리 걷고 있다는 걸 깨달았다. 발걸음을 생각에 맞추려는 것 같았다. 걸스카우트 옷을 입은 소녀가 씩씩하게 그녀 곁을 지나갔다. '저 아이도 결혼을 하고, 아이도 갖겠지!' 외메르도 누군가를 경멸한다는 듯 이런 말을 했던 것이 기억났다. 부엌 냄새도 경멸한다고 한 적이 있다. 소설 주인공 라스티냐크와 자신을 동일시하고 있지만, 유치한 짓이었다. 나즐르는 이런 동경을 너그럽게 이해하고 받아들여야 한다고 생각했지만 답답했다. 남자들에게서 약한 모습을 보면 세상에 대한 믿음이 작아졌다. 아마 그래서 레피크에게도 화가 나는 것 같았다. '라스티냐크, 파티흐가 되고 싶은 바람!' 그녀는 이렇게 투덜거렸다. '왜 그런 걸 생각할까?' 유럽에서 이런 바람을 갖게 됐을 거라 생각했다. 그녀는 화를 내며 "결국 우린 결혼할 건데, 뭐!" 하고 중얼거렸다. '부엌 냄새가 싫으면 아내를 거기 들여보내지 말고 가정부를 쓰면 되지……. 젊은 남자는 뭘 원하는 걸까?' 쉽고

---

* 깨가 뿌려진 고리 모양의 빵.

간단히 답을 찾을 수 없었다. '난 뭘 원하지? 엄마처럼 되고 싶진 않아. 하지만 그렇게 될 거라는 걸 알지.' 외메르와 아버지를 비교해 봤다. 외메르는 삶에 어떤 가치가 있다는 걸 유럽에서 배워 왔다. 공화국도 유럽에서 많은 것을 배웠다. 저 남자의 머리에 어색하게 얹혀 있는 모자도, 신문에서 언급하는 젊은 여자들도……. 그리고 이런 걸 사람들에게 가르쳤던 것이다. '난 외메르처럼 동경심에 휩쓸리지 않을 거야!' 한번은 외메르가 이런 걸 암시하고는 다시 시선을 먼 지점에 고정시켰다. 최근에 외메르가 자주 하는 행동이 나즐르의 신경을 곤두서게 만들었다. 진실에 도달한 철학자나 중국 현자처럼 모든 걸 보고 경험한 사람처럼 너그럽게 미소를 짓기 시작한 것이다. 그러나 이 미소는 곧 현자의 미소가 아니라, 조롱하고 무시하는 웃음으로 변했고, 나즐르가 멍하고 단순하다는 걸 스스로 미안하게 여길 때까지 계속됐다. 그녀는 기념일 아침에 이런 생각을 할 수밖에 없는 현실에 화가 났다. '그에게 다 물어볼 거야! 나하고 결혼하고 싶지 않으면 말하라고 해야지. 이걸 물어봐야지!' 옆길로 들어서서 몇 걸음 더 걷다가, 자신이 그런 걸 묻지 못하리라는 걸 깨달았다. 외메르의 대답에 얼굴을 붉힐 것이기 때문이다.

똑같이 생긴 집들 사이를, 예니셰히르의 조합주택 사이를 걸었다. 집의 모양, 작은 굴뚝, 좁은 발코니, 발코니에 늘어진 국기가 모두 똑같았다. 정원이나 나무나 꽃은 달랐다. 사는 사람들도 서로 달랐다. 어떤 사람은 나무에 흥미를 느끼고, 어떤 사람은 괴상한 꽃을 키우고, 어떤 사람은 정원에 벽을 쌓고,

어떤 사람은 이웃집 대령처럼 닭을 키웠다. 이런 얘기를 외메르와 나눈 적이 있었다. 그녀는 이런 집 안에서의 삶을 생각했다. '지금쯤 잠에서 깨어나, 곧 아침을 먹고 신문을 읽겠지. 그런 후 라디오를 켜고, 기념식에 가기 위해 준비하겠지.' 어두운 이 거리를 걸을 때도 비슷한 생각을 했다. 그럴 때 창문 밖으로, 서로 비슷하고, 늘 반복되는 일상의 희미한 불빛이 번져 나오곤 했다. '우린 이스탄불에서 살 거야.' 하지만 자신을 속이고 있다는 생각도 들었다. 엄마도 이스탄불을 생각하며 자신을 위로하곤 했다. 놀랍게도 국기가 걸려 있지 않은 집을 보자 평온함을 느꼈다. "나는 뭘 믿고 있지? 삶에서 가치 있는 건 뭐지? 나와 결혼하고 싶은지 아닌지 그에게 물어봐야지. 솔직하게 대답해 달라고 해야지." 그녀는 혼잣말을 했다. 외메르는 다른 말을 할 것 같았다. 하지만 이번에는 얼굴이 붉어질 거라는 생각이 들지 않았다. '난 다른 사람들처럼 될 거야. 어쩌면 조금 더 좋을 수도 있겠지!'

집이 있는 골목으로 들어섰다. 이제는 쾌활하게 주위를 살피지 않고 앞만 바라보았다. 산책도, 생각도, 다가오는 날들도 즐겁게 느껴지지 않았다. 이웃집 대령이 그 우울한 옷을 입고 앞뜰에 나와 있었다. 몇 년 만에 처음으로 그가 정겹게 느껴졌다. 열쇠로 문을 열고 집으로 들어갔다. 계단을 올라가면서 쾌활해지고 싶다고 생각했다. 아버지가 잠에서 깨어 아래층으로 내려온 소리가 났다. 그녀는 거실로 들어갔다.

2인용 식탁이 차려져 있었다. 우려낸 차가 타닥타닥 소리를 내며 타고 있는 난로 위에 올려져 있었다. 안에서는 타 버린 빵을 긁어내는 소리가 들렸다. 문득 이런 것이, 이렇게 작은 일들만이 행복을 준다는 생각이, 삶을 가치 있게 하는 건 이 따스한 방과 2인용 식탁이라는 생각이 들었다. 외메르는 이런 것으로 만족하지 않을 거라는 생각이 스치자 두려워졌다. "그에게 해로운 생각을 심어 준 건 도대체 뭘까?" 하고 중얼거리며 식탁을 바라보았다. 아버지가 안락의자에 앉아 있는 것 같아 돌아섰다.

무흐타르 씨는 들고 있던 신문을 내려놓고, 식탁과 딸을 번갈아 쳐다봤다. 나즐르가 흥분한 이유가 뭔지 알아내려고 애를 쓰고 있었다. 잠시 후 딸이 미소 짓는 걸 보고는 자신도 미소를 지어 보이며 말했다.

"국회의원으로서 축하 인사를 받을 준비가 됐다는 걸 알립니다!"

나즐르는 아버지에게 가서 그의 볼에 입을 맞추었다. 국회의원도 딸에게 입을 맞추고 물었다.

"산책했니? 왜 나한테는 말 안했어? 같이 갔을 텐데."

"예, 산책했어요. 아주 좋았어요!"

"그래, 그렇구나! 자, 아침 먹자. 뭘 보고, 뭘 생각했는지 말해 주렴!"

그는 한숨을 쉬었다.

42
국회의원의 집에서

외메르는 똑같이 생긴 집들 사이로 걸어갔다. 이런 집들과, 사는 게 비슷한 동네에 대해 나즐르에게 몇 번 말해 보려 했지만, 그녀가 초조해하는 것 같아 입을 다물었다. 지금은 이 동네와 삶에 대해 생각하고 싶지 않았다. 호텔에서 나온 지 이십 분이 지났다. 레피크는 거리를 좀 걷고 싶다고 해서 헤어졌다. 외메르는 그의 열정이 우습다고 생각했지만 그 말을 입 밖으로 낼까 봐 두려워 식사에 늦지 않게 오라고만 했다. 나즐르의 집에서 함께 점심을 먹고, 경기장으로 갈 생각이었다. 국회의원 무흐타르 씨는 모두에게 경기장에서 있을 의식에 대해 설명했고, 다 같이 가자고 기회가 있을 때마다 말했다. 외메르는 그의 딸과 약혼했기 때문에 이런 성가신 일도 의무적으로 따라야 한다는 것에 화가 났다. 화가 나는 일은 물론 더 있었지만, 약혼자이기 때문에 이 정도 분노는 그저 조롱 섞인 미소에 담아 표출하는 수밖에 없었다.

나즐르의 집이 있는 골목으로 접어들면서 다시 한 번 혼자서 조롱 섞인 미소를 지었다. 이 골목으로 들어올 때마다 이모, 이모부와 함께 청혼하러 왔던 날이 떠올랐다. 그는 따져 봤다. 스무 달 전이었다. 들뜨고 열정적이던 스무 달 전의 모습과 조롱 가득하고 화를 내는 지금의 모습을 비교해 봤다. '나는 인생을 알게 됐어!' 이건 실패한 바보들의 말이었다. '내가 예전처럼 야심차고 들떠 있나?' 전에는 이 골목으로 접어들 때마다 마음이 들떴다. 지금은 화가 치밀었다. "난 이제 부자야!" 그는 이렇게 혼잣말을 하다가, 나즐르 옆집의 발코니에서 파자마를 입고 그 위에 외투를 입은 남자를 보고 깜짝 놀랐다. 그는 초인종을 누르고 기다리면서 "그럼 우린 언제 결혼하지?" 하고 중얼거렸다. 사소한 핑계를 대며 결혼식을 계속 연기하고, 이 얘기가 나오면 얼굴을 찡그리는 게 자신이 아니라는 듯 진심으로 자문했다. '어쩌면 결혼하지 않을 수도 있어!' 이렇게 생각하는 자신이 놀라웠다. '그렇게 되면 뭐가 좋지?' 계단을 내려오는 가정부의 발소리가 들렸다. 약혼식, 그 긴 밤을 떠올렸다. '그런 걸 견딜 힘이 내게 있을까? 음식 냄새가 나고, 슬리퍼를 신은 가족들을 견딜 힘이 내게 있을까? 참 나, 이 여자가 세 계단을 못 내려오는군!' 갑자기 문을 주먹으로 두드리고 싶어져서 손을 주머니에 넣었다.

가정부는 문을 열면서 웃어 보였다. 외메르가 익히 아는 미소였다. 나이든 여자들이 자기를 보고 잘생기고 멋지고 사랑스러운 아이나 청년이라는 듯 활짝 웃는 건 어렸을 때부터 경험했지만, 그는 계단을 올라가면서 '왜 웃는 거지? 그래, 사랑스럽고 잘생겼고 예비 사위라는 걸 알기 때문에 웃는 거야.' 하고 생각했다. 그는 거칠고 다급하게 거실로 들어갔다. 무흐타르 씨와 눈이 마주치자 그가 자신을 바라보는 시선이 곱지 않다는 걸 알 수 있었다. 미래의 장인과 악수하면서 그가 억지로 미소를 짓는다는 걸 알아챘다. 그는 거실을 한번 훑어봤다. 나즐르가 붉은색 옷을 입고 있었고, 이 집을 자주 드나드는 레페트 씨가 여느 때처럼 만족스러운 태도로 고개를 끄덕였으며, 고양이가 방석에 앉아 외메르를 보고 있었고, 식탁은 이미 차려져 있었다. 그는 나즐르를 보며 '열두 살짜리 여자애처럼 기념일에 빨간 옷을 입었군!' 하고 생각했다. 그러고는 늘 앉던 대로, 베네치아 풍경화가 보이는 안락의자에 앉았다.

"우리 젊은 혁명가는 어디 있나?"

무흐타르 씨가 물었다. 레피크에 대해 묻는 것이었다. 지금 산책하고 있는데, 곧 올 거라고 외메르는 대답했다. 무흐타르 씨가 고개를 끄덕였다. 레페트 씨도 고개를 끄덕였다. 그들은 함께 라디오를 듣고 있었다. 오늘 처음 시작한 앙카라 라디오가 하루 종일 방송할 예정이었다. 아침에는 여러 가지 토론 프로그램이 방송되었다. 외메르도 주의 깊게 들었다. 아나운서는 세계 평화와 터키 외교에 대해 말하고 있었다. 그들은 아무 말도 하지 않고 한동안 라디오에 귀를 기울였다. 잠시 후 다른 아나운서는 외무부가 주관한 '터키의 힘은 전 세계 평화를 위해 필요하다!'라는 주제의 토론이 방송될 예정임을 알렸다. 무흐타르 씨가 그 큰 몸집으로 예상치 못할 만큼 빨리 자리에서 일어났다.

"듣기도 좋고 멋진 말이야. 그런데 그다음엔 어떻게 되지? 이후엔 어떻게 되는지 누가 알지?"

"이시 은행을 주제로 토론을 한다던데. 그러니까 다음 프로그램은 젤랄 씨에 관한 것이겠군!"

레페트 씨는 신문에서 고개를 들면서 말했다. 삶의 유일한 목적이 농담을 하는 것이라는 듯 큰 소리로 웃어 젖혔다.

"신께서 보호하시길!"

무흐타르 씨는 화를 내며 말했다. 그는 방 안을 서성거리기 시작했다. 그리고 몸을 굽혀 나즐르의 원피스에 붙은 실 가닥을 떼어 냈다.

"이 혁명가 녀석은 어디 있는 거야?"

그는 시계를 보며 말했다. 잠시 후 생각에 잠긴 표정으로 레페트 씨를 바라보았다.

"그러니까 모든 게 옛날처럼 계속될 거란 말이지, 응? 그러니까 그렇게 생각하는군, 자네는."

"이보게 무흐타르, 오해했군그래. 모든 게 어떻게 바뀌는지 보게 될 걸세!"

레페트 씨는 멋지게 받아쳐 주지 못해 안타깝다는 듯 이렇게 말했다. 친구가 불행한 표정을 짓는 걸 보고는 덧붙였다.

"아니, 왜 그렇게 속상해하나? 오늘은 기념일이야! 힘을 내, 왜 이리 고뇌하고 걱정하고, 또 뭘 기다리는 건가?"

"아버지, 앉으세요!"

나즐르는 이렇게 말한 후 레페트 씨를 쏘아봤다. 레페트는 나즐르의 야멸찬 시선을 느끼고서야 자기가 얼마나 심각한 상처를 줬는지 깨달았다는 듯 "자, 와인 마십시다!" 하고 말했다. 그는 대답을 기다리지 않고, 자기 집인 양 편안하게 걸어가 와인 병을 가져왔다. 그러고는 잔에 와인을 따라서 거실을 서성거리던 무흐타르 씨에게 건넸다. 그런 후 약혼한 커플에게도 따라 주었다. 그는 이야기를 하나 들려주었다. 이슬람 성직자이자 국회의원인 하즈 레술이 얼마 전에 자기 상점에 와서, 냉장고를 사고 싶은데 먼저 냉장고가 어떤 건지 보고 싶다고 했다는 것이다. 레페트 씨는 그에게 와인 병이 들어 있는 냉장고를 열어 보여 주었다. 하즈는 일단 놀랐고, 그런 후……. 이 이야기가 끝나자 비슷한 경험담을 하나 더 들려주었다. 그런 다음 무흐타르 씨와 함께 국회에서 있었던 일들에 대해 얘기를 나눴다. 맹신자들과 혁명에 반대하는 사람들을 조롱했다. 무흐타르 씨는 의상법이 시행되었을 때 마니사에서 취했던 조치를 설명하는 동안 기분이 좋아져서 와인을 몇 잔 더 마셨다. 젊은 커플도 와인을 마셨다. 무흐타르 씨가 즐겁게 추억을 얘기하다가 갑자기 말을 중단하며 소리를 질렀다.

"아, 아직도 저 보기 싫은 옷을 입고 발코니에 앉아 있군, 정말!"

"누구?"

"우리 이웃인 대령 말이야! 부끄러운 것도 모른다니까! 턱수염은 한 뼘이나 기르고! 공화국 십오 주년인데!"

"무슨 상관인가. 기념일이잖아, 누구든 원하는 대로 즐길 수 있고, 휴식을 취할 수 있어."

"아냐, 안 돼!"

무흐타르 씨는 이렇게 소리쳤다.

"지금 가서 그 집 문을 두드리겠어. 무슨 말을 해야 할지도 알고 있어……. 왜 웃는 건가, 레페트, 웃을 일이 뭐라고? 자네도 결국 그들처럼 됐군. 술잔을 든 채 웃고 있다니. 제발, 우리가 죽었나? 혁명 세대가 죽었냐고?"

"내버려 둬, 오전을 즐기도록."

"아버지, 이제 그만 마시는 게 좋을 것 같아요."

나즐르도 거들었다.

"무슨 놈의 오전 유희야! 몇 시지? 11시 반이군. 우리 청년은 왜 안 와?"

"점심은 12시에 먹기로 했잖아요, 아버지!"

"곧 올 겁니다, 어르신!"

외메르도 걱정스러운 듯 말했다.

"좀 진정해! 술을 못 이기는군!"

"무슨 말이야. 지금 술 얘기를 하는 건가! 그도 이스탄불에서 술 때문에 사경을 헤매고 있는데!*"

무흐타르 씨는 이렇게 말하고 얼굴을 붉혔다.

"가서 옆집 벨을 눌러야겠어……. 아침부터 저게 뭐야……. 우리 청년은 왜 안 와?"

"아버지, 앉으세요."

---

* 아타튀르크의 사망 원인은 알코올로 인한 간경화로 밝혀졌다.

나즐르가 자리에서 일어났다.

“오늘 어떻게 그냥 앉아 있어? 국회에 지각하겠어. 무흐타르가 국회의장에게 축하 인사도 하러 오지 않았다고들 수군거릴 거야. 늦겠어! 옷이라도 갈아입고 채비를 해야지!”

“아버지, 식사하다가 옷에 기름이 떨어질 수도 있어요! 연미복은 나중에 입으세요.”

“다들 왜 그래? 이거 하지 마라, 저거 하지 마라. 진짜로 옆집 문을 두드리러 가야겠어!”

무흐타르 씨는 이렇게 말하며 웃기 시작했다.

“아, 무흐타르, 신경 쓰지 말게. 지금이 압뒬하미트 시대인가, 파디샤 시대인가? 원하는 대로 입고, 원하는 대로 있게 내버려 둬. 이제 자유가 있으니까!”

레페트 씨도 웃으며 말했다. 나즐르도 웃기 시작했다. 그들은 모두 함께 웃었다. 고양이도 일어났다.

“이제 연미복을 입고 모자를 쓸 테니 두고 보라고. 그 혁명가 녀석도 와서 나를 좀 보라지. 우리는 아직 생생하다고, 그렇지 않나!”

가정부는 시끄러운 소리에 뛰어나와 웃고 있는 사람들을 쳐다보고, 지금은 무슨 영문인지 모르겠지만 곧 이해하게 될 거라 생각하며 따라 웃었다. 그러다 탁자 위에 놓인 빈 와인병을 보고 인상을 찌푸리려다가 다시 웃었다.

“자, 이제 가서 연미복을 어떻게 입는지 보여 주게.”

레페트 씨는 무흐타르 씨의 팔짱을 끼며 말했다. 하지만 자기 농담이 마음에 들지 않았는지 웃지는 않았다.

무흐타르 씨는 거실을 나가면서 다시 한 번 폭소를 터뜨렸다. 그러다 갑자기 뭔가 기억났다는 듯 뒤를 돌아봤다. 옷에 떨어진 얼룩을 보듯 얼굴을 찡그리며 외메르를 쳐다보고 나갔다. 남자들의 뒷모습을 바라보던 가정부가 나즐르와 외메르에게 말했다.

"어르신이 오늘 기분이 좋으신가 봐요!"

"예!"

나즐르가 대답했다.

"아, 좋은 게 좋죠!"

가정부는 이렇게 말하면서 부엌으로 갔다.

정적이 흘렀다.

외메르는 자신을 바라보는 나즐르를 바라봤다. 일어나 담배에 불을 붙이고 라디오를 끈 후 다시 안락의자에 앉았다. 이 집, 이 가족, 그리고 공화국의 분위기에서 벗어나고 싶었지만 어떻게 해야 할지 알 수 없었다. 그저 건성으로 "나는 부자야, 약혼녀와 함께 있어! 나는 살아 있어. 앞으로 더 많은 걸 볼 테고, 살아갈 거야." 하고 중얼거렸다.

나즐르가 갑자기 물었다.

"아버지를 어떻게 생각해?"

"좋아, 좋지, 뭐!"

외메르는 건성으로 대답했다. 그러다 뭔가 더 말해야 할 것 같아 "신경이 예민하고 성격이 급한 분이지!" 하고 덧붙였다. 하나도 특별한 말은 아니었다.

"그렇지……."

나즐르도 힘없이 대꾸했다.

그들은 한동안 아무 말도 하지 않았다. 외메르는 다시 같은 생각에 빠졌다. 그러다 그런 생각이 터무니없다는 결론을 내렸다.

"레피크는 왜 아직 안 오지?"

"곧 오겠지!"

"오늘 아무 말도 안 하네!"

나즐르는 초조한 듯이 치마를 잡아당기며 말했다.

"왜 그래? 뭘 바라지?"

외메르도 빨간 치마를 잡아당기는 신경질적인 손을 보며 물었다.

"난 아무렇지도 않아. 원하는 것도 없고!"

나즐르는 이상한 표정으로 외메르를 쳐다봤다. 외메르는 처음에는 이 시선이 이상하게 느껴졌지만, 곧 좋았던 일들을 떠올렸다. 나즐르에게 친근함을 표현하고 싶었다. 그녀의 눈길을 피하며 담배를 피웠다. 나즐르가 여전히 이상한 눈길로 자신을 바라보고 있는 걸 느끼고 그녀를 쳐다보았다. 알 수 없는 뭔가로부터 벗어나고 싶다는 듯 다급하게 "널 사랑한다는 거 알잖아!" 하고 말했다. 그리고 아주 중요한 것이라도 있는 듯 한곳을 바라보았다. 자신이 보고 있는 게 두꺼운 액자에 끼운 베네치아 풍경화라는 걸 깨달았지만, 일단 그곳에 시선을 고정시킨 이상 다른 곳을 볼 수가 없었다. 그는 그 그림을 처음 본다는 듯 한참 동안 관찰했다. 그런 후 담배 끝을 쳐다봤다. 눈이 이번에는 다른 곳에 고정되었다고 생각하는데, 나즐르가 말을 꺼냈다.

“너와 얘기하고 싶어!”

“좋아, 얘기하자!”

“몇 가지 물어볼게 있어.”

“물어봐!”

나즐르를 한 번 훑어본 후 다시 입에 물고 있던 담배 끝을 바라봤다.

“요즘 아주 불안해 보여.”

“그건 질문이 아닌데!”

“왜 그래?”

“난 불안하지 않은걸!”

하지만 곧 자신이 초조해하고 있다고 생각했다.

“그럼 왜 그래? 무슨 일이 있는지 말해 봐!”

“아무 일도 없어, 아무 일도!”

외메르는 소리를 지르며 일어났다.

“그건 또 어디서 나온 말이야?”

그는 예상치 못한 자신의 행동에 스스로 놀랐다. 앉고 싶었지만 그럴 수 없었다.

“몰라! 솔직하게 묻고 싶었던 것뿐이야.”

그녀가 궁금해하는 걸 울면서 물어볼까 봐, 외메르는 방 한쪽으로 빠르게 걸어갔다. 장식장 위에 있는 터번 보관함을 들여다봤다. 담배를 껐다.

“너한테 묻고 싶어.”

나즐르는 자리에서 일어나 그에게 다가왔다.

"너한테 솔직하게 묻고 싶어. 네가 어떤 대답을 하더라도 얼굴 붉히지 않고 받아들일 수 있을 것 같아!"

외메르는 자개로 장식된 터번 보관함을 보면서, 자신의 볼이 씰룩거리고, 입이 보기 싫게 일그러졌을 거라고 생각했다.

"얼굴 붉히지 않을 자신 있어. 물어볼게. 나와 결혼하고 싶은 거야?"

그녀는 외메르 바로 뒤에 서 있었다.

"나와 결혼하고 싶지 않으면 말해 줘!"

"허튼소리!"

외메르는 이렇게 소리 질렀다. 그는 부자연스럽고 초조하게 뒤로 돌았다. 나즐르의 얼굴을 가까이서 들여다보고, 그녀의 머리를 감싸 안고 자기 쪽으로 당겨, 온 힘을 다해 입을 맞췄다. 그는 아무 생각 없이 이상한 열정에 사로잡혀 이렇게 행동했다.

"나와 결혼하고 싶지 않으면 말해 줘!"

나즐르가 다시 한 번 말했다. 외메르는 약간은 아프게 하고 싶은 생각에, 온 힘을 다해 그녀에게 입을 맞췄다.

"나는 파티흐야! 나는 남자야, 평범한 사람이 아냐!"

"결혼식을 계속 연기하고 있잖아."

나즐르는 중얼거렸다. 떨고 있는 것 같았다. 외메르는 그녀의 얼굴을 보지 않고 대답했다.

"계속 일이 있었다는 거 알잖아!"

"사실이 아냐!"

"봐, 얼굴이 빨개지고 있어!"

"제발 소리치지 마. 고함지르지 마, 다들 듣겠어!"

나즐르가 말했다. 잠시 후 그녀의 눈에서 눈물이 흐르기 시작했다. 외메르는 그녀를 그대로 두고 한 걸음 뒤로 물러났다. 그녀의 빨간 치마를 훑어봤다.

나즐르는 눈물을 닦으며 고개를 들었다.

"봐, 또 조롱하고 무시하는 눈길. 내가 뭘 어떻게 했는데? 날 무시하잖아. 날 원하지 않는다면 말해 줘!"

"난 널 원해. 하지만 네가 날 원하지 않는구나!"

외메르는 이렇게 말하며 웃었다. 나즐르는 다시 울기 시작했다. 외메르는 그녀를 진정시키고 위로하려고 그녀의 어깨에 손을 얹었다. 하지만 안쪽에서 소리가 들려오자 물러섰다.

"자, 앉자."

외메르는 이렇게 말했지만 자신의 목소리가 두려웠다.

"술을 마시지 말았어야 했어. 다 저것 때문이야. 술이 영향을 미쳤다는 거 알잖아."

그들은 조금 전에 앉았던 곳으로 가서 앉았다. 복도에서 쾌활한 목소리가 들려왔다. 잠시 후 레페트 씨가 안으로 들어왔다.

"네 아버지는 정말 못 말리는 사람이다."

그는 외메르를 보고 그들 사이에 좋지 않은 일이 있었다는 걸 눈치챈 것 같았지만, 얼굴에서 쾌활함을 지우지는 않았다.

무흐타르 씨도 들어왔다. 깨끗하고 멋진 연미복을 입고 있었다. 나즐르를 보며 미소 지었다.

"나 어떠니, 응, 나 어때?"

나즐르는 갑자기 자리에서 일어나 한 걸음 앞으로 나왔다.

"아주 멋져요, 아버지!"

그녀는 이렇게 말하며 아버지를 껴안았다. 무흐타르 씨도 감동하여 딸을 안았고, 그녀의 등을 몇 번 토닥거렸다. 하지만 나즐르가 떨고 있는 걸 느꼈던지 딸의 어깨를 잡고 얼굴을 쳐다봤다.

"아, 울고 있구나! 울 일이 뭐 있다고 그러니?"

"나도 모르겠어요. 그냥 눈물이 나요!"

나즐르는 이렇게 대답하고, 이젠 모두에게 들릴 만큼 소리 내어 울기 시작했다. 모두들 당황한 것 같았다. 무흐타르 씨는 딸을 더 꼭 안았다. 머리칼을 쓰다듬더니 뭔가 떠올린 듯 웃었다.

"아, 알았다, 와인 때문이구나. 네 엄마도 그랬단다. 그렇군……. 난 네 엄마에게, 와인 한 잔에 눈물 한 수저, 라고 말하곤 했어. 그 엄마에 그 딸이군. 엄마도 이 자리에 있어야 하는데. 십오 주년을 봤어야 하는데."

그는 웃기 시작했다. 그런 후 나즐르의 볼에 입을 맞추었다. 외메르와 눈이 마주치자 기분이 상한 것 같았다.

외메르는 비난하는 듯한 눈길에서 벗어나고 싶었지만 그럴 수 없었다. 자신이 죄를 지은 저질스러운 나쁜 인간 같았다. 자신을 혐오하지 않으려고 다른 생각을 하고, 조금 전에 일어난 일을 아무렇지 않게 받아들이고, 쾌활해 보이려고 노력했다.

무흐타르 씨는 딸의 뺨에 한 번 더 입을 맞추고 미소를 지어 보였다.

"오늘은 기념일이란다, 즐거워해야지."

나즐르가 미소를 짓자 기뻐하며 "참, 내 옷 어떠니?" 하고 물었다. 잠시 후 벨 소리가 들렸다.

"아, 드디어 우리 젊은 혁명가 친구도 왔군! 날 보고 뭐라고 할지 보자. 혁명가 세대가 아직 건재하다고 하겠지! 그래, 그렇게 말할 거야!"

43
국가

레피크는 습관적으로 가정부에게 안부를 물었다. 그녀를 볼 때마다 니샨타쉬의 집, 에미네 부인, 어머니와 페리한이 떠올랐다. 계단을 올라가다가 위에서 웃음소리가 들려오자 '내가 곧 그들의 즐거운 기분을 망치겠구나!' 하고 생각했다. 이 집에 올 때마다 자신이 즐거운 분위기를 망치고, 사람들을 슬프게 한다는 생각이 들었다. 무흐타르 씨가 국회의원들과 만나게 해 주려고 준비했던 식사가 기억났다. 레피크는 식사 자리에서 알게 된 국회의원들에게 자신의 프로젝트를 설명했고, 그들도 프로젝트가 아주 마음에 든다고 했다. 하지만 그들은 곧 진짜 그들에게 중요한 것, 그러니까 정치 얘기에 파묻혔다. '그래, 그들은 도움의 손길을 잘 이용하지 못한 나를 가엾게 여기고, 그래서 죄책감을 느끼는 거야……. 그래서 날 보면 즐거운 기분이 사라지는 거지!' 이런 생각은 전에도 했기 때문에,

그들의 기분을 망치지 않으려고도 해 봤지만, 결국은 다시 분위기가 우울해지곤 했다. 마지막 계단을 지났다. 무흐타르 씨가 멋진 연미복을 입고 자상하게 자신을 바라보고 있었다.

"드디어 왔구먼! 젊은 혁명가가 왔어!"

그는 이렇게 말하며 레피크가 내민 손을 강하게 마주 잡았다.

"왜 이렇게 늦었나? 돌아다니며 둘러본 모양이군, 그렇지? 어떻던가? 좋던가? 참, 내 모습은 어때?"

"어르신도 좋아 보이는군요."

잠시 후 그는 익숙하지 않는 분위기를 느끼며 주위를 둘러봤다. 레페트 씨와 나즐르는 미소를 짓고 있었다. 그러나 그녀의 표정이 이상했다. 외메르도 웃고 있었지만 여기가 아니라 다른 곳에 서 있는 사람처럼 보였다.

"봤지, 이 젊은이가 날 혈기 왕성한 사람으로 보는 것 같아! 자, 식탁에 앉아서 뭘 봤는지 말해 주게. 나는 왜 아침 내내 집에만 있었을까? 자넨 이리 오고, 넌 저쪽으로……. 음식은 어디 있는 거야? 하티제 부인, 음식은?"

가정부는 고기를 오븐에서 꺼냈지만, 아직 식지 않아 식탁에 올려놓을 상태가 아니라고 했다. 그러자 무흐타르 씨는 와인을 한 병 더 갖고 오라고 했다. 나즐르와 레페트 씨는 이 말에 반대했다. 무흐타르 씨는 레피크에게 조금 전에 와인 두 잔을 마셨을 뿐이라고 했다. 그런 후 불쾌하다는 듯 발코니에 나와 있는 남자를 봤는지 물었다. 레피크가 이 질문을 이해하지 못하자 설명을 했다. 이웃집 대령이 무례하게도 턱수염을 한 뼘이나 기르고, 허름한 옷을 입은 채 정원을 거닐고 있다는 것이었다. 자신이 그에게 한마디 하러 나가려 했지만, 딸과 레페트 씨가 말렸다고 했다. 그는 다시 레피크에게 거리에서 뭘 봤는지 말해 보라고 했다.

레피크는 거리를 걸었지만 별로 흥분되지 않았다. 외메르와 헤어질 때는 군인들이나 기념식 준비, 시끌벅적한 광장, 들뜬 사람들을 보게 될 것이고, 그런 광경들이 그의 마음속에 있는 흥분을 일깨워 줄 거라고 기대했다. 하지만 그렇지 않았다. 그는 집, 페리한, 프로젝트, 앙카라에서 무슨 일을 할 수 있을지를 생각하며 거리를 걸었던 것이다. 마음속에선 기대했던 흥분 대신 스스로를 비하하고 무시하는 생각만 커져 갔다. 그래서 무흐타르 씨를 즐겁게 해 줄 이야기를 찾아보려 해도 잘 되지 않았다. 대신 무흐타르 씨의 흥분한 모습을 의심스러운 눈길로 바라보았는데, 그에게서는 흥분보다 조바심과 다급함이 느껴졌다. 가정부가 고기를 식탁에 올려놓자 국회의원은 다시 쾌활함과 흥분을 되찾은 듯했는데, 그런 그가 의아해 보였다. 다시 한 번 자신이 즐거운 분위기를 망치는 사람이라는 생각이 들었다. '사람들은 나를 보면 우울해져! 이곳에 광명을 가져오겠다는 내 결심과는 정반대군!' 그는 국회의원에게 새로 본 것들을 설명해 주었다. 손에 국기를 들고 모자를 쓴 시골 가족을 봤다는 얘기를 하고 있는데 무흐타르 씨가 갑자기 물었다.

"좋아, 좋아, 아주 좋아. 그런데 이제 어떻게 될까? 새로운 핵심 멤버들이 통치를 할까?"

"새로운 핵심 멤버요?"

레피크는 놀라서 되물었다. 그는 『혁명과 조직』을 떠올렸다. 그는 자신의 생각과 무흐타르 씨의 기대 사이에서 접점을 찾으려 하면서, 새로운 멤버는 새로운 아이디어와 계획을 들고 나타날 거라고 대답했다.

"새로운 멤버들이 통치를 하더라도 우리는 옛날에 쓰던 바가지로 계속 몸을 씻을 걸세."

레페트 씨는 이렇게 말하며 웃었다.

"좋아, 케말주의는 사상운동인가, 핵심 멤버들의 운동인가?"

레피크는 케말주의는 그 둘 사이에 있는 무언가지만 그건 중요한 게 아니라며, 진정 중요한 건 다른 데에, 즉 농촌에 대한 새로운 접근에 있다고 대답했다. 무흐타르 씨가 그 새로운 접근이란 게 뭐냐고 물었다. 하지만 레피크의 설명은 듣지 않았다. 고기가 딱딱하다고 불평했고, 너무 뜨겁다고도 했다. 화를 내고 싶은데 적당한 핑계를 찾지 못하는 것 같았다. 레피크는 농촌에 대한 새로운 접근은 국민당의 '국민주의' 원칙에서 해답을 찾는 조치에서 나왔다고 대답하려다 그만두었다.

"혁명은 핵심 멤버의 작품이었지. 그것도 핵심 인물 한 사람."

"그리고 그는 지금 이스탄불에서 죽음의 문턱에 서 있지."

무흐타르 씨는 레페트 씨의 말에 흥분하며 대꾸했다. 아마도 자신이 한 말이 두려웠던지 "그럼 다음에는 어떻게 되지?" 하고 물었다.

"국가기관에서 일하기 위해, 새 자리가 날 때까지 얼마나 기다려야 하는지 다들 알지."

레페트 씨는 사람들의 얼굴을 돌아보면서 자신의 농담에 어떻게 반응하는지 살피며 웃었다.

"그러니까 자네는 혁명도 죽었다는 거군."

무흐타르 씨가 말했다. 눈썹을 추켜올리고 앞에 있는 사람을 위협하듯 이렇게 말했으며, 책망하는 표정으로 험악하게 바라보았다.

"그 고깃덩어리는 이 접시에 주세요. 고양이 주게요."

나즐르는 대화 주제를 바꾸고 싶었는지 이렇게 말했다. 그러고는 식탁에 앉은 후로 한 번도 입을 열지 않은 외메르를 바라보았다. 그러면서 접시 가장자리에 밀어 놓은 고기 기름을 가리켰다.

"이거 먹을 거야?"

"무흐타르, 자네가 또 내 말을 오해했군! 오늘 도대체 왜 이러나? 아, 올리브유로 요리한 시금치란 말이지!"

"아니, 오해하지 않았어. 핵심 멤버가 그분이라면, 그가 죽으면 혁명도 끝난다는 뜻이야. 사실은 그렇지 않아. 이스메트 파샤에 대해 어떻게 생각하나?"

"이스메트 파샤에 대해 쉬크뤼 파샤가 뭐라고 했는지 들었나?"

레페트 씨는 이렇게 묻고는 다른 이야기를 시작했다. 이스메트 파샤의 쓸개에 염증이 생겼다는 이야기였다. 그에게 담석이 있었는데 말을 많이 타서 염증까지 생겼다며 의사가 말 타는 걸 금지했다. 이 소식을 들은 쉬크뤼 파샤는 이스메트 파샤가 의사 말에 따르는 걸 비난했다. 레페트 씨는 이야기를 중단하더니 모든 게 뒤엉켰다며 웃었다. 하지만 이야기가 중요한 게 아니라 화제를 바꾸려고 했을 뿐이라는 걸 그의 미소에서 알 수 있었다.

"그렇다면 자네는 금지와 강요로 모든 게 해결될 수 있다고 믿나?"

무흐타르 씨가 이번에는 레피크에게 물었다.

"강요가, 국가가 행사하는 물리적인 힘이, 우리 역사에서 진보의 원동력이 되었다는 건 누구나 알고 있습니다."

"그러니까 자네는 정부가 물리적인 힘을 써서 일을 진행하는 데 찬성한다는 소린가?"

"이봐, 그런 건 늘 있었던 일 아닌가?"

레페트 씨가 끼어들었다.

"잠깐, 잠깐만, 젊은이가 대답하게 해! 물리적인 힘을 쓰는 데 찬성하는지 일단 들어 보자고!"

레피크는 물리적인 힘을 사용하는 데 찬성한다고 말하지 않았다. 하지만 전적으로 반대한다고도 할 수 없다는 걸 알았다. 이런 상황에서 제대로 선택하지 못하면 다른 사람들이 하는 대로 따를 수밖에 없다는 생각이 들었고, 왜 이런 상황에 처하게 됐는지 생각했으며, 우리 역사에서 물리적인 힘이 이루어 낸 성과를 아는 대로 늘어놓기 시작했다. 마흐무트 2세의 개혁을 설명하면서, 자신이 왜 이렇게 구석으로 몰렸는지 생각해 보았다.

"봤지? 물리적인 힘, 국가의 힘을 이용한다는 데 반대하지 못하는군! 하지만 자네는 통행세 징수와 데르심 작전도 반대했잖나?"

무흐타르 씨가 갑자기 물었다. 그러고는 덧붙였다.

"어떻게 반대할 수 있나? 물리적인 힘 없이 누가 자네의 프로젝트를 실행할 수 있겠어? 그 프로젝트를 시골 사람들이 읽겠나……. 하하……. 물리적인 힘 없이는 아무것도 되지 않아! 우리에겐 몽둥이를 든 사람이 필요해! 얘, 나즐르, 요구르트 좀 건네주렴!"

'그건 옳지 않아. 몽둥이와 채찍으로 어떻게 광명이 올 수 있지? 그건 잘못된 거야! 하지만 내 프로젝트를 실현하는 데 있어서, 그가 한 말이 틀렸을까? 대답을 해 줘야겠군!' 레피크는 생각했다.

"예, 하지만 이 문제엔 적정한 수위가 필요합니다."

"요구르트도 아주 맛있군! 자넨 데르심에 취한 조치가 잘못됐다고 했지. 하지만 몽둥이를 사용하지 않았다면 혁명이 위험해질 수도 있었네. 우리와 국가 그리고 혁명과 함께 몽둥이를 들고 자네가 원하는 개혁과 발전을 실현시키든지, 혼자 남아 헛되이 감옥에 가든지 둘 중 하날세! 예를 들면 테케* 폐쇄……. 우리는 그 터무니없는 믿음에서 벗어나야 하지만 그들은 포기할 생각이 없어! 그럼 어떻게 해야 하지?"

무흐타르 씨는 즐거움을 감추려고 다른 데 신경 쓰는 척하면서 말했다.

---

* 같은 종파의 사람들이 기도하고 의식을 행하며 머물던 장소.

'사람들에게 채찍질을 하면서 이룬 건 무엇도 정당하다고 할 수 없어.' 레피크는 생각했다. 하지만 원칙적으로는 물리적인 힘이 발전의 원인이 된다면 반대할 수 없다고도 생각했다.

"하지만 그들은 포기할 생각이 없어. 레페트 자네가 말해 보게. 부족의 정착을 위해 아다나에서 시행한 일들……. 유목 생활을 하는 투르크멘인을 아주 오래전부터, 그러니까 백 년 전부터 정착시키려 했지. 하지만 그들은 유목 생활을 원했어. 결국 물리적인 힘으로, 몽둥이로 한곳에 정착시켰지. 그 후 어떻게 됐을까? 수확물이 증가했어! 농업이 발전했어! 나라가 발전했어! 지금은 거기서 전 세계가 원하는 면화를 재배하고 있지! 그들은 오래되고 낙후되고 가난한 삶을 원했지만 말이야……. 이게 바로 물리적 힘의 중요성이야!"

"하지만 사람들에게 고통을 주면서는 광명과 발전을 가져올 수 없어요!"

"아, 이보게, 난 자네의 그 말을 이해할 수가 없네! 자네가 광명이라고 하는 건 뭔가? 발전이라는 말은 알아듣겠어. 발전은 중요하지. 나라가 발전할 때, 광명이라는 것에 물들면 안 돼. 어둠은 그대로 있으란 말이지. 어둠은 그대로 있지만 나라는 발전하고, 농업도 발전하고, 산업도 발전해. 광명이 없으면 절대 발전하지 못할 것 같나? 모든 게 몽둥이로 이루어졌다니까!"

무흐타르 씨는 지금까지 레피크와의 논쟁에서 쌓였던 원한을 풀려는 듯 흥분해서 말했다. 그는 웃으며 말하다가 레피크의 얼굴에서 절망을 보고 다시 말을 이었다.

"어쩌면 내가 자네를 오해했을 수도 있네. 내가 틀렸을 수도 있어. 하지만 여기엔 우리 모두를 자유롭게 해 줄 것이 아무것도 없어!"

그런 후 기분 좋게 레페트 씨를 보며 말했다.

"바로 이런 것 때문에 이웃집 대령에게 화가 나는 거야. 중요한 건 나라의 발전이야……. 그렇다면 내가 왜 이런 말을 하는 걸까? 모두들 무흐타르 아저씨의 생각은 무시하는 것 같거든……. 그러나 그렇지 않아. 혁명의 핵심 인물은 아마도 이스탄불에서 죽을 거야. 하지만 깃발을 들고 가 줄 사람들이 있다고!"

"깃발인가, 깃발을 다는 몽둥이인가, 무흐타르?"

레페트 씨는 즐거운 듯 이렇게 말하고 폭소를 터뜨렸다. 자기에게 제일 중요한 건 농담이라는 걸 보여 주고 싶다는 듯, 같은 말을 한 번 더 하고는 다시 웃어 젖혔다.

"자네는 웃게, 더 웃으라고, 하지만 혁명의 세대가 건재하다는 건 잊지 말게. 그래, 우린 아주 건재해!"

무흐타르 씨는 과일 접시를 들고 들어오는 가정부를 보며 말했다. 잠시 후 갑자기 시계를 보더니 큰 소리로 말했다.

"아, 내가 아직도 여기 앉아 있군! 국회에 늦겠어. 나중에 말이 많겠지!"

그는 흥분하며 자리에서 벌떡 일어나다가 탁자에 부딪쳐 물병을 엎고 말았다.

"아버지, 얼룩이 지고 말았잖아요, 결국은!"

무흐타르 씨는 뛰어가 외투를 입었다. 그럴 필요도 없었는데 딸의 볼에 입을 맞췄다. 레피크를 보며 '난 바로 이런 사람이야!' 하고 생각하는 듯하다가 외메르를 못마땅한 시선으로 바라보았다. 그는 한 시간 후에 돌아올 것이며, 모두 경기장으로 갈 준비를 하라면서 서둘러 나갔다. 남은 사람들은 멍하니 앉아 있었다.

레피크는 멍한 상태에서 벗어나 생각을 정리하기 위해 이야기를 계속해야 할 것 같았다.

"그렇다면 어떻게 그렇게 될 수 있죠? 어떻게 국민을 몽둥이로 때리면서 계몽으로 이끌 수 있죠? 이 나라에서 이성과 쇄신의 빛이 반짝이길 원한다면, 그건 국민을 위해서 그런 거 아닌가요?"

아무도 대답을 하지 않았기 때문에 이번에는 레페트 씨의 눈을 똑바로 바라보며 물었다.

"쇄신되고 진보된 사회가 물리적인 힘을 동원해서 국민이 뭔가를 하게 만드는 건 잘못된 일이라고 생각지 않으십니까? 과거에도 물리력을 사용하여 실행케 한 쇄신이 있었습니다. 하지만 그렇다고 해서 국가의 물리력 동원에 찬성해야 하는 건 아니지 않습니까?"

레페트 씨는 여느 때처럼 농담할 기회를 엿보며 레피크의 말을 들었다. 결국 농담을 던지고 웃었다. 하지만 아무도 그 말에 웃지 않았고, 레피크도 혐오스러운 시선으로 바라봤기 때문에 자신의 생각 속으로 잠겨들었다.

레피크는 외메르에게 같은 말을 되풀이했다. 하지만 그의 얼굴에서는 헤르 루돌프와 논쟁할 때 어렸던 조롱하는 듯한 미소 말고는 아무것도 볼 수 없었다. 레피크는 지금까지 어떤 논쟁 뒤에도 느껴 본 적 없는 좌절감을 느꼈고, 무흐타르 씨에게 어떻게 대꾸할지 생각하기 시작했다. '나는 '절대 국민에게 맞서는 관점을 지지하지 않습니다.'라고 해야지. 그럼 나에게 '국민에게 맞서는 게 아니라, 국민을 위해 물리력을 동원해야 해.'라고 하겠지. 난 그런 일은 있을 수 없다고 해야지. 그도 우선 실제 사례들을 신나게 열거할 것이고, 그다음엔 농촌 개발 프로젝트를 어떻게 실행할지 묻겠지. 나는 '국회의 힘으로 해야지요.'라고 할 것이고. 그는 웃으며 국회의원은 국민이 선출하지 않았다고 할 거야. 그러면 나는 기분이 상하겠지! 그렇다면 누가 틀린 거지? 아무도 틀리지 않았어! 그는 국민에게 물리적인 힘을 사용하는 게 나쁘지만은 않다는 걸 증명하려고 해. 나는 반대하는 거고! 결론은? 모두 자기 생각을 말하는 것이고, 그가 좀 더 옳은 것처럼 보일 뿐이지. 그렇게 보이는 건 그 프로젝트 때문이야. 하지만 난 이 프로젝트로 계몽을 가져오려 했어. 그다음엔 어떻게 되지? 좀 있으면 무흐타르 씨가 올 거야. 다 함께 경기장으로 가겠지. 쉴레이만 아이첼릭 씨를 만날지도 몰라. 그 후엔 이스탄불의 집으로 갈 거야. 외메르와 나즐르는 지난 며칠 동안 얼굴을 찌푸리고 있어……. 난 뭘 하고 있지?' 그는 뭐라도 해야 할 것 같아서 기지개를 켜고 하품을 했다. 창밖을 내다보고, 누군가와 무슨 말이든 하고 싶었지만, 모두 자기만의 생각에 빠져 있으며, 아무도 정적을 깨고 싶어 하지 않는다고 느꼈다. 다시 좀 전의 생각으로 돌아갔다. '그럼 국회의원은 국민이 선출해야 한다고 말해야지. 국민은 자기에게 필요한 사람이 아니라, 자기를 현혹시키는 사람을 뽑을 거라고 할 텐데, 그 말도 맞아. 지금 자유선거가 치러져. 두 번째, 세 번째 정당이 허가되면 하즈, 성직자, 사기꾼도 죄다 국회로 들어올 거야. 그들이 국회에 들어오지 못하게 막을 법을 만들면 돼. 예를 들면 종교는 정치 도구가 될 수 없고, 대학을 나오지 않은 사람은 국회의원이 될 수 없고, 상인과 지주는 국회에 들어올 수 없도록 말이지. 좋은 사람을 뽑도록 국민을 교육시켜야 해! 또 뭐가 있지?' 그는 이런 생각을 하며 혼자 웃었다. '그럼 어떻게 해야 하지? 무흐타르 씨는 옳지 않아. 나도 옳다고 할 수 없어. 하지만 난 선의를 가진 사람이야. 난 뭔가 하고 싶어! 뭘 하고 싶지?' 그는 헤르 루돌프와의 논쟁을 떠올리며 "계몽을 가져오고 싶어!" 하고 중얼거렸다. 또다시 늘 같은 생각과 모호한 단어 사이에서 맴돌기 시작했다는 걸 깨달았다. 그사이 시간이 흘렀다. 그는 커피를 마시고, 역시 같은 단어들 사이를 맴돌았다. 그러다 과거의 삶과 페리한, 늘 떠올리던 것들을 다시 생각했다. '그때 난 균형감이 있었어. 그런데 균형감을 잃었다고 생각했지. 귈레르의 집에 갔다가 집으로 돌아오는 길이었어. 니샨타쉬를 걷고 있었고, 균형을 잃었다고 생각했지. 그게 몇 달 전 일이지? 여덟 달이 돼 가는군! 지금 난 뭘 하고 있지? 여기 앉아 있어. 나즐르가 빨간색 옷을 입은 걸 보며 생각하고 있어. 나즐르가 저 옷과 잘 어울리는 것 같다고. 다들 인상을 쓰고 앉아 있는 이 방에 즐거움을 가져다주는 건 국기 색깔의 저 치마뿐이라고!' 그는 치마를 보며 생각했다. '하지만 무흐타르 씨는 쾌활해 보였어!

너무 쾌활해서 괴로울 정도였지. 그는 무슨 생각을 할까? 이스메트 파샤가 정권을 잡고, 자신에게 임무를 맡기기를 바라고 있어. 어쩌면 장관 자리를 기다리는지도 몰라. 안 될 것도 없지! 좋은 사람이야. 난 그 사람 나이에 어떤 사람이 돼 있을까?' 갑자기 하품이 나오는 게 과식을 한 것 같았다. 아버지를 떠올리고는 한동안 그에 대해 생각했다. 잠시 후 벨이 울려서 시간이 얼마나 빨리 지나갔는지 깨달았다.

잠시 후 무흐타르 씨가 들어왔다.

"자, 자, 빨리, 늦었어! 아니, 다들 표정이 왜 이래? 아래에 차가 기다리고 있어!"

그들은 서둘러 택시에 올랐다. 무흐타르 씨는 화를 내며 국회에서 들었던 얘기를 들려줬다. 쉬크뤼 카야가 신문기자에게 "지식인들은 어떻게 생각한답니까? 임무를 맡기에 내가 제일 적당하다고 하죠, 그렇죠?"라고 했다는 소문도 들었다고 했다. 레페트 씨는 친구를 위로하려고 또 농담을 했다. 쉬크뤼 카야는 몰타 섬에서 유배 생활을 할 때, 그가 겪은 고통만큼 집권당에게 갚아 주겠다고 결심했다. 그리고 그 결심을 집권하고 나서 기억해 냈다고 했다……. 어찌된 일인지 다들 이 농담에 웃었다. 무흐타르 씨도 기운이 났는지 국회에서 있었던 기념식을 조롱하기 시작했다.

"그게 다 뭐야! 축하합니다, 축하합니다, 잘 지내십니까, 감사합니다……."

그는 누군가와 악수를 하며 인사하듯이 고개를 숙였다 폈고, 얼굴이 상기되었다. 잠시 후 갑자기 머리를 들더니 "아, 길이 막혔어! 점입가경이군. 늦겠네!"라고 했다. 차는 가다 서다를 반복했다. 무흐타르 씨는 차가 멈춰 설 때마다 투덜거렸다. 한참 후 경기장이 보이자 그는 운전사에게 돈을 건네며 "됐소, 여기서 내리겠소, 걸어갈 거요!"라고 하며 문을 열고 내렸다. 따라오는 사람들에게 서두르라고 하며 성큼성큼 앞장서 걸어갔다. 귀빈석 입구로 다가가자 다른 국회의원 가족들도 보였다. 고위 장교들에게도 인사를 건넸다. 기념식이 여느 때처럼 늦게 시작할 것 같아 마음이 놓였다. 입은 옷을 새삼 의식했다는 듯, 주의 깊게 살피면서 옷매무새를 점검하고, 나즐르의 치맛자락을 잡아당기고, 돌아서서 레피크에게 미소를 지어 보였다. '그래, 그래, 난 이런 사람이야! 다 보고 있지, 그렇지?'라고 말하는 듯한 미소였다.

'기념식이 끝나고 집으로 돌아가면 말해야지…….' 레피크는 이렇게 생각하며 주위를 자세히 관찰했다. 하지만 오전 산책에서처럼 마음에 와 닿는 것은 여전히 없었다. 대신, 아침 산책에서처럼 스스로를 비하하고 무시하는 생각만 들었다. 게다가 주위 사물과 사람도 그렇게 보이기 시작해서, 자신의 감정이 두려웠다. 보이는 것들을 무시하지 않고, 사람들이 가치 있고 똑똑한 창조물이라고 생각하려 애쓰면서, 가끔은 무흐타르 씨에게 했던 대답을 혼자 중얼거리며, 외메르와 나즐르를 따라 걸었다. 계단을 올라 국회의원과 장관, 외교관, 고위 장교와 공무원을 위해 마련된 관람석 한쪽의 살롱으로 들어갔다.

무흐타르 씨가 매점이라고 했던 넓은 살롱에서는 차를 팔고 있었다. 여기저기 작은 탁자가 있었고, 탁자에는 사람들이 차와 커피를 마시고 있었다. 하지만 대부분은 서 있었다. 그렇게 서 있거나, 천천히 걸어 다니는 남자들 대부분은 무흐타르 씨처럼 연미복 차림으로 입가에 미소를 머금고 있었다. 시끄러운 가운데서 서로 얘기를 나누고, 고개를 끄덕이고, 누군가에게 인사를 건네고, 가족을 소개시키거나 인사를 나누거나 안부를 물었다. 그러고 나서 주의 깊게 다른 사람들, 다른 가족을 바라보았고, 무언가 기다리면서 다시 인사를 건넬 준비를 하고, 얼굴에 미소를 머금었다. 무흐타르 씨는 기념식이 시작될 때까지 시간이 남아 있다는 걸 알고는 차를 한잔씩 마시자고 하면서도 사람들에게 미소를 지어 보였고, 누군가에게는 특별히 모자를 벗으며 몸을 굽혀 인사를 하고 계산대로 걸어갔다. 계산대에서 건네 준 찻잔을 받아 들면서, 모든 면에서 외국인이라는 것이 확연한 부녀가 있는 한쪽을 나즐르에게 가리키며 말했다.

"봐, 프랑스 대사와 딸이 있어. 그들 주위엔 아무도 없고. 자, 가 보자, 말을 좀 걸어 보렴!"

"참, 아버지도, 무슨 얘길 해요!"

"넌 외국인하고 얘기하는 거 좋아했잖아."

무흐타르 씨는 이렇게 말하고, 옆을 지나가는 동년배 남자의 귀에 대고 뭔가 속삭이며 웃었다. 그러다 이런 웃음이 어울리지 않는다는 듯 얼굴을 붉혔다.

"아, 피라예, 잘 지냈어?"

그사이 나즐르는 자기처럼 작은 비명을 지르는 처녀를 껴안고 입을 맞추었다. 그녀와 뭔가 얘기를 나누고, 손가락에 있는 반지를 보여 주고, 미소를 지으며 외메르를 바라보았다.

외메르는 자기 얘기인 줄 안다는 듯 고개를 끄덕였지만, 한편으로는 아침부터 짓고 있던 조롱하고 무시하는 표정으로 나즐르를 보고, 다른 한편으로는 어쩔 수 없이 나즐르의 친구에게 미소를 짓는 척했다. 결국 마음을 먹고 앞으로 두 걸음을 내디뎠다. 피라예에게 자기소개를 하고, 자기를 마음에 들어 하는 걸 눈치챈 신랑답게 자랑스러운 표정을 지었다.

그사이 무흐타르 씨가 레피크에게 다가왔다.

"봐, 봐, 법무부 장관이 지나가는군. 소개해 줄까?"

그러나 아무에게도 시선을 돌리지 않고 급히 걸어가는 장관을 보고선 덧붙였다.

"참 나, 저 사람은 아무도 접근 못할 분위기를 풍긴다니까."

레피크도 아는 얼굴이 있을까 해서 사람들을 둘러봤다. 특히 쉴레이만 아이첼릭과 만날지도 모른다는 생각이 이미 아침부터 머릿속 한구석에 자리하고 있었다. 조직에서 일하는 작가가 휴가에서 돌아왔으니 십오 주년 기념식에 참석할 거라고 확신했던 것이다. 사람들 사이에서 눈에 띄는 얼굴을 발견하고 작가와 닮았다고 생각했지만, 전에 사진으로만 본 그일 리가 없을 것 같았다. 그가 누구인지 생각하고 있는데 그 사람이 레피크를 발견하고 미소를 지었다. 레피크도 미소를 지어 보였다. 그는 무리에서 벗어나 레피크에게 다가왔다. 군복을 입고 있었다. 그제야 그를 알아봤다. 큰아버지의 아들 지야였다. 그는 명절이면 카드를 보내오곤 했다. 아버지가 살아 계실 때는 돈을, 돌아가신 후에는 유산을 요구한 사람이었다. 레피크는 골치 아픈 표정을 지으며 그에게 인사를 건넸다. 그러다 그의 가슴 위에 달린 메달을 보자 부끄러운 생각이 들었다.

"잘 지냈어? 여긴 웬일이야?"

"친구하고 같이 왔어요. 동부에서 오는 길입니다!"

레피크는 더듬거리며 대답했다.

"동부라고! 동부 여행이란 말이지, 응!"

지야에겐 레피크가 전에 본 적 없는 단호한 태도가 배어 있었다.

"그래, 우리 나라를 어떻게 생각해?"

지야는 무흐타르 씨를 주시하면서 물었다. 레피크는 무흐타르 씨에게 지야를, 지야에게 무흐타르 씨를 소개했다.

"동부를 어떻게 생각해? 데르심에도 갔어? 거긴 어때, 평화롭지? 우리 군대가 그쪽을 장악했거든."

"데르심엔 안 갔어요!"

"나도 안 가 봤어! 하지만 이제 그곳이 평화롭다는 건 알지. 혼쭐을 내 줬거든. 혁명은 이제 그곳에도 들어갔어. 이젠 힘을 못 쓸 거야. 혁명의 철권이 자리하고 있으니까."

지야는 이렇게 말하고는 무흐타르 씨를 쳐다봤다.

"그렇지 않습니까, 어르신?"

"그렇죠, 그렇고말고요!"

"우리 군대, 혁명과 국가의 힘이 이것도 해결했어."

지야의 얼굴에 그림자가 드리워지는 듯했다.

"군대가 없으면 혁명도 있을 수 없어. 군대는 늘 자기 몫을 챙기지……. 그렇지, 결국 자기 몫을 챙겨! 하지만 다른 계층도 혁명을 생각해야 돼, 사업가들도."

얼굴에 드리운 그림자가 눈 밑에서, 입가에서 짙어졌다.

"그들이 생각하지 않아도 군대는 그들 몫을 강제로 찾아내는 법을 알지. 누구도 예외가 될 순 없어. 사업가들도. 니간 부인은 잘 지내시나?"

레피크는 편지에 쓰여 있는 대로라면 가족 모두가 잘 지내고 있다고 대답했다.

"자네 아버지 일은 유감이야. 하지만 사업보다 중요한 것도 있다는 걸 잊지 마. 자네도 이 나라를 둘러봤으니 알 거야. 혹시 사업상의 여행이었나?"

군인 하나가 옆으로 지나가자 그는 거수경례를 했다.

"아니요, 그저 한번 둘러보려고 갔어요."

레피크는 이렇게 말하고는 무척 부끄러워졌다. 지야에게 화가 나는 대신 스스로에게 화가 날 정도였다.

"그래? 혁명이 이 땅에 어떻게 들어왔는지 보러 갔단 말이지, 응? 이번엔 군대를 구경해 봐. 군대는 아주 강력한 힘이야. 이 힘이 없다면, 이 철권이 없다면, 혁명도 발전도 없어, 그렇지 않아?"

그는 조금 전에 거수경례를 하던 손으로 이번에는 주먹을 쥐었다.

"우리도 오전에 같은 얘기를 나누었답니다."

무흐타르 씨가 이렇게 말하자 지야는 기뻐하며 목소리를 높였다.

"물론, 물론이죠! 군대가 전부입니다. 군대는 혁명을 감시합니다. 부당함과 무질서에 대항하는 파수꾼이죠. 자기 몫을 찾는 법도 알고요. 그렇지 않습니까? 언젠간 결국 자기 몫을 챙기죠!"

마지막 말을 할 땐 야심 가득한 얼굴을 찡그렸다. 그런 후 "아, 이제 왔군!" 하고는, 서둘러 레피크에게 악수를 하더니 순식간에 인파 속으로 사라졌다.

"누구야? 자네완 어떤 관계야? 혁명주의자에 신념도 있는 군인 같군. 독립 전쟁에서도 전투를 했어. 훈장을 받은 사람이야. 모두가 그 게으른 이웃처럼 된다는 법은 없지……. 저런 사람을 보면 마음이 아주 상쾌해져. 난 이제 국가의 미래가 걱정되지 않아. 참, 좀 전에 듣자니 이스탄불의 환자가 점점 안 좋아진다는데……. 아, 이제 왔나 보군."

살롱 한가운데에 불붙은 공이라도 떨어진 듯 사람들이 뒤로 물러서더니, 귀빈석으로 올라가는 계단 쪽으로 모여들었다. 서로 밀고 당겼다. 찻잔이 바닥에 떨어져 깨졌다. 레피크는 사람들 사이에서 총리 젤랄 바야르의 목덜미와 뺨을 봤다고 생각했다. 그는 모든 것의 중심에 있었다. 그의 안경테도 보였다. 하지만 그때 누군가가 그의 발을 밟았다.

"아, 내가 미리 자리를 잡자고 했잖아!"

늙은 국회의원 하나가 말했다. 그는 무흐타르 씨에게 몸을 숙여 인사를 했다. 그런 후 다시 아내와 딸을 질책했다.

"다른 문으로 들어가세요, 이곳으론 이제 입장 못합니다, 제발, 다른 문으로, 제발!"

귀빈석 문 앞에 서 있던 담당자가 고함을 질렀다. 사람들은 다른 문으로 뛰어갔다. 서로 꽉 끼어 계단을 올라갔다. 국회의원은 딸의 손을 잡고, 나즐르는 외메르의 손을 잡았다. 레피크는 문득 경기장 바닥을 내려다보았다. 귀빈석은 연미복, 실크해트, 메달, 군복의 물결로 일렁였고, 여자들의 형형색색의 옷과 작은 모자, 여기저기 걸려 있는 깃발들이 달콤하게 물결쳤으며, 모든 것이 소음과 호기심 그리고 기다림 속에 떨리고 있었다.

무흐타르 씨는 고개를 좌우로 돌리며 앉을 자리를 찾는 중에도 사람들과 인사를 나눴다. 모자를 몇 번이나 벗었다 썼다. 잠시 후 자리를 정하고, 앉아 있는 사람들 사이를 지나 걸어갔다. 가끔 뒤를 돌아보면서 딸과 손님들이 잘 따라오는지 확인하고, 사람들에게 인사를 하고, 레페트 씨에게 말을 건넸다.

바로 그때 관람석이 들썩거리더니 모든 고개가 순간적으로 같은 방향을 향했다. 곧 박수 소리가 들렸다. 사람들이 앞 사람 머리 위로 무슨 일인지 보려고 자리에서 일어났다. 박수 소리는 더 거세졌다. 레피크도 돌아봤다. 사람들 머리 사이로 조금 전에 보았던 목덜미와 뺨이 다시 보였다. 목덜미 위쪽에 손이 있었고, 손에 들고 있는 모자를, 사람들을 어루만지듯 천천히 흔들고 있었다. 손과 모자가 향하는 방향에서는 세찬 박수 소리가 들려왔다.

잠시 후 사람들이 모두 자리에 앉았다. 하지만 국가가 울려 퍼지자 다시 자리에서 일어났다. 레피크는 국가를 부르면서도 별로 흥분되지 않는다고 생각했다. 고등학교에 다닐 때도 다른 학생들처럼 국가를 부르지 못했던 게 떠올랐다. 자신이 다른 사람과 함께하지 못한다는 생각이 들자 헤르 루돌프가 떠올랐다. '내 마음으로 이성의 빛이 떨어졌어, 그래서 나는 이방인이야!' 하지만 국가를 부르지 못하는 건 다른 이유다. '그럼, 왜 못 부르는 거지? 내 목소리를 들으면 내가 아주 이상하게 느껴지기 때문이야.' 다시 헤르 루돌프를 생각했다. 그와 횔덜린이 동양에 관해 했던 말을 떠올렸다. 무흐타르 씨와 벌였던 논쟁도 떠올렸다. '그에게 말해야지…….' 모두 입을 맞춰 부르는 국가가 맞은편 관람석으로 메아리쳐서 소리는 이 초 간격을 두고 되풀이되었다. 음악 시간에 배웠던 '카논'과 비슷한 혼란스러움이 발생했다고 생각했다. 허튼 생각을 더 하다가 국가가 끝나자 사람들과 함께 자리에 앉았다. 그리고 젤랄 바야르가 대독하는 아타튀르크의 연설을 들었다.

연설이 끝나자 다시 주위가 혼란스러워졌다.

"일곱 국가를 물리친 그는 죽음도 물리칠 것이다!"

뒷좌석에 앉은 누군가가 고함을 쳤다. 모두 뒤를 돌아봤다. 이때 누군가가 "무흐타르 씨, 잘 지내셨습니까?" 하고 물었다. 무흐타르 씨는 과장된 몸짓으로 인사를 건넸다.

그에게 인사를 건넨 사람은 케림 나지 씨였다. 그 옆에는, 레피크가 건설 현장에서 본 적이 있는 정당 감사관 이흐산 씨가 서 있었다. 그들은 함께 귀빈석으로 걸어오고 있었다. 그들은 레피크와 외메르에게도 인사를 건넸다.

"젊은 엔지니어들도 함께 있군요!"

"예, 예!"

무흐타르 씨는 이렇게 중얼거렸다. 그러다 갑자기 "예, 뭐라고 하셨죠?" 하고 물었다. 경기장 위로 굉음을 내며 비행기가 지나갔기 때문이다.

"젊은 엔지니어들이 당신과 함께 있군요, 라고 했습니다!"

케림 씨는 이렇게 대답했지만 이 말을 되풀이할 생각이 없다는 듯 고개를 끄덕였다. 그런 후 눈꺼풀에 반쯤 덮인 눈으로 외메르와 나즐르를 번갈아 보더니 "당신들, 결혼했나요?" 하고 물었다. 그들이 대답하기도 전에 자상한 눈길로 고개를 끄덕였다. '내 세계에서, 내 옆에서 당신들 말이 무슨 가치가 있겠소…….'라고 생각하는 것 같았다.

"국가 같은 사람이야. 지주에다 건설업자에다 국회의원이니!"

케림 씨가 멀어져 간 후 레페트 씨는 농담할 기회를 잡았다는 듯 말했다. 하지만 무흐타르 씨는 이 말을 이해하지 못했다. 두 번째 비행기 무리가 다시 굉음을 내며 낮게 날아갔기 때문이다. 비행기를 본 관람석에선 박수가 터져 나왔고, 하늘을 향해 뭐라고 말을 하는 사람들도 있었다.

44
국회의원의 희망

무흐타르 씨는 계단을 빨리 올라갔다. 딸을 보고 싶어서 거실과 그녀의 방을 둘러봤지만 없었다. 그는 자기 방으로 들어가 문을 닫았다. 울 준비를 하는 어린아이처럼 침대에 몸을 던졌다. "다 끝났어! 이제 모든 게 다시 시작돼! 어떻게 될까?" 그는 이렇게 중얼거리다 하얀 천장을 쳐다보았다. '죽음은 정말 끔찍한 거야. 난 아무것도 아냐. 그와 비교하면 아무것도 아니지.' 울 것만 같았다. 얼굴이 일그러졌고, 부끄러웠다. "얼마나 끔찍한지. 모두 다 헛된 거야. 이제 어떻게 될까?" 그는 또 중얼거렸다.

모두가 예상했고 자신도 마음의 준비를 하고 있던 일이 일어났다. 아타튀르크가 열흘 전에 이스탄불에서 사망한 것이다. 오늘 민족학 박물관의 임시 묘지에서 장례식이 거행되었고, 온 앙카라가 다 참석했다. 국회에서 열린 의식에 참석해,

다른 참석자들과 함께 눈물을 흘린 무흐타르 씨는, 또다시 그렇게 우는 게 두려워 밖에서 거행되는 의식에는 참석하지 않으려고 했지만, 결국 옳지 않은 행동이라 생각하며 참석했다. 이스탄불과 국회에서 거행된 의식처럼, 이번 의식도 눈물바다 속에서 진행되었고, 이런 슬픈 장면을 견디지 못하는 무흐타르 씨는 이번에도 사람들과 함께 눈물을 흘렸다. '그런데 내가 왜 울었지?' 크고 부드러운 2인용 침대에서 몸을 돌리며 다시 한 번 더 이 생각을 했다. '울었어, 아주 끔찍한 일이니까. 그래, 아주 끔찍한 일이야!' 이 단어들과 함께 그때 마음속에 일었던 느낌도 다시 떠올랐다. 모든 게 의미도 가치도 없고 헛되다는 생각이 다시 한 번 밀려왔다. 이번엔 자기가 왜 이런 생각을 하는지 되짚어 보았다. '모두가 그렇게 울어 주는 사람과 비교하면 내 삶은 아무런 가치가 없기 때문이야……. 나는 거대한 산 옆에 있는 한 마리 개미 같은 존재야!' 잠시 후 갑자기 마음속에서 교활한 불꽃이 반짝였다. '하지만 난 살아 있어. 세상에서 무슨 일이 일어나는지 보고 있고, 내게도 다른 일이 일어날 거야. 그래, 이제 어떻게 될지 보자고!' 그는 이 생각이 부끄러워서 스스로를 벌하려고 다시 아타튀르크의 죽음을 떠올리려 했다. 하지만 이 죽음을 생각할 때마다 다시 자신의 죽음과 삶을 생각하는 걸 깨닫고 신경이 곤두섰다.

진절머리 나는 생각들, 뺨과 귀 밑으로 전해지는 베개의 따스함에서 벗어나려고 한숨을 내쉬며 한 번 더 몸을 돌렸다. '이제 어떻게 될까? 젤랄 씨는 물러나겠지! 젤랄 씨가 물러나고 이스메트 파샤를 믿는 사람들이 임무를 시작할 거야. 언제 그렇게 될까?' 무흐타르 씨는 아타튀르크가 사망하면 바로 그렇게 될 거라 생각했지만, 예상은 약간 빗나갔다. 그 누구도 나라에 커다란 변화가 있을 것으로 예상되는 조치를 취하지 못했고, 그래서 젤랄 씨의 정부는 닷새 전 국회에서 신임을 얻었다. 최소한 한두 달은 더 현 정부가 그대로 임무를 수행한다는 의미였다. '나라를 혼란스럽게 하지 않으려고 두 달을 쓰레기통에 던지다니! 이 나라에는 한시라도 빨리 쇄신과 새로운 핵심 멤버가 필요한데! 새로운 멤버들도 임무를 수행하고 싶어 안달하고 있어!' 그는 희망과 흥분에 휩싸여 중얼거렸다. "나 역시 조바심이 나고!" 스스로를 비웃으려다 그만두었다. '비웃을 게 뭐 있어? 난 조바심을 내며 기다렸고, 일했어! 내겐 임무를 맡을 지식과 경험과 용기가 있어. 단호하게 한길을 걸을 줄도 알아. 뭐가 부족해서 나의 바람을 우습게 여겨야 하는 거지?' 그는 흥분하여 베개에서 머리를 들었다. '내가 남보다 부족한 게 뭐야? 테브피크보다 부족한 게 뭐야? 파이크보다 부족한 게 뭐야?' 그는 장관을 지낸 사람들과 장관이 될지도 모를 사람들을 하나하나 떠올리며, 그 사람들보다 자신이 낫다는 걸 손가락으로 세며 꼽아 보았다. '무흘리스보다 부족한 게 뭐 있어? 훌루시 박사는 어떻고? 프랑스어도 어설픈 사지트보다 못한 게 뭐냐고? 누구와 비교해도 부족한 게 없어, 난! 그들보다 용기 있고, 결단력 있고, 그래, 일관되게 한길을 가는 데 성공했어.'자신이 얼마나 일관되게 한길을 걸어 왔는지, 이스메트 파샤에게 얼마나 충직한지를 떠올리자 점점 더 흥분이 고조되었다. 자신은 기억될 것이고, 새 정부에서 반드시 임무를 맡을 거라 믿으며 "그렇다면 젤랄 씨의 임무는 언제 끝날까?" 하고 혼잣말을 했다. '이 정부는 쓸데없이 시간만 보낼 뿐 하는 일이 없다니까. 황금같이 소중한 날들이 지나가고 있어. 안타까워, 안타까워!' 그는 자신이 반드시 기억될 거라고 다시 한 번 확신하며 머리를 베개에 기댔다.

그렇다, 이스메트 파샤는 새 정부를 꾸릴 때 그를 반드시 기억할 것이고, 정치 생활 내내 자신에게 충직했던 무흐타르 라친을 총리로 추천할 것이다. 무흐타르 씨는 찬카야*에서 일어날 일들을 눈앞에 그려 보았다. 새 총리가 레피크 사이담이나 쉬크뤼 사라즈올루라면, 이들에게 이스메트 파샤가 "누굴 염두에 두고 있나?"라고 물을 것이고, 대답을 기다릴 것도 없이 이렇게 말할 것이다. "무흐타르 라친 씨를 생각해 본 적 있나?" 무흐타르 씨는 천장을 보며 흥분해서 "그래, 그래, 라친!" 하고 중얼거렸다. 사 년 전이었다. 다들 가깝다고 여기는 어른에게 성(姓)을 지어 달라고 부탁했다. 무흐타르 씨는 분홍 저택**의 체스 게임에 초대되었고, 게임이 끝난 후 총리에게 성을 지어 달라고 부탁했다. 이스메트 파샤는 잠시 생각하더니 "라친!"이라고 했다. 무흐타르 씨는 정확히 알아듣지 못했다며 종이에 써 달라고 부탁했고, 파샤의 사인이 있어 오랫동안 간직해 온 그 종이 위에 쓰여 있는 꼬불거리는 글씨에서 자기 성을 알아봤고, 아무런 의미가 없는 이 단어가 자신의 개성

* 대통령 궁을 가리킨다.
** 총리 관저를 가리킨다.

을 연상시키는 조용한 소리라고 생각했다. 그는 침착한 성격이었다. 기다릴 줄 알았고, 일어난 일을 인내심을 가지고 관망할 줄 알았다. 인내심을 갖고 있다고 해서 나태하거나 결단력이 없다는 의미는 아니었다! 인내심을 가지고 이스메트 파샤에게 충실했던 것이다. 이 충직함이 어떻게 시작되었는지 떠올려 보았다. 파샤가 직무를 시작했던 초기였다. 국회의원들과 처음 만난 파샤는, 그들과 일상에 대해 대화를 나누었고, 점심 식사 후에 잠시 낮잠을 자는 사람이 있는지 물었다. 무흐타르 씨는 흥분하며 자신에게 그런 습관이 있다고 공손하게 대답하여 관심을 끄는 데 성공했다. 하지만 파샤가 그에게 진짜 관심을 보인 것은 그가 체스를 할 줄 안다고 했을 때였다. 국회의원으로 선출된 지 여섯 달이 지나 분홍 저택에 체스 초대를 받는, 쉽게 다다를 수 없는 친분을 맺는 데 성공했다. 무흐타르 씨는 이 시기를 떠올리며 감격했다. 아직 아내가 세상을 뜨기 전이었다. 그는 국회에서 혁명의 적들과 싸웠고, 가짜 혁명주의자들의 가면을 벗겼고, 앙카라를 매우 사랑했으며, 자신에게 빛나는 미래가 있다고 믿었다. 그는 희망에 가득 차 "이제 내 인내와 열정의 과실인 그가 곧 올 거야, 바로 한 발자국 앞에! 내 인생을 모두 걸었던 목표가 한 발자국 앞으로 다가왔어!" 하고 중얼거렸다.

반짝이는 놋쇠 봉이 달린 침대에서 흥분하며 몸을 돌렸다. "한 발자국!" 그는 한 발자국을 내디딜 것이고, 그러면 그의 모든 삶과 미래뿐 아니라 과거까지, 아주 새로운 차원을 얻게 될 것이다. 쇄신과 발전을 향한 청년기의 열정, 중년기의 결단력과 성숙함은 그에게 중요한 임무를 맡는 영광을 가져다줄 것이다. 이런 임무가 없다면 무엇으로 삶을 심오하게 할 것인가? 무흐타르 씨는 마음이 답답해져서 "게다가 나 같은 사람에게!"라고 중얼거렸다. 그는 한 번도 자신이 다채롭거나 다재다능한 사람이라고 생각하지 않았다. 삶에서 맛보아야 할 희열도 누리지 못했다. 아내가 죽은 후 이스탄불에서 술을 마시며 놀던 밤에 만난 여자 말고는 여자를 알지 못했고, 우유부단함과 나태함 때문에 늙은 몸의 욕구를 억제했던 것이다. 그와 비슷한 상황에 있는 사람들만큼 사교적이지도 못했다. 모임에 가면 항상 끝 쪽에 있었고, 그 장소뿐 아니라 의자도 다 채우지 못하는 사람이라고 생각했다. 게다가 쓸데없는 뒷얘기도 좋아하지 않았다. 쓸데없는 뒷얘기를 한 적은 있었다. 특히 주지사 시절, 자신에게 쏠린 관심과 선망에 현혹되어 그런 데 빠져 지냈다. 하지만 앙카라로 온 후로 그런 뒷얘기를 하는 것이 자신의 인성에서 지배적인 경향이 아니라는 걸 알게 되었다. 술맛도 몰랐다. 그는 자신의 특징을 하나하나 꼽아 보면서 흥분했다. '회고록 말고 다른 책으로 시간을 보낸 적도 없어! 그러니 내 삶을 심오하게 할, 그간 그토록 고대했던 임무 외에는 아무것도 없어! 내게 있어 삶의 의미는 봉사하는 것, 국가에 봉사하는 것이야! 이 임무까지 한 걸음이 남았어. 아주 작은 한 걸음이!' 하지만 잠시 후 자신의 힘이 아니라 이스메트 파샤의 도움을 받아야 이 걸음을 내디딜 수 있다는 데 생각이 미치자 마음의 평온이 사라졌고, 침대에서 한 번 더 뒤척여야 했다.

그는 침대에서 뒤척이며 "아주 작은 한 걸음!" 하고 중얼거렸다.

이 작은 한 걸음까지 올라가기 위해 얼마나 많은 일을 거쳤던가. 주지사 시절에는 살해 위협이나 욕설, 비방으로 가득한 편지를 받곤 했다. 의상법을 적용한다는 이유로 도시에 있는 크고 작은 상점 주인과 종교인을 가혹하게 처벌했다고 해서 말이다. 그해 공화국 기념일에는 자신이 표적이 될 거라는 사실을 무시하고 퇴보주의자를 벌하겠다고 큰소리로 선언했다. 젊은 패기 덕분이었다. 정치대학에 다닐 때 나믁 케말이나 피크레트에게 배운 걸 제대로 발휘했다. 이성과 단호함에 의거해 국회에서 투쟁을 하기도 했다. 물론 투쟁에 앞장서지는 않았지만, 그렇다고 제일 뒤에 있지도 않았다. 무엇보다 그는 혁명주의 국회의원 중에선 제일 출석률이 높았다. 그는 국회 회의에 항상 참석했으며, 경청하고, 복도를 걷고, 어떤 작은 논쟁이라도 벌어지면 당장 달려가 자신의 생각을 피력했다. 하지만 한 번도 관심을 모은 적은 없었고, 한 번도 소동을 피운 적도 없었으며, 늘 침착한 모습으로 그림자처럼 돌아다녔다. 이렇게까지 늘 모습을 드러낸 이유는 임무에 충실해서이기도 하지만, 국회의원 이외에 다른 일이 없어서이기도 했다. 장관을 하거나, 정당에서 직책을 맡고 있는 사람들을 제외하면 국회의원들 대부분은 두 번째 직업을 갖고 있었다. 신문기자이거나, 변호사이거나, 지주였다. 이들은 그 일에서 성공했기 때문에 국회의원으로 임명되었던 것이다. 주지사를 훌륭하게 수행한 혁명주의자였기 때문에 국회의원으로 임명된 무흐타르 씨는 다른 일이 있을 수 없었다. 국회의원과 신문기자는 겸직할 수 있지만, 국회의원을 하면서 주지사를 하는 건 법적으로 허용되지 않았던 것이다. 무흐타르 씨는 갑자기 이런 생각이 들었다. '하지만 국회의원을 하면서 혁명주의자로 사는 건 허용되지, 내가 그런 경우야!' 그는 흥분해서 침대에서 일어나 방 안을 서성거리기 시작했다.

그렇게 서성거리면서 다시 그 말을 중얼거렸다. "아주 작은 한 걸음, 이스메트 파샤가 아주 작은 한 걸음을 내딛는다면!" 작은 걸음으로 방을 서성거리며 그의 삶을 영광되게 할 이스메트 파샤를 위해 자신이 뭘 했는지 생각해 보았다……. 파샤가 총리직을 수행할 때 온 힘을 다해 그를 지지했다. 총리에서 물러난 후에는 그에게 국회의 눈과 귀가 되어 주었다. 막후에서는 늘 이스메트 씨를 언급했고, 기회가 날 때마다 그를 찬양했으며, 분홍 저택을 방문할 때는 국회 복도에서 오간 뒷얘기를 요약해 전해 주었다. 파샤는 신임을 잃고 총리직에서 물러난 후 영어를 배웠고, 선생을 두고 영국 역사 책을 읽었으며, 나중에는 바이올린 레슨까지 받고 체스 잡지를 읽었다. 파샤는 무흐타르 씨가 전해 주는 뒷얘기를 들으면 놀라면서도 가끔 칭찬하는 말을 해 주어 그를 더 가깝게 느끼도록 했다. 한번은, 늘 그렇듯이 파샤가 체스에서 이긴 다음에 "당신의 방어는 훌륭하오. 하지만 공격 시점이 오면 기다리느라 기회를 놓치는군!" 하고 말한 적이 있다. '아냐, 아냐, 이번에는 이스메트 파샤가 날 기억할 거야. 내게 임무를 맡기도록 할 거야! 내가 얼마나 충직했는지 기억할 거야!' 그는 갑자기 부끄러워져서 "이게 내 장점이고 충직함일까?" 하고 중얼거렸다. 하지만 수치심이 느껴질까 두려워 "나쁜 건 아니잖아!" 하며 스스로를 진정시켰다. '내가 뛰어나게 똑똑한 사람이 아니라는 건 인정해. 세상에서 제일 똑똑한 사람은 아냐. 나 같은 사람은 지능이 아니라 충직함과 믿음으로 승진하지! 게다가 터키에서는 거만하게 스스로 결정을 내리는 게 장점이 아냐! 자기보다 아는 게 많고 더 사려 깊은 사람에게 자신을 맡기고, 누군가에게 충실하고, 신념을 가져야 해. 그래, 충실함과 신념! 난 이스메트 파샤에게 충실했고 혁명을 믿었어!' 그는 갑자기 자신이 우습다는 생각이 들어 방 한가운데에 멈춰 섰다. "아, 하느님, 내가 우스운 사람인가?" 그는 중얼거렸다. '아냐, 그렇지 않아……. 다른 사람들과 같아. 나의 얼굴과 생각을 보면……. 아, 모든 게 이래!' 그는 장례식을 떠올렸다. '모든 게 헛되고 우습고 무의미해. 그와 비교하면 모든 게 헛되고 무의미해. 사람들이 얼마나 울었던가! 그런데 난 여기서 추하게도 계산이나 하고 있다니. 사람들이 이 역겨운 생각을 알면 뭐라고 할까? 어이없다고 하겠지! 그럼 내가 해야 할 일이 뭐지? 거울을 봐! 내 몸은 거대하지만 코는 아주 작아! 누가 그랬지? 캬밀 파샤가 그랬던가? 위풍당당한 관리의 덕목은 위풍당당한 코라고! 나한텐 우스꽝스럽고 커다랗고 앞쪽으로 열려 있는 귀가 있을 뿐이야…….' 그는 이런 언짢은 생각이 들자, 방에서 나가 누군가와 잡담이라도 나누며 외로움을 달래 보기로 했다.

빠르고 신경질적인 걸음으로 부엌으로 갔다. 가정부가 화덕에서 뭔가 끓이고 있었다. 창문에는 김이 서려 있었다.

"우리 딸은 어디 있어요, 하티제 부인?"

"외메르 씨와 나갔는데요, 장례식에 간다고 했어요."

"아직 안 왔나?"

무흐타르 씨는 이렇게 물었지만 뻔한 질문을 한 스스로에게 화를 내며 부엌에서 나왔다. '아니 왜 아직 안 오지?' 이런 날에 돌아다닐 생각이나 하는 딸에게 화가 났다. '예뻐하며 애지중지 키웠는데, 어떻게 속물에다 자만심만 가득하고 돈밖에 모르는 놈을 골라서 좋아하게 됐는지!' 그는 벽에 걸린 베네치아 풍경화를 쳐다봤다. 자신이 산 그림이었다. 죽은 아내는 별로 좋아하지 않았지만 벽에 걸어 놓았다. 아내를 떠올리자 슬퍼졌다. '난 그녀만을 사랑했어. 그녀는 평생 조용히 웃었고, 그러고는 나를 떠나 버렸어. 이젠 나즐르가 나를 두고 떠나겠지. 게다가 그 밉상에, 자만심만 한가득인 놈하고……. 다른 남자를 구했더라면…….' 그는 레피크를 떠올렸다. '그래, 그는 순진하긴 하지만 선의를 지녔고, 영혼이 깨끗한 사람이야.' 그는 레피크와의 논쟁을 떠올리며 웃었다. '하지만 지나치게 순진해……. 사람은 이상주의자가 될 수도 있고, 또 그렇게 되어야 하지. 하지만 그는 지나쳐!' 농림부에서 레피크의 책을 출간하기로 한 일을 떠올리자 기분이 좋았다. 아마 장관은 이스메트 파샤의 측근들과 잘 지내려고 무흐타르가 데려온 젊은이의 일을 봐주었을 것이다. 레피크는 곧 작가 쉴레이만 아이첼릭과 만날 것이고, 그다음엔 이스탄불로 갈 것이다. 무흐타르 씨는 쉴레이만 아이첼릭과 잡지 《조직》을 떠올리자 기분이 상했다. '난 몽상가를 좋아하지 않아! 어쩌면 임무를 맡고 싶다는 희망에 들떠 있는 나도 몽상가일지 몰라……. 헛된 꿈을 품고 있는 가련한 몽상가! 게다가 그 장례식과 비교해 보면 난 아무것도 아냐. 죽음은 끔찍해! 살아서, 안간힘을 써서, 뭐든 하고, 국가와 역사에서 가장 중요한 인물이 되지만, 갑자기 끝나 버리지!' 그는 손을 양쪽으로 폈다. '죽음은 정말 끔찍한 거야. 난 작은 개미 한 마리에 불과해. 게다가 그의 죽음 후에……. 아, 얘기를 나누고 고민을 토로할 사람이 없군!' 하티제 부인과 고민을 나눌 수 있겠다는 생각이 들었다. 기대를 품고 부엌으로 걸어갔다.

가정부는 여전히 냄비 앞에 서서, 수저를 들고 끓고 있는 음식을 확인하고 있었다.

"아, 뭘 끓이고 있어요, 하티제 부인?"

"어제 수트라츠*가 드시고 싶다고 하셨잖아요!"

가정부는 무뚝뚝하게 대답했다.

"아, 수트라츠! 잘 끓여 봐요, 바닥에 눌어붙지 않게!"

"제가 언제 어르신께 눌어붙은 수트라츠를 드시게 한 적 있어요?"

가정부는 역시 뚱한 목소리로 대답했다.

"농담이라니까!"

무흐타르 씨는 이렇게 응수하고 뭐라도 해야 할 것 같아 냉장고 문을 열어 보았다. 냉장고에 있는 접시를 보자 슬퍼졌

---

* 우유와 쌀로 만든 푸딩.

다. 아내가 죽기 석 달 전에 이 접시 세트를 샀다고 언쟁을 했던 것이다. 무흐타르 씨는 다른 것들, 예를 들면 소파나 거실에 놓을 물건, 옷에 돈을 쓰는 게 낫다고 했다. 이젠 그런 언쟁이 무의미하고 헛된 것이었다는 생각이 들었다. '아, 아, 삶, 죽음, 모든 게 헛되고 무의미해.' 냉장고 안을 뒤적거렸다. 올리브 외에 다른 건 먹고 싶은 생각이 들지 않았다. 올리브를 먹으니 목이 말랐다. 물을 마시면서 가정부와 어떻게 얘기를 나눌지 생각했다. 그녀가 수저를 들고 빠르게 휘젓는 걸 보며 말을 걸었다.

"그러니까 계속 이렇게 저어야 하는군!"

"예, 저어야 돼요!"

가정부는 여전히 인상을 쓰며 대꾸했다.

"너무 많이 저으면 맛이 없어지지 않나? 결국엔 그, 그러니까 적당한 농도가 되지 않는 거 아니냐고!"

가정부는 대답 대신 끓고 있는 수트라츠에서 수저를 꺼내 냄비 가장자리에 대고 거칠게 두드렸다. 그런 후 냄비 뚜껑을 신경질적으로 덮어 버렸다.

무흐타르 씨는 창가로 갔다. 김이 서린 유리창에다 손가락으로 뭔가를 그리면서 물었다.

"하티제 부인, 위대한 아타튀르크가 돌아가셨는데 어떻게 생각하오?"

"그는 위대한 분이었어요. 돌아가셨죠. 우린 모두 다른 세상으로 갈 거예요."

"하지만 그 후엔 어떻게 되지? 이스메트 파샤가 뭘 할까?

누굴 자리에 앉힐까, 어떻게 생각해요?"

"아이고 어르신, 아무것도 모르는 제가 무슨 말을 하겠어요!"

그녀의 눈이 순간적으로 반짝였고 얼굴에 화색이 돌았다.

"전 정치 같은 건 전혀 모르고 신경 쓰지도 않아요. 어르신이 부엌일을 모르는 것처럼, 저도 그런 일을 몰라요."

"맞아요, 맞아."

무흐타르 씨는 가정부가 화내는 게 사랑스럽다고 생각했다. 부엌에서 나왔다. 거실로 가자 고민이 다 잊혔다. 삶이 가치 있는지 없는지는 중요해 보이지 않았다.

"중요한 건 내가 살아 있다는 거야! 나는 살아 있고, 웃고 있고, 말하고 있어! 즐거운 마음으로 내 임무를 기다리고 있어! 부엌에선 수트라츠가 끓고 있고, 바로 이런 거야!"

45
혁명주의자, 작가를 만나다

레피크는 문 앞에 서서 벨을 누르기 전에 생각했다.

'그에게 먼저 내 프로젝트의 근간인 '우린 서로 비슷하다.'라는 원리를 말해야겠어. 그런 후 그 원리에서 출발해서, 마을 통합과 도로 그리고 중심 마을에…….' 그는 벨을 눌렀다. '……그렇게 말해야지. 그런 다음엔 제일 중요한 것, 그러니까 내가 그에게서 뭘 원하는지 말하자. 쉴레이만 아이첼릭 씨, 내가 당신에게 바라고, 우리가 동의한 문제의 테두리 안에서 혁명과 젊은 정부에게 영향을 미칠 운동을 조직하는 걸 도와주십시오. 부탁드립니다……. 이렇게 말해야지.'

아파트 문이 열렸다. 살집이 있고 건강해 보이는 동그란 얼굴이 레피크에게 미소를 지었다.

"그러니까 당신이군요. 어서 오시오. 쉽게 찾았소?"

"예, 예, 쉽게 찾았습니다, 어르신!"

레피크는 이렇게 중얼거렸고, 이제부터 작가에게 항상 '어르신!'이라고 불러야 할 거라고 생각했다.

"외투를 주시오! 아, 추웠나 보군요. 방금 우려낸 차가 있소. 복도 끝에 있는 방으로 가요, 나도 곧 갈 테니. 이렇게 생겼으리라곤 생각 못했소. 아, 이런, 옷걸이도 하나 남겨 두지 않았군!"

그들은 책으로 가득하고, 넓지만 천장이 낮은 방으로 함께 들어갔다. 레피크는 자신이 흥분해 있다고 생각했다. 책상 위에 놓여 있는 책을 살펴봤다. 쉘레이만 아이첼릭이 책상 옆에 있는 안락의자를 권하기에 거기에 앉았다.

"난 책상 앞에 있는 의자에 앉아도 되겠소? 책상 앞에 앉으면 생각이 더 잘 된다오. 공적인 태도를 취하는 건 아니오. 그저 의자에 앉으면 긴장이 풀리고……."

"물론입니다, 그러십시오, 물론입니다!"

레피크는 중얼거렸다. 그는 다시 책, 벽에 걸린 사진, 종이와 필기구, 즉 그 사람을 생각하게 하고 말하게 하는 물건들을 흥분한 채 바라보았다. 이렇게 흥분해서는 자기가 설명하려고 하는 것들을 제대로 얘기할 수도 없을 것 같아 두려웠다. 쉘레이만 씨가 차를 가져오려고 방을 나갔을 때 정신을 차려야 한다고 생각했다. 다시 한 번 머릿속에서 생각을 정리했다. 잠시 후 벽에 걸린 사진 중에서 나란히 걸려 있는 아타튀르크와 이스메트 파샤의 사진을 보자 갑자기 감격스러워졌다.

이때 쉘레이만 씨가 방으로 들어와 레피크가 보고 있는 사진을 바라보며 "죽음은 정말 끔찍한 것이오, 그렇지 않소?"라고 한 후 레피크의 얼굴은 보지도 않고 덧붙였다.

"하지만 좋은 것도 있소. 공화국은 커다란 상실을 엄숙하게 받아들였소. 당황하거나, 어떻게 될까 하는 두려움에 휩싸이지 않았소. 아주 높이 평가할 만한 일이오……. 설탕을 몇 개 넣소?"

그들은 한동안 삶과 죽음, 젊음과 늙음에 대해 대화를 나누었다. 각각 중년과 청년 시절이 끝나 가는 나이에 이른 분별 있는 두 남자가 서로를 더 잘 알기 위한 대화를 시작했던 것이다. 쉴레이만 아이첼릭은 이스탄불에서 공부하고 있는 고등학교 졸업반 아들에 대해 언급했다.

"아들은 엔지니어가 되고 싶어 한다오. 요즘 청소년들은 기술이나 엔지니어 일에 가치를 두더군요……. 우리 때는 모두 군인이 되고 싶어 했는데……."

"하지만 어르신은 군인이 되고 싶어 하지 않았을 것 같은데요! 제가 틀리지 않다면 대학을 모스크바에서……."

"그야 그렇소. 하지만 그 얘기를 하는 건 아니라오. 내 아들은 엔지니어가 되고 싶어 하오! 그러라고 했소. 반대하는 게 아니라오! 특히 당신에게 편지를 받은 후에는 엔지니어도 아주 섬세하게 사고하는 재능이 있다는 걸 알게 되었소. 그런데 내 아들에게는 열정이 없다오! 이게 안타까운 거요! 혁명이 젊은이들에게 열정과 흥분을 주지 못했나 하는 생각이 든단 말이오!"

"예, 열정과 흥분은 중요합니다, 그렇지 않습니까?"

"중요하오, 하지만 젊은 시절에……."

"어르신은 젊었을 때 열정적인 분이었습니까?"

"그랬소, 그랬다오, 젊었을 때는!"

쉴레이만 씨는 이렇게 말하고는 신경질적인 표정을 지었다. 그리고 다리의 위치를 바꾸면서 말했다.

"요즘 젊은이들에겐 열정이 별로 없소. 열정이 없으니 사회에서 멀어지는 거요! 내 아들은 자기가 사는 사회에서 무슨 일이 일어나는지 궁금해하지도 않고 관심도 없소. 전기 기구와 기계에나 관심이 있더군. 라디오가 어떻게 작동하는지 생각하고……. 그것도 좋소! 난 기술과 산업이 우리에게 진정 필요한 거라고 생각하오. 하지만 내 아들이 그러는 건 못마땅하오."

"예, 중세의 어둠에서 벗어나려면 산업도 필요하죠."

레피크는 이렇게 대답했지만, 단지 뭐든 대꾸를 해야 할 것 같아서 한 말이었다. 갑자기 쉴레이만 씨가 물었다.

"교육학에 관심을 가진 적이 있소?"

"아직은 별로 관심이 없습니다!"

레피크는 이 대답이 너무 식상하다고 생각했다.

"터키 같은 나라에서는 교육학이 필수라오! 당신은 농촌 사람들을 어떻게 교육시킬 거요? 물론 프로젝트 때문에 묻는 것만은 아니오. 농촌 사람들은 무엇이 그리고 누가 자신들에게 유익한지 모른다오!"

레피크는 예상치 못하게 주제가 자신의 프로젝트 쪽으로 흘러갔다는 걸 깨닫고 대답했다.

"전 먼저 경제적 조치가 이루어져야 한다고 생각하는 쪽입니다!"

"좋소, 그런데 농촌 사람들이 그런 조치를 반대하고 나선다면?"

"제가 생각해 놓은 조치를 농촌 사람들이 반대할 거라고는 생각하지 않습니다. 전 제 프로젝트에서……."

"맞소, 나도 당신의 프로젝트를 읽었소!"

쉴레이만은 책상에 달린 서랍을 열었다. 레피크가 열흘 전에 인편으로 보낸 서류를 꺼내 올려놓았다.

"하지만 이걸 어떻게 적용할 거요?"

"어르신과 그 얘기를 하고 싶습니다!"

레피크는 스스로에게 화가 나서 '어르신이라고 했어!' 하고 생각했다.

"난 옳다고 생각하지 않소!"

"예?"

"난 옳다고 생각하지 않소. 당신은 터키를 시골 사람들의 천국으로 만들고 싶어 하더군!"

그의 목소리에서 '시골 사람들의 천국'이라는 말이 일종의 모욕이라는 걸 느낄 수 있었다.

"저는 터키가 모든 사람의 천국이 되기를 바랍니다!"

"물론 당신 편지를 보면 그걸 바란다는 걸 알 수 있소. 모두가 그걸 바라고 그렇게 말하고 있소. 당신은 그걸 '계몽'이라고 했소. 하지만 이 계몽이란 게 누구의 이익을 위한 것이오? 시골 사람, 서민, 가난한 사람? 좋소! 하지만 이걸 어떤 자본으로 요리할 거요? 우리가 가지고 있는 것들로? 그것도 좋소. 하지만 우리에겐 산업이 없소. 그러니, 이걸 농업에서 얻고 농업에 돌려준다는 것이군! 그렇소?"

"어떤 면에서는 그렇습니다. 혁명의 임무는 그러한 것을 마련하는 겁니다. 농촌 사람들을 새로운 원리의 빛 아래에 통합시키는 건……."

"자본을 농업에 환원한다는 거군……."

쉴레이만 씨는 레피크의 말을 잘랐다.

"그건 과거에 했던 방식과 차이가 없는데……. 우리 목표는 이 자본으로 산업을 일으키는 것이어야 하오. 당신은 내가 피력했던 발전된 기술과 일관된 민족주의적 견해를 생각하지 않은 것 같소. 하지만 편지에서는 생각했다고 쓰지 않았소?"

"생각했습니다!"

레피크는 흥분하며 대답했다.

"생각했다면, 거기 쓰여 있는 목표가 자본가들이 구하지 못한 자본을 정부가 구해서 산업을 창출하는 것이라는 점도 알 텐데. 당신은 혹시 국가주의 원리를 다르게 이해하고 있는 건 아니오?"

"저도 그렇게 이해하고 있습니다!"

무엇을 어떻게 이해하느냐가 중요한 게 아니라, 이 나라에 계몽을 가져다줄 그의 프로젝트를 실행하는 게 중요하다는 데 생각이 미쳤다. '저 사람에게 내 프로젝트를 실행해야 한다는 걸 설명해야 해!' 그는 이렇게 생각했다.

"당신이 국가주의 원리를 나처럼 이해한다면 어떻게 그렇게 생각할 수 있소!"

쉴레이만 씨는 이렇게 말하면서 책상 위에 놓인 서류를 가리켰다.

"어떻게 그런 견해를 갖고 완전히 다른, 농촌 천국이라는 생각에 도달하게 됐소?"

레피크는 작가의 말을 듣고, 자신의 프로젝트 속 세부 사항이 작가의 견해와 충돌한다는 결론을 내렸다. 작가는 이 차이를 중요하게 여기지만, 레피크가 보기에는 그리 중요한 차이가 아니었다. 결국 두 사람 다 똑같이 혁명을 믿고, 두 사람 다 선의를 지니고 있었기 때문이다. 레피크는 선의와 혁명에 대한 애정이 세부 사항들보다 우위에 있는 근간이라 생각하여 쉴레이만 아이첼릭의 말에 반박하지 않았고, 그 내용이 아니라 그가 흥분하고 있는 모습에 집중하면서 귀를 기울였다.

쉴레이만 아이첼릭은 둘 사이의 의견 차이를 드러내기 위해 그의 책과 잡지《조직》에서 주장했던 견해를 설명했다. 자신의 생각을 말하는 내내 눈썹을 추켜올리고 엄중한 눈길로 레피크를 바라보았다. 레피크는 '자, 우리가 어디서 충돌하는지 그 지점을 보여 주십시오!'라고 말하는 듯이 잠잠히 기다렸다. 작가는 자신의 견해를 장황하게 설명한 후 차를 가져오기 위해 부엌으로 갔다.

레피크는 그의 견해를 생각조차 하지 않았다. 이런 얘기는 이미 몇 번이나 들었으며, 옳다고 여겼기 때문이다. 쉴레이만 아이첼릭이 설명할 때 레피크가 눈여겨본 것은 그의 행동과 흥분한 모습이었다. "그래, 광명은 올 거야!" 레피크는 이렇게 중얼거리면서, 쉴레이만 아이첼릭이 왜 그렇게 격해지는지를 궁금하게 여겼다.

작가는 찻잔을 들고 방으로 돌아와서 다시 전투적인 표정을 지었다.

"내가 설명하는 게 모두 옳다고 하면서도, 결국 그것과는 모순된 계획을 세우는군."

"하지만 전 여전히 어디에 모순이 있는지 모르겠습니다!"

레피크는 최대한 정중하게 말하고 미소를 지었다. 그런 후 서로 주고받은 편지를 떠올리며 작가와 자신의 공통된 견해를 찾아내 늘어놓기 시작했다. 하지만 쉴레이만 아이첼릭은 다시 레피크의 말을 잘랐다.

"당신이 말하는 공통된 견해라는 건 공통된 열정일 뿐이오. 우리의 차이에 대해 말하겠소. 당신은 혁명의 유일한 힘이 정부와 핵심 멤버라는 걸 이해 못했소. 시골 사람들에게 편의를 제공하여 그들이 더 좋은 조건에서 살게 하고, 그들에게 현대적 시설을 가져다주려는 게 당신 계획이오. 그건 모두가 바라는 바요. 하지만 당신은 단지 그것만을 바라고 있소. 당신은 다음과 같은 건 이해 못하오. 당장, 저절로 되는 문제가 아니라는 점을 말이오. 우선 국가가 더 강력해져야 하고, 예전의 힘을 지켜야 하고, 바로 이 힘으로 전진하면서 장애물을 무너뜨려야 하는 거요. 국가가 먼저요! 터키에서는 국가가 고유한 위치에 있다는 걸 당신은 이해 못한 것 같소!"

"전 우리가 무척 고유하다고 늘 생각했습니다."

레피크는 자신의 목소리에 절망이 배어 있는 것 같아 두려워졌다. 그는 '난 당황하고 있어!' 하고 생각했다.

"우린 닮았소!"

"예, 저도 그렇게 생각합니다!"

레피크는 흥분하며 대답했다.

"말은 그렇게 하면서도 농촌 사람들의 삶의 형태를 바꾸는 것 말고 다른 목표는 제시하지 못하는군!"

"농촌 사람들의 삶은 무척 열악합니다! 전 철도 건설 현장에서 전부 목격했습니다!"

쉴레이만 씨가 갑자기 자리에서 일어났다. 그는 침착해 보이려고 애를 쓰면서 웃었다.

"거기 가서 그들의 모습을 보고 마음이 아팠군. 나도 그들을 동정하오. 예전에 나는 마르크스주의자가 되려고 했소. 하지만 감정에 지지 않는 법을 배웠다오. 당신도 배워야 하오. 그렇게 돼야만 당신이 쓴 얘기가 가치를 얻을 거요!"

그는 이제 무례함을 감추려고도 하지 않고 이렇게 말한 후 자리에 앉았다.

"혁명과 정부는 시골 사람들을 발판 삼아 발전할 거요. 우리가 감정에 굴복해서, 뭐가 됐든 손안에 있는 걸 그들에게 줘 버린다면 어떻게 산업을 개발할 거요? 산업을 개발하지 못하면 제국주의가 우리를 삼킬 텐데!"

"예, 산업이 없으면 아주 안 좋아지겠죠!"

레피크는 자신이 구제 불능의 바보처럼 느껴졌다.

"당신은 그렇게 말하면서 정반대 얘기도 하고 있소. 두 가지가 공존할 순 없는 거요. 국가 산업을 개발하는 게 우선이오. 이와 같은 움직임이 시작되었다가 중단되었소. 이제 이스메트 파샤가 어떻게 할지 모르겠소만 국가 산업은 필수요. 우리는 그 발판을 농업에서, 당신이 불쌍히 여기는 농촌 사람들에게서 얻을 겁니다!"

"그렇다면 최소한 시골 사람들에게서 지주의 압력만이라도 없애 주어야 할 텐데……."

레피크는 다시 한 번 자신이 바보 같다고 생각했다. 쉴레이만 아이첼릭은 미소를 지었다.

"혁명이 그렇게 해 줄 수 없다는 건 알고 있을 거요. 볼셰비키주의자들도 그렇게 하고 싶어 했소. 하지만 터키에선 그들의 말을 중요하게 여기지도 않고 신경도 쓰지 않소. 아무도 그들을 지지하지 않기 때문이오. 그래서 그들도 심하게 비판하는 거요!"

그는 옛 동지를 동정하는 듯한 미소를 지었다. 잠시 후 다시 거슬리는 게 있는지 화를 내면서 덧붙였다.

"이상주의는 좋은 것이오. 하지만 구체적인 걸 하는 게 낫소! 어쩌다가 이런 얘기가 나왔지? 아, 그렇지, 혁명은 지주를 건드릴 수 없소!"

"혁명이 그렇게 할 수 없단 말이죠!"

레피크가 중얼거렸다.

"하지만 혁명이 뭔가 하긴 했소. 농지세를 거두지 않잖소. 평등한 군 복무를 가져왔고. 통행료도 이 년 전에 없앴고……."

"그 통행료라는 건 끔찍한 고역이더군요. 아실 테지만, 통행료를 못 내는 사람들은……."

작가는 화를 내며 끼어들었다.

"알아요, 다 알아요. 데르심 사건도 꺼내 보시오. 그것도 아니까. 난 죄악이란 걸 알고 있고, 그걸 다 받아들인다오. 다른 방법이 없다는 걸 알기 때문이오. 당신도 뭐든 하고 싶다면, 국가에 도움이 되고 싶다면, 죄악까지 받아들일 만큼 용감해야 하오……. 사실 그런 건 죄악이라고 할 수도 없겠군. 국가를 위해서 하는 일은 죄악이라고 할 수 없으니까. 하지만 당신은 이상하고 이해할 수 없는 시선으로 바라보면서 이미 시행된 일을 죄악이라고 생각하는군. 그래서 이런 잘못된 계획을 세운 건 아니오! 혁명이 뭔지 생각해 보시오! 혁명은 국민의 지지를 받지 못하더라도, 국민에게 이로운 것을, 국민을 위해 가져다주는 일입니다……."

'그래, 난 바보 멍청이야!' 레피크는 갑자기 이런 생각이 들어 두려워졌다. '난 내 삶의 방향을 설정하고 싶어서 이런 계획을 세웠어. 내 삶의 방향과 목표를 설정하려고 시골 사람들을 동정했어. 그런데 이 모든 게 터무니없고 쓸데없는 일이라는 게 드러났어.' 그는 자신이 죄인이고 반사회적인 괴물이나 괴짜라고 느끼면서, 앞으로 숙인 머리를 천천히 흔들면서 발끝을 바라보았다. '내가 잘못 생각하고 있다는 게, 몽상가라는 게 드러났어. 난 루소를 읽었어……. 이스탄불에서 도망쳤어. 시골 사람들의 가난한 삶을 봤어……. 하지만 내가 틀렸어…….' 자신이 반사회적인 사람이라는 게 그리 끔찍한 일은 아닌 것 같았다. '난 뭐든 하고 싶었어! 그리고 여전히 그러고 싶어!'

"아, 그렇다면, 제가 뭘 할 수 있습니까?"

그는 이렇게 말하며 쉘레이만 씨를 바라보았다. 그러고는 이런 공적이지 못한 태도를 부끄럽게 여기는 듯한 표정을 지었다.

"나처럼 할 수 있소."

'그가 뭘 하지? 앙카라 경제국 국장. 공무원……. 내가 국가의 공무원이 된다면 지금까지 시행해 온 일들을 모두 받아들이는 셈이야. 그걸 반대한다면 아무것도 할 수 없어…….'

"당신에게 좋은 자리를 찾을 수 있을 거요. 농림부에서 당신 책을 출간한다고 하더군. 잘못된 판단 같지만, 그건 중요하지 않소! 결국 이것도 봉사니까. 당신의 선의를 보여 주는 거니까. 경제부 산업 연구 위원회에서 자리를 찾을 수 있을 거요……. 어쩌면 나도 그 자리로 갈 수 있고. 알다시피 우선 목표는 국가의 강력한 산업을……."

"아, 전 국가의 편을 들 수도 없고 반대할 수도 없습니다!"

레피크는 신음하듯 말했다.

"그 말은 맞소! 하지만 선택해야 하오. 우리와 함께하든지 반대편에 서든지……. 우리를 반대하는 사람들이 누군지는 알 거요."

작가는 처음으로 우울한 표정을 지었다. 그는 왼쪽 가슴을 가리켰다.

"한쪽에는 공산주의자. 그들의 영향력은 전혀 없소. 이들 중엔 안타깝게도 감옥에 있는 사람도 있다오."

그는 다시 오른쪽 가슴을 가리켰다.

"다른 한쪽엔 자유주의자, 이시 은행 패거리, 가짜 자유주의자……. 아아올루 아흐메트가 쓴 『국가와 개인』이라는 책 읽었소? 하지만 우리의 조직 운동을 방해한 사람들은 그들도 아니고 다른 쪽도 아니오. 국수주의자들과 혁명의 적들이 우리를 방해했소. 하룻밤에 우릴 해체해 버렸소. 당신이 좋아하는 『앙카라』의 작가를 어떻게 티란 해협으로 보냈는지 아시오? 우리는 이스메트 파샤와 함께 중단됐던 그 자리에서 계속할 겁니다. 당신도 우리와 함께할 수 있을 거요……."

레피크는 당황스러웠다. 마치 "저 의자에 앉아도 됩니다."라는 말을 하는 것 같은 태도였던 것이다. '내가 그들과 함께할 수 있을까? 모든 열정을 뒤로하고 공무원이 된다니.' 이런 생각을 하는 것조차 끔찍했다.

"아니요, 전 할 수 없습니다!"

이 단어들이 어떻게 입 밖으로 흘러나왔는지 의아했다. 잠시 침묵이 흘렀다.

"유감이군."

쉴레이만 아이첼릭은 중얼거렸다. 그는 잠시 아무 말도 하지 않았다.

"당신에겐 요즘 청년들에게 없는 열정이 있는데 말이오! 그렇다면 뭘 할 생각이오?"

"이스탄불로 갈 겁니다!"

"아, 그렇군, 당신은 철도 건설 현장에 오래 있었다고 했소?"

'이스탄불로 갈 거야! 내가 마음이 너무 여린가? 여리지 않아. 악을 참을 수 없을 뿐이야. 그러니까 내가 쉴레이만 씨보다 좋은 사람인가? 아냐. 난 좀 바보 같아. 집에 돌아가고 싶어. 거기서 뭘 하지? 모든 게 과거와 같아질까? 그럼 나도 국가에 반대하고 나서야지……. 용기를 내서 한다면 될까?'

"이스탄불로 가면 나한테 또 편지 쓰시오. 언젠가는 같은 생각을 할 수 있을 거요!"

"전 이 정부가 아니라 이 나라가 잘되길 바랍니다!"

"알고 있소, 물론! 하지만 당신은 그것이 분리되어 있지 않다는 걸, 나아가 정부가 우위에 있다는 걸 모르는군요."

"압니다. 어쩌면 맞는 말일지도 모릅니다. 하지만 전 그걸 믿으며 행동할 수는 없습니다!"

잠시 정적이 흘렀다. 그러다 두 사람은 서로를 깊게 이해한다는 듯 마주 보며 웃었다. 이 웃음과 함께 모든 게 확연해졌고, 의견 차이도 전부 드러난 셈이었다.

쉴레이만 씨는 의자에서 일어나 방 안을 서성거렸다. 그러다 레피크가 전혀 예상치 못한 수치스러운 표정을 지어 보이며 아이처럼 웃었다. 그러고는 갑자기 말을 쏟아 냈다. 그는 레피크의 어깨를 몇 번 두드렸다.

"당신이 아주 마음에 든다오! 당신 편지는 날 기쁘게 했을 뿐만 아니라, 생각도 하게 했소……. 당신이 보낸 기획서를 읽고는 화가 났지. 하지만 이제 말하겠소. 난 당신이 아주 마음에 든다오! 당신이 이렇게 생긴 사람일 줄은 생각 못했는데……. 이제 알겠소. 이렇게 둥글고 순수하고 침착하고……."

그는 부끄러운 듯 말을 다 잇지 못했다. 그는 다른 곳을 보며 말을 이었다.

"자, 이제 철도 건설 현장에서 본 걸 좀 말해 주시오. 무례하게 대했다면 용서하고. 아, 그래, 차를 가져오지!"

그는 급히 밖으로 나갔다.

'내 얼굴이 둥글고 표정이 침착하다!' 그는 자신이 바보처럼 여겨졌다. '선의를 지닌 바보! 그는 왜 내 얼굴에 관심을 가졌을까? 내 얼굴에 바보라고 쓰여 있기 때문이지!' 그는 옆으로 열리는 책장 유리문에 자신을 비춰 보려고 했다. 그는 자리에서 일어났다. 얼굴 형태가 보이는 듯했다. '침착하고 둥근 얼굴!' 그는 페리한을 생각했다. 예전 삶을 떠올렸다. '이 둥글고 침착한 얼굴로 희생절 점심 식탁에 앉았고, 한 해의 마지막 날 밤에 톰발라를 하며 웃었지.' 그는 그때 베이올루를 돌아다녔고, 일상을 혐오한다고 생각했으며, 자신이 기독교도와 닮았다고 생각했고, 누구의 관심도 끌지 않는 사람이라고 생각했다. "왜 이런 일이 일어났을까?" 그는 중얼거렸다. '어떻게 된 거지? 나는 뭘까? 왜 궤도를 벗어났지? 난 좋은 사람이야! 사람들은 그렇게 생각해. 선하고 순수하고 정직하고…….' 사람들은 별 특징 없는 그를 가리켜 이렇게 말한다, 좋은 사람. 부엌에서 찻잔이 달그락거리는 소리가 들렸다. '저 사람은 나에 대해 이렇게 말하겠지. 레피크 으슥츠? 그래, 좋은 사람이야! 선의를 가졌지.' 그러면 그 말을 들은 사람은 '그러니까 약간 바보라는 거군!' 하고 생각할 것이다. 쉴레이만 아이첼릭은 '그 젊은이는 국가와 함께 행동하는 걸 두려워해.'라고 할 것이다. 그런 후 눈을 치켜뜨며 고개를 저을 것이다. '세상에, 이 세상엔 별 사람이 다 있다니까!' 레피크는 조금 전 폭풍처럼 지나간 대화를 떠올렸다. 처음에는 아무것도 이해하지 못하고 바보처럼 웃었다. 빨리 이해할 수도 있었는데 말이다. 문득 '이미 난 이해하고 있었어!'라는 생각이 들었다. 지야를 보고, 농림부 장관을 보고, 아니, 아니, 케림 씨를 보고 이해했어! 그는 헤르 루돌프를 떠올렸다. '마음속에 악마가 들어와 버렸어! 나도 이 나라에서 이방인이야!' 하지만 이런 반사회적인 죄의식에서 희열을 느꼈다. 담배처럼 속으로 들이마시며 혈관에서 이걸 느꼈다. '그러니까 내 선의, 꿈, 선택으로 이룰 수 있는 건 아무것도 없어. 난 주변인이 될 수밖에 없어. 내 영혼에 이성과 계몽의 빛이 떨어져 버렸으니까!' 그는 횔덜린의 말을 기억해 냈다. "그렇다면 광명은 어떻게 오지?" 그는 갑자기 중얼거렸다. 국가의 물리적 힘에 대해 기꺼이 언급했던 무흐타르 씨의 쾌활한 모습을 떠올리자 화가 났다. '광명은 어떻게 오지? 나는 그걸 믿었는데. 광명인가 암흑인가? 암흑이라면 나도 어쩔 수 없어. 암흑이라면 굴복하고 자유를 포기한다는 뜻인가? 하지만 왜, 누굴 위해, 어떤 자유를 포기해야 하지? 무흐타르 씨가 말한 대로라면 자유나 광명을 포기해야만 우리는 발전할 거야……. 그런가? 그렇다면 자유는 누가 바라는 거지? 국가는 아니야! 상인들은 관심도 없어. 지주들은 혐오하고! 시골 사람들은 그런 걸 들은 적도 없어. 또 누가 있지? 노동자들? 그리고 나! 하하하……. 난 자유를 원해!' 그는 방 안을 서성거리며, 벽에 걸려 있는 고위 관리들의 사진을 바라봤다. 엄격하면서도 자애로워 보이는 사진 속 사람들이 놀란 듯 보였다. '이봐, 젊은이, 자네가 뭔데 그래? 우리가 다 정비할 거야. 좋은 건 뭐든지, 어떤 것이든지, 자네한테 적합한 게 뭐든지, 모두 우리가 할 거야! 자네처럼 죽을 운명인 사람이 할 일이 아냐! 광명이라고! 암흑이라고! 자유라고! 그게 도대체 뭐야? 자네가 노예라는 걸 기억하고 복종해!' 그는 웃으며 생각했다! 복종하는 것도 즐거운 면이 있다. 인간은 복종하고, 그 죄를 역사와 주위에 있는 존재에게 떠넘기며 산다……. 가끔 불편해지면 자랑스럽게 말한다. '난 내 죄악을 다 알고, 다 받아들이고 있어!' 그는 쾌활하게 덧붙였다. '내가 노예라는 걸 알아!' 하지만 잠시 후 분노하며 휠덜린의 말을 떠올렸다. 그는 갑자기 "아냐!" 하고 혼잣말을 했다. 그러고는 자신이 습관처럼 생각의 원을 만들고 그 주위를 맴돌고 있다는 걸 깨달았다. 이 원 주위와 방 안을 더 이상 맴돌고 싶지 않아 자리에 앉았다. 작가의 책상 위를 훑어봤다. 이 방에 처음 들어왔을 때 그를 흥분하게 했던 필기구와 종이, 담배, 재떨이, 서류, 책, 모든 게 우습게 보였다. 자신의 기획서도 우스웠다. 그러다 그것이 출간된다는 데 생각이 미쳤다. 그리고 조금 전에 했던 생각이 부끄러워져서 "출간되고 나면 그걸 수용할 사람도 있을지 몰라!" 하고 중얼거렸다. 문득 자신도 죄악을 역사와 주위에 있는 존재에 떠넘길 준비가 되어 있다고 느꼈다.

46
터키주의자들 사이에서

"제정신이 아냐, 그 사람, 제정신이 아니라고! 누가 터키인인지 알려면 6000만 명의 두개골을 다 재 봐야 한다는 거야."

마히르 알타일르의 말에 무히틴은 '5925만 명이겠지!' 하고 생각했다. 최근에 만든 '터키 사회 상세 지도'에 나온 숫자가 떠오른 것이다. 그러다 자신의 이성이 또 사소하고 허튼 것에 힘을 쓰고 있다는 사실에 화가 났다.

"제정신이 아냐, 노망이 들었어! 나한테 뭐라고 했는지 알아! 무스타파 케말은 금발에다 푸른 눈에 수박이 아주 좋았다고 하는 거야! 그런데 이스메트의 수박 — 그는 두개골 대신 수박이라고 했어. — 은 형편없었다나. 그는 이런 걸 열심히 연구하고 있지."

무히틴은 자신이 전에는 이런 데 전혀 신경을 쓰지 않았다는 게 놀라웠다.

"이스메트의 두개골은 예전에는 좋았을지 모르지만, 옆쪽이 주먹으로 맞아서 약간 함몰된 것 같은 모양이라더군. 그런 걸 자세히 설명하더라고. 그의 나이나 관록을 생각해서 들어 줬지. 하지만 나중엔 그의 의견에 반대했어. 내 생각, 그러니까 인종주의나 민족주의가 두개골주의를 근간으로 삼을 순 없다고 말해 줬지. 그에게 'Rassen Psychologie'*의 개념을 설명했어. 이것이 터키로 들어왔고 '인종 심리학'에 해당한다고 했지. 그는 내 말을 듣지도 않았어……. 내가, 나처럼 생각하는 사람들이 경험도 없고 미숙하다고 비난하면서 말이야."

"우릴 노골적으로 비난했어요?"

세르하트 귈올루가 물었다.

"잡지가 마음에 안 든다고 했어……. 우리가 터키 민족주의를 잘못된 개념으로 혼란시켰다는 거야. 나도 이런 상황에선 이제 함께할 수 없다고 대꾸했지."

"그래요, 이런 상황에서도 함께한다는 건 양보한다는 거죠!"

이번에도 세르하트가 나섰다. 하지만 아무도 흥분하지 않았다.

"내가 함께할 수 없다고 하니까, 노련한 데다 경험도 많고 자만심 강한 노인답게 어차피 함께한 적은 한 번도 없었다고 무시하듯이 말하더군. 물론 우린 그의 경험과 터키주의 문제에 대해 그가 기울였던 노력은 존경하지. 그건 인정해! 그의

---

* '인종 심리학.'(독일어)

공로를 부인한 적은 없어. 하지만 이건, 그래, 오만이야! 전 세계에 터키주의 운동을 대표하는 잡지는《외튀켄》이야. 우리가 한 번도 함께한 적이 없다는 게 무슨 뜻일까?"

"그가 한 번도 터키주의 운동을 함께하지 않았다는 건가요?"

한 청년이 중얼거렸다.

마히르 알타일르는 한 가지 물건을 응시하는 듯한 눈길로 혼잣말을 하는 것처럼 머리를 약간 흔들었다. 그런 후 예언자처럼 말했다.

"이제 그와 우리는 다른 길을 간다. 그나 그와 함께하는 사람과는 더 이상 함께하지 않는다. 길이 갈라졌다. 하지만 터키주의 운동이 분리되었다는 의미는 아니다. 정반대로 터키주의 운동은 하나의 옳은 견해, 옳은 총체로 계속 이어질 것이다. 터키주의 운동과 터키주의를 잘못된 길로 이끄는 지나친 요소들이 분리되었을 뿐이다……."

침묵이 이어졌다. 마치 역사적 순간의 희열을 만끽하기 위해 말을 하지 않는 것 같았다. 그들은 외즈네질레르에 있는 마히르 알타일르의 집에 모여 있었다. 매주 일요일 아침《외튀켄》을 발행했고, 잡지 작업을 하는 네다섯 명이 여기서 만나 잡지와 터키주의 운동, 해야 할 일들에 대해 얘기를 나누었다. 방금 점심을 먹었고, 마히르 알타일르의 아내가 식탁을 치운 후 무히틴의 주의를 끌었던 딸이 커피를 가져왔다. 그들은 여전히 식탁에서 일어나지 않았다. 마히르 알타일르는 식사 초반부터 아타튀르크 사망 후 터키로 돌아온 터키주의자 교수와 만났던 일을 설명했다. 다들 생기 있고 단호해 보였다. 하지만 그 만남이 기대했던 결과를 가져오지 못했기 때문에 의심과 걱정이 생겨났다. 민족주의자와 인종주의자에게서 무척 존경받는 영향력 있는 교수가 새로운 잡지를 발간하는 걸 꺼려했기 때문이다. 세르하트가 입을 열었다.

"하타이 문제에 대해서는 어떻게 생각한답니까?"

"그게, 난 그 문제는 이제 종결됐다고 생각해. 그래도 그의 생각을 물어봤지. 그는 잘못 생각하고 있어. 그 역시 '병합'이라는 결과를 기대하며 평화주의를 지지하고 있더군. 결론적으론 그가 맞을지 몰라. 하지만 그건 잘못된 거야. 프랑스가 하타이를 내준 건 우리가 독일에 접근하지 않도록 하기 위해서라는 걸 모르는 거야. 우리가 하타이에서 물리적 힘을 사용했다면 프랑스, 영국과 전투를 벌였을 텐데, 그러면 우린 자동적으로 독일 쪽에 서게 되는 거지. 하타이는 좋은 기회였고, 우리 땅도 됐지만, 다른 걸 놓쳤어……. 이런 걸 설명했는데도 그는 이해를 못하더군. 이해 못하는 척했을 수도 있고. 게다가 은근히 독일을 비난하는 것 같았어. 터키 민족주의는 민족적 사회주의 때문에 무척 고난을 겪었다고, 우리가 이들과 비슷한 파시스트라고, 그러니 독일을 조심해야 한다고……. 날 아주 순진한 학생 취급 하더군……. 그가 그런 걸 진짜 믿는진 모르겠어. 난 그의 모순을 지적했지. '한편으론 두개골주의를, 다른 한편으론 독일을 조심하라는 온건적인 정치를 지향하다니 그게 어떻게 가능하죠?' 하고 물었어. 기분 나빠하더군. 한껏 예민하게 굴면서 자신의 경험과 나이, 내가 아직 젊다는 것, 그가 읽은 책을 들먹이고, 블룸첸*과 고비노**를 언급했어. 아직도 고비노라니!"

"예, 예, 그에 대항해서 뭔가 해야 합니다."

세르하트가 말했다. 그는 잡지 작업을 하는 사람들 중에서 가장 열성분자였다.

"모르겠네, 그럴 가치가 있을까?"

마히르 알타일르가 말했다. 겸손해 보이려는 것 같았다.

"아, 그럴 필요는 없겠군요! 그는 그저 늙은 교수에 불과합니다. 이름만 있을 뿐이죠. 그야세틴 카안***이라니! 위스퀴다르의 자기 집 뜰에서 닭을 키우고 있잖아요."

"우리가 그의 이름을 이용할 수도 있었는데! 이름 주인이 아니라, 이름 자체를 말이야. 하지만 그렇게 되지 않았어……. 하지만 희망을 버린 건 아냐. 그에 대항해 신중한 전략을 펼쳐야 하네."

"신중한 전략!"

한 청년이 중얼거렸다. 마히르 알타일르는 이런 존경의 표시에 신경 쓰지 않고 커피를 마셨다.

"이제 글을 좀 볼까!"

그들은 1월호에 실릴 글과 시를 검토할 예정이었다. 마히르 알타일르가 자리에서 일어나려는데, 한 청년이 먼저 움직여 방 한구석 책장에 놓인 서류철 두 개를 가져왔다. 무히틴은 그

* 프랑스의 변호사이자 저널리스트인 위르뱅 고이에(1862~1951)의 필명.
** 1816~1882. 프랑스의 작가, 외교관, 민족학자.
*** '카안'은 '밭이나 정원을 일구다.'라는 뜻.

청년에게 아침에 보여 주었던 그의 파일도 라디오 옆에 있다고 했다. 하지만 청년은 못 들었는지 못 들은 척하는 건지, 무히틴의 서류철은 그대로 두고 자리에 앉았다.

무히틴은 화가 나서 일어났다. 그러나 무히틴의 부재는 중요하지 않다는 듯 마히르 알타일르가 말을 시작했다. '저들은 그를 신봉해!' 그는 라디오 옆에서 시가 가득 든 서류철을 집어 들었다. 잡지에 실릴 시를 고르는 게 무히틴의 일이었다. 탁자 쪽으로 걸어가는데 이미 마히르 알타일르는 말을 하고 있고 젊은이들은 주의 깊게 그의 말에 귀를 기울이고 있었다. '날 잊은 건가……. 청년들은 그를 흠모하고 있어……. 그를 위해서라면 뭐든 할 거야……. 그런데 나는 왜 그들과 여기 있는 걸까? 아냐, 또 이런 식으로 생각하다니. 난 신념이 있고 열정이 넘쳐.' 그는 탁자로 가서 앉았다.

그들은 서류철이나 잡지에 게재될 글이 아니라, 다시 그야세틴 카안 얘기를 하고 있었다. 그들은 그야세틴이 이 문제를 불편해하는 게 분명하다고 생각했다. '그가 우리에게 무슨 해를 입힐 수 있다는 거지? 그가 권한을 받았으면 잡지를 발행할 것이고, 우린 지워지겠지.' 지워진다는 생각은 재앙이 아니라 놀이를 할 때나 명절에 느끼는 즐거운 흥분을 불러일으켰다. '잡지는 하나도 팔리지 않고, 그를 존경해 마지않는 터키주의자들은 마히르 알타일르를 파문하겠지!' 이런 생각을 할수록 그의 기분도 좋아졌다. 그러다 문득 두려워졌다. '아냐, 아냐, 정신을 집중해야 돼! 온 정신을 집중해야 돼! 그래, 지금 내 임무는 뭐지?' 그는 앞에 있는 서류철을 펼쳤다가 마히르 알타일르가 하는 말을 듣지 않는 건 옳은 일이 아니라고 생각하며 다시 덮었다. 마히르 알타일르는 여전히 교수 얘기를 하고 있었다.

"우리가 왜 그를 꺼리는 거죠? 그 노인은 위스퀴다르의 자기 집에서 나오지도 않고 닭이나 책에만 신경 쓰는데. 우리가 그를 건드리지 않으면……."

세르하트가 이렇게 말하는데 마히르 알타일르가 자리에서 일어났다.

"우린 그를 이용해야 돼! 그를 찬양하는 글을 쓰는 게 좋겠어! 그럼 그의 추종자들이 관심을 갖겠지. 그의 영향력 아래 있는 사람들이 잡지를 신뢰하게 될 거야. 하지만 내가 그런 글을 쓸 순 없어……. 누군가, 그를 찬양하면서도, 그는 늙었고 그의 시대는 끝났다는 글을 써야 돼. 그에 대한 우리의 태도는 장례식에서 느끼는 존경 이외에……."

그는 모두가 자신을 바라보는 걸 의식하면서 더 이상 말을 하지 않을 것처럼 방 안을 서성거렸다.

무히틴은 그를 보고 싶지 않았다. 앞에 놓여 있는 서류철을 펼쳤다. 잡지로 보내온 시를 다 읽고 나니 혐오스러웠다. 전부 똑같이, 영웅적이거나 용감한 행동, 용기라는 단어, 싸우고자 하는 열망이 담겨 있었고, 서사시에서 인용한 시도 많았다. 시에 나오는 단어의 10분의 1이 똑같았다. 마히르 알타일르는 젊은이들을 흥분시키고 격려하고 잡지를 숭배하도록 하려고 시를 많이 싣자고 했다. 무히틴이 몇 편을 골랐다. 베쉭타시 술집에서 만났던 사관생도들 중 하나가 쓴 시도 게재 목록에 넣었다. 그는 석 달 만에 그들을 터키주의에 목매게 했다. '그들도 나를 신봉해!' 마히르 알타일르의 목소리에 집중하지 않으려고 시 한 편을 읽기로 하고 맨 위에 있는 자신의 시를 보았다……. 터키주의로의 몰입을 방해하곤 했던 호기심에 또다시 사로잡혀 '어떻게 이럴 수 있지? 어떻게 이런 시를 쓸 수 있지? 그들의 마음속엔 도대체 뭐가 있는 걸까? 뭘 느끼는 걸까?' 하고 생각하기 시작했다. 잠시 후 마히르 알타일르가 자기에게 뭔가 말하고 있다는 걸 깨달았다.

"무히틴, 자네라면 그런 글을 쓸 수 있을 거야, 아마도!"

"하지만 전 그에 대해 아는 게 별로 없는데요……."

"찬양하는 글을 쓰는 데는 그 편이 더 나아. 그의 책은 읽은 적이 없나?"

"『터키 역사 입문』, 『투르키스탄 민속』을 읽었습니다……."

"그 정도면 충분해……. 어떤 식으로든 자기가 알려지면 좋아할 테니. 그 책에는 그의 삶도 나와 있어. 그걸 참고하고, 나한테 물어봐도 좋아! 두 장 정도면 돼……."

무히틴은 이런 일을 하고 싶지 않다는 말을 어떻게 할까 생각하다가, 모두가 자기를 쳐다보고 있고 그에 대해 뭔가 생각하고 있다는 걸 깨닫고는, 외로움과 죽음에 관한 시를 쓴 적이 있다는 걸 떠올리며 대답했다.

"두 장이면 금방 쓰죠, 뭐!"

"신중하게 쓰게!"

마히르 알타일르는 뭔가가 자신의 통제 밖으로 빠져나갔다는 듯 깐깐하게 말했다.

“신중하게 쓰겠습니다!”

무히틴은 퉁명스럽게 대답했다. 하지만 그들이 이 말을 분노가 아니라 복종으로 여기는 것 같아 신경이 곤두섰다.

‘나도 그저 신봉자일 뿐이야……. 나 역시 손아귀에 넣었다고 생각하겠지. 그들은 가끔 내가 보들레르의 영향을 받아 시를 쓴 적이 있다는 걸 들먹이지! 아냐, 아냐, 못난 생각이야. 나는 해야 할 일을 하는 거야! 우린 운동을 확산시키려고 노력하는 거야…….’ 그는 정신을 집중하고 신중하게 생각했다. ‘터키주의 운동은 사 년 동안 동면 상태였어……. 《외튀켄》 덕분에 활기를 되찾고 힘을 모으기 시작했어……. 그야세틴 카안은 위험 요소야……. 우리가 분열되지 않으려면…….’

“그래, 절제된 찬양이 좋겠어……. 그걸 읽으면 그 자신도 아주 놀랄 거야……. 하하! 이해는 못할 거야! 어차피 아픈 사람이니까……. 감기에 걸렸다는군……. 시작 부분엔 쾌유를 빈다는 말도 넣자고. 그럼 그는 ‘내가 죽어 가고 있나?’ 하고 생각할 거야. 좋아, 이제 서류철을 좀 볼까…….”

마히르 알타일르는 탁자로 와서 앉았고, 무히틴 앞에 놓인 서류철 쪽으로 몸을 숙였다.

‘날 속였어!’ 무히틴은 파일을 들고 있는 그의 통통한 손을 보며 이런 생각을 했고, 그 생각에 자신도 흠칫했다. ‘아냐, 아무도 날 속일 순 없어!’ 그는 마히르 알타일르를 술집에서 만났던 날을 떠올렸다. ‘그땐 아주 온화한 노인처럼 보였지……. 지금은 악마 같아!’ 그는 어머니와 학교 동창들을 생각했다. ‘난 절대 사주당하는 희생자 역할은 하지 않을 거야. 사주하는

사람이 될 거야. 내가 악마야! 내 희생자들의 시도 내 앞에 놓인 서류철에 있어……. 그런데 저기에…….'

마히르 알타일르는 서류철을 펼치고, 맨 위에 꽂혀 있는 시를 읽었다. 무히틴은 그의 얼굴을 살펴봤다. 하지만 그 사람은 그래도 교사였다. 얼굴에 표정을 드러내지 않은 채 시를 읽어 나갔다. 무히틴은 잡지에 게재될 시에는 표시를 해 두었다. 마히르 알타일르는 그때 그 술집에서처럼 '난 네 마음속에 뭐가 있는지 다 읽고 있어!'라는 시선으로 시를 들여다보고 있었다.

"이 바르바로스라는 사람은 어디서 왔나?"

"군인입니다! 갈수록 터키주의자로서의 감정이 강해지고 있죠! 제가 성은 쓰지 말라고 했습니다!"

"자네가 아는 사람이라는 거군! 터키주의자 군인……. 우리 잡지를 보고 있나? 그와 만나고 싶군!"

"그는 아직 젊습니다!"

무히틴은 손에 든 걸 빼앗기고 싶지 않다는 듯 황급히 대꾸했다.

"우린 모두 젊어!"

마히르 알타일르는 미소를 지어 보였지만 무히틴의 얼굴을 보고 자신이 원하는 걸 곧장 얻을 순 없다는 걸 알아챈 것 같았다.

"서두르자는 건 아냐……. 터키주의 운동은 압력과 음험한 음모에 맞서 오랜 세월 동안 인내해 왔어. 기다릴 줄을 알지……. 이 이름은 알겠고, 이 이름도……."

그는 계속해서 시를 검토했다. 그런 후 서류철을 덮으면서 한쪽에 놓아둔 무히틴의 시를 한 번 더 쳐다봤다.

"자넨 뭘 썼나, 한번 볼까, 보들레르?"

세르하트가 웃었다. 다른 청년도 웃었다. 하지만 그는 무례하지 않았다. 팽팽한 긴장감이 감돌았다. 무히틴이 쾌활한 분위기에 동참하지 않아서 불편한 모양이었다.

"농담은 이 정도로 하고! 커피도 마셨으니 이제 잡지의……."

문이 열리고 마히르 알타일르의 딸이 들어왔다. 그녀의 아버지는 딸이 찻잔을 정리해 나갈 때까지 아무 말도 하지 않았다. 아무도 딸을 쳐다보지 않았지만 마음속으로는 모두 그녀를 생각하는 것 같았다. 아름다운 여자는 아니었다. 무히틴은 갑자기 도전하고 싶은 마음이 불타올라 몸을 돌렸고, 자신이 그녀를 쳐다본다는 걸 모두에게 보여 주려는 듯, 아무것도 감추지 않고 대놓고 그녀를 쳐다보았다. 그녀가 불편해할 정도로 집요하게 그녀를 주시했다. 그러자 자신이 도전을 한 것 같아 기분이 좋아졌다.

'이들은 지금 날 어떻게 생각할까? 혐오스러운 놈이라고 생각하겠지! 잘난 체한다고 생각하겠지. 지나치게 거만한 놈이라든가……. 그들에겐 마찬가지겠지. 그들? 그들이 누구지? 아냐, 나도 그들 중 하나야……. 나 자신을 의심에, 역겨운 의심에, 이성의 잡담에 내맡겨선 안 돼! 그러지 않겠어, 믿을 거야……. 믿을 거야, 신을 믿을 거야, 이성의 사소한 잡담은 멈추게 할 거야! 그들은 무슨 얘기를 할까? 오늘은 라마단이야. 레피크는 뭘 하고 있을까?' 마히르 알타일르는 이미 수십 번 설명했던 'Rassen Psychologie'의 개념을 또 얘기하고 있었다.

생리적 특징만으로 인종을 구분하기는 어렵다고, 역사적 특징도 감안해야 한다고 말하고 있었다. 신봉자들은 그의 말에 귀를 기울이고 있었다. '난 이미 알고 있는 문제이니 들을 필요가 없어.' 내 생각이나 해야지. 오늘은 라마단. 레피크……. 아냐, 그의 말을 들어야 돼……. 나는 시를 어떻게 쓰고 있지……. 시라고……? 아냐! 난 옳은 일을 했어……. 바르바로스의 시는 1월호에 실릴 거야…….아냐, 그의 말을 들으며 그들과 함께해야 돼……. 뭐라고 하는 거지? 스페인 사람들이 지나치게 감정적이고 성욕이 강하고 귀족적인 영혼을 지녔다면, 그건 인종 심리학에서 그들이……. 그렇다면 우리 터키인은? 우린 용맹하고 전투적이란 말이지……. 외국인들은 손님 환대와 쉬시 케밥 그리고……. 그만!'

47
지루함

외메르는 어디로 갈지 결정을 내리지 못한 채, 늘 투숙하던 울루스의 호텔 침대에 누워 천장을 바라보고 있었다. 토요일이었고 오후 3시가 지나고 있었다. 아직 면도를 하지 않았으니 이발소에 갈 수 있을 것이다. 지루하고 혼자 있는 게 싫어서 함께 시간을 보낼 똑똑한 친구를 찾는다면 공과대학 동창인 사밈에게 갈 수도 있다. 하지만 둘 다 별로 끌리지 않아서 다른 걸 찾는 중이었다. '클럽에 갈 수도 있어, 아니면 극장……. 나즐르하고 같이 갈까?' 그는 침대에서 일어났다. 창밖을 내다보니 눈이 내리고 있었다. "뭘 하지, 뭘 하지?" 그는 중얼거리며 의자에 앉았다. 《울루스》 신문을 펼치고 되는대로 읽기 시작했다. "전국에서 선거운동이 계속되고 있다! 우호국인 불가리아 총리 쾨세 이바노프가 우리 시를 방문." 신문을 한쪽에 내려놓았다. 그는 다시 한 번 "뭘 하지, 뭘 하지?" 하고 중얼거리며 방 안을 서성거렸다. 그러다 아래층에 있는 응접실로 내려가기로 하고 방을 나섰다.

그는 육 개월 동안 앙카라의 호텔에 머물고 있었다. 울루스에 있는 이 호텔의 투숙객은 대부분 국회의원이나 앙카라에 일을 보러 온 사업가였다. 3월 말에 있을 선거 때문에 국회가 1월부터 휴회했기 때문에 호텔은 한산했다. 외메르가 아래층에 내려갈 때까지 만난 사람이라곤 의자에서 졸던, 허드렛일을 하는 남자뿐이었다. 잠시 후 그는 '그냥 여기서 술이나 마실까?' 하고 생각했다. 하지만 술을 마시기가 꺼려져서 응접실로 들어갔다.

앙카라에서의 육 개월 동안, 그는 시간을 어떻게 보낼지 생각하고, 매일, 요즘은 하루 걸러, 나즐르를 만나며 지냈다. 드디어 결혼 날짜가 4월 말로 확정됐다. 4월 말까지는 이스탄불에도 가고 싶지 않았고, 결혼 준비로 애쓰기도 싫었다. 어제 이것 때문에 나즐르와 말다툼을 했다. 하지만 외메르는 그것도 생각하고 싶지 않아, 시간을 보낼 일을 찾고 있었다. 늘 국회의원과 사업가로 붐비던 응접실엔 한구석에서 신문을 읽는 노인과 가방을 옆에 두고 누군가를 기다리는 가족 말곤 아무도 없었기 때문에 여기서 시간을 보낼 순 없을 것 같았다. 오후가 되자마자 술을 마시는 게 꺼림칙해서 다시 방으로 갔고, 어디로 갈지 다시 생각하기 시작했다.

이발소에는 가고 싶지 않았다. 유희가 기다리는 곳으로 가기 전이라면 모를까, 이발소처럼 지루하고 우울한 곳에서는 잠시도 견딜 수 없을 것 같았기 때문이다. 건축 엔지니어 클럽에도 가고 싶지 않았다. 이스탄불에서처럼 이 클럽에는 늘 같은 일, 즉 뇌물이나 난봉질 얘기, 담배 연기와 끝나지 않는 카드 게임, 시시껄렁한 농담밖에 없었던 것이다. 외메르도 거기서 몇 시간씩 브리지를 하며 즐긴 적이 많았다. 하지만 거기서는 그가 지금 갈구하는 친근함을 찾을 수 없을 게 뻔했다. 이번 주에 벌써 두 번이나 나즐르와 함께 극장에 갔기 때문에 새로 볼 영화도 없을 것이다. 외메르는 알면서도 신문을 펼쳐 극장에서 어떤 영화가 상영되는지 찾아봤지만 볼 만한 게 없었다. 나즐르와 함께 본 영화는 평범했다. 잠시 후 그의 시선이 신문 유머란에서 멈췄다. 재미있을 거라 기대하며 읽은 바보 같은 농담에 놀랐고, 두 번째 농담은 즐겁게 읽고 페이지를 넘겼다. 이미 아침에도 읽은 입찰 공고를 다시 읽었다. 공고문은 서부 흑해 연안의 교각 건설이 입찰에 붙여진다고 알리면서 어디서 입찰을 받을 수 있는지 설명하고 있었다. 이제 외메르는 이런 규모의 사업을 시작할 정도로 부자였기 때문에 이 일에 관한 뒷얘기를 클럽에서 들은 적이 있다. 다리가 어디에 건설될지 읽으면서 "그만한 가치가 있을까? 돈을 더 벌겠다고 그 멀리까지 가야 하나?" 하고 중얼거렸다. 이모부의 도움으로 지난 육 개월 동안 이스탄불에서 토지를 몇 번 사고팔았고 9000리라를 벌었다. "그만한 가치가 있을까?" 그는 다시 중얼거리며 페이지를 넘겼다. 크림 광고를 보면서 '하지만 난 파티흐가 되려고 했고, 돈을 많이 벌려고 했잖아!' 하고 생각했다. 혼자 웃으며 하품을 했다. "이발소에 가는 건 우울하고, 클럽엔 가고 싶지 않고, 영화는 볼 게 없고, 나즐르도 만나기 싫고!

사밈에게 가는 것만 남았군!" 그는 이렇게 중얼거리며 즐겁게 의자에서 일어섰다. 넥타이를 매고 단단히 껴입은 후 로비로 내려가 열쇠를 맡기고 밖으로 나갔다.

울루스에 조용히 눈이 내리고 있었다. 눈송이는 땅에 떨어지자마자 녹아 버렸다. 거리는 붐비지 않았다. 외메르는 택시를 잡아타고 운전사에게 스히예로 가자고 했다. 가는 내내 아무 생각도 하지 않았다. 눈에 들어오는 걸 바라보며 앉아 있을 뿐이었다. 이따금 "나즐르, 어제 그 찝찝한 일은 생각하지 말아야지!" 하고 투덜거렸다. 택시에서 내린 후엔 시간이 이른 것 같아 크즐라이로 갔다. 사밈과 갓 결혼한 그의 아내, 그들이 보여 준 친근함을 생각했다. '그래, 지금 갈 수 있는 곳은 그 집뿐이야!'

그는 두 달 전 건축 엔지니어 클럽에서 우연히 사밈을 만났다. 그들은 공과대학 동기생이었다. 학교 다닐 때도 전혀 모르는 사이는 아니었지만 지금만큼 친하지 않았다. 왜 친분이 없었을까 물었을 때 사밈은 레피크와 무히틴을 언급하면서 "난 너희가 두려웠어!"라고 말했고, 외메르도 웃었다. 이걸 떠올리며 생각에 잠겼다. '그래, 그는 좋은 사람이야! 그의 아내 역시 나한테 친절하게 대해 주지. 왜 학교 다닐 땐 사밈을 더 잘 알지 못했을까? 우리가 두려웠다고! 맞아. 우린 그리 다정한 사람들이 아니었지. 지금은 어떻지? 지금의 나는 어떻지?' 거리는 울루스처럼 한산하지 않고 붐볐다. 토요일 오후, 추위나 눈은 신경 쓰지 않는 사람들이 상점을 들락거리고 인도를 빠르게 지나갔다. 외메르는 지나가는 사람들의 얼굴을 주의 깊게 쳐다봤다. '모두 서둘러 집으로 돌아가고 있어. 다들 집에서 자신의 부재를 채우려고 하지. 날 어떻게 생각할까? 잘생겼고 멋진 외투를 입고 있다고. 젊다고. 그래, 그렇게 생각할 거야, 분명.' 그는 문득 사밈과 그의 아내를 떠올렸다. '그들도 그렇게 생각할 테지! 젊고 잘생기고 외투가 멋지다고……. 나에 대해 좀 더 알고 있지. 부자에……. 국회의원의 딸과 약혼했고……. 하지만 난 지금 사밈에게 부끄러운 짓을 하고 있어.' 모든 게 조금 전에 생각하던 것처럼 추하지만은 않다고 생각하려고 고개를 들어 하늘을 쳐다봤다. 새로 지은 아파트 사이로 떨어지는 눈송이는 신경을 곤두서게 만드는 오래된 시구절만 떠오르게 할 뿐이었다. "짝을 잃어버린 새 같은 눈……!" 그는 갑자기 나즐르가, 어제 그 불쾌한 말다툼이 생각날 것 같아 중얼거렸다. '내 마음은 순수하지 못하고 저속한 불만으로 가득해. 도저히 벗어날 수가 없어! 왜? 어제 나즐르와 싸웠기 때문이야. 난 이 결혼을, 이 모든……. 아냐……. 거기서 차를 마셔야겠어. 얘기도 나누고.' 사밈의 집에서 나눌 얘기를 떠올리자 지루함이 밀려왔다. '그래, 그들은 날 부러워하고 있어. 내가 부유하고 똑똑하고 많이 배웠다고, 국회의원의 딸과 약혼했다고. 어쩌지, 그냥 돌아갈까?' 이렇게 생각했지만 그는 이미 큰길에서 그들 집이 있는 골목으로 접어들고 있었다. 돌아가면 호텔에서 술이나 마실 거라는 생각이 들었다. 그것도 생각보단 그리 끔찍할 것 같지 않았다. '난 왜 사밈을 좋아하지 않지? 그 집에 가면 그들이 내 입만 뚫어져라 바라보기 때문이야. 내가 아무리 시답잖은 얘기를 해도 아주 대단하다는 듯 잘 들어 주잖아. 한 번도 느끼지 못한 친근감을 품고 날 대해 준다고. 어머니가 어느 날 파샤가 된 아들을 대하는 듯한 친근감 말이지!' 그는 얼굴을 찡그렸다. 막 돌아가려다가 순수하고 진정 어린 사밈의 미소가 떠올렸다. '그는 나쁜 사람이 아냐! 나쁘진 않지만 다른 사람들과 똑같지! 날 좋아하는 게 위선은 아냐. 나의 이런 특징 때문에 나를 좋아하지만 자신은 그걸 모르지!' 사밈의 아내는 나즐르를 대할 때, 그녀와 동등해지고 싶어 하면서도, 이미 그렇게 된 것처럼 행동해서 아주 이상해 보였다. 모두 놀랍게 생각하면서도 아무도 말하지 않았다. '나즐르와 나에게 지나치게 잘 대해 줬어. 우리가 누리고 있거나, 우리가 누리고 있다고 상상하는 환경으로 들어와서 우리처럼 되고 싶은 거야. 그런 걸 의식하고 있진 않지만, 우릴 보자마자 그렇게 행동하고 싶어졌을 거야. 아냐, 거기 가지 말아야겠다!' 그는 길 한가운데에 멈춰 섰다. 친구가 사는 아파트는 오십 걸음쯤 앞에 있었다. '정말 부끄러운 생각을 하고 있군!' 옆에 있는 집의 창문이 열리더니 웬 여자가 머리를 내밀고, 현관을 나서는 아이에게 가게에서 식초를 사 오라고 했다. '난 정말 끔찍한 생각을 하고 있어……. 그들은 좋은 사람이야, 나는 나쁘고. 왜? 파티흐가 되겠다고 마음을 먹어 버렸기 때문이지.' 그는 몇 걸음 더 걸어가다가 발길을 돌렸다. "이렇게 부끄러운 생각을 하면서 그 집에 간다면 내가 찾던 편안함을 느끼지 못할 거야!" 이렇게 투덜거리자 마음이 편해졌다.

다시 거리로 나왔을 때는 눈이 오지 않았다. 마치 기다렸다는 듯 상점과 집 앞 인도가 순식간에 사람들로 가득 찼다. 외메르는 "뭘 할까? 뭘 하지?" 하고 중얼거렸다. '나즐르한테 가서 한 번 더 얘기할까? 하지만 상황이 더 안 좋아질 수도 있어. 가기 싫어! 뭘 하지? 어딜 갈까?' 하지만 어디로 갈지는 이미 알고 있었다. 호텔로 가서 응접실에서 술을 마실 것이다. 때문에 그의 발은 저절로 택시 정거장으로 향했다. 운전사에게 울루스로 가자고 했다. 차 안에서 담배를 피웠고, 그의 양심은 술을 마시는 건 좋은 선택이 아니라고 한 번 더 말했다. 하지만 외메르는 달리 할 일이 없다고 생각하며 양심의 입을 다물게 했다.

호텔로 들어간 후 요즘 자주 술을 마셨던 응접실(누군가는 '로비'라고 했지만)로 들어가 늘 앉던 자리에 앉은 후, 입을 다물게 한 양심을 완전히 진정시키기 위해 "호텔에서 나가 돌아다녀 봤지만 시간을 때울 만한 일을 찾지 못했잖아!" 하고 투덜거렸다. 그는 괜히 '할 만큼 했어!'라고 생각하며 마음을 편히 먹었다. 가방을 옆에 두고 앉아 있던 가족은 가고 없었다. 노인은 여전히 신문을 읽고 있었다. 구석에 있는 커다란 화분 옆 안락의자에는 외국인이 앉아 있었다. 외메르가 늘 술을 마시는 자리에 앉은 걸 본 웨이터가 뭘 마실지 알지만 절차는 밟아야만 한다는 듯 그에게 다가와 뭘 마실지 물었다. 외메르는 코냑을 달라고 했다. '이제 시작이구나!' 오늘은 다른 때보다 더 답답했고, 가장 추한 것, 가장 평범한 면을 보고자 했기 때문에, 술이 그의 이런 나쁜 생각을 부추길 거라고 생각했다.

그가 좋아했던 잔이 앞에 놓이자 기분이 나아졌다. 그 모양,

넓은 바닥, 코냑을 채웠을 때 어떤 색이 되는지를 잘 알았기 때문이다. '그래, 사밈한테 안 가길 잘했어!' 잔을 들어 한 모금 마셨다. '사밈한테 갔으면 쓸데없는 잡담이나 나누며 나 자신을 잊으려고 했을 것이고, 결국 나 자신을 속이는 것 말고는 아무것도 할 수 없었을 거야. 하지만 지금은 모든 걸 생각하고 이해하고 싶어!' 술을 한 모금 더 마셨다. '그래, 나즐르와 내가 왜 말다툼을 했는지 생각해 볼까? 나즐르와 왜 싸웠지? 어제의 다툼은 이전 다툼과도 상관이 있으니 한번 생각해 봐야겠어. 우리는 왜 싸우기만 하는 거지?' 문득 자신이 생각하고 있는 게 두려워졌고, 아직 충분히 마시지 않은 것 같아 단숨에 술을 털어 넣었다. '나즐르는 나한테 뭘 기대하지? 좋은 남편과 성공한 건설업자가 되는 것. 내가 그녀를 사랑해 주고 보호해 주길 바라고, 우리만의 집을 갖고 싶어 해……. 이게 단가?' 그는 고개를 저었다. '그녀가 원하는 걸 전부 알 수는 절대 없을 거야. 하지만 난 쉽게 이해하려고 이게 다라고 말하지. 그렇다면 난 그녀에게 뭘 기대하지?' 그는 한동안 잔을 바라보았다. 잠시 후 웨이터를 불러 한 잔 더 달라고 했다. '난 그녀에게 뭘 바라지?' 이 질문에 절대 대답할 수 없을 거라는 걸 깨닫고는 "그렇다면 나 같은 상황에 있는, 나 같은 사람은 그녀에게서 뭘 원할까?" 하고 중얼거렸다. '아무것도! 아무것도 원하지 않아! 난 그녀만을 원해!' 그는 술이 혈관을 도는 걸 느끼며 이 말을 곰곰이 생각했다. '그녀만을 원해!' 마음속에서 부풀어 오르는 분노가 넘치지 않도록 농담을 했다. "난 그녀를 원하는데, 그녀는 우리 집을 채울 물건을 원해!" 어제의 다툼, 그리고 이전의 다툼이 순식간에 드러났다. 나즐르가 결혼 준비에 신경을 좀 쓰라고 하고, 물건을 사고 집을 구하기 위해 이스탄불에 가자고 했을 때, 외메르는 앙카라에서 할 일이 있다고 우겼다. 하지만 그가 앙카라에서 할 일이 없다는 건 둘 다 알고 있었다. "남아 있는 기구를 팔려면 케마흐에 가야 돼!" 외메르는 중얼거렸다. 하지만 그래서 변하는 건 없다는 걸 그도 알고 있었다. "난 이스탄불에 가고 싶지 않아! 난 이스탄불에 가고 싶지 않아!" 하고 투덜대며 갑자기 자리에서 일어났다. "왜냐하면 난……." 그는 빈 잔을 들고 문 쪽으로 걸어갔다. 웨이터에게 잔을 내밀며 한 잔을 더 주문했다. 자리로 가서 앉다가 화분 옆에 앉아 있는 외국인과 눈이 마주쳤다. 외국인이 미소를 지었다. 외메르에게는 그렇게 보였다. 외메르도 그에게 미소를 지어 보였다. "영국인……. 영국인……." 그는 중얼거렸다. '영국에 남아 있어야 했던 걸까? 아니면 독일? 헤르 루돌프! 레피크는 뭘 하고 있을까? 나는 파티흐처럼 혼자 이스탄불로…….' 그는 다시 의자에 앉았다. '침착해야 해! 이런 식으로 생각해선 안 돼.' 그는 웨이터가 가져온 잔을 적의에 찬 시선으로 바라보았다. '나즐르와 난 말다툼을 해. 그녀는 자신이 뭘 원하는지 아는데 나는 모르기 때문이지! 난 뭘 원하지? 내가 뭘 원하는지는 분명해! 그럼 다른 사람에게 그건 무슨 의미일까, 의미가 있을까? 단순해. 난 다른 사람들처럼 되고 싶지도 않고, 작은 걸로 만족하고 싶지도 않아. 평범한 가정의 아버지나 새로운 물건, 새로운 집, 아이들, 가족에 만족하며 살고 싶지 않아. 그렇다면 이런 것 대신 뭘 원하지?

나? 나! 난 늘 '나, 나'라고 하지. 추하다는 건 알고 있어. 나는…….' 그는 갑자기 두려워졌다. '뭐가 되고 싶지 않은지는 알고 있어. 하지만 뭐가 되고 싶은지는 모르지! 나는 젊어. 또 생각이 시작됐군! 그만해야지. 생각은 나와 어울리지 않아! 괜히 술을 마시기 시작했군!' 그는 이런 생각과 술이 역겨워져서 자리에서 일어섰다.

"뭘 하지, 정말 뭘 하지! 난 취했어. 나즐르에게 가야겠어. 추한 생각은 더 이상 하지 말아야 해. 그녀와 얘기해야지. 그녀와 결혼해야지. 날 이해하라고 해야지……."

그는 호텔에서 나왔다. 나즐르에게 갈 것이고, 어찌되었든 그녀와 얘기를 나눌 거라 생각하자 기뻤다. 하지만 거기 가면 무흐타르 씨를 만나게 될 것이고, 예상 밖으로 나즐르가 사랑하는 마음으로 맞아 주지 않을지도 모른다는 생각에 두려워졌다. 그는 무흐타르 씨가 집에 있는지 알아보기 위해 전화를 해야겠다고 생각했다.

48
불행한 국회의원

무흐타르 씨는 한 번 더 시계를 봤다. 6시 반이 가까워지고 있었다. '정확해!' 불가리아 총리 쾨세 이바노프를 위한 만찬과 '파티'에 참석하기 위해 국회 회관 앙카라 팔라스에 갈 참이었다. 그는 마지막으로 한 번 더 거울을 봤다. '제시간에 준비를 끝냈어! 그런데 왜 날 초대했을까? 위로해 주기 위해서겠지!' 그는 화를 내지 않기 위해 서둘러 방을 나갔고, 신경을 진정시키기 위해 소리쳤다.

"나즐르, 얘, 어디 있니? 난 나간다!"

"여기 있어요. 통화하고 있어요!"

나즐르는 무흐타르 씨의 서재이자 전화가 있는 작은 방에서 나왔다.

"이제 나간다……. 누가 전화했니?"

"외메르요! 넥타이가 안 어울리는데요, 아버지……."

"외메르? 뭘 원한대?"

"한 시간 후에 온다고 하네요."

"내일 오기로 했잖아!"

"방금 전화했어요. 오고 싶대요."

나즐르는 죄라도 지은 양 부끄러워했다.

"오라고 해, 오라고!"

무흐타르 씨는 투덜거렸다. 그런 후 그간 일어난 일이 못마땅하다는 걸 표현할 권리가 있다는 생각이 들어서 덧붙였다.

"일이 어떻게 돌아가고 있는 건지 나도 모르겠다, 이해가 안 돼."

"나도 모르겠어요! 두려워요!"

"두렵다고? 두려워하지 마! 내가 있는 한 아무도 널 불행하게 만들 순 없어, 알겠니?"

이 문제에 대해 더 얘기하는 건 나즐르가 좋아하지 않을 것 같았다.

"그러니까 넥타이가 마음에 들지 않는다 이거지! 어울리지 않는다고? 안 어울리면 어떠냐, 그들을 위해 더 좋은 걸 맬 필요는 없어! 그럼, 있거라!"

"잘 다녀오세요, 아버지!"

무흐타르 씨는 문으로 걸어갔다. 그러다 갑자기 돌아서더니 뒤를 따라오는 딸을 껴안았다.

"네가 걱정된다, 얘야……."

그는 옷걸이에서 외투를 빼 들었다. 나즐르가 대답을 하지 않자 더 걱정이 되었다. 한 팔을 외투에 끼며 "휴, 어찌될지 보자." 하고 중얼거렸다. 그저 자기 일을 걱정하는 것처럼 들릴 것 같아서 다른 한쪽 팔을 끼면서는 "결혼 날짜가 확정됐어. 하지만 의심이 가기 시작했다. 화내는 거 아니지?" 하고 말했다. 그는 딸의 얼굴을 보지 않으려고 채우고 있던 단추에 시선을 고정시켰다.

"아니에요, 화 안 났어요."

"무슨 일이니, 얘야? 어제 무슨 일이 있었니? 좀 이상해 보이더구나!"

무흐타르 씨는 하루 종일 마음속에 담아 두었던 궁금증을 풀 기회라고 생각하며 물었다.

"어제 다퉜어요."

나즐르는 채워지지 않는 단추 하나를 보며 대답했다.

"그래! 왜?"

"제발 묻지 마세요……."

"알았다, 묻지 않을게! 하지만 그간 일어난 일이 마음에 들지 않아. 그 다툼에 대해서도 묻지 않으마. 하지만 매번 이런 식이잖니. 네가 원하면 그 사람과 얘기해 보마. 알았다, 알았어, 얼굴 찌푸리지 마라……. 아버지가 항상 네 곁에 있다는 것만 잊지 마……."

"알아요!"

무흐타르 씨는 감정이 격해진 얼굴을 딸에게 보이지 않으려고 문을 열었다. 무슨 말이든 하고 싶었지만 목소리가 잠겼을까 봐 아무 말도 하지 않았다. "그놈의 어디가 마음에 든다는 거지?" 그는 계단을 내려가면서 중얼거렸다. 밖으로 나가서는 심호흡을 했다. 들고 있던 모자를 썼다.

"난 불행한 사람이야!"

그는 걷기 시작했다. 아타튀르크 사망 이후 무흐타르 씨가 기대했던 일은 하나도 이루어지지 않았다. 이스메트 파샤가 한 걸음을 내디뎌 임무를 주지 않고 예전 간부들이 계속 임무를 수행하고 있었다. 그래서 무흐타르 씨는 자신의 꿈과 계획을 이루지 못해 불행하다고 생각했다. 자신의 삶에 깊이와 의미를 부여할 임무를 얻지 못했기 때문에 한 달이 넘게 모든 일에 화를 냈고 모든 것을 혐오했다. 큰길을 향해 천천히 걸으면서 '이런 저질스러운 일도 모자라 딸애한테도 문제가 생기다니!' 하고 생각했다. 그는 살짝 등을 굽혔다. 추잡한 것들로부터 자신을 보호하려는 듯 머리를 어깨 사이로 파묻었다. '그래, 모든 게 저질스럽고 추잡하고 가식적이고 천박해! 이런 상황에 그놈까지! 정신적으로 균형을 잡고 안정을 찾아야 할 이 시기에.' 큰길에 가까워졌지만 택시가 보이지 않았다. 한참을 더 걷다가 택시를 발견했고, 운전사에게 울루스로 가자고 했다. '나를 왜 초대했을까?' 이렇게 생각하다 대답을 찾았다. '날 위로해 주려고…….' 그는 고개를 끄덕였다. '이젠 날 쉽게 위로하지 못할 거야……. 이젠 아무도 날 위로 못해…….' 그러다 갑자기 "내 딸만이 위로해 줄 수 있어……." 하고 중얼거리며 나즐르의 고민에 대해 다시 생각하기 시작했다. '그 애가 불행한 건 자만심만 가득한 놈, 사랑해선 안 될 나쁜 놈을 사랑하기 때문이야!' 이 문제에 대해선 이런 생각밖에 들지 않았다. "자만심만 가득한 놈!" 그는 몇 번 더 중얼거렸다. 그러다 외메르와 자신의 젊은 날을 비교해 보고 문득 부끄러워졌다. '내 딸이 불행해지지 않는다면 뭐든 다 할 거야. 내 딸이 불행해지지 않도록 하기 위해선 그놈과 싸울 준비도 돼 있어!' 택시가 천천히 비탈길을 올라갔다. 그는 뒤로 기대고 있던 머리를 들었다. '걔들이 지금 집에서 뭘 하고 있을까? 하티제 부인도 쉬는 날인데!' 그는 시계를 봤다. 아직 외메르가 집에 오지 않았을 시간이라는 걸 깨닫고 머쓱해졌다. 하지만 곧 다시 "지금 뭘 하고 있을까?" 하고 중얼거렸다. '걔들이 거기 있어……. 내 딸이 도움을 구하고 있어. 그런데 나는 나를 위로하기 위해 초대한 쓸데없는 모임에나…….' 그는 무시하는 듯 비웃으면서 "쾨세 이바노프. 쾨세 이바노프, 불가리아 총리라!" 하고 투덜거렸다.

호텔 앞에 멈춘 택시에서 내린 후에도 그렇게 중얼거렸다. 그는 조롱하는 듯한 표정으로 주변을 둘러봤다. 하인이나 수행원 말고는 아무도 없었다. 정각에 도착했다는 걸 전혀 의심하지 않았기 때문에 자신감 있게 전에도 몇 번 온 적 있는 복도와 계단을 지나 웅성거리는 살롱으로 들어갔다. 눈부신 불빛과 소음을 피하려고 잠시 구석에 멈춰 섰다. 그러다 한구석에 서서 대화를 나누는 국회의원 둘을 발견하고 미소를 지으며 다가갔다. 살롱으로 들어가기 전부터 짓고 있던 조롱 섞인 미소가 얼굴에 자리 잡았다는 게 느껴지자 기분이 좋았다.

"나도 대화에 낄 수 있겠소?"

"아, 무흐타르 씨! 물론이오, 어서 오시오!"

두 국회의원은 발칸 협약에 대해 얘기하고 있었다. 무흐타르 씨는 그들과 얘기를 나누었고 그러다 어떻게 된 건지 갑자기 대화 주제가 한 국회의원이 신문에서 읽었다는 기사로 넘어가게 되었다. 날고기가 조리한 고기보다 건강에 좋다는 기사였다. 무흐타르 씨는 조롱하는 미소를 머금은 채 두 국회의원의 말을 들었고, 가끔 살롱을 곁눈질하면서도 주위를 너무 자세히 보지 않으려고 조심했다. 그러나 그렇게 둘러보지 않아도 몇 분 지나지 않아서 누가 어디 앉아 있고 누가 누구와 함께 있는지를 알게 되었다. 손님이 아주 많지는 않았는데, 그 팔십 명 정도가 모두 각자 직위에 있다는 걸 깨닫고서는 자기를 여기에 초대한 건 위로하기 위해서였다는 생각을 다시 한 번 했다. 날고기와 조리한 고기에 대한 대화가 길어지자, 쾨세 이바노프의 부인, 그의 의붓딸이거나 또 다른 관계일 거라는 농담이 떠도는 한 여자, 그들과 함께 앉아 있는 레피크 사이담 총리의 대머리를 쳐다보았다. '레피크 사이담이 도대체 나보다 나은 게 뭐지?' 얼굴에서 조롱하는 미소가 사라지는 걸 느꼈다. '레피크 사이담이 총리가 됐어. 난 아무것도 되지 못했고! 레피크 사이담! 군의학교 졸업생! 전쟁 때 군 보건부 국장이었던 쉴레이만 누만 파샤의 오른팔! 반드르마 선(船)에 아타튀르크와 함께 승선하는 행운도 누렸지! 다른 건 없어! 이스메트 파샤의 노예라는 것 말곤 장점이 없다고. 이스메트 파샤가 총리에서 물러났을 때 그도 장관에서 물러났지……. 그런데 지금은 그가 총리라니……. 난 아무것도 아니고! 아, 내가 여기 뭐하러 왔지? 돌아가야겠어! 나즐르는 뭘 하고 있을까?'

"아, 무흐타르 씨, 잘 지냈소?"

무흐타르 씨는 고개를 들어 쳐다봤다. 내무부 장관 파이크 외즈트라크! '왜 날 보고 저렇게 웃지?' 하는 생각이 들었다.

"예, 고맙습니다, 파이크 씨!"

'정말 바보 같은 대답이야!' 그는 이렇게 생각했다. 잠시 후 놀랍게도 장관이 쾌활하게 그의 팔짱을 꼈다. 장관은 두 국회의원에게 미소를 지어 보이며 무흐타르 씨를 데려가서 미안하다고 했다. 그들은 함께 조용한 곳으로 걸어갔다.

"무슨 일 있나? 무슨 고민이라도 있는 거야?"

"아니!"

장관이 정치대학 시절과 내무부에 있을 때 나누었던 우정을 떠올리게 할 만큼 사무적이지 않은 말투로 이렇게 말하자 무흐타르 씨는 놀라서 대답했다.

"그런데 인상을 쓰고 있잖아! 듣자니 여기저기 불만을 얘기하고 다닌다고?"

"내가? 누가 뭐라는데?"

"누가 뭐라고 한 건 아냐. 단지 파샤가 '무흐타르가 우리에게 삐쳤나?' 하고 물으셨어."

"내가 삐쳐야 할 일이 있나?"

무흐타르 씨는 이 대답이 마음에 들었다.

"모르겠어! 그건 자네가 더 잘 알 거 아닌가!"

장관은 이렇게 말하고 어느 뚱뚱한 여자에게 미소를 지었다.

"내가 뭘 더 잘 알 거란 말이지?"

"아, 다행이야, 정말 기쁘군. 자네가 기분이 상했다고들 해서. 난 아무도, 그 누구도 기분이 상하길 원치 않아. 정말 다행이야!"

내무부 장관은 무흐타르 씨에게서 팔을 빼면서 말했다.

"파샤가 상처 입은 마음을 어떻게 달래는지는 나도 아주 잘 알지!"

무흐타르 씨는 조롱하듯이 이렇게 말했지만 그가 바라던 반응은 나오지 않았다. 내무부 장관은 폭소를 터뜨렸던 것이다.

"상처 입은 마음을 달랜다고!"

마치 다들 아는 말을 처음 들어 보았다는 듯 큰 소리로 웃었다. 그런 후 자기가 상황에 따라선 아주 쾌활해질 수 있다는 걸 다른 사람이 알아챘는지 보려고 주위를 둘러봤다. 무흐타르 씨는 화를 냈다.

"기분이 아주 좋은 모양이군!"

"여전히 엄하군그래. 좀 웃어 봐!"

장관은 옛 동료의 얼굴에 나타난 혐오감이 두려웠던지 이렇게 말했다. 그러나 그렇지 않다는 걸 안다는 듯, 꾸중하듯 말을 이었다.

"자네도 후보에 올랐어. 선출될 거야. 다시 우리와 일하게 될 거야. 우리가 자넬 잊었다곤 생각하지 않겠지."

"무슨 말을!"

무흐타르 씨는 중얼거렸다. 하지만 허튼소리라고 생각했다.

갑자기 뒤에서 폭소가 터졌다. 둘 다 뒤를 돌아봤다. 내무부 장관은 이 기회를 놓치지 않고 계속 찾던 사람을 거기서 발견했다는 듯, 황급히, 흥분한 듯이, 무흐타르 씨에게서 멀어져 갔다.

무흐타르 씨는 그의 뒷모습을 보면서 생각했다. '그러니까 이스메트 파샤가 나에 대해 물었다 이거지! 저놈도 내 의도를 알아내려 했어. 장관은 처음이니까. 어쩌면 참견하고 있는지도 모르지. 파샤가 왜 나에 대해 물었겠어? 파샤는 저놈에게 '무흐타르 씨에게 말하게, 그를 재선할 테니 인상 쓰지 말라고.' 하고 말했을 수도 있어. 그러니 저놈이 나한테 말한 거겠지. 난 내가 선출될 거라는 걸 의심하지 않았어. 하지만 왜 그걸 말해 줬을까? 모두 잘 지내길 바라는 거야. 내가 젤랄릴레르와 화해하길 바라는 거야. 그런데 국회 복도에서 한 말은 누가 일러바쳤지? 열흘 전, 화가 잔뜩 난 나를 훌루시와 세르메트, 에크렘이 목격했지. 세르메트는 말을 전할 사람이 아니고. 에크렘…….' 그는 자신의 생각에 소름이 끼쳐 "난 모두를 혐오해, 모두를 증오해!" 하고 중얼거렸다. 그는 살롱의 한구석에 서 있었고, 사람들 속에서 혼자였다. '너희들 모두를 혐오해, 너희들 모두를 증오해. 너희가 어떤 놈들인지 다 안다고! 너희들은 모두 노예야! 나도 그랬지. 하지만 이제 깨달았어. 내가 깨닫는 데 도움을 준 이스메트 파샤에게 고마워해야 할 판이야.' 계속 그곳에 혼자 서 있었지만 아무도 곁으로 다가오지 않았다. "너희들이 누군지 잘 알아." 그는 혐오감에 휩싸여 중얼거렸다. '상처 입은 마음을 달래 주는……! 이스메트 파샤는 아타튀르크가 병상에 있을 때도 레젭 쥐흐튀가 자신을 쏠까 봐 두려워 이스탄불에 못 가더니, 이젠 그들과 화해하고 있어.' 소문이 떠올랐다. 레젭 쥐흐튀는 아타튀르크에게 자신이 이스메트 파샤를 쏴 죽였다고 했고, 아타튀르크는 이스메트가 죽었다고 생각해 마음 아파했다고 한다. 그래서 이스메트의 아이들 교육을 위해 돈을 마련해 주라는 내용을 유언장에 쓰게 했다고 한다. 그는 이 소문을 떠올리자 기분이 풀렸다. 마라시 국회의원 부르하네틴 오카이를 보자 더 기분이 좋아졌다. '지난 회기에 누가 사망하자 저 사람이 국회의원이 됐어. 그는 선서를 하려고 단상으로 올라가 '저를 선출해 주셔서 감사합니다.'라고 했지. 다들 당신을 선출한 건 우리가 아니라 국민이라고 했지. 그래도 그는 '저를 선출해 주셔서 감사합니다.'라고 큰 소리로 다시 말했어. 불쌍한 놈들, 너희들 모두 그냥…….' 그의 눈은 저절로 레피크 사이담을 찾았다. 그는 웃고 있었다. '웃고 있어, 웃고 있다고! 모든 게 이렇게 가련하고 추잡하고 저속한데 웃고 있어. 웃을 게 뭐가 있다고! 그렇게 웃느니 나라나 생각하지그래! 모든 게 최악이야! 나라는 가난하고 가련한 상태인데 넌 웃고 있구나! 이 나라의 상황이…….' 그는 문득 예비 사위의 친구인 레피크를 떠올렸다. '그는 뭘 하고 있지? 책은 출간됐어. 정부는 그를 농림부에도 고용하지 않았어……. 물론 몇 가지 변화는 있었지……. 하지만 그걸로 충분한가? 아, 충분한가? 그 정도로 만족하는 건가? 그들은 타협을 하고 좋은 게 좋은 거라며 매듭지었어. 새로 간부를 뽑아 임무를 주지 않았어. 뭐, 아무도 화를 내지 말라고! 모든 게 예전처럼 유지된다고! 아무도 기분 상하지 말라고! 하지만 난 기분이 상했어! 나, 무흐타르 라친은, 우스운 성을 가진 걸 수치스럽게 여기고, 정치대학 졸업생이며 옛 마니사 주지사인 나는 너희들 모두를 혐오해! 나는 불행해! 내

겐 딸밖에 없어. 나는 너희들 모두를, 이 가련한 세상을, 모든 걸 혐오…….'

"무호타르 씨, 혹시 식이요법을 하고 계십니까?"

"뭐라고요?"

"뷔페를 전혀 칭찬하지 않으셔서 말이죠! 가서 접시 가득 채워 옵시다!"

무호타르 씨는 아몬드 모양으로 콧수염을 기른 정당 감사관 이흐산 씨를 모르겠다는 얼굴로 쳐다봤다.

"접시를 채우자고요? 전 배가 고프지 않은데요!"

"와 보세요, 와 보세요, 보시면 배가 고파질 겁니다. 좀 지나면 하나도 남지 않을 거……. 당신은 저 불가리아인들을 어떻게 생각하십니까?"

"제가 생각하기에는……."

무호타르 씨는 말을 시작했지만, 이 문제를 생각해 본 적이 없다는 걸 깨닫고 부끄러워하며 감사관과 함께 뷔페 쪽으로 갔다.

"이들의 중립은 정치적 선택이 아니라 필연적 선택입니다. 생각해 보세요. 왕은 영국 편이고, 정부는 독일 편이고, 여왕은 이탈리아 편이고, 국민은 러시아의 친구이고. 닭 좋아하세요? 그리고 그들 눈은 도브리치*와 마케도니아에 ……."

'그런 건 관심 없어.' 무호타르 씨는 생각했다. 한순간 이흐산 씨의 지식이 부러웠지만 '이 사람도 그들 중 하나야! 나한

---

* 불가리아 북동부의 도시로 현재는 '톨부힌'으로 불린다.

테 왜 이런 말을 하지? 아, 쉬크뤼 사라즈올루가 나한테 인사를 …….' 하고 생각했다. 그는 허리를 굽혀 외무부 장관에게 인사했다.

'내 인사가 어땠지? 그래, 절도 있었어. 아냐, 몸을 너무 굽혔어……. 아, 내가 왜 여기 있지? 난 광대와 다를 바 없어! 저 음식들……. 나라는 굶주리고 있는데, 이들은 여기서 배불리 먹고 있어. 그들의 노예는 아내와 딸……. 아냐, 내 딸은 이렇게 되지 않을 거야! 집에나 가야겠다. 나즐르는 뭘 하고 있을까? 가정부도 집에 없는데! 몇 시지? 이 사람이 뭐라는 거야?'

"우리가 도브리치에 있는 터키인을 고국으로 부르면……."

이번엔 다른 사람에게 몸을 숙여, 이유는 모르겠지만 희미한 두려움을 느끼며 인사했다. '그들 옆에서 난 아무것도 아니야!' 자기가 인사한 남자의 눈을 반쯤 덮은 눈꺼풀이 움직이는 듯했다. 케림 나지 씨였다.

"딸은 결혼시켰습니까, 무흐타르 씨?"

"약혼했습니다."

"그건 알고 있습니다."

"알면서 왜 묻죠?"

무흐타르 씨는 자기 입에서 이런 말이 나오자 당황했다.

'아, 내가 무슨 말을 했지? 내가 무슨 말을 한 거야! 케림 씨에게 뭐라고 한 거야? 도대체 뭐라고 한 거야!'

"어디가 불편한 모양이군요!"

케림 씨의 말에 무흐타르 씨는 뭔가 말을 해야 할 것 같았고,

뭔가 말했다고 생각했다. 하지만 입술만 달싹였을 뿐이었다.

"예, 무흐타르 씨가 좀 불편한 것 같습니다……."

이흐산 씨가 대신 대답했다. 케림 씨의 분노를 잠재우고 싶었던 것이다. 그는 무흐타르 씨 곁을 떠나 케림 씨의 팔짱을 꼈다.

무흐타르 씨는 손에 들고 있는 접시를 멍하니 바라보았다. '닭다리! 이걸 먹으려고 했어!' 접시를 내던지고 싶었다. 하지만 한쪽에 조용히 내려놓았을 뿐이다. '이런 추악한 상황에서도 닭을 먹으려고 했어. 난 가련한 놈이야. 닭다리…….' 그는 탁자에서 물러나 걸어갔다. 서 있는 사람들, 마주 보며 웃는 사람들, 입안 가득 음식을 씹으면서 말을 하지 않으려고 고개를 젓는 사람들, 아는 사람들, 친근감을 보이려고 미소를 짓는 사람들 사이로 비틀거리며 걸어갔다. '닭다리를 먹으려고 했어. 난 뭘까? 가련한 사람이야. 케림 씨에게 함부로 대답했어. 지금 날 비웃고 있을 테지. 가련한 무흐타르 씨가 약간 정신이 나간 것 같다고……. 딸도 결혼을 못하고 있어! 내 딸! 집에서 뭘 하고 있을까? 집에 가야겠어. 왜 집에 그놈과 단둘이 남겨 뒀을까? 나한테도 도덕이 남아 있지 않구나. 왜 조심하지 않았지? 그래, 난 어딘가 불편해. 케림 씨 말이 맞아. 그에게 뭐라고 대답했지! 레피크 사이담이 웃고 있군! 신문에서 봤어. 이스메트도 웃고 있어. 왜들 웃을까? 뭐가 우습지? 에크렘이 말했겠지. 집에 가야겠어. 위로도 받지 못했어! 아무도 날 위로할 수 없어. 딸뿐이야. 아, 삶이란! 레페트처럼 했어야 했어. 레페트처럼 모든 가식을 뒤로하고 돈을 벌었어야 했어. 편안하고 즐거운 삶을 택했어야 했어. 그랬으면 케치외렌에 포도원을 갖고 있었을 텐데. 벽난로를 만들고, 타닥타닥 타오르는 장작 소리를 들으며 담배를 피웠을 텐데…….'

49
가족, 도덕 등등

외메르는 베네치아 풍경화 앞에 앉아 부엌에서 들려오는 지직거리며 고기 굽는 소리, 나즐르가 내는 포크와 나이프 소리를 듣고 있었다. '결혼하면 저녁때 집으로 돌아오고, 이 지직거리는 소리를 들으며 식사를 기다리겠지!' 이 집에 들어온 지 삼십 분이 되었다. 둘은 아무 말도 하지 않은 채 함께 앉아 있다가 어제의 불쾌한 일은 언급하지 않기로 마음먹고 입을 맞추고 화해했다. 그런 후 나즐르는 음식을 하려고 부엌으로 갔다. 입맞춤을 하고 화해를 했지만, 외메르는 자기처럼 나즐르도 어제의 말다툼뿐 아니라 그 전의 다툼까지 생각하고 있고, 아무 말도 하지 않고 앉아 있는 게 지루해서 부엌으로 갔다는 걸 알고 있었다.

나즐르는 쟁반과 접시를 들고 부엌에서 나왔다. 식탁을 차렸다. 외메르는 베네치아 풍경화를 보고 있었다. 나즐르가 들어왔을 때부터 생각했다. '여기 왜 왔을까? 이제 혼자 있는 걸 견딜 수 없기 때문이야!' 거실로 들어와 식탁에 음식을 차리는 나즐르의 뒷모습을 바라보았다. '우리는 약혼했어. 하지만 입맞춤만 해도 얼굴이 붉어져.' 조금 전에 했던 화해의 입맞춤을 떠올렸다. "난 술에 취했어." 그는 중얼거렸다. 하지만 다른 것도 생각하지 않을 수 없었다. '그녀는 나도 남자라는 걸 그리고 사람에겐 성적 욕구가 있다는 걸 잊은 것 같아. 나와 자신을 천사로 아는 게 틀림없어. 그런 생각을 하지 않을 땐 우리에게 집과 물건이 필요하다는 생각만 할 거야!' 그는 이런 생각과 자신을 혐오하며 자리에서 일어났다. 거실 안을 서성거리기 시작했다. 좁은 보폭의 빠르고 신경질적인 걸음이 나즐르를 불편하게 했다는 걸 깨달았다. 나즐르는 다시 부엌으로 갔다. 잠시 후 고기 굽는 소리가 그치고 그녀가 쾨프테 접시를 들고 들어와 식탁에 앉았다. 외메르도 식탁에 앉으며 물었다.

"오후에 술을 좀 마셨는데, 알아?"

"알아, 입에서 냄새가 났어!"

"사밈의 집에 갔어, 아니 안 갔지. 도중에 돌아왔어."

"쾨프테 맛이 어때? 좀 더 먹어 봐."

"응, 알았어. 그런데 왜 가다가 돌아왔는지 안 물어?"

"왜 돌아왔는데?"

나즐르는 무심하게 물었다.

"사밈 집에 뭔가 추악한 부분이 있다고 결론 내렸기 때문이야. 그들의 평범한 가족적 분위기뿐 아니라, 그들이 좋은 사람들과 사귀고 싶어 하고 좋은 환경으로 들어가고 싶어 하고 게다가 행복해지려 하는 모습과 그 바람이 역겨워……."

외메르는 접시를 바라보고 있는 나즐르의 얼굴을 쳐다봤다. 그러다 자리에서 일어났다.

"더 마시고 싶어. 아버지 와인 있어? 아직 오시진 않겠지, 그렇지?"

"부엌 찬장 위에 있어! 아직은 안 오실 거야!"

외메르는 급히 와인을 가져와서 마개를 열었다.

"나도 마시고 싶어!"

"하지만 술은 너한테 좋지 않아, 알잖아! 넌 만날 울잖아!"

"아니, 지금은 마시고 싶어……."

나즐르는 이렇게 말하고 신경질적으로 병을 가져갔다.

"그러니까 사밈 가족이 평범하다고 생각하는구나. 하지만 그가 좋은 사람이라고 했잖아……. 그 가족적 분위기란 게 무슨 말이야?"

"그 말? 가족적인 분위기란 말? 아, 너무 빨리 마시잖아, 너! 멈춰! 그렇게 마시면 안 돼!"

외메르는 와인을 급히 들이켜고 대답했다.

"무슨 말을 하고 싶었는지 말해 봐……."

"가족적인 분위기란 건 '쾨프테 맛이 어때?' 이런 말과 같아. 난 다른 얘기를 하고 싶어!"

외메르는 조금 전 입 밖으로 나오려 했던 말을 삼켜 보려 했지만, 결국 자신을 억제하지 못하고 말해 버렸다. 그러고는 다른 주제로 넘어가기 위해 다시 물었다

"오늘 집에서 뭐 했어?"

"아무것도 안 했어! 하티제 부인이 쉬는 날이라서 내가 음식을 만들었어……. 네가 조롱하고 있는 이 쾨프테를 만들었지!"

외메르는 대답하지 않았다. 침묵이 흘렀다. 나즐르는 와인을 한 잔 더 마셨다. 하지만 외메르는 마시지 말라는 말을 하지 않았다.

"무슨 생각 해?"

잠시 후 외메르는 죄책감이 느껴져 이렇게 물었지만 곧 후회했다.

"난 항상 똑같은 생각을 해!"

"그게 뭔데?"

"아무것도 아냐!"

외메르는 갈수록 얇아지지만 절대 저절로 끊어지지 않는 실을 끊어 버리고 싶은 듯 신경질적으로 물었다.

"제발, 무슨 생각을 하는지 말 좀 해 줄래?"

"늘 같은 생각. 우리……. 어떻게 되는 거지?"

"아무 일 없을 거야! 결혼할 거잖아!"

그러고는 조롱하는 듯한 말투로 덧붙였다.

"4월 26일에."

"널 이해할 수 없어! 뭘 원하는 거야? 나를 사랑하지 않는다면, 내가 너에게 맞는 사람이라고 생각하지 않는다면, 왜 시간을 허비하는 거야? 알아, 날 경멸하고 있다는 거. 이젠 예전처럼 감추려 하지도 않지. 살 집을 구해서 꾸미고 싶다는 내 바람을, 좋은 옷을 입고 우리와 비슷한 사람들과 어울려 살고 싶다는 내 바람을, 아니 이것만이 아니지, 내 모든 걸 경멸하고 있어! 넌 날 조롱하는 눈빛으로 보고 있어! 바로 지금도 그렇게 보고 있고. 그런데 왜지? 난 이해할 수 없어. 잘못은 나한테 있다고 생각해. 말을 잘 못하고, 바보 같고, 너만큼 영리하지 못하고, 네가 경멸하는 걸 함께 경멸하지 못한다고 해서 내가 얄팍하다고 생각하지. 그렇다면 왜 만나는 거야? 적의를 품고 날 경멸하면서 왜 만나는 거냐고? 억지로 그럴 필요 없어……. 난 그저 약혼자일 뿐이야!"

"파혼하고 싶다는 거야?"

외메르는 뭐라고 대꾸도 해야겠고, 또 조금은 나즐르를 비난하고 싶은 생각에 이렇게 말해 버렸다. 머릿속에서 말이 들끓고 있었다. 조롱하고 싶은 생각이 들었지만 그럴 수 없었다.

"싫어, 난 싫어!"

나즐르는 소리쳤다.

"난 너를……."

그녀는 이렇게 중얼거리며 고개를 숙였다. 하지만 잠시 후 갑자기 자랑스럽게, 아마도 어려웠겠지만, 고개를 들며 말을 이었다.

"네가 철도 건설 현장에서 보내 준 편지를 정말 좋아했어. 너는 그 편지에서 모든 걸 조롱했지. 난 그런 편지를 읽는 게 좋았어. 나도 너에게 동감한다고 생각했어. 하지만 지금은 네가 늘 그렇게 조롱하던 사람들 중 하나가 된 것 같아."

"난 파티흐가 되고 싶다고도 썼잖아!"

외메르는 부당한 대우를 받아 반발하는 것처럼 단호하고 신념 있어 보이려고 애쓰면서 말했다. 그러나 자신이 바보처럼 느껴졌다.

"그 말! 세상에, 정말 어린애 같고 순진한 말이야! 난 이해할 수 없어. 네가 그 말에 얼마나 매여 있는지, 그 말을 그렇게 진지하게 했다는 건 생각할수록 놀라워. 그러곤 너를 이해하지 못하는 나 자신을 비난하지. 하지만 어쩌겠어, 이해할 수 없는데."

외메르는 이번에야말로 정말 부당한 처사를 당했다고 생각했다.

"그래, 맞아! 넌 날 이해 못해!"

"너는 정말 자만심뿐이야! 너는 알지만 나는 모르는 뭔가가 있나 봐……. 그게 뭘까? 그것 때문에……."

"그건 바로 내가 야망이라고 했던 거야! 난 이런 이상한 논쟁에 익숙하지 않아!"

나즐르가 소리치자 외메르도 언성을 높였다.

"그리고 이런 얘기가 나오는 걸 이해 못하겠어. 내가 되고 싶은 건 뭔가를 말할 수 있는 성숙한 사람이 아니야……. 나는 내가 되고 싶어. 살아가고, 조롱하고, 가장 똑똑하고 가장 힘 있는 사람이 되고 싶어. 그리고 모든……."

그는 갑자기 입을 다물었다. 그러다 이렇게 투덜거렸다.

"옳든 그르든 난 추한 사람이야……. 난 터키인을 닮지 않았어! 난 말하지 않고 가만있을 수 없어. 난 늘 나 자신을 생각해. 모든 사람, 모든 물건을 도구로 보지. 난 이상한 사람이야.

그걸 알아……. 야망이 있지만 겁쟁이에다, 지금은 술에 취했고, 유럽을 알지……. 저녁 식사……. 내가 기생충일까? 하지만 난 철도 건설 현장에서 누구보다 열심히 일했어. 혐오스러워……. 난 결혼할 거야……. 그러고 싶어……. 난 두려워."

그는 자리에서 일어났다. 나즐르가 자신을 어떻게 생각할지 궁금했다. 속으로는 그녀를 껴안고 싶었다. 그러나 자신이 그 행동을 의식할 것 같았다. 나즐르는 자신을 두려운 시선으로 보고 있었다. 그냥 잠들어 버리고 싶었다. 이 모든 상황이 우스웠다.

"내가 왜 이렇게 마셨지!"

"너 상태가 좋지 않은 것 같아, 이제 호텔로 돌아가서 자도록 해!"

나즐르는 갑자기 이렇게 말했다.

"내가 얼마나 여기서 너와 함께 있고 싶은지 알아?"

"그럼 그렇게 서 있지 말고 이리 앉아!"

"난 뭘까? 넌 내가 어떤 사람 같아? 다른 사람 눈에는 내가 어떻게 보일까?"

"너는 그곳 유럽에서 자신을 생각하는 걸 배웠을 거야. 그렇게 말한 사람은 바로 너야."

"그래, 그래, 맞아. 나를 추하게 만드는 게 바로 그거야! 이성! 없어! 나 자신! 내가 나 자신이라는 건 알아. 여기선 아무도 그걸 몰라. 오로지 나만 알지. 내가 나 자신이라는 걸 나만 안다고. 그래서 내가 이렇게 이상해지고 짐승으로 변하는 거야. 그래, 난 짐승이야! 여기 있는 건강하고 균형 잡힌 사람들 사이에서 가만히 있지 못하고 나쁜 생각만 하는데 짐승이 아니면 뭐겠어! 게다가 난 고용주야……. 혐오스럽고 교활하고 가식적인 고용주. 어떤 게 더 중요하다고 생각해?"

"이제 그만해. 제발, 이젠 견딜 수가 없어!"

나즐르는 손으로 얼굴을 가리려다가 갑자기 말했다.

"아버지가 오셔!"

"오신다고?"

외메르는 아무 소리도 못 들었던 것이다.

"응, 그래, 오셨어! 알 수 있어, 아버지의 발소리……."

"좋아, 어차피 가려고 했으니까! 쾨프테는 아주 맛있었어. 고마워……. 이제 우린 뭘 하지? 난 뭐하러 이렇게 열심히 일하고 돈을 더 많이 벌려고 하는 거지? 그들을 혐오하기 때문이야. 내일 올까?"

"알아서 해!"

무흐타르 씨가 대문을 닫고 계단을 올라오는 소리가 들렸다.

"오셨군! 알아, 네 아버지가 날 싫어하는 거! 모두 날 싫어해. 그들이 옳아……. 난 고용주이기도 하고……."

문이 열렸다. 무흐타르 씨는 기침을 했다. 그런 후 외투를 벗는 것 같았다.

"아버지세요?"

"나다, 나!"

"무슨 일이에요, 아빠?"

무흐타르 씨의 슬리퍼 끄는 소리가 들렸고 몇 초 후 그가 나타났다.

외메르는 여전히 서 있었다. 탁자 위에 놓여 있는 병을 보고 화난 표정을 짓는 무흐타르 씨에게 "저녁을 먹고 있었습니다!"라고 한 후 자신도 놀란 듯 "어서 오세요!"라고 덧붙였다.

"술을 마시고 있었군, 응?"

"찬장 위에 있는 아버지 술병 하나를 가져왔어요."

나즐르는 이렇게 대답하며 일어났다.

"찬장, 내 술."

무흐타르 씨가 중얼거렸다. 딸이 자기에게 걸어오자 걱정하는 것 같았다.

"무슨 일 있어요, 아버지?"

"좋지 않아, 좋지 않은 것 같아! 찬장……. 와인이라고."

무흐타르 씨는 중얼거리다가 갑자기 고함을 쳤다.

"젊은이, 젊은이, 결혼도 안 한 젊은 여자 집에서 이 시간에 술을 마시는 건 이제 금지야!"

"예?"

"금지라고, 알겠는가?"

"아버지, 왜 그러세요?"

"그렇지 않아도 가는 길이었습니다, 어르신."

"아니, 가지 말게! 자네와 얘기를 나누고 싶네!"

무흐타르 씨는 자신을 감싸는 딸의 팔을 잡으며 말했다.

"무슨 일이 있었던 거니? 술을 마셨구나! 지금은 울고 있고. 안으로 들어가 자거라!"

"아버지, 제발!"

나즐르는 이제 숨기지도 않고 울기 시작했다.

"아주 보기 싫구나! 아주 보기 싫어! 당장 들어가 자거라! 무흐타르는 아직 무너지지 않았어. 도덕이 뭔지 안다. 다행히도 난 미치지 않았어. 들어가 자거라. 아니면 아버지로서 네게 처음으로 상처를 주는 수밖에……."

나즐르는 울면서 거실을 나갔다.

"원하시면 저도 가겠습니다."

외메르는 이렇게 말했지만 무흐타르 씨의 얼굴을 보고는 의자에 앉았다.

"아니야, 앉게, 앉아! 자네에게 화내는 거 아니야. 화를 내는 게 아니네. 잠시 있게. 자네에게 한두 마디 해 둘 게 있어. 그다음에 가게. 이 말부터 하지. 내 딸이 결혼도 하기 전에, 집에서 남자와 단둘이, 한밤중에, 그래, 9시에 술을 마신다면, 이게 관습에 맞지 않는다면, 일차적인 책임은 나한테 있어! 그래, 딸을 소홀히 했거나, 내 고민 때문에 눈앞에서 일어나는 일을 보지 못한 내 잘못이야. 그래, 그러니 자네에게 화를 낼 순 없지. 하지만 자네에게도 잘못은 있다고 생각하네. 알아, 자넨 딸의 약혼자고 딸은 자네 약혼녀지. 곧 결혼도 할 거고. 하지만 이건 옳은 행동이 아니라고 생각하네. 그래서 자네 잘못도 있다는 거야. 물론 저 애에게도 잘못이 있지. 하지만 걔는 여자 아닌가!"

그는 문을 가리키며 말했다.

외메르는 무흐타르 씨의 말을 들으면서도 전혀 수치스럽지 않았고 죄책감도 느끼지 않았다. 그뿐 아니라, 어렸을 때부터 이런 상황에선 늘 그랬지만, 자신이 옳고 우월하다는 생각에 휩싸였다. 뭐라고 대답을 해야겠고 달갑지 않은 일이 생기는 것도 싫어서, 무흐타르 씨를 용서한다는 듯 말했다.

"옳으신 말씀입니다!"

"그래, 내가 옳지……. 옳고말고. 자네도 알잖나. 그런데 내가 오기 전에 무슨 일이 있었나?"

외메르가 수긍하자 그의 얼굴이 갑자기 밝아졌다.

"내가 옳다고……. 자네가 그렇게 말했지. 기쁘군그래! 아주 답답했거든. 자네에게 할 말은 많지만, 먼저 내 얘기를 하고 싶네. 저녁에 앙카라 팔라스에 갔어. 쾨세 이바노프를 위한 파티에 초대돼서. 알지, 그 사람? 그 파티인지 만찬인지 하는 모임 도중에, 다른 사람 신경 쓰지 않고 나와서 집으로 와 버렸어. 거기서 나왔어, 모든 게 추악하게 느껴졌거든. 모든 게 초라하고 저속하고 추레해 보였네. 내가 곧 부도덕한 사람이 될 거라는 생각이 들더군."

"무슨 그런 말씀을!"

외메르는 이번에도 용서한다는 듯 대꾸했다. 무흐타르 씨는 그의 말을 듣지 못한 것 같았다.

"내가 곧 부도덕한 사람이 될 거라는 생각이 들었네. 내 삶이 공허하고 추레하고 의미 없이 느껴지는 거야. 내 모든 삶이 저속함과 가식으로 가득한 것 같아. 난 내 신념을 위해 오랫동안 애썼어. 정치대학을 다닐 때, 군수나 주지사로 일할 때도 늘 신념이 있었어. 옳다고 생각하는 일은 용기를 내서 했고, 명예를 더럽히지 않았고, 자존심을 지켰지. 적어도 그렇게 했다고 생각하네. 하지만 지금은……. 지금은 속고 외면당하고,

그래, 나 자신이 버려진 바보 같은 남편처럼 느껴져. 난 불행한 사람이야! 이해하겠나?"

외메르는 아무 말도 하지 않고 고개를 끄덕였다.

무흐타르 씨의 얼굴에 후회의 빛이 나타났다. '왜 이런 말을 했을까? 저놈한테 이런 말을 할 필요는 없었는데!'라는 생각이 들어 화를 내는 것 같았다. 그래서 그는 자신이 아니라 외메르에 대해 말하는 양 점점 화를 내며 꾸중하듯이 말했다.

"부도덕한 사람이 되지 않으려면 의지와 이성에 기댈 수밖에 없다는 걸 알았어. 돌아오는 길에 이런 생각을 했지. 그리고 늦었지만 결정을 내렸어. 도덕에 관해서, 아니 이 문제만이 아니라, 내 모든 인생과 행동을 올바로 하기 위해서, 이성 외에 다른 건 믿지 않겠다고. 언제 분별력을 잃어버린 거지? 모르겠네! 도덕과 부도덕을 나누는 선은 어디 있을까? 이것도 모르겠네! 내가 아는 건 오늘 아주 추악한 상황에 놓여 있었고 이성으로 그걸 인지했다는 것뿐이야. 도덕이 뭐지? 아무것도 믿을 수 없네."

갈수록 분노가 부풀어 오르자 그는 목소리를 높였다. 잠시 후에야 진정이 된 것 같았다.

"내 주위가 아니라 나 자신을 바라볼 거야. 미래를 기다렸지만 허사였네. 이제 나 자신과 이성을 찾았어. 그리고 내 유일한 존재가 딸이라는 것도 깨달았고. 이해할 수 없겠지, 속으로 비웃을지도 모르겠고. 하지만 난 지금 자네에게 나의 결정을, 내가 옳다고 생각하고 필요하다고 생각하는 결정을 말하겠네. 이제 결혼할 때까지 우리 집에 들락거리지 말고, 내 딸도 만나지 말게. 볼 만큼 봤으니까. 한 달 후면 결혼이지. 당분간 만나지 말게…….”

그는 갑자기 흥분해서 덧붙였다.

“만나지 말게. 내 결정은 이거야. 그리고 그렇게 하기 위해 모든 조치를…….”

“저도 같은 생각입니다, 어르신!”

외메르는 이렇게 말하고 자리에서 일어났다. 무흐타르 씨도 자리에서 일어났다.

“좋아. 그러니까 자네도 같은 생각이란 말이지! 자네도 그렇게 결정했다면서 왜 지금까지 기다렸나?”

그는 신경질적으로 재킷의 단추를 만지작거렸다. 외메르는 자기 말을 자랑스럽게 여기며 자만심에 가득 차 대답했다.

“지금 결정했으니까요, 어르신!”

“젊은이, 자네도 알겠지만 난 자네가 전혀 마음에 들지 않아!”

“예, 압니다.”

잠시 침묵이 흘렀다. 그들을 서로를 바라보았다.

“미안하네. 잘 대해 주지 못해서. 하지만 그게 내 진심이야.”

그는 계속 재킷의 단추를 만지면서 덧붙였다.

“조금 전에 한 말이 후회되는군. 자네에게 마음을 털어놓지 말았어야 하는데. 자넨 아무것도 이해하지 못했어.”

“전 취했습니다.”

무흐타르 씨는 한동안 입을 다물었다. 그러다 울먹이는 목소리로 중얼거렸다.

“자넨 내 딸과 한밤중에 술을 마셨고, 그 애를 울렸어. 그 애를 몇 번이나 울렸어.”

“예, 예, 그랬죠. 제가 그리 자랑스러운 사위가 아니라는 거 압니다.”

그는 문으로 걸어갔다.

“안녕히 계십시오, 어르신!”

“그래, 잘 가게!”

갑자기 복도의 문이 열리더니 나즐르가 나타나 소리쳤다.

“무슨 일이에요, 무슨 일이냐고요?”

“아무 일도 아니야. 그가 돌아가는 거야!”

“결혼할 때까지 널 만나지 않기로 했어!”

외메르가 대답했다. 그는 자신을 질책하듯 말했지만, 그의 마음은 그렇지 않았다.

“우리 둘이 같이 결정했어! 그렇지 않은가, 젊은이?”

무흐타르 씨는 외메르에게 물었다.

“예, 물론입니다, 물론이고말고요.”

“왜요! 잠깐만요, 안 돼요!”

나즐르가 소리쳤다. 외메르는 누군가를 깨울까 두려운 듯 발뒤꿈치를 들고 계단을 내려가, 어두운 밤 속으로 나갔다.

50
다시 이스탄불에서

레피크는 인파에 휩쓸리지 않기 위해 경기가 끝나기 일이 분 전에 자리에서 일어났다. 경기장으로 사용되는 예전 포병 병영의 긴 벽을 따라 걸으며, 탁심 광장으로 통하는 통로를 지나는데 누군가 자신을 부르는 소리가 들렸다.

"아, 레피크! 레피크!"

그는 뒤를 돌아보고 미소를 지었다. 공과대학 동창 누레틴이었다. 그도 레피크에게 미소를 지었다. 그들은 볼에 입을 맞추며 인사를 나눴다. 누레틴이 먼저 경기 얘기를 했다.

"끔찍하지, 안 그래? 뒤죽박죽 그 자체야!"

"진흙탕이니 그렇지, 뭐."

"이제 축구 볼 맛도 떨어졌어. 서로 치고받느라 공을 못 찬다니까. 이젠 안 올 거야."

그는 이렇게 말하며 웃더니 덧붙였다.

"말은 이렇게 해도 또 오겠지. 다음 주에 페네르 경기가 있으니까. 그런데 넌 전혀 안 보이더니……."

"응……."

"아, 정말, 그래, 그렇지. 무히틴을 만났는데 네가 에르진잔에 갔다고 하더군. 거기서 언제 돌아온 거야?"

"한참 됐지. 11월에 거기서 떠났으니까. 벌써 네 달 전이지……."

"뭘 했는데? 철도 건설 현장에 있었어?"

"응, 철도 건설 현장에 있으면서 시골을 둘러봤어."

"야, 좋았겠네!"

누레틴은 이렇게 말하고 한숨을 쉬었다.

"나도 기회가 있으면 좋을 텐데. 철도 공사도 아주 좋은 기회였지. 모두들 거기 가서 돈을 벌었다지. 난 여기 톱니바퀴에 바짓단이 끼여 도무지 못 벗어나!"

점점 문에서 나오는 사람이 많아졌다. 누군가 레피크에게 부딪혔다. 병영 마당에서 소음이 들려왔다. 누레틴은 레피크의 팔을 잡았다.

"끝났나 봐! 난 집에 가기 전에 이렇게 해, 같이 가자!"

그는 주먹을 쥐고 엄지손가락을 입에 갖다 대며 들이켜는 시늉을 했다.

"난 테니스 클럽에 갈 거야!"

"그러니까 속물들 클럽에 간다는 말이군, 응!"

누레틴은 학교 축구팀에서 뛰던 시기를 연상시킬 정도로 힘차게, 병에 비유되던 주먹을 들어 레피크의 어깨를 쳤다. 그가 불쾌해하지 않을 걸 알고 한 말이었다. 레피크는 부끄러운 듯 대답했다.

"뭐, 어쩌겠어, 친구!"

"그러니까 나하고 가지 않겠다는 거지. 술 한잔하면 속이 따뜻해지고 기분이 좋아지는데!"

그러나 레피크의 표정에는 아무런 변화가 없었고 그는 어쩔 수 없다는 듯 말했다.

"알았어, 알았어. 속물들 곁으로 가 봐……. 참, 그런데 외메르는 잘 지내?"

"결혼을 하는 모양이야……."

"정말? 이제 나만 남았구나……."

"그럼, 잘 가. 다음 주에 페네르-귀네시 경기가 있어. 난 묘지 쪽에 앉을 거야, 골대 뒤에!"

그는 흩어지는 인파 속으로 들어가며 말했다.

레피크는 미소를 지었다. 누레틴이 사람들 속으로 사라지자 그는 돌아서서 전차 길을 따라 걸었다. 매표구에서 표를 사고 탁심 정원으로 들어갔다. 일요일 오후라 평상시만큼 한산하거나 조용하지는 않았다. 하지만 언제나처럼 화장실 냄새가 났다. 흩어져 가는 사람들 소리가 멀리서 들려왔다. '형편없는 경기였어. 결국 공은 한 번밖에 들어가지 않았고. 난 경기를 관람하고 기분 전환을 했지만 추위에 떨어야 했지!' 가지노*와 테니스 클럽으로 사용되는 목조 건물을 보며 "그래, 기분 전환도

---

* 쇼와 노래를 즐기며 음식을 먹거나 술을 마시는 곳.

했고, 이제 함께 집에 돌아가면 되겠지. 따스한 집에 있어야겠지!" 하고 중얼거렸다. 점심을 먹고 나서 오스만과 네르민 그리고 페리한과 함께 이리로 왔고, 그들은 클럽에 남아 있고 레피크는 경기를 보러 갔다. 함께 집에 돌아가기로 했기 때문에 전에 자주 갔던 이 클럽으로 돌아온 것이다. 이곳에 대한 누레틴의 말을 떠올리며 목조 건물 안으로 들어가 급히 계단을 올라갔다. 수리되지 않은 손잡이, 웨이터의 변함없는 미소, 오랜 세월 동안 같은 곳, 즉 테두리가 깨진 유리 아래 끼어져 있는 클럽 규정을 보자 우울함이 밀려오는 것 같았지만 그런 감정에 휩싸이지는 않았다. 열린 방에서 카드 게임을 하고 담배를 피우는 사람들이 앉아 있었지만 멈추지 않고 지나쳤고, 예상했던 방에서 네르민과 오스만을 발견했다. 다른 사람들과 인사를 나눈 후, 차를 마시고 있는 페리한 옆에 앉았다. 지쳐 보이는 웨이터에게 조용히 차를 주문했고, 그들이 대화를 끊지 않아 다행이라고 생각하면서, 이야기에 귀를 기울였다.

오스만 맞은편에는 클럽 회장인 뮈크리민 씨가 앉아 있었다. 테니스보다는 정부와 상류사회와 가까운 관계를 맺고 있어서 클럽 회장으로 뽑힌 이 사람은 의대 교수였다. 스포츠에 보이는 관심이라곤 가끔 신문에 나오는 운동선수의 건강과 관련된 기사뿐이었다. 그는 차나 술을 마시면서 자신의 말을 듣고 있는 사람들에게 클럽이 당면한 위기에 대해 설명하고 있었다. 새로 부임한 주지사는 클럽 건물을 허물려고 하면서 대신 맞은편에 있는 수르프 아곱 묘지에 작은 부지를 내주겠다고 했다는 것이다. 하지만 진짜로 그 부지를 줄지도 의문이었다. 게다가 주지사가 클럽이 스포츠 센터라기보다는 카드 게임과 도박의 중심이라고 하면서 회원들을 모욕했다고 했다. 몇몇은 그의 말에 반대하면서 온건한 태도를 취해야 한다고 했고, 몇몇은 총리에게 편지를 써서라도 터키 테니스를 보호해야 한다고 주장했다. 잠시 논쟁이 격렬해지는 듯했지만, 곧 누군가가 던진 농담으로 다들 웃음을 터뜨렸다. 한 여자가 옛 묘지 위에서 테니스를 치는 건 부적절하다고 하자 분위기가 부드러워지더니 정적이 흘렀다. 그사이 오스만의 갈라타사라이 동창인 제철 상인 함디가 구석에 앉아 가끔 레피크를 바라보다가 말을 걸었다.

"이야, 레피크, 뭘 했다고? 그 먼 케마흐까지 갔다 왔다고?"

"예!"

정적 속에서 튀어나온 그의 말을 모두 들었다는 걸 알 수 있었다.

"아니, 거기서 뭘 했어?"

"아무것도 안 했어요!"

"책도 썼다며? 정부에서 출판했고!"

레피크는 거기 있는 사람들이 듣고 있는 걸 의식하며, 개의치 않는다는 듯 편안하게 대답하려 했지만, 웬일인지 오스만 앞에서처럼 동생 같은 태도가 되는 느낌이었다.

"예! 출판했습니다!"

"그러니까 이제 작가가 됐구나! 글을 쓰고 있었어……."

함디는 '작가'라는 단어를 강조하며 말했다. 그는 관심을 끄는 걸 느꼈는지 좌우를 살피면서 다시 물었다.

"지금은 뭘 쓰고 있어? 물론 국가 문제에 관한 것이겠지?"

"우리 농촌 문제에 관해서……."

'작가'라는 말은 다시 듣고 싶지 않았지만 대답은 해야 했기에 이렇게 말했다.

"우리 농촌 문제라……. 부탁이 있는데, 나한테도 책 한 권 줄 수 있나? 물론 사인도 해서. 왜냐하면 나도……."

그는 다들 레피크에게 관심을 가지라는 듯 주위를 둘러보았다. 이때 누군가 문에서 머리를 들이밀며 물었다.

"경기 결과 아는 사람 있나?"

"페네르가 1:0으로 이겼어요!"

레피크는 이 기회를 놓치지 않고 대답했다.

"그래? 누가 골을 넣었어?"

"야샤르!"

"이야, 와스프, 어디 있었던 거야, 안 보이던데. 어제 왜 안 왔나?"

함디는 이렇게 말하며 자리에서 일어났다.

클럽의 미래에 관한 논쟁이 멈췄던 곳에서, 이제 다시 농담과 함께 부드럽고 즐거운 대화가 시작되었다. 옛 묘지 위에서 테니스를 칠 수 없다고 했던 부인은 구석에 있는 부지는 묘지가 아니라 옛 교회의 폐허라고 하며 분위기를 진정시켰다. 이때 클럽에 오는 사람들이 제일 먼저 들르는 가장 커다란 방에서 소리가 들려왔다. 회장은 안쪽 방에서 나온 몸집이 큰 아내에게 '한 판'만 더 치겠다고 했다. 아내가 화난 표정으로 시계를 가리키자 오스만이 자리에서 일어났다. 이것은 네르민과 레피크, 페리한에게도 신호가 되었다. 클럽 회장과 몇 마디 나누고 있는 오스만을 기다렸다가 함께 밖으로 나왔고, 계단을 통해 정원으로 내려갔다. 밖은 여전히 춥고 흐렸다. 페리한은 레피크의 팔짱을 꼈다.

묘지 벽 밑에 세워 둔 차로 걸어가다가 오스만이 레피크에게 다가왔다.

"뭐크리민 씨가 그러는데, 회비를 몇 달 동안 안 냈다고? 나한테 달라고 하던데 대신 내 주고 싶지 않았어."

"응."

"너도 알겠지만 클럽은 상황이 어려워. 내면 좋겠구나."

"응."

"내가 대신 내는 게 나았을까?"

"모르겠어."

"모르겠다는 게 무슨 말이야?"

그는 자동차 앞에 멈춰 섰다. 늘 주머니에서 꺼내던 자동차 열쇠를 찾지 못했다. 그는 화가 난 표정으로 레피크를 보며 "아니, 차 열쇠가 어디 있는 거야?" 하고 투덜거렸다. 그의 주머니 역시 일상생활처럼 항상 정리가 잘되어 있었기 때문에, 그는 어디에 뭘 두었는지를 잘 기억하는 것뿐만 아니라 아무것도 잃어버리지 않는다는 걸 자랑하곤 했다. "어디 있지?" 그는 레피크를 보면서 주머니를 뒤졌다. 마치 '넌 뭐야, 레피크? 네가 뭐라도 되는 줄 알아? 어딜 헤매고 다니는 거야? 언제 정신 차릴 거야? 언제 우리처럼 될 거야? 너 때문에 차 열쇠도 못 찾는 거 봐…….'라고 하는 듯했다. 그러다 드디어 열쇠를 찾아냈다.

레피크는 오스만의 시선을 피했다. 이제는 다시 익숙해진 어설프고 순진하고 미련한 동생 같은 태도로 하늘을 올려다봤다.

'회비……. 그래 결정을 내려야 해……. 저 구름은 다른 구름을 기다리는 것 같군……. 회비……. 난 죽을 텐데. 우린 모두 죽을 거잖아. 그들은 내가 회비를 내기를 바라지……. 그들이 옳아……. 하지만 이런 건 나중에 생각해도 돼. 오스만이 알아서 하겠지……. 구름이 가까워지는구나. 이렇게 사소한 일로 왜 화를 내지? 오늘은 축구 경기를 보러 갔어. 페네르 1: 외파 0. 이젠 집으로 돌아갈 거야. 오스만은 자신이 원하는 사람이 되지 않는다고 내게 화를 내고 있어……. 그가 옳아……. 하지만 우린 모두 죽을 거잖아…….'

오스만은 쉽사리 기분이 좋아지지 않을 거라는 티를 내며 차문을 열었다. 다들 앉기도 전에 시동을 켰다. 네르민이 그를 진정시키려고 농담을 했지만 소용없었다. 차 안이 따뜻해지기를 기다리지도 않고 니샨타쉬를 향해 네모난 돌길 위로 진한 체리색 자동차를 몰았다.

들리는 건 엔진 소리뿐이었다. 레피크는 머리를 뒷좌석 창문에 기댄 채 앉아 있었다. 창밖으로 흘러가는 풍경, 공과대학에 다닐 때 매일 지나던 전차 길 주위에 있는 하나도 변하지 않은 건물, 벽, 나무, 정거장을 바라보았다. '난 경기를 보러 갔어. 지금은 집으로 돌아가고 있지. 일요일 오후. 1939년 3월 19일. 내일은 평소처럼 사무실에 갈 거야. 전차 뒤에 매

달려 있는 아이들……. 어머니는 감기로 누워 계시고……. 날씨는 추워……. 집에 가면 차를 한잔 마시면서 아래층에 잠시 앉아 있어야지. 그런 후 위층으로 올라가면 돼. 얘기나 나누지 뭐……. 페리한과? 무엇에 대해? 그런데 왜 아무 말도 하지 않는 거지? 오스만은 정부가 있지만 네르민은 모르지……. 알까? 네르민도 남자가 있어……. 난 오스만에게 말하지 않았어! 우린 모두 죽을 거야……. 저 사람은 저기서 뭘 기다릴까? 묘지, 묘비, 기독교인……. 헤르 루돌프……. 그에게 편지를 쓸까? 휠덜린. 몇 시지? 5시 반이군. 어머니가 궁금해하실 거야……. 멜렉은 뭘 하고 있을까? 모두 잘될 거야……. 내 삶이 다시 질서를 잡을 거야……. 해야 할 일을 찾을 거야……. 회비? 어떻게 살아야 할지 그걸 찾을 거야……. 그런 후, 하지만, 그런 후……. 그래, 큰 프로젝트를, 그 큰 프로젝트를 끝내면 내 삶이 정돈될 거야. 지금 난 뭘 하고 있지? 기다리고 있어. 창밖을 보고 있어. 나는 차 안에서 아무 말도 하지 않고 있어. 하지만 페리한과 우리 방에서 얘기를 나누잖아. 앙카라에서 돌아온 지 한 달이 됐어……. 페리한은 나한테 화를 내지 않아……. 책……. 난 살아가고 있어…….'

51
여행

외메르는 잠에서 깨자마자 침대에서 일어났다. 넥타이를 매고 재킷을 입은 채 잠들었지만 마치 새 옷을 입은 것 같았고, 얼굴은 찬물로 씻은 듯 생기 있었다. 쾌활하게 호텔 방 안을 빠른 걸음으로 서성거렸다. 시계를 봤다. 5시 반이었다. '일요일 오후……. 그런데 왜 오늘 가면 안 되는 거지? 어쩌면 전화를 했을지도 몰라!' 방에 있는 전화벨은 울리지 않았다. 하지만 그래도 아래층으로 내려가 자기에게 온 전화가 있는지 한 청년에게 물었다. 전화한 사람이 아무도 없다는 걸 알고는 다시 방으로 올라갔고, 넘치는 생기가 자신을 행동하게 만든다고 느끼며 급히 가방을 집어 들었다. 아래층으로 내려갔다. 청년에게 한동안 케마흐에 갈 테니 정산을 해 달라고 했다. 안쪽에서 나이 든 지배인이 나왔다. 외메르의 방을 비워 놓겠다고 하면서 어디로 가는지, 언제 돌아오는지 물었다. 외메르는 전에 일하던 건설 현장에 남아 있는 기구와 기계를 새 계절이 다가오는 지금 팔아야 하며, 오래지 않아 곧 돌아올 거라고 대답했다. 그런 후 계산을 하고, 택시를 타고 기차역으로 갔다. 기차가 7시에 출발한다는 것은 이미 물어봐 알고 있었다. 표를 산 후 배를 채우려고 새로 지은 역사 안에 있는 식당에 들어가서 자리에 앉았다. 웨이터에게 쇠고기 스테이크를 주문했다.

그는 점심에도 스테이크를 먹었다. 스테이크가 이 멋진 오후를 최고로 만들어 줄 축복이라고 생각하고 이번에도 같은 걸 주문했던 것이다. 어제 무흐타르 씨 집에서 나온 후 호텔로 돌아와 술을 끊기로 마음먹고 잠들었다. 푹 자고 난 후, 마치 일어난 지 한 시간쯤 된 듯 활기차게 옷을 입고 넥타이를 맸다. 이런 경우라면 다들 그렇겠지만 그도 사과를 해야 한다고 생각하며 무흐타르 씨 집으로 가기 위해 호텔을 나왔다. 아침 날씨가 무척 좋아서 밖으로 나가자마자 택시를 타지 않고 걸어서 예니셰히르로 가기로 했다. 구름 한 점 없는 청명한 하늘에 해가 떠 있었다. 밤에 내린 눈이 나뭇가지와 벽과 지붕에 쌓여 있었다. 일요일 아침이었기 때문에 거리는 텅 비어 있었다. 외메르는 걸을수록 기분이 좋아져서 무흐타르 씨에게 어떤 말로 사과할지 생각하기 시작했다. 그러나 되짚어 볼수록 자기 행동은 평상시와 같았고, 사과해야 할 것은 한 가지 행동이나 잘못이 아니라 모든 행동이며, 그래서 그걸 사과한다는 건 말이 안 되는 것 같았다. 이런 생각이 들자 어제 무흐타르 씨와 말할 때 휩싸였던 감정, 모든 면에서 항상 자신이 옳다는 그 감정에 다시 휩싸이고 말았다. 어렸을 때, 청소년기에 느꼈던 감정과 똑같았다. 똑똑하고 잘생긴 자신을 다들 아무 대가도 바라지 않고 좋아해 주었기 때문에 자신이 옳다는 감정이었다. 눈 덮인 공터와 나무 사이를 걸으면서 자신이 옳은 건 명석하고 잘생기고 부자이기 때문이 아니라고 생각했다. 자신을 위해서 태양이 눈 덮인 나뭇가지를 비추고, 자신의 산책을 위해서 날씨가 청명하기 때문에 자신이 옳다고 생각했다. 크즐라이를 지나 골목길로 접어들었고 그 집에 가까워질수록, 자신의 넥타이와 재킷이, 저렇게 빛나는 태양이, 청명한 하늘이, 추위 속에서 산책하는 기쁨이, 건강하기 때문에 느끼는 희열이 그 집에 가서 사과를 할 때나 국회의원이 용서한다며 충고를 늘어놓을 때 더럽혀질 것 같은 두려움이 커져 갔다. 아이들이 눈싸움을 하는 공터 옆까지 왔을 때, 갑자기 호텔에서 나즐르에게 전화를 해야겠다 싶어서 돌아갔다. 똑같은 감정에 휩싸여 울루스까지 걸었다. 하지만 전화를 할 사람은 자신이 아니라 나즐르여야 한다고 생각하며 호텔 식당으로 들어갔다. 거기 앉아 지금 앞에 놓여 있는 것보다 질 좋고 피가 약간 배어 있는 스테이크를 먹으며, 지금이 케마흐로 갈 적기라고 생각했다.

외메르는 스테이크를 먹고 역사 식당에서 나오면서도 자신이 활기차고 건강하다고 느꼈다. 나즐르에게 전화를 할지 말지 생각했다. 하지만 무흐타르 씨가 받을 수도 있을 것 같아서 그만두었다. 기차에서 읽으려고 그날 나온 모든 신문과 주간지를 가판대에서 샀다. 기차가 출발하자 텅 빈 객차에 앉아 이런 상황이 전혀 바보 같지 않다고 생각하면서 마음 편히 신문을 읽었다. 잠시 후 평온한 졸음이 몰려오자 다리를 뻗고 고개를 옆으로 돌려 잠을 청했다.

깨어나 보니 해가 떠서 창가를 비추고 있었다. 외메르는 하품을 하고 기지개를 켰다. 자기가 자는 동안 객실로 들어온 노인에게 미소를 지어 보인 후 창밖을 내다봤다. 철도 옆으로 뻗은 강이 기차와 반대로 흘러가는 걸 보면서, 이 강이 찰트 강이 아니라 카라수 강이라는 것과 케마흐에 가까워지고 있다는 걸 알았다. 긴 터널로 들어갔다 나오고 바위투성이의 높은 절벽을 바라본 후 잠에서 완전히 깨어나 "어젠 앙카라에 있었는데 오늘은 여기 왔구나!" 하고 중얼거렸다. 기차가 달려가고 땅이 눈앞으로 흘러가자, 그의 마음속에서는 삶을 충만하게 살아야 한다는 생각과 삶이 길고 복잡하며 풍부하다는 생각이 들었고, 다시 한 번 활기를 느꼈다. 잠시 후 말문을 열고 싶어 조바심을 내는 노인에게 미소를 지었다. 노인이 입은 옷을 보니 공무원 같았다.

"밤새 정말 잘 자더군!"

"열한 시간 가까이 잔 것 같습니다!"

외메르는 시계를 보며 대답했다. 노인은 기계를 믿지 않는다고 말하고 싶은 듯 "밤새!"라고 하며 고개를 가로젓더니 덧붙였다.

"나는 잠을 못 잤어. 밤새 이렇게 앉아 자네를 바라보며 생각했다네."

그는 앙카라에 갔다 오는 길이고, 전에 에르진잔 토지 등기부에서 일했으며, 지금 혜택을 누리고 있는 이 철도가 좋은 만큼 나쁜 영향도 가져올 거라고 했다. 앙카라에 갔을 때 통증 때문에 의사를 만났는데 그 의사는 처방전만 써 줄 뿐 아무것도 하지 않더라고도 했다. 외메르가 철도 일을 한다는 걸 알게 되자 그의 젊은 나이를 칭송했고, 그의 손가락에 끼여 있는 반지를 가리키며 자신도 약혼한 적이 있다고 말했다.

노인이 그의 반지를 가리키자 나즐르가 떠올랐다. 하지만 전혀 불안하지 않았고 '어젠 거기 있었는데 오늘은 여기 왔구나!' 하는 생각이 들었다. 그리고 젊은 사람이 나쁜 생각을 하며 마음이 불편해지지 않도록 말을 계속하는 듯한 노인에게 부드러운 미소를 지으며 귀를 기울였다. 이 멋진 아침에는 무엇에도 반발하고 싶지 않아서, 철도, 시간, 국가의 발전과 관련된, 전혀 공무원 같지 않은 노인의 생각과 불만에 동조해 주었다. 그는 고민이 하나도 없는 사람처럼 편안했고, 나중에는 낮은 신음을 내뱉으며 하품도 몇 번 했다. 기차는 자주 긴 터널로 들어갔는데 그때마다 노인은 입을 다물었고, 터널에서 나오면 다시 이야기를 이어 갔다. 외메르는 그가 관심 없는 말을 하면 '그래, 저게 바로 자연이야……. 눈 덮인 언덕, 바위……. 오길 잘했어……. 다행히 이곳엔 내가 팔아야 할 것들이 있지!' 하고 생각했다.

기차가 케마흐 역에 서자 아이들과 호기심 많은 사람들이 몰려들었다. 하얀 집들이 언덕에 기대어 길로 이어지고 있었다. '정말 조용하구나!' 한 아이가 소리를 질렀고, 호루라기 소리가 들렸고, 다시 기차가 움직였다. 노인은 다시 이야기를 시작했다. 기차가 출발하고 이십 분이 지난 후 외메르는 가방을 들고 노인과 작별 인사를 한 후 객차 문 앞에서 기다렸다. 객차와 객차를 연결하는 통로에서 흔들리며 서서 '어제는 앙카라에 있었는데 오늘은 여기 와 있어!' 하고 생각했다. 기다려도 기차가 멈추지 않자 화를 내며 "난 앙카라에 있었고, 이스탄불에도 있었고, 영국에도 있었어. 난 살아 있고, 보고 있어!" 하고 중얼거렸다. 그는 조바심을 내며 "나는 부자야, 내겐 야망이 있어……. 그래? 파티흐! 이스탄불! 그래, 그래! 기차가 멈추는군!" 하고 중얼거렸다.

자기 말고는 타고 내리는 사람이 없었기 때문에 발을 땅에 내딛을 때는 기차가 자신을 위해 이 역에서 멈췄다는 생각이 들었다. 기차는 커브를 돌아 사라졌고, 그는 역사를 향해 걸어가면서 산 사이로 펼쳐진 눈 덮인 평원에 남은 것은 이제 정적뿐이라고 생각했다. 역무실에는 아무도 없었다. 대기실이라는 곳도 텅 비어 있었다. 역사에서 나와 주위를 둘러보다가 닭을 한 마리 발견했다. 그다음에는 닭 몇 마리와 닭장, 나무 사이에 걸려 있는 빨래와 빨래가 가득 든 바구니를 보았다. 그는 멈춰 서서 이런 것들을 경탄의 눈길로 바라보았다. 눈 덮인 나뭇가지 사이로 바람 한 점 불지 않아 형형색색의 빨래는 조금도 흔들리지 않았다. '정말 멋져, 이게 현실이야! 정말 멋져, 나는 살아 있고 보고 있어!' 막 돌아가려는데 역무원 사택으로 향하는 뒷문에서 한 여자가 나왔다. 외메르를 보고는 놀라더니 손을 저절로 머리 위로 가져갔다. 하지만 여자의 머리엔 스카프가 없었다. '그래, 그 무엇보다 이게 현실이야!' 그는 이렇게 생각하며 웃었다. 누군가 그를 위해 아무도 이해하지 못하는 삶의 맛을 느끼도록, 지루하지 않도록, 평온이 깨지지 않도록 준비해 놓은 것 같았다. 자기에게 선사된 이 모든 걸 만끽하며 살아가는 일만 남아 있는 것 같았다.

선로 쪽으로 돌아가자 멀리 삼각선 옆을 지나가는 기차 운행 관리원이 보였다. 그는 그 직원에게 자신을 소개하고 이곳 막사에 자기 기계와 기구가 있다고 했다. 그러면서 오늘 밤 잘 곳을 찾아 줄 거라고 생각했던 창고지기 하즈에 대해 물었다. 운행 관리원은 그를 아는지 미소를 지었다.

"이리로 올 겁니다! 원하시면 아이를 보내 전할 수도 있어요! 일단 좀 앉으시죠!"

외메르는 거기 앉았다. 벽에는 아타튀르크와 이스메트 파샤의 사진이 걸려 있었다.

"아이를 보냈습니다!"

운행 관리원은 나갔다 오더니 이렇게 말했다. 편하게 하품을 하고 있는 외메르를 보고 고개를 저으며 물었다.

"아이가 올 때까지 타울라나 할까요? 그럼 시간이 잘 갈 텐데……."

"물론이죠, 안 될 거 있나요?"

운행 관리원은 한쪽에서 타울라 도구를 꺼내 왔다. 그들은 게임을 하기 시작했다.

52
여전히 찾고 있을 때

레피크는 서재의 책상에 앉아 있었다. 문이 열렸다. 뭔가 궁금한 듯 오스만이 머리를 내밀었다.

"아, 여기 있었어?"

그는 방 안으로 들어왔다.

"결국은 또 여기 와 있구나."

레피크는 형을 보며 미소만 지었다.

"이런 모습이 또 그런 결과를 가져오진 않겠지? 또 어딘가로 가겠다고 고집부리지 마!"

"또 고집을 부릴 수도 있지, 뭐!"

오스만은 자신이 던진 농담에 레피크가 이렇게 대꾸하자 기분이 상했다.

"또 그러면 이번엔 아무도 좋게 생각해 주지 않을 거야. 아내도 좋게 보지 않을걸……."

"그래?"

"뭘 읽는지 볼까?"

오스만은 아들의 공부를 점검하는 아버지처럼 다가와 책상 위에 놓인 책의 표지를 들춰 보았다.

"횔덜린……. 『히페리온』! 이 사람 누구야?"

"독일인. 시인이고……."

"그래? 뭐라고 하는데?"

"복잡해……. 사실 나도 잘 이해 못하겠어. 그리스인, 그들의 문명 그리고……."

"알았어, 알았어! 물어보려고 한 건 이거야. 주말에 뭐 할 거야?"

오스만이 기지개를 켜고 하품을 하며 물었다.

"종일 집에 있을 건데. 내일도 그럴 거고."

"난 한 시간 후에 클럽에 갈 거야……. 네르민도 친구에게 간대……."

'아직 그에게 네르민 얘길 하지 않았어. 내가 해도 되는 얘긴가?'

"그럼, 페리한과 함께 어머니를 잘 지켜봐 줘!"

"그럴게!"

"감기에 걸린 지 열흘이나 됐는데 아직도 안 나으셨어. 걱정이야. 설마 그 감기는 아니겠지! 무슨 감기라더라? 스페인인가, 아시아인가 뭐 그런 건데."

"아니겠지……."

"아니겠지, 아니겠지, 그렇지?

오스만은 다시 하품을 했다.

"또 물어볼 게 있어."

그는 할 말을 준비하는 듯 책상 위에 놓인 종이와 책을 한동안 바라보았다.

"클럽 회비를 대신 내 줄까?"

"아, 전혀 생각 못했어! 생각할 시간이 없었어!"

레피크는 흥분하며 대답했다. 오스만은 이해가 안 된다는 듯 동생의 얼굴을 쳐다봤다. 동생의 정신 건강이 걱정된다는 표정이었다.

"너도 건강 조심해! 난 아래층에 잠시 있다가 클럽에 갈게."

형이 생각에 잠겨 서재를 나간 후 레피크는 종이 가장자리에 그림을 그리고 낙서를 했다. 서로 맞물린 삼각형과 사각형을 연결하면서 "지금 난 뭘 하고 있지? 시간을 허비하고 있어……. 횔덜린을 꼭 읽어야 하는데." 하고 혼잣말을 했다. 그는 아무런 감정이나 흥분이 일지 않는 이상한 책을 한동안 읽었다. 그러다 "왜 이걸 꼭 읽어야 되지? 계획을 세우기 전에 읽어야 할 책 목록에 넣었기 때문이지. 헤르 루돌프에게 답장을 쓰기 위해서도 읽어야 해!" 하고 중얼거렸다. 다시 한참 동안 지루함에 다리까지 떨면서 읽어 나갔다. 책에는 아테네인과 고대 그리스인 얘기가 나왔다. 그들이 살던 황금시대의 아름다움과, 레피크가 보기에는 터키에 대항한 그리스 반란을 설명하고 있었다. 헤르 루돌프가 외워서 읊던 구절이 나오는 프랑스어 책도 찾아서 겨우 읽어 봤지만 기대했던 만큼의 관심은 일지 않았다. 그리스인이라고 하면 영화나 역사 책에 나오는, 수염을 기르고 이마가 넓고 몸은 천으로 휘감은, 아주 심오한 생각만 하는 사람들이 떠올랐다. 그는 한참 더 읽었다. 그러다 네 장밖에 읽지 못했다는 걸 깨닫고 "이 장에 뭐가 있었지?" 하고 중얼거렸다. '디오티마 덕분에 나의 영혼, 그러니까 히페리온의 영혼이 균형감을 찾았고, 그 벨라르민은……. 누가 왔나? 아냐, 방울 소리가 아니라 전차 벨 소리야……. 그래, 아테네 예술, 철학, 국가 형태에 대해 언급하면서 이것이 뿌리가 아니라 과실이라고 말하고 있어……. 우리에겐 이런 게 필요해……. 터키에선 국가라는 게 달라……. 그래……. 우리한텐 왜 철학이 없을까? 이것도 필요해! 그리고 이 책에서는 이성에 대해서도 언급하고 있어. 아테네에는 이성이 있었고, 모든 근거가 거기 있었어……. 터키엔 없는 거지……. 거기선 모든 근거가 이성이야……. 그뿐 아니라 이성과 영혼과 마음의 아름다움이 합쳐져야 해……. 멋진 말이군……. 어디까지 읽었더라?' 그는 그곳을 찾아 가장자리에 줄을 그었다. 연필을 깨물다가 나무 맛이 느껴지자 '이 연필, 정말 많이도 씹었네! 그런데 몇 시지? 페리한은 오늘 뭐 하지?' 하고 생각하며 의자에서 일어나 서재를 나갔다.

빨리 계단을 올라가 방으로 들어갔다. 페리한은 거울 앞에 앉아 있었다. 아기는 바닥을 기어 다니다 아르누보식 침대의 굴곡진 다리를 호기심 가득한 눈으로 바라보고 있었다.

레피크는 거울 속에서 마주친 페리한의 시선을 피하며 말했다.

"집중이 안 돼!"

“잘될 거야, 잘될 거야!”

“뭔지 모르겠지만 마음이 답답해…….”

레피크는 방 안을 서성거리다 창가에 멈춰 섰다.

“날씨가 추워. 답답해……. 걱정도 되고……. 오스만이 조금 전에 뭐라고 했어…….”

그녀가 대답하지 않는 것 같았다.

“내 말 듣고 있어?”

페리한은 립스틱을 바르고 있었다. 그러다 립스틱을 입에서 떼면서 “응!” 하고 대답하고 입술을 오므리며 계속 칠했다.

“오스만이……. 만약 내가 한 번 더 집을 나가면, 그러니까 작년처럼 집을 떠나면, 이번엔 아무도 나를 좋게 보지 않을 거래. 당신도 좋게 보지 않을 거래! 어떻게 생각해?”

“또 가 버릴 생각이야?”

페리한이 웃으며 물었다.

“그냥 궁금해서 물어본다는 거 알잖아.”

“응……. 당신을 정말 사랑해……. 난 당신을 기다렸고, 지금 당신과 함께 있어서 정말 좋아. 또 기다릴게…….”

“어디 가는 거 아니야! 나도 당신을 정말 사랑해.”

레피크는 흥분하며 이렇게 말하고 페리한에게 다가가 그녀를 껴안았다. 하지만 이런 모습을 거울에서 보고는 부끄러워서 창가로 갔다.

“화장은 왜 하는 거야?”

“아버지가 ‘화장 좀 해 봐라, 우리 딸이 립스틱 바른 것 좀 보자.’ 그러셨거든.”

"아, 맞아, 당신 부모님 댁에 갈 거지! 잊어버렸어……."

잠시 침묵이 흘렀다.

"내일 뭐 할까?"

페리한이 대답하지 않고 화장을 하고 있는 것 같아서 다시 물었다.

"내일 뭐 할까? 그다음 날은 뭐 할까? 그리고 그 이후엔 또 뭐 할까. 삶이 끝날 때까지 우린 뭘 할까?"

"당신은 사무실에 나가잖아……."

"가기는 가지만 그래도 생각할 시간은 있어. 그러니까 사무실을 오가는 게 완전한 일이라고 볼 순 없지!"

"오스만은 당신이 사무실에서 열심히 일한다던데……. 그리고 그런 거 생각하지 않기로 했잖아. 일하면서 바쁘게 지내기로 했잖아. 그런 이상한 생각을 하는 대신 사무실에서 일을 하고, 집에서 책을 읽고 계획을 짜고, 그렇게 살 거라고 했잖아……."

"그래, 지금 그렇게 살고 있지."

"농담하는 거 아니야."

페리한은 자신이 진지하다는 걸 보여 주기 위해 거울에 비친 그를 보는 대신 몸을 돌려 레피크를 똑바로 바라보았다.

"당신은 모든 걸 다시, 케마흐와 앙카라에서의 경험에 비춰 생각할 거라고, 우리 둘의 삶에 대해 생각할 거라고, 정직하고 옳은 삶을 위해 뭘 해야 할지 생각할 거라고, 어떻게 살아야 할지, 가장 커다란 목표에서 시작해서 가장 작은 일상의 세세한 부분까지 모든 걸 생각할 거라고, 계획을 짜서 거기 맞춰 살 거라고, 쓸데없이 느끼는 답답함이나 게으름이나 우울증에 휩쓸리지 않고 살 거라고 했잖아!"

페리한의 말을 들으며 그녀가 지난 한 달 동안 자신이 한 말을 다 기억하고 있다는 게 자랑스러웠고 그녀에게 감탄했다. 동시에 자신이 부끄러워져서 땀이 났다. 이 문제에 대해 작지만 생각은 하고 있다는 걸 보여 주려고 물었다.

"이 집을 나가서 다른 집에서 사는 거 어떻게 생각해?"

"얼마나 진지하게 하는 말인지 모르겠어!"

페리한은 자리에서 일어나 침대 위에 놓인 가방을 집어 들었다. 뒷면에 영양이 그려진 손거울과 손수건, 빗을 서랍에서 꺼내 가방에 넣기 시작했다.

레피크는 약간 화가 났다.

"진지하게 하는 말이야, 그래! 생각해 봐야 돼. 당신도 말 좀 해 봐!"

"난 당신과 함께하고 싶어! 우리 사이엔 이 집의 복잡한 문제가 있어. 게다가 네르민이 다른 사람과 함께 있는 걸 본 후로, 당신한테서 오스만이 한 일을 들은 후로, 이 집에서 난 자꾸만 가식적으로 행동하게 돼. 이젠 그들 앞에서 나 자신이 될 수 없어."

그녀는 서랍과 화장대에서 가방에 넣을 걸 찾으며 말을 이었다.

"무슨 말인지 알겠어? 전부 다 말할 필요는 없겠지. 하지만 그들에게 더 중요한 것을 우리가 알면서도 말하지 않는 건 부당한 일이야. 만약 말하지 않는다면 이번에는……. 아, 그거

뱉어, 뱉어, 뱉어!"

페리한은 바닥을 기어 다니던 아기를 거칠게 붙잡고는 입을 벌려 단추를 꺼냈다.

"아까부터 이걸 찾고 있었는데. 하마터면 삼킬 뻔했잖아. 세상에! 세상에! 세상에! 엄마가 찾고 있던 단추를!"

그녀는 화장대 앞 의자에 앉았다. 처음엔 무슨 일이 일어났는지 이해하지 못하던 아기가 울음을 터뜨렸다. 레피크는 아기를 안고 흔들어 주었다. 그러자 울음을 그쳤다. 페리한은 늦었다고 하면서 레피크에게서 아기를 받아 들고 침대에 앉힌 다음 옷장에서 꺼낸 외투를 서둘러 입혔다.

"당신 말이 맞아……. 나도 그렇게 느껴……. 오스만한테 말할까?"

"말한다고? 당신이 말하면 나도 네르민에게 말해야 하는데……."

페리한은 아기를 품에 안고 방문을 열었다.

"어쩌면 둘 다 알고 있을지도 몰라!"

레피크는 갑자기 이렇게 말하면서 웃었다. 페리한의 떨리는 입술을 보자 자신의 농담이 부끄러워졌고, 자신이 저속하다고 느꼈다. 페리한에게 무슨 말이든 하고 싶었지만, 뭐라고 해야 할지 알 수 없었다. 그들은 함께 아래층으로 내려갔다. 거울이 걸려 있는 홀에서 레피크는 머리에 어떤 생각이 떠올라 말하려 했지만 거기에 일마즈가 있어서 입을 다물었다.

"나한테 화났어?"

"아니, 아냐! 내가 왜 화가 나겠어?"

페리한은 문을 열면서 이렇게 대답했지만 울 듯한 표정이었다.

"왜 그래? 무슨 생각을 해? 제발 말해 봐……. 날 사랑해?"

"당신을 많이 사랑해."

레피크는 좌우도 둘러보지 않고 페리한에게 입을 맞췄다. 그런 후 아기에게도 입을 맞췄다.

"뭐 타고 갈 거야? 애가 감기 걸리면 안 되는데."

"안 걸릴 거야. 신선한 공기도 좀 쐬야지. 하루 종일 방 안에서만 지냈잖아! 멀지도 않은데, 뭐. 걸을 거야."

니갼 부인에게서 감기가 옮지 않도록 아기를 열흘 동안 방 밖으로 내놓지 않았던 것이다. 레피크는 이걸 떠올리자 '그래, 모두 같은 집에서, 이렇게는 안 되겠어!' 하는 생각이 들어 죄책감을 느꼈다. 무슨 말이든 하고 싶었다. 정원을 향해 발걸음을 내딛는 페리한의 손을 잡으며 아기를 껴안았다. 그런 후 페리한은 보지 않고 아기의 생기 도는 눈을 주시하며 중얼거렸다.

"이 모든 것, 당신을 답답하게 하는 나의 이 모든 것, 나의 우유부단함, 나의 나쁘고 추한 모습은 한 가지 때문이야. 바라건대……. 바라건대 이 애는, 우리 딸은 장차, 물론 분별 있고 세상이 어떤 곳인지 알고, 그래, 교양 있고 똑똑한 사람이 된다면, 우리를 비난하지 않을 거야……. 나의 삶을, 나를, 우리가 했던 일을 보고 우리를 비난하지 않았으면 좋겠어……. 우리를 나쁜 사람으로 보지 않았으면 좋겠어……."

"우리 딸이 '숙녀 멜렉'이 되면. 당연히 교양 있고 똑똑한 숙녀가 될 거야!"

레피크가 결국은 자신을 쳐다보자 페리한은 아기를 보고 웃으면서 입을 맞췄다.

"숙녀가 된다는 보장은 없어!"

"아, 그래?"

그녀는 딸 대신 화를 내는 척하면서 웃었다.

"교양 있고 똑똑할지는 모르겠지만, 체구가 커질 건 건 확실해, 우리 딸은!"

레피크의 말에 대답하지 않고 그녀는 뒤를 돌아 계단을 내려가 대문으로 걸어갔다. 레피크는 그들이 멀어질 때까지 뒤에서 바라보았다. 집으로 들어가 서재로 올라가다가 계단참에서 멈춰 섰다. 열린 문 사이로 마주 앉아 있는 오스만과 어머니가 보여서 거실로 들어갔다.

오스만은 어머니에게 열심히 뭔가 설명하고 있었고, 니갼 부인은 별로 관심이 없다는 듯 창밖을 쳐다보고 있었다. 그녀는 레피크를 보고 반가워했다.

"페리한은 나갔니?"

"나갔어요!"

"그 애 부모님께 안부 전해 달라고 말하려 했는데, 왜 여기 들르지 않고 나갔니?"

그러면서 오스만을 쳐다보았다.

"네르민은 어디 간 거니?"

"친구 만나러요!"

"누구?"

"저도 몰라요, 어머니! 제 말에 대답해 주세요, 제발!"

그녀는 '이제 더 이상 할 말 없어!'라고 하고 싶은 듯 인상을 쓰면서 레피크에게 얼굴을 돌렸다.

"앉지 그러니!"

레피크가 앉자 오스만은 그에게 설명하기 시작했다.

"아파트 얘기를 하고 있었어! 너도 알겠지만, 옆에 있는 부지를 측량하고 있어. 일마즈가 물어보고 나도 수소문해 봤는데, 아파트를 짓는다고 하더라……. 타제틴 씨도 맞은편에 아파트를 짓고 있어. 우리도 올해 아니면 내년에……."

"내년도 안 되고, 다른 때도 안 돼……. 네 아버지 유언이야. 이 집은 허물지 않을 거다……."

"하지만 말도 안 돼요! 게다가 아버지는 그런 말씀을 하신 적이 없어요……."

"나한테 말했다니까! 아버지의 생각과 내 생각을 몇 번이나 말해야겠니? 한 집에서 모두 함께 살아야 해. 모두 서로에게 관심을 가지고……. 내 가족은 아주 큰 집에서 살았어. 층층이 쌓인 상자 같은 집이 아니라. 모두 서로에게 관심을 가져야 하고, 모두 서로를 사랑해야 하고, 아무도 자기 삶을 다른 사람에게 숨겨서는 안 돼……. 이게 옳은 거야! 만약 어느 날 우리 관계가 끊어지면, 하느님, 이런 일이 없기를, 난 다른 상자로 이사하는 게 아니라, 우리가 서로 관심을 갖게 되기를 바랄 거다. 이게 옳은 거야!"

오스만은 양동이와 집게를 들고 와서 커다란 난로를 헤집고 있는 일마즈를 가리키며 말했다.

"하지만 이 집은 따뜻해지지가 않아요……. 어머니가 감기에 걸린 것도 그 때문이라고요."

"감기는 내가 조심하지 않아서 걸린 거다. 얘, 제발 다시는 그 문제를 거론하지 말아 주렴."

잠시 침묵이 흘렀다. 그들은 무슨 말을 해야 할지 몰랐지만, 너무 신경이 곤두 서 있었기 때문에 자기들 앞에서 난로를 헤집고 있는 젊은이를 주시하기 시작했다. 얼마나 뚫어지게 바라보았던지, 일마즈는 그들의 시선을 느끼고는 그의 아버지처럼 어쩔 줄 몰라 하며 허둥대기 시작했다.

레피크는 난로를 헤집고 있는 일마즈가 요리사 누리를 연상시킨다고 생각했다. '정말 아버지를 많이 닮았네……. 그의 아버지는 죽었어. 그도 죽겠지……. 우리는 그의 아버지에 대해 뭘 생각하지? 아무것도! 생각한다 하더라도 그게 뭐 중요해? 어차피 우리 모두 죽을 텐데. 나도 죽을 거고, 나에 관한 생각은…….' 문득 오스만이 말하고 있다는 걸 깨닫고 그를 바라보았다.

"몇 번씩 물었잖아……. 결정했어?"

"무슨 결정?"

"말했잖아, 회비……."

오스만은 이렇게 말하며 자리에서 일어났다. 어머니와 동생을 번갈아 쳐다보았다.

"난 클럽에 가요. 안 그러면 내 신경이……."

"오늘 무슨 일이 있는 거니, 얘야?"

오스만은 화가 나서 아무에게도 대답하지 않을 권리가 있다는 듯 거만하게 방에서 나가 버렸다. 레피크도 자리에서 일어났다.

"그럼 오늘 누가 날 돌봐 주지? 아, 제브데트 씨, 당신이 가버린 후 모든 게……."

니갼 부인이 중얼거렸다.

레피크는 계단을 올라가면서 생각했다. '그래, 우리 모두 죽겠지……. 우리 모두 죽겠지……. 하지만 난 지금 이런 걸 생각하면 안 돼. 난 읽기로 결정한 책들을 읽어야 하고, 필요한 것들을 생각해야 하고, 페리한과 나 자신에게 약속한 계획을 이행해야 해……. 그러면 지금까지 나태하고 우유부단하게 보낸 내 삶이 질서를 잡을 수 있을 거야. 내 딸은 날 비난하지 않을 거야……. 케마흐에서 보았던 그 노동자들과 시골 사람들의 가난을 기억하면서 내 삶을 부끄럽게 여겨야 해. 계획 있는 삶이 나를 이 부끄러움에서 벗어나게 할 거야. 이런 일상생활들, 그래, 분명히 그런 삶은 존재해. 책을 읽으면서 찾을 거야. 거기에 이르기 위해 읽어야 할 책들 중 하나를 중단했던 곳에서부터 다시 읽기 시작해야지.'

그는 책상에 앉아 펼쳐 놓은 책을 읽기 시작했다. '지금까지 읽은 데서 이런 결론을 얻었어. 고대 그리스는 가장 행복한 시대였으므로 부활시켜야 한다. 그 이유는 이렇다. 작가에 의하면 다음과 같아……. 내가 보기에는, 내가 보기에는 좋은 것들이야, 우리에게도 있으면 좋을 거고. '이런 좋은 것들이 부족해.'라고 해도 틀린 말이 아냐! 바로 이런 것들이지. 이성과 균형감, 조화, 그래, 그리고 또……. 이런 얘기를 헤르 루돌프에게 써야겠어. 내가 쓴 책도 한 권 보내고……. 그가 뭐라고 할까?

내가 몽상가라고 할까? 그래, 우리에겐 지식인이 필요해…….
고대 그리스도 계몽주의 시대였다고 할 수 있어. 이를 터키에 적용하기 위해서는 전에 했던 경제에 대한 제안이 아니라 문화에 관련된 제안을 해야 해……. 이런 것들이 내 책에서 제안했던 것보다 더 중요해. 그걸 찾아야 해. 하지만 내가 지금 찾고 있는 건 그런 게 아니었어, 계획이야! 계속 읽어야 해!'

그는 다시 읽기 시작했다. 한동안 책에 집중하여 여섯 장을 읽었다는 걸 깨닫고 기뻤다. 다시 읽기 시작했다. 하지만 이번에는 집중이 되지 않았다. 매복하고 있던 모든 생각이 한꺼번에 공격하기 시작했다. '난 읽을 거야, 읽을 거야. 그럼 어떻게 되지? 어떻게 하면 이 집에서 나갈 수 있을까? 쉴레이만 아이첼릭이 이런 내 모습을 보면 뭐라고 할까? 페리한의 친구 남편인 무스타파는 어떤 사람이지? 쉴레이만은 '자네는 국가와 일하는 대신 쓸데없는 생각으로 시간을 낭비하는군, 자네는 마음이 여려.' 라고 할 것이다. 방울 소리! 이번엔 누가…….'

그는 종이 가장자리에 낙서를 하며 기다렸다. '누구라도 와서 대화를 나눈다면 얼마나 좋을까? 누구지? 하지만 그럴 사람은 없어…….' 그는 다시 읽기로 했다. 하지만 갑자기 자리에서 일어났다. '뭘 하지? 뭘 하지?' 그는 서재 안을 서성거렸다. 잠시 후 문이 열리는 걸 알아채고 뒤를 돌아봤다.

"무히틴!"

그는 이렇게 소리치며 양팔을 벌렸다가, 한 손으로 옳거니 하듯이 허벅지를 치고는, 달려가 친구를 얼싸안았다.

"아, 잘 왔어, 정말 잘 왔어!"

"오래 있을 건 아니고……. 십 분 이상은 안 있을 생각인데……."

"아, 잘 지냈어, 잘 지냈어?"

"뭐, 잘 지내지! 지나가다가 한번 들러 볼까 싶어서 왔어!"

무히틴은 창가에 놓인 안락의자에 앉았다. 그러고는 여느 때와 다름없이 주의 깊게, 상대를 파헤치는 듯한 시선으로 바라보았다.

"아, 네 아버지 사진이 거기 딱 어울리는걸. 네 아이들은 언제쯤 너의 사진을 걸까?"

"모르겠어, 걸어 줄지도 모르겠는걸."

"걱정 마, 네 사진도 걸 거야……. 너도 이미 이 가족의 분위기에 섞여 있으니까!"

레피크는 예전 논쟁을 떠올리며 미소 지었다. 무히틴과 다시 그렇게 논쟁하고 싶었지만 이젠 그러지 못하리라는 걸 알고 있었다. 앙카라에서 돌아온 후 그들은 세 번 만났다. 첫 만남부터 큰 의견 차이가 드러났고, 다른 두 번은 서로 말도 별로 하지 않았다. 레피크는 그때의 의견 차이를 잊고 싶어서 "잘 지냈어, 뭐 하고 있어?" 하고 물었다. 그저 하는 말이 아니라, 무히틴이 누구와 무엇을 하는지 생각하고 걱정하며 한 말이었다.

"왜 좀 오래 있지 않겠다는 거야? 어디 가는데?"

"베쉭타시에, 그 술집에……. 군인들을 만날 거야……."

"그 애들은 뭐 해?"

"잘 지내. 근데 너야말로 뭐 하고 지내? 얼마 전에 누레틴을 만났는데, 축구 경기장에서 널 우연히 만났다더라. 생각에 잠겨 있는 것 같았다고 하던데……. 그래서 내 친구가 또 우울한가 싶어 만나 보려고 왔지!"

"별건 없어!"

레피크는 그의 관심에 감동했다.

"특별한 건 있고? 횔덜린을 읽는 거야? 나도 한때는 시인으로서 관심을 가졌지. 근데 전혀 영향을 받지 못했어. 그들, 유럽인들의 정신은 우리와 아주 멀리 떨어져 있어. 게다가 그는 그리스 찬미자야. 우리와는 아주 멀지. 그들하곤 아무것도 같이 할 수 없을 거야. 머릿속만 혼란스럽게 하지."

무히틴은 자리에서 일어나 책상 위에 있는 책들을 살펴보며 조롱하듯 말했다. 레피크는 흥분해서 대꾸했다.

"하지만 우린 그들에게서 많은 것을 배워야 해!"

"우리가 배워야 할 게 뭔데?"

"그리스와 르네상스가 무엇을 의미하든 간에 거기엔 우리가 배워야 할 게 있어!"

레피크 자신도 전적으로 믿지는 않았지만, 무히틴의 사나운 시선에 맞서 자신이 읽은 책을 변호해야 할 것 같아 이렇게 말했다. 그는 무히틴을 쳐다보지 않고, 자기 말을 부끄러워할까 두려운 듯 급히 덧붙였다.

"르네상스 문화……. 이성의 빛……. 이성, 우리의 야만성과 폭압을 이길 빛이 필요해."

"오, 오, 오! 야, 너 정말 유럽인이 다 됐구나! 우리에 대해 야만인이란 표현도 쓰고……."

'아냐, 내 머릿속에 있는 건 이런 게 아냐……. 하지만 그가 나를 공격적인 시선으로 보니까 나도 그렇게 말한 것뿐이야……'

"그렇다면, 나 역시 야만인으로 보는 거야? 난 터키인이야, 민족주의자고. 민족주의자라고 네게 말하고 있는데, 어떻게 생각해?"

"모르겠어, 할 말이 없어……. 난 아직 찾고 있어……."

"넌 유럽인이 됐어! 터키에서 뭔가를 찾는 사람은 어차피 유럽인이 되게 돼 있지. 그렇게 찾지만 말고 좀 느껴 봐. 알지, 나도 이제 과거의 무히틴이 아냐. 너와 얘기했지……. 하지만 너도 좀 변해 봐. 오 년 전쯤에 있던 자리에, 그때와 똑같이 순진하게 머물러 있구나. 쓸데없는 논쟁은 이제 그만둬!"

그러면서 책상과 책장에 있는 책들을 가리켰다.

"아직도 살아가면서 뭘 해야 할지 찾으려고 책을 읽고 있는 거야, 그래?"

"그래, 그러고 있어."

"넌 유럽인이 되어 가고, 환상을 좇고 있구나, 그렇지?"

무히틴은 레피크가 인상을 쓰는 걸 보고 자리에서 일어났다.

"널 좀 더 괴롭혀 주고 싶지만 시간이 없어. 다른 때에……."

그는 막 문을 나가려다가 물었다.

"세상이 지금 어떤지 알지? 이런 세상에서 그런 데 관심을 가지고, 너의 생각을 모두에게 퍼뜨린다 치자. 그게 어떤 결과를 가져올지 생각해 본 적 있어?"

"난 내 생각을 퍼뜨린 적 없어!"

"하지만 책을 쓰는 습관을 들였잖아. 어쨌든, 어쨌든, 그 책은 그리 해롭지 않으니까……."

무히틴이 자신의 책을 읽었다는 걸 알게 된 레피크는 흥분하여 그의 생각을 물어보고 싶었다. 하지만 무히틴의 사나운 표정을 보고 멈칫했다.

"그래, 그래, 넌 이렇게 사는구나, 아침엔 사무실에 가서 열심히 사업을 하고!"

무히틴은 이렇게 말하고 주위 물건을 살피다가 마지막 결론을 내리듯 덧붙였다.

"사업을 하고, 책을 읽고, 이미 흐려진 이성을 점점 더 어둡게 하고 있어. 이 집에서, 이곳에서 살면서. 저 시계만 해도 몇 년씩이나 늘 똑같이 신경질적으로 똑딱거리고 있어. 네 아내와 아이는 잘 지내?"

"잘 지내지!"

레피크는 무히틴을 따라 계단을 내려가면서 대답했다. 무히틴은 '당연히 그럴 테지!'라는 듯 고개를 저었다. 그런 후에는 레피크가 한 번도 보지 못했던, 생각에 잠긴 듯 멍한 표정으로 인사를 하고 나갔다.

무히틴이 멀어져 가면서 자기만의 생각에 감겨 있는 것 같아서 레피크는 그의 뒷모습을 바라보지 않고 돌아서 들어왔다. 시계가 똑딱거리는 소리에 신경이 쓰일까 봐 위층으로 올라가지 않았다. 거실에서 잠시 어머니 옆에 앉아 있었다. 니갼 부인은 아이셰와 렘지의 관계가 진지해졌다면서 레피크의 의견을 물었다. 레피크는 젊은 애들은 자유롭게 놔둬야 한다고만 대답했다. 그러고는 이런저런 얘기를 나누었다. 더 이상 시계 소리에 산만해질 것 같지 않을 때, 레피크는 책을 읽으려고 위층 서재로 올라갔다.

53
젊은이들과 함께

무히틴이 앞장서고 두 사관생도는 그 뒤를 따라, 페리데 부인과 마주치지 않고 세렌제베이의 집 뒷방으로 들어갔다. 무히틴의 방으로 들어간 사관생도들은 놀란 표정이었다. 그들이 이 방을 오랫동안 상상해 왔다는 것을, 무엇이 있고, 어떻게 꾸며졌을지를 궁금해했다는 것을 무히틴은 알아챘다. 그는 책상 뒤에 있는 의자에 앉았다. 손이 자동적으로 담뱃갑으로 향했지만 담배를 꺼내지는 않았다. 방 안을 자세히 살펴보는 젊은이들에게 화가 났다. '사람들이 날 속속들이 아는 게 싫어! 하지만 어쩌겠어, 이젠 술집에서 만나는 것도 여의치 않은데……. 아직도 보고 있군……. 내가 뭘 읽었는지 알게 되겠지……. 나를 어떻게 생각하는지는 알고 싶지만, 저들이 날 속속들이 아는 건 정말 싫어!'

"뭘 그렇게들 보고 있어, 앉지그래?"

"아, 예!"

바르바로스가 중얼거렸다.

"투르가이, 넌 이쪽으로 앉아! 그래, 이번 주엔 뭘 했어?"

잠시 정적이 흘렀다. 서로 상대방이 먼저 말을 시작하길 기다리는 것 같았다. 결국 바르바로스가 입을 열었다.

"아무것도!"

"그러니까 한 주 내내 '아무것도'를 했다 이거야? 그럼 뭐하러 살아?"

바르바로스는 죄책감을 느끼는 척했지만 부끄러워하지는 않았다. 자신들에 대한 애정을 무히틴이 이런 식으로 표시한다는 걸 이제는 알기 때문이었다. 그는 갑자기 뭔가 떠올랐는지 책에서 눈을 돌렸다.

"투르가이가 알바니아계 중위의 경례에 답하지 않았어요!"

"정말?"

무히틴은 흥분하며 물었다. 투르가이는 수줍어하며 그렇다고 했다.

"어떻게 된 일이야, 빨리 설명해 봐! 브라보!"

"전 못 봤어요. 재가 얘기해 줘서 알았죠. 그놈이 경례를 했는데 그 인사를 안 받았대요. 네가 얘기해 봐!"

"그냥 경례를 안 받은 것뿐이야!"

잘생긴 바보처럼 순진한 태도였지만, 무히틴은 그를 잘 알았다. 이젠 그를 바보라고 생각하지 않았다.

"그러니까, 어떤 식으로 경례를 받지 않았냐고? 그 사람이 누군데?"

"알바니아인이에요! 안 그래도 아무도 안 좋아하는 녀석이죠! 3학년 학생 하나가 퇴학당하는 데 앞장섰대요. 그런데 걔를 계단에서 만난 거예요, 문 앞 계단에서. 저한테 경례를 했지만 전 안 받았어요!"

"그 경례를 좀 자세하게 설명해 봐……."

"그래, 나도 이해가 잘 안 가는걸!"

바르바로스도 거들었다.

"안 믿는다면 말 안 하겠어. 그가 제게 경례를 했고, 전 못 본 척 그냥 지나쳤을 뿐이에요. 그는 아무것도 못했어요. 표정만 일그러지더군요."

"너한테 징계나 뭐 그런 거 안 내린데?"

"아니요!"

"그런데 그거 어떻게 하는 거야? 경례하는 데도 규칙이 있나? 누가 먼저 경례를 하는 거야? 내가 군대에 있을 때도 그런 일이 있었는데, 그 녀석이 초주검이 됐지. 그 정도로 위험한 거 아니야?"

"전 상관없어요! 군대도 별로 좋아하지 않으니까요. 기회가 되면 나와 버릴 거예요. 우리가 뭐 노옌가요?"

"그게 말이 돼? 말이 되냐고? 넌 거기 있어야 돼. 게다가 무슨 직업이든 어디나 골치 아픈 일은 있는 법이야!"

무히틴은 갑자기 걱정이 되어 말했다.

"아니에요, 형님, 걱정 마세요, 아무 일도 없을 거예요! 그냥 재가 요즘 좀 화가 났나 봐요……. 안 그러면……."

"군대를 그만둘 거예요. 한곳에 틀어박혀서 시를 쓸 거예요!"

투르가이가 말했다. 자신도 믿는 것 같지는 않았지만 이렇게 말하는 게 좋은 모양이었다. 무히틴이 걱정스러운 듯 다시 말했다.

"사실 투르가이, 그건 잘한 일이 아닌 것 같아! 문제가 생길 수도 있어……."

"저도 그렇게 생각해요!"

바르바로스가 맞장구를 쳤다.

"그러니까 제가 잘못했다는 건가요? 제발 그렇게 말하지 마세요, 형님. 알바니아인이라고요! 여긴 우리 조국이고요! 그 사람 때문에 터키 청년들이 터키 군대에서 쫓겨나게 됐다고요! 그런데 형님은 제가 잘못했다고 하는군요!"

"하지만 그런 행동을 해서는 우리 목표에 도달하지 못해! 목표에 도달하려면 감정과 분노가 아니라 이성에 따라 행동해야 해!"

무히틴은 형이 아니라 선생처럼 말했다.

"하지만 감정이 중요하다고 했잖아요! 이해하는 게 아니라 느끼는 게 중요하다고 했잖아요!"

"감정은 믿음을 갖기 위해서만 필요한 거야! 목표에 도달하려면 이성을 이용해야 돼. 걸음을 내디딜 때마다 이성이 필요해. 봐, 잡지 표지에 지도를 넣었다고 출간이 금지됐어……. 우린 이걸 잡지에 대한 야비한 음모로 보는 동시에 우리의 실수로도 봐야 해. 결과적으로는 이 실수 때문에 터키주의 운동의 유일한 출판물을 발행하지 못하게 됐으니까."

잠시 정적이 흘렀다. 대화 주제가 주 정부에 의해 발행이 중단된《외튀켄》으로 옮겨 갔기 때문에 다들 진지해졌다. 바르바로스는 '투르가이를 용서하세요, 형님.' 하는 시선으로 바라보았다. 투르가이도 그제서야 자신의 무모한 행동을 부끄러워하는 것 같았다. 무히틴은 자신에 대한 존경을 뜻하는 듯한 정적을 만끽하며 '됐어, 여느 때처럼 온순해졌어! 내 방과 책을 보고 나서 나도 불멸의 존재가 아니라 평범한 사람이라 여기고 무례하게 구는 것 같았는데 말이야!' 하고 생각했다. 그는 무슨 말을 할지 생각했다. 하지만 아무 말도 못했다. 이 젊은이들을 볼 때마다 머릿속에 떠오르는 생각 때문에 한동안 기분이 좋아졌다. '저 철없는 놈이 정말로 군대에서 나와 버리면 어쩌지……. 아냐, 그럴 용기는 못 낼 거야. 하지만 그가 부린 작은 허세 때문에 군대에서 쫓겨나면 어쩌지? 다들 터키주의자지만, 나처럼 군인을 거느린 사람은 없어!' 이런 생각이 들자 화가 났다. 투르가이에게 한 번 더 충고해야겠다 싶었는데, 조금 전에 말하려 했던 문장이 더 영향력이 있을 것 같은 느낌이 들었다.

"새로운 잡지에 대한 권한은 내가 갖는다!"

"아, 정말요?"

바르바로스가 말했다.

"물론! 우리 운동이 중지될 거라고 생각했어?"

"그런 생각은 한 번도 한 적 없습니다! 하지만 형님이 권한을 갖는다는 건……."

투르가이가 용서를 구하듯이 말했다.

갑자기 문이 열리고 페리데 부인이 들어왔다. 두 젊은이를 보고도 놀라지 않았다. 그녀는 미소를 지으며 말했다.

"어서 오너라, 얘들아!"

"만나서 반갑습니다, 아주머니! 아주머니가 불편하실까 봐 인사를 못 드렸습니다!"

투르가이가 이렇게 말하며 자리에서 일어났다. 그는 진심에서 우러나오는 몸짓으로 몸을 굽혀 그녀의 손등에 입을 맞췄다. 그 뒤를 따라 바르바로스도 그렇게 했다. 무히틴은 어머니의 얼굴이 환해지자 안쓰러운 생각이 들었다. 하지만 그들이 불필요한 행동을 했다고 생각했다. 최근에는 어머니의 손등에 그렇게 입을 맞춘 사람이 아무도 없었을 것이다.

"커피를 어떻게 마실 거니?"

그녀는 입맞춤을 받은 손을 어디에 둘지 모르는 것 같았다. 그래서 무히틴이 얼른 대답했다.

"전 좀 달게 해 주세요! 얘들아, 너희도 그렇게 마실 거지? 조금 있다 가지러 갈게요……."

"내가 가져다줄게!"

페리데 부인은 이렇게 말했지만 무히틴의 얼굴을 보고 단념하는 것 같았다. 그녀는 문을 닫고 나갔다.

"형님, 어머니께서 정말 얼굴이 깨끗하고 온화하시네요!"

투르가이의 말에 무히틴은 인상을 썼다.

"우린 지금 잡지 얘기를 하고 있어! 내일은 또 외즈네질레르에 있는 마히르 알타일르의 집으로 갈 거야. 새로운 잡지에 대한 권한을 내게 맡기고 싶다고 했어. 날 믿고 있어. 하지만 난 그들을 믿지 않아……. 그래서 너희들이 그를 만나는 걸 좀 연기해야 돼!"

"왜 안 믿는 거죠?"

"《외퀴켄》에서는 마히르 알타일르가 원하는 대로만 되니까. 알겠지만 그는, 내가 그렇게 마음에 들어했던 너희들의 시도 싣지 않았어. 난 그가 옳다고 생각하지 않아!"

무히틴은 바르바로스의 말에 대답했다. 그러고는 논쟁도 해명도 하고 싶지 않다는 듯 이렇게 덧붙였다.

"지금은 자세히 말하지 않겠지만……."

그는 이렇게 말하다 담뱃갑으로 손을 뻗으면서 생각했다. '그는 내가 보들레르를 읽은 적이 있다는 걸 자꾸 들먹여……. 그래서 내가 머리에 허영만 가득하고 서양 문화에 중독됐다고 느끼게 하지. 문화라는 악마가 내 안에 들어왔기 때문에 겸손하지 못한 거라고 하지……. 그가 교주이니 난 어쩔 수 없이 겸손해야 해……. 그렇다면 나는 겸손함이 필요 없는 일을 해야겠어! 새 잡지에서는 내가 교주가 될 거야!' 그는 문득 걱정이 되었다. '아냐! 내가 커피를 가져와야지, 어머니가 가져오지 않도록!'

그는 일어나 방을 나갔다. 문을 닫자마자 그들이 책으로 뛰어들었을 거라고 생각했다. '내가 누구인지 알겠지……. 책들, 책들……. 내가 중독되었나? 아냐, 지나치게 똑똑하고 의심이 많을 뿐이야!' 그는 부엌으로 들어갔다.

어머니는 커피를 다 끓여서 쟁반에 잔을 올려놓고 있었다.

"아, 왔니? 정말 멋진 애들이더구나……. 무슨 일을 하는 애들이니?"

그들이 사관생도라고 하고 싶지는 않았다. 은밀한 분위기를 풍기고 싶어서 그리고 이제는 습관적으로 젊은이들은 이번에도 군복을 베쉭타시에 있는 사진관에 맡기고 왔던 것이다.

"아무 말 안 할 거니? 넌 뭐든 다 감추는구나!"

무히틴은 아무 대답도 하지 않고 쟁반을 받아 들고 부엌에서 나왔다. 방에 갑자기 들어가서 책을 보고 있는 그들을 놀래 주고 싶은 생각이 들었다. 어차피 커피가 쏟아지지 않도록 조용히 걷고 있었다. 가만히 문 쪽으로 다가갔을 때 안에서 소리가 흘러나오자 호기심을 느끼며 멈춰 서서 듣기 시작했다.

"이것 봐, 이것 봐, 아폴리네르*도 있어!"

"세상에, 이것 좀 봐! 우린 왜 프랑스어를 못 배웠을까?"

"테브피크 피크레트!"

"어디 봐!"

"아, 밑줄이 쳐져 있어! 형님도 우리처럼 밑줄을 긋는구나……."

"어디다 밑줄을 쳤어? 읽어 봐! 『고대사』구나!"

"한 명의 승리자, 열 명의 패배자/짓밟는 자는 옳고 짓밟힌 자는 그르다……."

"또 어디에 밑줄을 쳤어? 넘겨 봐, 어서 넘겨 봐……."

"가장 빛나는 것은 지혜. 성인이 되지 않는 자는 짓밟힌다. 이 장에도 있어. 영웅적 행동……. 기본은 피, 공포. 피크레트

---

* 1880~1918. 프랑스의 시인, 소설가.

도 평화주의자였나 봐!"

"물론이지! 그런데 여기엔 왜 밑줄을 쳤지?"

"비판하기 위해서지!"

"큰 소리 내지 마, 들리겠어! 무슨 비판? 말도 안 돼, 육 개월 전에 형님이 그런 사람이었어?"

"어땠는데? 봐, 도스토엡스키, 프랑스어……."

"쉿!"

"내가 알바니아인에게 경례를 안 한 얘기는 왜 했어? 화를 내잖아."

"계속 큰 소리로 말하면 또 화를 낼 거야!"

"질렸어! 다들 우리한테 화를 내……. 아, 보들레르! 난 용기나 이상에 대한 시가 아니라 이런 시를 쓰고 싶어!"

"조용히 못해, 바보!"

무히틴은 자신이 끼어들 시점이라고 생각하고, 커피가 쏟아지든 말든 급히 방으로 들어갔다.

"무슨 얘기 하고 있었어?"

그는 보들레르의 책이 꽂혀 있는 선반 앞에서 상기된 얼굴로 책을 들고 서 있는 투르가이를 노려봤다.

"뭘 보고 있었어, 보들레르? 그를 좋아해?"

투르가이는 얼굴을 붉혔다. 들고 있는 책을 감추고 싶어 하는 것 같았다.

"이 사람을 좋아하게 만든 건 형님이잖아요."

마치 책에 독이라도 묻은 듯 급하게 제자리에 내려놓았다.

"만약 그랬다면 그건 내 잘못이야! 하지만 네 프랑스어 실

력으로 보들레르를 얼마나 좋아할 수 있을까?"

불이 꺼진 담배를 재떨이에서 집어 들고 다시 불을 붙였다.

"자, 커피 마셔……. 책에 지나치게 중독되지 않은 걸 감사하게 생각해. 내가 제때 상황을 수습하지 않았으면 너흰 사라져 버렸을 거야……. 무슨 말인지 않아? 유럽인이 되어 사라져 버린 가련한 군인이 되었을 거란 말이야. 진정한 군인도 못 되었을 거고……. 읽고 또 읽어 중독되어 사라져 버리는 게 어떤 건지 난 알지……."

하지만 그들이 오해하지 않도록 서둘러 덧붙였다.

"레피크를 보고 알았어. 그와 만난 적 있지, 그렇지? 아마 재작년 가을이었을 거야. 그는 케마흐에 갔다 왔어. 책을 읽고 뭔가를 썼대. 지난주에 만났거든. 아직도 혼란에 빠져서 현실을 제대로 보지 못하고, 목적도 이념도 의지도 그리고 결정적으로 목표도 없는 지식인이 되어 있더군……. 터키에 사는 유럽 지식인이거나……. 무슨 말인지 알겠어?"

무히틴은 다시 한 번 투르가이를 험악한 시선으로 쳐다봤다. 그가 얼굴을 붉히자 약간은 마음이 놓였지만, 내친김에 덧붙였다.

"나한테 숨기지 마! 너희가 무슨 생각을 하는지 다 아니까! 문화라는 악마가 우리 안에 들어오고 싶어서 유혹할 거야. 문화라는 악마가 아니라, 열정과 감정 그리고 신념의 지혜에 이성을 집중해야 돼……. 내가 늘 하는 말이잖아……."

"맞아요, 형님!"

바르바로스가 대꾸했다. 그는 책장에 놓아둔 사격수 하이다르 씨의 사진을 보고 있었다.

"내 아버지야! 너희는 그분처럼 돼야 해……. 진정한 군인이셨지. 전쟁을 치렀고, 살아남았지만, 결국 돌아가셨어! 하지만 목표가 없었던 건 사실이지. 독립 전쟁에는 참전하지 않으셨거든. 하지만 너희에겐 목표가 있으니 시간을 낭비해선 안 돼! 이게 지금 상황이야. 새로운 잡지가 나올 때까지 시간을 잘 활용해야 해. 공부를 해야 하고. 새로운 잡지에서도 마히르 알타일르가 계속 엄한 태도를 취한다면 다른 해결책을 찾아낼 거야……. 해결책 중 하나는 내가 칭송의 글을 썼던, 가장 고귀한 사람인 그야세틴 카안이야……. 그러면 마히르를 배제시킬 수 있을 테니……. 그리고 참, 그렇게 불량배처럼 인사하는 것 좀 그만둬! 내가 권한을 얻으면 잡지는 우리 것이 될 테고, 그러면 너희들에게……."

"형님, 죄송합니다만 잡지 이름은 뭐죠?"

"《황금빛》! 하지만 그게 왜 중요하지?"

"아니요, 그냥 알고나 있으려고 물어봤습니다!"

투르가이가 대답했다.

54
시간 그리고 진짜 인간

외메르는 잠에서 깨자마자 오랜 습관대로 손목을 바라봤다. 하지만 그의 손목에는 이제 시계가 없었다. 밤이 되면 오래된 저택은 추웠기 때문에 스웨터를 입고 잤다. "몇 시지?" 그는 이렇게 중얼거리며 침대 속에서 몸을 돌렸다. 그리고 다시 중얼거렸다. "내가 지금 어느 시대에 와 있는 거야? 20세기? 중세 끄트머리……? 에르진잔 근처의 오래된 저택." 그는 고개를 돌려 위를 쳐다봤다. 천장 가장자리 나무 세공에 벌레가 파먹은 흔적이 있었다. 한쪽 벽은 옷장이었다. 옷장 문 위의 나무 장식에도 코란 구절이 쓰여 있었다. 외메르는 벌레가 파먹어 읽을 수 없는 아랍 철자를 바라보면서 '코란 구절이 아니라 나무 케말의 글일지도 몰라.' 하고 생각했다. 압뒬하미트가 군수직을 주며 케마흐로 유배시킨 이 사람이 어떤 사람일까 다시 궁금해졌다. '그는 이곳에 유배되어 왔을 때 토지를 사서 이 저택을 지었고, 그러다 사면되거나 입헌 정부가 수립되어 돌아갔을지도 몰라. 난 언제 돌아가지?' 결혼 날짜로 결정했던 4월 26일은 이미 이틀 전이고, 앙카라를 떠나온 지도 칠 주가 지났다. 하지만 그는 여전히 이곳에, 하즈가 집사 일을 했던 농장의 낡은 저택에 머물고 있었다. 기차역에 도착했을 때 하즈는 밤을 보낼 만한 곳을 달리 찾지 못했다면서, 그를 이곳으로, 저택 2층으로 데리고 왔다.

'그래, 난 여전히 이곳에 있어……. 하지만 이젠 돌아갈 거야!' 외메르는 이렇게 생각하며 침대에서 한 번 더 몸을 뒤척였다. '이스탄불이 그리워. 돌아갈 거야. 언제? 곧! 지금 이스탄불은 몇 시지?' 그는 몇 시인지 가늠해 보려고 창문 사이로 들어와 마룻바닥을 비추는 햇빛을 바라봤다. "봄이야!" 다시 한 번 이렇게 중얼거렸지만 침대에서 일어나지는 않았다. '일을 시작하기 전에 좀 더 잘까? 그래, 자야겠어. 안 그러면 팔을 걷어붙이고 일을 할 수 없어!' 그는 서서히 몰려오는 고요한 잠에 자신을 내맡겼다.

자동차 경적 소리가 들리는 것 같았다. 하지만 소가 우는 소리였다. '내가 얼마나 잤지? 십 분, 한 시간?' 그는 시간을 가늠해 보다가 '그게 뭐가 중요해? 난 잠을 잤고 기분이 좋아. 일을 시작할 수 있을 만큼 힘도 비축했어!' 하고 생각하며 기지개를 켰다. '그래, 일……. 어떤 일? 발전기를 작동시키고……. 발전기를 돌릴 연료를 사고……. 밀린 편지도 써야 하지……. 쓰기로 했던 편지……. 에르진잔에도 가야 돼…….' 소가 한 번 더 울었다. 곧 노파가 투덜거리는 소리가 들렸다. 그녀가 하즈의 아내이고, 이 소리가 저택에 붙여 지은 외양간에서 나온다는 것을, 우유를 짤 때 움직이는 소에게 화가 나서 그런다는 것을 알고 있었다. '정말 멋지군! 저기서 우유를 짜고 있어!' 그는 젖 짜는 일을 재미로 한 번 해 본 적이 있었다. 하즈와 그의 아내는 반대했지만 외메르가 고집을 부리자 옆으로 비켜서서 그가 어떻게 하는지 호기심 가득한 눈으로 지켜보았다. 하지만 외메르가 곧 화를 내자 도와주었다. 한 명은 소를, 다른 한 명은 소젖 아래서 밀려 나가는 양동이를 붙잡았다. 외메르는 그 불쾌했던 시도를 떠올리고 '그들은 날 좋아하고 존경해!' 하고 생각했다. 하지만 진심으로 믿지는 않았다. 하즈는 그에게서 꽤 많은 돈을 받고 여기 머물게 해 주었고, 매일 세끼 식사를 차려 주었다. 그는 그걸 따지는 게 마뜩지 않아 "하지만 돈을 받으니 해 준다는 티는 안 내니까!" 하고 투덜거렸다. '괜한 생각을 하고 있어! 그래, 많은 사건을 겪었으니 여기 자연 속에서 몇 주 동안 머무는 거야. 괜찮아……. 난 살아 있고 눈으로 보고 있어!' 그는 갑자기 흥분하면서 "난 살아 있고 눈으로 보고 있어!" 하고 중얼거렸다. 그리고 따스한 침대에서 일어나 맨발로 창 쪽으로 갔다. 미닫이창을 조심조심 열고 심호흡을 했다.

해가 뜬 지 꽤 시간이 지났다. 태양은 얼마 안 가 나무 사이로 숨을 기세였다. "모든 게 정말 아름다워, 전부 다 옳아! 여기선 아무것도 숨길 수 없어! 여기선 모든 게 자연 상태 그대로야!" 외메르는 중얼거렸다. 뭔가 하고 싶었다. 전에 스스로 다짐한 것처럼 뭔가 깨부수고 싶었다. '매일 아침 여기서 깨어나 이 창문으로 깨끗한 공기를 들이마셔야 해. 그런 후에 도시로 돌아가야 해……. 파티흐가 되기 위해선…….' 짜증나는 고민과 싸울 힘을 이제는 찾을 수 있을 것 같았다. '도시, 도시! 난 왜 거기가 아니라 여기에 있는 거지?' 그는 다시 한 번 자기가 모든 권리를 가지고 있다고 생각했다. '여기가 좋기 때문이야. 그래, 여기가 좋아! 당연히 돌아가긴 할 거야. 이스탄불이 그리워……. 하지만 이 아침은! 이 아침은 팔을 걷어붙이고 일을 시작하라고 날 부르고 있어! 할 일이 그렇게 많진 않지만 그래도 팔을 걷어붙이고 일을 해야겠어. 우선 발전기부터!' 발전기를 어떻게 할까 생각하자 기분이 좋아졌다. 여섯 달 동안 창고에 방치되어 녹이 슨 발전기를 닦고 기름 치고 고장 난 데를 찾을 것이며, 그다음엔 저택 전체에 전기를 공급하도록 작동시킬 것이다. 이 생각을 하다가, 이게 자신이 아니라 하즈의 아이디어였다는 걸 떠올렸다. 하즈에겐 다른 계획도 있었다. 외메르에게 이 저택을 구입하라고 했던 것이다. 그러면 철도 저편에서 저 멀리 강가까지 펼쳐지는 비옥한 땅을 일굴 수 있다면서. 하즈는 전 주인의 상속자들이 싸우고 있기 때문에 땅을 못 일군다고, 전에 일 년 정도 하다가 누군가 상속자들에게 알리는 바람에 그만뒀다고 했다. 그가 외메르를 몰래 재워 주면서 돈을 번다고 누가 또 상속자들에게 알릴까 봐 걱정하고 있었다. 하지만 그는 매일 곧 이스탄불로 돌아갈 생각을 했기 때문에 그의 말을 귀담아듣지 않았다. '그래, 난 곧 돌아갈 거야!' 이 생각을 하자 가슴이 뛰었다. '그들에게 농장을 살 생각이 있다고 해야지……. 그런데 그들이 누구지?' 그는 한참 생각했다. 놀랍게도 '그들'이라고 하면 먼저 레피크, 그다음에 나즐르, 무흐타르 씨, 그리고 케림 씨가 떠오른다는 걸 깨달았다. 한기가 느껴지자 돌아가 옷을 입었다.

스웨터를 벗으며 '왜 케림 씨가 떠올랐을까? 그를 좋아하지도 않는데! 내가 터키에서 싫어하는 일은 전부 그가 하고 있는 것 같아. 그와, 그의 거만한 시선이 역겨워…….' 하고 생각했다. 그는 스웨터를 벗었다. 파자마 단추를 풀기 시작했다. '그들에게 뭐라고 하지? 그들은 여기서 뭘 했는지 묻겠지……. 이모도 물을 거야! 편지를 보내 둔 건 정말 잘한 일이야……. 편지에서 썼던 걸 다시 말해 줘야지. 여기 있는 기계를 파는데 시간이 많이 걸렸어요……. 나즐르에게도 써야지……. 그녀는 어떻게 생각할까? 그들은 언제나 나를 믿기 때문에, 내가 똑똑하고 분별력이 있다고 생각하기 때문에, 내가 뭐든 잘 알아서 한다고 생각할 거야. 내가 뭘 알지?' 하즈의 부인이 빨아 놓은 깨끗한 셔츠를 입으니 더 생기가 도는 것 같았다. '물론 알지. 훼손되지 않은 이곳의 가치를 알지……. 그들은 이해 못할 거야. 게다가 나 역시 믿지 않아……. 그렇다면 왜 여기 있는 거지? 나의 야망이 닳아 해지는 게 두렵기 때문이야!' 그는 문득 손을 멈췄다. '그런가? 아냐, 아냐, 내 야망은 그리 쉽게 닳아 해지지 않을 정도로 강해……. 그렇다면 왜?' 그는 침대에 앉아 파자마 바지를 벗었다. 다리가 서늘해 급히 바지를 입었다. 바지를 입을 때마다 마음속에서는 달리고 싶고 펄쩍 펄쩍 뛰고 싶고 살고 싶은 흥분이 일었다. '별 볼일 없고 평범한 그곳의 삶이 살 만하다고 생각하지 않기 때문이야……. 이곳 자연 속에선 모든 게 순수하고 진짜야……. 허위가 없어, 바로 그 때문이야!' 그는 흥분하면서 방 저쪽으로 달려가, 냄새를 맡지 않으려고 자기 전에 거기 놓아둔 부츠를 집어 들고 신기 시작했다. '여기서는 내가 중세 기사나 영지가 있는 기병이나 거대한 토지의 주인처럼, 진짜 사람처럼 느껴져! 이 부츠는 정말 멋져……. 하지만 이젠 아무도 신지 않지!' 그는 에르진잔에서 샀던 부츠에 발을 집어넣고 일어섰다.

"바로 이거야! 이게 진짜 인간이야!"

그는 부츠로 마룻바닥을 탁탁 쳤다. '아래층에서 듣고 아침을 준비하겠지! 그래!' 그는 방 한가운데에 멈춰 섰다. '어쩌면 내 정신이 좀 이상한지도 몰라. 하지만 이게 옳아. 난 명령을 하기 위해 태어난 사람이야! 항상 그렇게 느껴 왔어.' 문득 무히틴이 떠올랐다. '뭘 하고 있을까? 불쌍한 난쟁이! 친구로 지내는 내내 나와 두뇌를 겨뤘지. 나보다 영리하지도 않으면서! 게다가 두뇌가 전부는 아냐! 의지라는 것도 있고, 더 중요한 건 운이지! 나는 행운아야, 잘생긴 데다 부자야…….' 그는 갑자기 부끄러워져서 '제정신이 아니군…….' 하고 생각하면서 벗었던 스웨터를 다시 입었다. '내가 뭘 하고 있지? 나는 뭐가 되고 싶어 했지? 어렸을 때도 스웨터를 입고 벗으면서, 지금처럼 머리를 스웨터 안에 넣은 채 생각에 잠기곤 했어. 내가 뭘 했지? 난 여기로 왔어! 기계를 팔기 위해 돌아다녔어. 트럭에 기계를 싣고……. 에르주룸까지 갔지. 구입자가 나타나지 않았어. 돌아와서 시간을 보냈지. 그렇게 결혼식 날짜도 지나가고. 어떻게 했어야 하지?' 약혼식을 떠올렸다. 약혼식 때의 흥겨움, 자신을 선망하며 애정 어린 시선으로 바라보던 모든 사람들을 떠올렸다. '지금 그걸 또 하라고? 우린 청혼을 하러 갔어! 얘기를 했지. 구태의연한 과정……. 그런 건 내게 어울리지 않아! 내게 어울리는 건 충만한 삶이야!' 전에 한번은 레피크와 무히틴에게 "충만하게 살아야 한다는 말이야, 친구들!"이라고 했던 게 기억났다. '다 잊고 싶어, 정말 싫어, 정말 싫어. 도시에서의 그 광대 같은 모습, 가식적인 모습은 다 잊고 나 자신이 되고 싶어!' 그는 스웨터를 입고 나서 외투를 걸치려다가, 날씨가 화창하고 몸에 생기가 도는 것 같아 그만두었다. '이런 흥겨움, 화창한 날씨, 무언가를 하는 흥분만이 내 영혼을 채울 수 있어!' 그는 문득 멈춰 섰다. '하지만 이스탄불에도 가고 싶어, 갈 거야. 그들은 뭘 하고 있을까? 이스탄불이 어떤지 궁금하긴 해.' 그는 방에서 나가려다 다시 생각했다. '이스탄불에 가 보고, 결정을 내리고 와야지!' 문을 열고, 부츠가 내는 탁탁거리는 소리를 들으며 계단을 내려갔다. '이미 결정을 내린 것 같아! 내렸나? 파티흐! 아하! 당신은 어디를 정복하려 합니까, 헤르 루돌프? 난 계단을 내려가고 있어. 생각하고 싶지 않아, 헤르 폰 루돌프! 난 이제 아침을 먹고, 살아갈 거야!'

그는 아래층으로 내려갔다. 아무도 없었다. 밖으로 나갔다. 햇빛 때문에 눈이 부셨다. 하즈의 털복숭이 개가 보였다. 곧 하즈도 보였다. 그는 발전기와 아침 식사 얘기를 하기 시작했다.

55
할례

"자, 이제 말해 봐라, 얘야, 이 컵에 뭐가 있지?"

마술사가 물었다.

"물입니다!"

아들이 대답했다. 그의 친아들이었다.

"이 물을 어디서 채워 왔지? 흑해냐, 카스피해냐, 아니면 인도양이냐, 그것도 아니면 저기 있는 우물이냐?"

"마부는 저기 있는 우물에서 물을 채웁니다!"

오스만이 대답했다.

마술사의 농담은 이해하지 못했지만 웃을 준비가 되어 있었던지라, 발코니에 앉아 있는 사람들이 웃기 시작했다. 마부들이 헤이벨리 섬의 집 정원 끝까지 말을 끌고 들어와 우물에서 물을 끼얹곤 하는데도 상대를 할 수가 없었다. 니갼 부인은 짜증스러운 상황이 언급되자 습관적으로 인상을 쓰려다가 곧 쾌활한 분위기에 동참했다. 오늘은 쾌활해야만 했다. 손자 제밀이 아침에 할례를 받았기 때문이다.

"저기 있는 우물에서 채웠어요!"

아들이 이번에는 이렇게 말했다.

사람들이 자신의 익살이 아니라, 자신이 이해하지도 못하고 통제하지도 못한 다른 농담 때문에 웃자, 마술사는 들고 있던 지팡이로 아들의 등을 두 번 내리치면서 "왜 웃어, 웃지 말고 내 말 들어!" 하고 말했다. 발코니에 있던 아이들과 할례를 받고 침대에 누워 있던 아이만 지팡이로 때리는 걸 보고 웃었다. 그는 지팡이로 아들의 등을 한 번 더 내리쳤고, 제밀을 보며 "우릴 도와줄 사람이 필요해! 누가 우릴 도와줄 수 있을까요?" 하고 물었다.

제밀은 테라스처럼 넓은 발코니에 놓인 의자와 선 베드에 앉아 있는 손님과 친척을 쳐다봤다.

"사이트 아저씨요!"

"안 돼!" 마술사가 말했다.

"푸아트 아저씨요……. 그럼, 아, 알았어요……. 레피크 아저씨요……."

"안 돼, 안 돼……. 근데 넌 정말 아저씨도 많구나. 하지만 안 돼. 친구 중에서, 애들 중에서 한 명을 골라 봐!"

제밀은 섬에 사는 친구를 향해 손짓했다. 마술사는 수줍어하는 아이의 팔을 잡고 앞으로 데리고 나왔다. 잠시 정적이 흘렀다. 아무도 이 마술사를 좋아하지 않는 것 같았다. 그는 그들과 달랐고, 사람들 생각과는 다른 데서 웃길 재료를 찾았던 것이다. 레피크는 손님과 불쌍한 마술사 사이에 어떤 공감의 끈을 연결해야 한다고 생각했다. 하지만 어떻게 해야 할지는 알 수 없었다.

마술사는 컵에 있는 물을 한 모금 마셨다. 그리고 사춘기에 들어선 아들에게도 한 모금 마시게 했다. 그런 후 멜빵이 달린 반바지를 깨끗하게 차려입은 아이의 입에 컵을 갖다 대며 "지금 이 꼬마 신사가 물을 벌컥벌컥 마실 텐데, 그 물은 배 아래로 흘러내릴 겁니다!" 하고 말했다. 그러면서 들고 있던 붉은 천으로 이마와 목에 흐르는 땀을 닦았다.

"그 컵으로는 ne bois pas!*"

아이 옆에 앉아 있던 어머니가 이렇게 말하며 나섰다.

네르민도 "물론이지, 절대!"라고 하면서, 구석에 앉아 구경하던 에미네 부인에게 "빨리 깨끗한 컵 가져와요!" 하고 말했다. 아이는 컵을 입에 대다가 놀라서 겁을 먹었다. 아이는 입술을 꼭 다물고, 잘못을 하지 않기 위해 어머니를 바라보고 있었다.

마술사는 화를 내며 "컵은 필요 없어요……. 됐어요, 됐어요, 이미 마셨어요!"라고 했다. 하지만 아이는 마시지 않았다. 마술사는 아들에게서 건네받은 호스를 아이의 배에 대고는 "자, 배에서 물이 흘러내립니다!"라고 했다. 호스 끝에서 발코니로 물이 흘러내렸다. 이번에도 사람들 반응이 시큰둥하자 호스 끝을 막았다. 그런 후 지팡이로 한 번 더 아들의 등을 때리면

* '마시지 마!'(프랑스어)

서, 고깔모자를 떨어뜨리는 시늉을 했다. 쭈그리고 앉아 바닥에 떨어진 고깔모자를 찾기 시작했다. 아들이 그 위를 밟고 있어서 찾지 못했고, 아이들이 웃었다. 네르민이 한마디 했다.

"너무 식상하군요!"

"카라괴즈*를 잘하는 사람이 나왔을 텐데! 하지만 나도 라마단이나 할례 놀이는 별로 좋아하지 않소! 한번은 나쉬트**의 공연을 본 적이 있는데 사람들이 왜 웃는지 모르겠더군. 하지만 아버님은 좋아하셨소!"

사이트 네딤 씨가 대꾸했다. 아티예 부인은 웃고 있는 아이들, 마술사, 침대에 누워 있는 제밀이 다 보이는 각도를 찾아 사진을 찍고 있었다.

네르민은 오스만에게 물었다.

"저 남잘 어디서 구했어?"

"어때서 그래! 투르구트 씨네도 저 사람을 불렀대. 애들도 웃는데, 뭐!"

레피크는 마술사 편을 들어 주고 싶었지만, 역시 머리에 떠오르는 말이 없었다.

"사랑스러운 남자야!"

그는 이 말이 부끄러워서 카라괴즈와 오르타오유누***에 관한 책을 읽어야겠다고 생각했다. 그러다 이 사람이 눈속임으로 마술을 한다는 걸 알고는, 진정한 마술사라면 야바위꾼처

---

* 터키의 전통 그림자 연극.

** 1886~1943. 터키의 전통 연극인.

*** 둘러앉은 관객 앞에서 상연하는 터키 전통극.

럼 돼야 한다고 생각했다. 하지만 남자는 아무도 속아 넘어가지 않는 상자 마술과 터무니없는 물 마술 말고는 아무것도 하지 않았다.

"저 사람은 할례하는 사람과 동업하는 것 같아."

푸아트 씨가 말했다.

"가련한 사람!"

이렇게 말한 사람은 귈레르 부인이었다. 레피크는 그녀를 쳐다봤다. 그러다 페리한이 아기와 함께 방에 있는 걸 떠올리고 안으로 들어갔다. 조금 전 마술사와 그의 아들이 머리에 고깔모자를 쓰고 발코니로 나오자 어린 멜렉은 무서워하며 울기 시작했다. 모두 그걸 보고 웃었지만, 레피크는 마술사가 불쌍했다. 페리한과 멜렉은 뒷방이 아니라 중간 방 창문 앞에 있었다. 페리한이 아기에게 차를 주고 있었다.

"아이셰와 렘지가 멜렉을 바다에 데리고 간대."

"단둘이 다니고 싶을 텐데!"

"아냐, 자기들이 그런댔어……. 왜 그래? 또 지루한 거야? 여기 괜히 왔어?"

레피크는 '제대로 된 삶'을 위해 해야 할 것들을 써 보려 했지만 끝내지 못했고, 이런 생각을 하며 집에서만 보낸 끝에 이번 여름엔 헤이벨리 섬에 가지 않기로 했다. 6월 초에 다들 섬으로 가자 집에 자기들만 남았다며 기뻐했고, 가을에는 집에서 나가기로 했다. 하지만 7월 말에 불볕더위가 시작되면서 어린 딸의 다리와 팔에 이상한 반점이 보이자 제밀이 할례를 하는 주에 맞춰 섬으로 왔던 것이다.

"아니, 괜히 온 거 아냐! 잘 온 거야! 기분 전환도 됐잖아!"

"하지만 당신은 내일 돌아갈 거잖아……."

"지루해서가 아냐. 무히틴과 외메르를 만나러 간다는 거 알면서 그래. 월요일 저녁에 오스만과 함께 다시 올게."

"외메르는 뭐래?"

"말했잖아……. 전화로는 별로 얘기를 못했다고. 나흘 전에 케마흐에서 돌아왔대……. 날 만나고 싶어 해. 그래서 내가 무히틴에게 연락했어. 계산해 보니 우리 셋은 외메르가 약혼한 후로 이 년 반 동안 함께 만난 적이 없더라고."

"외메르는 그 여자를 떠난 거야?"

"모르겠어. 지난봄에 결혼하려고 했잖아. 하지만 그 이후로 진전된 건 아무것도 없고, 그도 몇 달 동안 케마흐에 가서 아무것도 하지 않았어……."

"나도 내일 같이 갈까?"

"당신이 거기서 뭘 하겠어? 집에서 우리끼리 얘기나 할 건데?"

"그럼 위층에서 아기와 함께 당신을 기다리면 되지."

페리한은 이렇게 말한 후 레피크의 얼굴을 보더니 서둘러 덧붙였다.

"알았어, 알았어, 안 갈게. 그냥 한 말이야……. 하지만 당신이 그들과 진지하게 논쟁하면서 깊이 생각하는 게 싫어. 미혼 남자들 특유의 행색도, 술을 마시고 모든 걸 무시하는……."

"당신도 알지만, 일단 무히틴은 이제 술을 안 마셔. 그리고 무히틴이 모든 걸 무시한다고는 생각하지 않아. 터무니없지만 신념이 있고. 외메르도…….”

레피크는 이렇게 설명하기 시작했다. 잠시 후 갑자기 아내 옆에 가서 앉았다.

“그러지 마, 페리한, 제발 그렇게 생각하지 마. 그들은 제일 좋은 친구들이야!”

“그들이 또 당신 마음에 의문을 던지겠지……. 그들을 따로따로 만나는 건 아무 말 하지 않겠어……. 하지만 두 사람과 함께 있으면 당신은…….”

“제발, 이 얘기는 이쯤 하자!”

그는 문을 가리키며 이렇게 말했고, 자리에서 일어났다. 아이셰와 그 뒤로 렘지가 들어왔다. 아이셰는 아이를 안아 올렸다.

“바다에 데려가 줄게!”

페리한은 미소를 지었다. 몸이 뚱뚱하고 거대한 렘지는 아이 옆에 서자 더 육중해 보였다. 레피크는 방에서 나가기 전에 그들을 보며 ‘저 애들도 결혼을 하고 아이를 갖고 가정을 이루겠지.’ 하고 생각했다. 그는 계단을 내려갔다. 물 펌프가 보였고, 빨래를 하는 방에 있는 마술사와 아들이 보였다. 가방을 챙기고 있었다. 레피크는 그들을 달래 줘야겠다고 생각하며 들어갔다.

“아주 멋졌어요, 대단하십니다!”

“고맙소!”

레피크는 자신이 계획한 대로, 서민들과 유대감을 형성하고 새로운 걸 배워야 한다고 생각했다.

“어떻게, 일은 잘되나요?”

"지금은 할례하는 시기라 괜찮아요. 하지만 이때가 지나면 일이 안 들어와요. 라마단 때 일이 좀 있고요!"

"그렇죠, 라마단, 라마단 때나 일이 좀 있겠군요! 그럼 다른 때는 뭘 하십니까?"

레피크는 이미 다 아는 얘기이고 남자의 고민도 완전히 이해한다는 듯 보이고 싶었다.

"원래는 이불 만드는 일을 합니다. 겨울에 시골로 돌아가도 이 애는 사람들이 놀린다면서 그 일을 하기 싫어해요. 그래서 아들에게 이불 만드는 일을 못 가르쳤죠. 사람들은 아들이 재능이 뛰어나다며 예술 학교로 보내라고 하더군요. 학교로 데려갔죠. 그런데 졸업장이 없으면 입학이 안 된다는 거예요. 이젠 어떻게 해야 할지 모르겠어요. 겨울이 오는데 시골로 보내야 할지! 나도 별로 일이 없거든요……. 게다가 얘가 천식이 있어요. 그러니 막노동도 할 수 없고!"

"이 아이에게 일자리를 찾아 줘야 한다는 거죠, 그렇죠?"

레피크는 당장 해결책을 찾아야겠다고 생각했다.

"일이 있으면 얼마나 좋겠습니까요? 그런데 어디 있답니까? 당신은 부자이니 일자리를 줄 수 있겠죠!"

그러고는 아이를 쳐다봤다.

"가방을 들어라!"

레피크는 아이에게 창고 일을 찾아 줄 수 있을 것 같다고 생각하다가, 문득 오스만을 떠올렸다.

"그게 말입니다……."

"예, 예, 우린 투르구트 씨 댁으로 갑니다!"

"일자리 문제로 만나고 싶으시면……."

레피크는 이렇게 말을 꺼내다가 사무실과 회사에 관련된 생각을 하며 말을 바꾼 걸 깨닫고 부끄러워졌다.

"제가 한번 알아보겠습니다!"

그는 마술사와 아들을 따라 정원까지 걸어갔다. '물론 그들을 다 구제하는 건 불가능해!' 하지만 위로가 되지 않았다. 그는 밖에 있는 계단을 올라가 팽나무 울타리를 따라 걸었다. '그렇다면, 그들을 다 구제하려면 내가 뭘 해야 하지?' 농림부에서 출간된 책을 떠올렸다. 그 책에 대해서는, 한 교수가 조롱하듯이, 그리고 자신의 백과사전적 지식을 자랑하듯이 쓴 「유토피아와 우리의 현실」이라는 글 한 편이 나왔을 뿐, 아무런 반향을 일으키지 못했다. '어차피 그 책에 쓴 생각은 잘못된 거였어……. 우리에게 진정으로 필요한 건 문화와 관련된 조치야. 난 그게 정확히 뭔지 조사하고 있어. 더 중요한 건 우리를 문화로 향하게 하는 삶의 방식을 찾는 거야!' 하지만 이것도 위로가 되지 않았다. 그는 자신을 진정시키기 위해 '내일 무히틴과 외메르를 만나 얘기를 나누며 즐거운 시간을 보내야지!' 하고 생각했다. 한편으로는 자신이 우습게 여겨지고 싶지 않아서, 다른 한편으로는 이제 각자 중요하게 여기는 게 달라졌다는 걸 알았기 때문에, 그들과 원하는 얘기를 나눌 수 없을 거라고 예감하고 있었다. 하지만 그래도 이렇게 생각하자 마음이 편안해졌다. 그는 발코니로 가서 사이트 네딤 씨와 네르민 사이에 앉아 있는 오스만 옆의 빈 의자에 앉았다.

"마술사는 갔어. 아들이 재능은 많은데 일자리를 못 찾는

대! 우리가 좀 찾아 줄 수 있지 않을까 생각했어!"

"너한테 일자리를 달라고 해? 난 그에게 비용을 치렀어. 그런데 일자리를 원한다 이거지……. 하지만 우리 회사엔 짐꾼 아니면 사무직밖에 없다는 걸 알잖아!"

"일자리를 원하오? 아들은 모르겠지만, 아버지는 그다지 좋은 마술사 같지 않더군. 얼굴 생김새는 특이해도. 우리 아버지의 마부처럼 생겼소. 우린 그를 '바이람 바바'라고 불렀지……. 자상한 남자였소. 마차에 앉아 있는 모습도 아주 특별했고……."

사이트 네딤 씨가 거들었다. 오스만은 레피크를 걱정스러운 표정으로 바라보았다.

"약속한 거 아니지, 그렇지?"

"그 비슷할걸! 어떤 파디샤 시절이었나? 그러니까 할례식이 있은 다음에 파디샤가 '나한테 뭘 원하느냐?'라고 물었는데 '예니체리*요!'라고 대답했다지, 아마. 그래서 예니체리가 격이 떨어졌다는 거요, 하하하!"

푸아트 씨가 끼어들어 몸을 뒤로 젖히며 말했다.

이때 침대에 누워 있던 제밀이 중얼거리며 불평했다. 레일라 부인과 얘기하던 네르민은 선물이 잔뜩 놓인 아들의 침대 맡으로 옮겨 앉으며 말을 건넸다. 푸아트 씨와 얘기하던 오스만도 그들을 보고는 앉은 자리에서 물었다.

"아프대?"

---

* 오스만제국 술탄의 상비군. 1826년까지 정예부대로 활약했다.

잠시 침묵이 흘렀다. 레피크는 구석에 앉은 랄레와 여자애들이 뭘 생각할지 궁금했다. 그러다 '할례라는 건 정말 바보 같고 야만적이고 원시적인 의식이야!'라고 생각하며 자리에서 일어났다.

"아니, 또 어디 가니, 좀 앉아 있어. 안 그래도 통 얼굴 보기가 힘든데!"

니갼 부인이 말했다. 그러나 레피크는 안으로 들어갔다.

'그래, 야만적이고 원시적이야. 우리에게 딱 어울리는 아주 끔찍한 의식이지! 불필요하다고 생각하는 살덩어리는 잘라 버려……. 굳이 그래야 할까? 청결이나 건강을 들먹이던 글을 읽거나 얘기를 들었던 게 생각났다. '좋아, 필요하다 치자……. 하지만 의식까지 할 필요는 없잖아? 모두에게 알리고, 그렇게 알게 된 사람들이 선물을 가지고 찾아오지……. 끔찍하고 부끄러운 일을 겪어야 하는 아이도 선물 때문에 기뻐하고.' 그는 자신의 할례식을 떠올렸다. 사람들에게 숨기고 싶고 부끄러운 이 사건을 다들 즐겁고 기쁘게 받아들이자, 그리고 무슨 장기라도 보여 준 듯 사람들이 애정을 담은 선물을 듬뿍 안겨 주자, 결국 자신도 부끄러움을 잊어버렸고, 다른 사람들 말대로 이 일을 자랑스럽게 여겨야 한다고 생각하며 자부심을 가졌던 기억이 났다. 그는 방으로 걸어가면서 '난 그때부터 개성이 없었던 게 확실하군! 페리한도 은근히 그렇게 말하고 있어. 그들 옆에, 그 둘과 함께 있으면 난……. 난 아마도 그들의 영향을 받는 것 같아! 집에 있을걸! 선물은 다른 때 줄 수도 있었는데!' 하고 생각했다. 자신도 다른 사람들처럼 선물을 사 주면서, 자신의 할례식 때 자랑스러워하던 편협하고 끔찍한 사람들처럼 행동했다는 생각이 들었다. '그럼, 어떻게 했어야 하지? 선물을 사 오지 않았으면 화를 냈을 거고, 내가 저 애를 사랑하지 않는다고 했을 거야. 제밀도 그렇게 생각할 거라는 사실이 최악인 거지! 그래도 난 책을 사다 줬어. 루소나 로빈슨은 아이들에게 제일 좋은 책이라고 하잖아! 하지만 물론 책은 싼 선물이니까, 그 애를 얼마나 사랑하는지 보여 주려고 손목시계도 샀지!' 오늘 아침, 사람들이 사 온 손목시계를 전부 손목에 차고 즐거워하던 아이의 모습이 떠올랐다. 이런 의식을 치러 보지 못한 랄레는 구석에 서 있었는데, 사람들은 그 애에게도 동생을 축하해 주라고 했다. '혐오스러워, 모두 혐오스러워! 할례를 금지해야 돼! 어떤 국가가 그렇게 할 수 있을까? 혁명주의 국가가 필요해. 하지만 혁명도 끝이 났지. 그렇다면 어떻게 해야 하지? 그래, 그들과의 관계를 최대한 줄여야 해……. 페리한과 함께 결정한 대로 니샨타쉬의 집에서 나와야 해……. 다니엘 디포와 루소의 책을 읽게 해야 해.'

그는 제밀에게 프랑스어로 된 『로빈슨 크루소』를 선물했다. 아이가 프랑스어 읽는 걸 귀찮아할까 봐 걱정이 되긴 했다. 터키어로 된 『무인도에서의 28년』이라는 형편없는 축약본이 있었지만 마음에 들지 않았다. '그렇다면 터키 사람들은 『로빈슨 크루소』를 어떻게 읽지?' 그는 머릿속에 또 다른 생각이 떠오르자 흥분하며 침대에서 일어나 페리한을 찾기 시작했다. 그녀는 아래층 냉장고 앞에 있었다.

페리한이 '무슨 일이야?' 하는 시선으로 그를 바라보았다.

그녀는 물을 마시고 있었다.

"이리 와 봐, 당신에게 할 얘기가 있어!"

"잠깐 좀 걸을까?"

그는 컵을 내려놓는 페리한의 팔을 잡았다. 그녀는 눈짓으로 위를, 발코니를 가리켰다.

"좋아, 그럼 저기서 얘기하자!"

그는 호기심 가득한 시선으로 자신을 바라보는 요리사 일마즈에게 미소를 지어 보였다. 페리한과 함께 언덕과 연결된 뒤뜰로 나가서, 마른 소나무 잎이 깔린 길을 미끄러지지 않으려고 애를 쓰면서 잠시 걸었다.

"무슨 말인지 모르겠지만 어서 해 봐! 우리 모습이 우습잖아!"

"화내는 거야? 제발 화내지 말고, 날 사랑해 줘!"

레피크는 급하게 말을 이었다.

"가을부터 사무실에 나가지 않을 거야……."

"뭘 할 건데?"

"『로빈슨 크루소』처럼 모든 사람이 읽어야 할 책을 내는 출판사를 차릴 거야! 또 이런 생각도 했어. 할례를 금지해야 된다고! 아니, 이건 중요하지 않아. 출판사를 차리는 게 중요해, 꼭 만들 거야."

"깊이 생각해 본 거야? 꼭 해야 하는 일이 그거야? 그렇게 해서 우리에게 필요한 돈을 벌 수 있어?"

"돈과 가족은 그다음이야!"

그는 페리한의 얼굴을 보고 싶지 않아서 저 앞에 있는 벌통을 바라보았다. 근처에서 귀뚜라미가 울고 있었다.

"난 울고 싶어……. 여기 있다간 정말 울 것 같아……. 집에 가자!"

"집에 뭐가 있는데? 저속하고 별 볼일 없는 유희. 할례식. 그게 얼마나 추악하고 혐오스러운지 모르겠어? 게다가 어린 여자애들도 있는데 아무것도 숨기지 않고 그 애한테 할례복을 입히고, 머리에는 우스운 납작 모자를 씌우지. 주위에선 수준 낮은 잡담을 하고……. 마술사를 조롱하거나……. 잠깐, 넘어지겠어……. 우리 방으로 가자……. 그 마술사는 저들보다 수천 배는 더 존경받을 만한 사람이야……. 귈레르라는 그 여자……. 내가 그 여자 옆에 앉을 거라고 생각해?"

"난 아무 생각도 안 해……."

"좋아, 그럼 그렇게 하지. 하지만 언제까지 계속될 거라고 생각해? 삐친 거 아니지?"

"화나지 않았어!"

페리한은 돌아서서 웃었다. 레피크가 쾌활하게 말을 이었다.

"또 똑같은 언쟁을 하게 될 거라고 생각하진 않지? 아, 맞아, 아무 생각도 안 한다고 했지……. 외메르도 그 여자를 보면 짜증이 난대……. 얼굴 좀 이쪽으로 돌려 봐, 웃고 있어?"

페리한이 인상을 쓰고 있어서 오히려 마음이 놓였다.

"외메르나 무히틴이 그 여자와 그 집안에 대해 뭐라고 했는지 알아?"

"내일 갈 거지, 그렇지?"

"응, 근데 지금 우리 어디 가는 거야?"

그는 발코니로 걸어가는 페리한의 뒤를 따라갔다.

"알았어, 알았어, 그들과 함께 있자. 안 그러면 실례니까, 그래, 하지만 내가 진지하다는 것도 알아줬으면 해……."

발코니로 들어가다가 변호사 제납 씨가 니갼 부인의 손에 입을 맞추는 걸 보자 화가 났다.

"이런, 광대가 하나 더 있군!"

"최소한 저 사람은 남에게 피해를 주지 않을 만큼은 침착하잖아!"

페리한이 웃으며 말했다.

56
심문

"니샨타쉬!"

외메르는 중얼거렸다. 그는 택시에서 내렸다.

'이 돌이 바로 니샨이군……. 뭐라고 쓰여 있는지 한 번도 생각해 본 적이 없어…….' 그는 레피크의 집을 바라보며 맞은편으로 건너갔다. '창문이며 커튼이며 블라인드도 닫혀 있군! 레피크가 없나? 아냐, 있겠지……. 그런데 이 집을 볼 때마다 마음속에서 이는 이 감정은 뭘까? 무슨 생각을 했지? 맞은편으로 건너가자고 생각했어. 아름다운 일요일 오전이라고 생각했어. 몇 시지? 11시 5분이 지나고 있군…….' 그는 벽을 따라 걸었다. 대문 앞에 섰다. '이제 종을 울리면, 우정과 대화를 좋아하는 레피크가 귀를 쫑긋 세우고 있다가 뛰어나오겠지.' 그는 문을 열었고 방울이 딸랑거렸다. 하지만 레피크는 보이지 않았다. '그래, 뭘 생각하고 있었더라? 그는 내게 묻겠지.

그에게 뭐라고 할까? 유감스럽다는 듯 '나즐르와는 잘되지 않았어!'라고 해야지. 그는 놀라면서 이유를 묻겠지.' 대문 앞 계단을 오르다가 한 번도 이 시간에, 이렇게 햇빛이 비칠 때 온 적이 없다는 걸 깨달았다. '늘 오후나 밤에 왔어, 와서는 포커와…….'

문이 열렸다. 레피크가 나와서 외메르를 껴안았다.

"아, 잘 지냈어, 잘 지냈어?"

"잘 지냈지, 아무도 없어?"

"없어! 무히틴한테도 연락했는데 아직 안 왔어!"

외메르는 안으로 들어가다가 두꺼운 테두리 속 전신거울에 비친 자신을 보았다. 이 집에 들어올 때마다 실제보다 잘생겨 보인다고 생각했다. 하지만 지금은 그런 생각이 들지 않았다.

'집이 비어 있기 때문일 거야. 나를 선망의 눈길로 쳐다봐 줄 사람이 없으니…….'

"이리 와……. 아, 거울 보고 있는 거야?"

"농장의 주인이자 지주인 내가 어떻게 보이는지 궁금해서……."

"하하! 이제 널 지주에 비유하는 거야? 마지막이 그거인 거야, 응? 그런데 정복하는 건 어떡하고?"

"비유가 아냐. 이미 지주가 됐는걸……. 사흘 전에 농장의 상속자들이 전부 참석한 자리에서 공증인과 일을 마무리했어……."

"정말! 축하해! 왜 여기 이렇게 서 있는 거야? 들어가자! 하지만 넌 지주가 될 수 없어……. 그건 재산에 관한 문제일 뿐만 아니라 문화와도 관련 있는 개념이기 때문이야……. 그래……. 문화적 정의가 무엇보다 중요하다고 생각해! 이게 내가 최근에 생각하고 있는 거야. 우습고 불필요하다고 느끼지 않는다면 한번 들어 볼래?"

"그게 무슨 말이야, 당연히 듣지……."

외메르는 이렇게 중얼거리며 레피크를 따라 거실로 들어갔다. 안락의자가 하얀 천으로 덮여 있고 바닥 카펫도 치워져 있었다.

"여름에 페리한과 여기서 지내는 거 아니야?"

"응, 맞아. 참, 그래, 어머니가 물건에 먼지가 쌓일 거라고 해서. 앉지그래……. 차를 끓여 놨어."

"술은 없어?"

"이 시간에? 넌 거기에서 술을 마셨던 거야? 자, 말해 봐, 지난 몇 달 동안 거기서 뭘 했어?"

"별로 한 거 없어. 다 말해 줄게. 아, 아버지 사진을 걸어 놨구나……."

"그래, 넌 그때 이후로 안 왔지, 그렇지? 아버지 사진은 사방에 걸려 있어……. 다른 방에도 있지. 좀 어둡나? 블라인드를 열까?"

"아냐, 아냐, 이게 더 좋아……. 하루의 끝 같은 느낌이 드는걸……. 더 편히 얘기할 수 있을 거야……."

"그래, 얘기하자!"

레피크는 흥분을 감추지 않고 같은 말을 반복하더니 차를 가져온다며 나갔다.

외메르는 자리에서 일어나 방 안을 서성거리기 시작했다. '그래, 우린 얘길 나누겠지! 그는 내가 뭘 했는지, 뭘 생각하는지 알게 되겠지. 그리고 그걸 자기와 비교해 보고 멋진 걸 발견하면 좋아하겠지……. 여느 때처럼……. 나도 늘 그런 것처럼 무시하는 태도를 취할 테고……. 술이라도 마시면 좋을 텐데!' 레피크가 쟁반과 세마외르를 들고 오자 "먹을 건 없어?" 하고 물었다. 레피크는 여느 때처럼 즐겁게 다시 아래로 내려갔다. '난 뭔가 연기를 하려는 것 같아! 고등학교 때도 그랬지. 나한테 질문하는 게 싫어……. 아냐, 그러면 안 돼!' 그는 갑자기 멈춰 섰다. '내 머릿속에서 그치지 않는 잡담을 멈출 수 있다면 얼마나 좋을까? 그렇다면 난 지금 뭐지? 오, 아직 술도 마시지 않았는데 이렇게 됐어!' 그는 전에 제브데트 씨가 앉던 안락의자에 앉아 긴장한 채 기다렸다.

레피크는 차와 함께 비스킷과 치즈를 가져왔다. 외메르는 뭔가 하고 있는 모습을 보이기 위해서 비스킷을 먹는다는 걸 그도 아는 것 같았다.

"무히틴도 곧 올 거야!"

"걔는 지금 뭐 해?"

"너도 알잖아, 잡지를 내고 있어. 발행인 권한도 가졌다지 아마……."

"알아, 알아. 투란주의 어쩌고 하는 터무니없는 잡지……. 최신호를 사 봤어. 정말 끔찍하더군! 그것 말고 다른 일은 안 하는 거야?"

"다른 건 모르겠어!"

레피크는 이렇게 말했다. 외메르를 기분 좋게 해 주고 싶은 것 같았다.

"그럼 내 얘길 할게……. 난 사무실에 나가. 그리고 이번엔 정말로 쓸모 있는 계획을 짜고 있어……. 페리한과는 사이가 좋아……. 내가 이런 말을 해서 놀랐어? 나쁠 수도 있다고 생각하니까. 알잖아, 난 혼자 살 수 있는 사람이 아냐……. 아기도 잘 크고 있어. 아기가 기쁨을 주기도 하지만 힘든 일이야! 아이가 하나 더 있으면 안 좋을 거야. 책도 읽어. 그리고 또 뭘 하고 있지?"

"숨을 쉬고 밥을 먹잖아……. 편지에 썼던가, 앙카라에서 사밈을 만났다고. 나즐르와 함께 그의 집에 식사하러 가기도 했어. 결혼도 했던데!"

"그래?"

"집이 있더라고. 집을 잘 꾸며 놓고. 새롭고 좋은 물건을 사고 싶어 하고, 새롭고 좋은 사람과 만나고 싶어 하고!"

레피크는 '안타깝게도 난 그런 농담이나 멋진 말은 못해!' 하는 듯한 미소를 지으며 외메르를 바라보고, 비스킷을 차에 적셨다.

"걔도 살아가고 있고 숨을 쉬고 있어. 참, 우리에 대해 뭐라고 했어. 그러니까 우리 셋에 관해서. 우리가 두려웠대……. 방울 소리가 났나?"

"무히틴일 거야……. 그러니까 우릴 두려워했다고? 그게 무슨 뜻이야?"

레피크는 이렇게 말하면서 창 쪽으로 갔다.

"무히틴. 무히틴이야!"

그러고는 문을 열기 위해 방을 나갔다.

외메르는 일어나 창가로 갔다. 블라인드 사이로 무히틴이 보였다. 문득 마음속에서 애정이 솟아나려 했다. 하지만 눈앞에 보이는 것을 파헤치는 듯한 분노 어린 그의 시선이 불편했다. '그래, 그래, 또 우리의 삶을 낱낱이 쏟아 내놓고, 누가 더 잘하는지 보겠지! 다들 자기가 맞는다고 할 거야. 무히틴이 오기 전에 나즐르 얘기를 할걸 그랬어! 술이라도 마시면 좋을 텐데! 물론 이 더운 날에 술을 마신다면 이상하다고 하겠지. 그들은 왜 살고 있을까?'

무히틴의 목소리가 들리자 일어났다. 그의 목소리가 뭔가를 불러일으켰다는 걸 깨닫고는 갑자기 이스탄불에 괜히 왔다는 생각이 들었다.

"그래, 내가 예상했던 대로야……. 흠……. 잘 지냈어? 자, 악수나 하자!"

무히틴은 이렇게 중얼거리면서 외메르에게 다가와 손을 내밀었다. 그러나 외메르의 손을 한 번 잡고는 놓았다.

"내가 어떻게 보여?"

"건강해 보이는걸!"

"그래?"

"물건들이 왜 다 수의를 입고 있어?"

무히틴은 이렇게 말하며 주위를 둘러보다가 갑자기 레피크에게 물었다. 하지만 자신의 농담이 마음에 들지 않는지 얼굴을 찌푸린 채 자리에 앉았다.

"차 마실래?"

"마실게……. 늘 똑같구나……."

"햇빛 때문에 눈부셔?"

"아니, 빛은 악마의 눈을 해치지 못해! 자, 그럼 얘기 좀 해 봐……."

"무슨 얘기 해 줄까? 난 살아가고 있어, 이렇게!"

외메르가 말했다. 자신이 불편해 보이는 게 싫었다.

"알프에서, 아름다운 저택에서 편히 살고 있어."

"그렇다면 계획, 꿈, 야망, 바람은……."

무히틴이 말을 이었다. 외메르는 이해할 수 없는 외국어라도 듣는 양 그를 쳐다봤다. 그러고는 레피크를 보며 미소를 지었다. 자신의 미소가 기대대로 '이 친구는 멋진 걸 언급하는 것 같은데 난 이해 못하겠어!'라는 뜻으로 보이는 것 같아서 마음이 편해졌다.

"계획, 야망은 어떻게 된 거야? 그런 건 어떻게 된 거야?"

"그대로 있어!"

외메르가 대답했다. 더 이상 불편함을 숨길 수 없다는 걸 알았다.

"그대로 있지, 그대로 있어……. 그래, 나도 뭔가를 하고 있어……. 그 산골에다 전기를 연결했고……. 그러니까 그 저택에……."

"정말이야? 그곳에 빛을 가져다줬다 이거지!"

레피크가 나섰다. 외메르는 이런 순진한 말 때문에 무히틴에게 자신이 더 우습게 보일 거라고 생각했다.

"철학적인 빛이 아니라 전기의 빛 말이야!"

"두 가지는 서로를 완성시켜 주지! 난 철학적인 것이 더 중요하다고……."

레피크는 흥분한 게 부끄러운 모양이었다.

"술 없어, 술 없냐고?"

"내가 아마도 잘못 온 모양이군! 너희 둘 다 정말 예의가 없구나!"

무히틴이 말했다.

"술을 사 올까? 차는 어쩌고?"

"사 와, 왜 그러고 있어?"

외메르가 이렇게 대꾸했다. 레피크가 무히틴을 바라보자 덧붙였다.

"잰 안 마실걸! 너 마셔? 안 마시지, 그렇지? 넌 알타이 산에 있는 '빨간 사과' 수도원에 들어갔잖아! 하지만 알지? 신부들도 술을 마시는 거!"

"네 농담이 마음에 안 들어!"

무히틴은 냉정하고 단호해 보이려고 애쓰는 것 같았다.

"마음에 들든지 말든지!"

외메르는 이렇게 말하고 레피크를 바라봤다.

"무슨 술을 사 올 거야? 라크로 해, 터키산으로, 그게 좋으니까. 크므즈*를 사도 되고!"

이 농담은 자신도 마음에 들지 않았다. 하지만 상대를 아프

* 말 젖을 발표시켜 만든 술이며 중앙아시아 지역에서 주로 마신다.

게 하려고 무히틴을 보고 웃으며 말했다.

"넌 스스로가 아주 마음에 드나 봐, 그래?"

"아니, 난 아무도 좋아하지 않아! 너하고 같은 부류야."

무히틴은 이렇게 말하고 레피크를 바라봤다.

"잰 누군가를 좋아할 거야! 그러니까 이렇지……. 그러니까 살고 있지……."

레피크는 자신이 바라고 기대하던 대화가 시작돼서인지 즐거워 보였다. 외메르에게 대답을 하고 싶었지만 할 말이 생각나지 않았다.

"안주도 사야지, 그렇지? 무히틴, 넌 차를 마셔!"

"안주도 사 와! 네가 없었으면 우린 만날 수도 없었을 거야!"

"우리의 우정은 아주 예외적인 거야, 얘들아!"

레피크는 외메르의 말에 이렇게 대꾸하고 방을 나갔다. 그러자 무히틴은 냉정한 표정으로 말을 시작했다.

"이봐, 네가 좀 전에 한 농담이 마음에 안 든다는 말을 한 번 더 해야겠어! 제발 여기 온 걸 후회하게 만들지 마, 알았지? 그렇지 않아도 안 오려고 했는데 마지막 순간에 마음을 고쳐먹었으니까!"

"그래? 그러니까 안 오려고 했다 이거지? 그럼 뭘 하려고 했는데? 난 네가 발행한 잡지를 사서 읽었어."

"그 얘긴 꺼내지 마!"

무히틴은 자리에서 일어나 방 안을 서성이기 시작했다.

"물론 오지 않으려고 했어……. 레피크가 부르지만 않았다면…….”

“레피크도 잘 안 만난다며……. 왜 안 만나는 거야?”

“얘기할 게 없어서 그렇겠지! 시간도 없고. 레피크가 이상해지기도 했고…….”

“어떻게?”

“정말 모르겠어. 하지만 바보 같은 수준까지 이른 호의에다 ‘삶에서 뭘 해야 하나?’ 같은 정신적 위기까지 더해졌다고 하면 내가 무슨 말을 하는지 이해하겠지……. 옛날엔 우리와 같은 부류였는데 지금은 이방인 같아……. 내가 ‘넌 유럽인이 되고 있구나.’ 하고 말해 줬어…….”

무히틴은 갑자기 돌아섰다.

“그런 면에선 너와 비슷해!”

이 말을 듣자 외메르는 마음이 편안해졌다.

“무히틴, 넌 하나도 안 변했다!”

“그런 너의 피상적인 관찰에 한 가지를 더 해야겠군……. 난 많이 변했어! 난 이상을 위해 싸우고 있어!”

“너만 그렇게 생각하겠지! 게다가 넌 이렇게 큰소리 치는 걸 좋아하지 않았는데! 네가 믿고 있다고 하는 그걸 정말 믿는 거야?”

외메르가 이번에는 신경질적으로 물었다.

“사소한 건 신경 쓰지 마! 내가 믿고 안 믿고가 뭐 그리 중요하지? 난 그 길에서 뭔가 하고 있을 뿐이야. 난 그 문제를 푸는 데 쓸모가 있다고! 그걸 진심으로 하는지 아닌지가 왜 그렇게 중요하지? 난 뭔가 하고 있고, 쓸모도 있어…….”

"그건 일종의 고백인가?"

"사소한 것에는 신경 쓰지 말라고 했을 텐데. 너한테는 여전히 네 두뇌보다 중요한 게 없는 거지, 그런 거 아니야?"

그는 손을 주머니에 넣은 채 외메르가 아니라 물건들을 보고 있었다.

외메르는 기분이 썩 좋지 않았다. '나와 비슷한 게 있다고 해도 난 기분이 좋지 않아! 여기 뭐하러 왔지? 거기엔 조용하고 부유하고 균형 잡힌 삶이 있었는데! 아냐! 모르겠어……. 어디서 살아야 하지?' 하는 생각이 들었다.

무히틴은 주머니에 손을 넣은 채 서성거렸다. 거실과 바로 붙어 있는 다른 방으로 들어가 거기서 소리쳤다.

"넌 이 집에 대해 어떻게 생각해? 벌써 몇 년 동안 들락거렸지만 한 번도 이렇게 텅 빈 적은 없었는데! 지금은 마치……."

외메르도 주위를 둘러보았다. 그때 갑자기 옆방에서 피아노 소리가 들려왔다. 무히틴이 그저 되는대로 건반을 누르고 있었다. 한동안 피아노를 띵띵 치더니 뚜껑을 꽝 하고 닫으며 물었다.

"그 여자하곤 어떻게 된 거야?"

"이젠 안 만나!

"그녀가 피아노를 쳤나? 흠……. 안 쳤다고……. 나는 네가 피아노를 치는 여자와 결혼할 거라고 생각했는데……. 사실은 레피크의 여동생이 너한테 딱 맞는 애였어!"

무히틴을 이렇게 말하며 웃었다.

"이 집에서 아주 좋아했을 거야……. 넌 제브데트 씨의 손등에 입을 맞추곤 했잖아. 이제는 작고하신 그분의 사진을 존경 어린 시선으로 바라봤겠지. 위대한 남자, 우리 집안의 설립자, 필적할 만한 사람이 없는 제브데트 씨, 외메르, 우리 가족은 너한테 정말 감사하고 있단다!"

그는 거실로 들어왔다.

"혼자 잘 노는구나, 너……."

잠시 침묵이 흘렀다. 외메르는 담배에 불을 붙였다. 무히틴은 이제 방 안을 서성거렸다.

"아니, 왜 이렇게 안 오는 거야?"

"일요일이잖아. 열린 가게를 쉽게 못 찾을 거야!"

외메르가 대답했다. 뭐든 대답을 해야 하는 데다 침착해 보이려고 한 말 같았다.

"무슨 얘기야! 네가 떠난 후에 니샨타쉬가 얼마나 발전했는데!"

방울 소리가 들렸다. 잠시 후 레피크가 문을 열고 들어왔다. 손에는 꾸러미가 들려 있었고 들뜬 모습이었다.

"무슨 얘기들 했어, 무슨 얘기?"

"아무 얘기도 안 했어!"

무히틴이 대답했다.

"금방 올게, 금방!"

레피크는 부엌으로 뛰어갔다. 그는 아래층으로 내려가면서 뭘 샀는지, 뭘 못 샀는지 큰 소리로 설명했다. 잠시 후 접시와 나이프, 포크를 들고 돌아왔다.

"탁자에 앉지 말고, 저기 저 곁탁자에 놓고 먹자!"

"더러워지면 안 될 텐데!"

"아냐, 더러워지지 않아!"

레피크가 무히틴의 말에 대꾸하면서 돌아서서 그를 쳐다보았다. 그가 비아냥거렸다는 걸 깨달았지만 화내지 않았다. 서로 비아냥거릴 정도로 가까운 사이라는 게 좋은 것 같았다. 레피크는 달려가 라크 병과 잔을 가져왔다.

"무히틴, 봐, 재가 널 주려고 뭘 가져왔는지!"

"안 마실 거야. 오후에 어디 가야 돼!"

"말도 안 돼, 얼마나 재미있는 얘기를 할 건데! 두 시간이면 다 할 수 있어!"

"그래, 좋아, 그러면 신사 여러분, 시작합시다!"

외메르가 이렇게 말하며 라크 병을 열었다. 서둘러 잔에 술을 따르더니 자리에서 일어났다.

"드디어 이렇게 대심문의 날이 왔습니다! 우리 어깨 위에서 우리가 한 모든 일을 공책에 쓰는 천사들……. 천사들이었나? 뭐 어쨌든……. 살면서 누가 뭘 했고 누가 옳은지 이제 다 다 드러날 겁니다."

그는 물도 섞지 않고 그대로 라크를 들이켜며 '내가 왜 이러지? 이럴 필요는 없는데!' 하고 생각했다.

"뭐 하는 거야! 속이 타 버릴 텐데!"

무히틴은 레피크의 말을 들으며 가만히 앉아 있었다. 눈앞에서 벌어지는 일만 바라보고 있었다. 자신을 이 현장에서 제외시키고 싶어 하는 것 같았다.

"그래, 시작했어! 우린 뭐지? 우리……. 아하, 그래! 앙카라에서 사밈을 만났어. 우리를 두려워했다고 하더라. 내 말 듣고 있는 거야, 무히틴? 차분하고 조용한 애였지. 공과대학에 다닐 때 우릴 두려워했대……. 왜 그랬을까?"

"네가 입고 다니는 옷 때문에 꺼려졌겠지! 넌 늘 멋지게 차려입고 다녔으니까. 나비넥타이를 매고 속물 같은 옷을 입고 오니 가난한 애가 좌절감을 느끼는 건 당연하지, 안 그래?"

"말도 안 돼! 그는 내가 아니라 우리가 두려웠다고 했다니까! 우리 중에선 아마 널 제일 두려워했을걸. 그 잡지를 읽었어. 식은땀이 다 나던데. 불을 붙잡은 것 같았다니까. 물론 나중엔 깔깔 웃었지만! 그는 너에게 있는 바로 그것, 아니 우리에게 있는 그것을 두려워했어……. 알았어, 인상 쓰지 마! 이 주제는 뒤로 미뤄 두자!"

"그게 좋겠어!"

"아냐, 아냐, 미루지 않겠어! 머리에 떠오르는 건 다 말해 버릴 거야. 내가 뭘 했는지 궁금하지, 그렇지? 네 문제도 얘기하겠지만, 내 얘기를 먼저 하지……. 내가 뭘 했는지 궁금할 거야……. 난……."

"네가 그렇게 중요하다고 생각하진 마!"

무히틴은 즐거운 듯 대꾸했다.

"난 지주가 됐어. 레피크는 이 단어가 옳다고 생각하지 않지만, 그런 게 됐다고……. 공증인에게 가서 일을 끝냈어……. 약혼녀와는 헤어지고……."

"약혼녀와 공증인을 통해 헤어졌어?"

"무슨 이야기인지 알잖아! 공증인 사무실에 가서 땅을 샀다고…….”

레피크가 끼어들며 무히틴의 말에 이렇게 대꾸한 후 외메르에게 물었다.

“근데 그런 일은 등기소에서 하는 거 아냐?”

“넌 술을 마셨고, 넌 아직 안 마셨어. 그런데 둘 다 벌써 취했군!”

무히틴이 둘을 번갈아 보며 말했다.

“넌 차나 마셔! 술은 금지야! 내가 약혼녀와 헤어졌다고 했지. 어떻게 된 일인지 알아? 결혼식 날까지 예비 신랑이 어딜 돌아다니느라 나타나지 않으면 어떻게 될까? 그들이 편지에 썼더군……. 그래, 무흐타르 씨가 이모부에게 편지를 썼대. 무히틴, 네가 그 편지를 봤으면 아주 좋아했을 거야. 물론 지금은 진지하게 받아들이겠지만. 뭐 어쨌든! 다행히 약혼반지를 돌려보내는 것 같은 품위 없는 행동은 하지 않았대. 이제 내 얘긴 다 했어!”

“그럼 넌 거기서 뭘 하는데? 그것도 말해 봐!”

“너도 나중에 얘기해야 돼, 알았지? 거기선 아침에 일어나 할 일을 찾지. 발전기나 트럭 수리, 물 펌프에 기름 치기 같은 일……. 지금까지는 손님으로 있었기 때문에 다른 일은 하지 않았어. 지금은 땅에 관련된 일을 해. 가끔은 이것저것 사려고 케마흐로 가고, 가끔은 친구들과 어울리려고 에르진잔에 가. 그래, 거기 친구들이 있어. 주지사나 의사……. 우린 포커를 쳐. 잡담도 하고 술도 마시고. 이 정도야……. 이제 네가 얘기해 봐. 아니면 레피크, 네가 얘기하든지.”

"너한텐 좀 전에 말했지만 무히틴을 위해 다시 말할게!"

레피크는 외메르에게 했던 말을 무히틴에게도 반복했다. 그러고는 갑자기 외메르에게 물었다.

"무흐타르 씨가 나에 대해선 뭐라고 안 해?"

"참 나, 너한테 이런 병이 있을 거라곤 상상도 못했다!"

무히틴이 끼어들었다.

"무흐타르 씨는 아무 말도 안 했어. 아마도 네가 마음에 들었던 것 같아. 하지만 넌 그를 좋아하지 않았지, 난 알아!"

"그 사람하고 무슨 일이 있었어?"

레피크가 다시 물었다.

"무히틴 차례잖아! 무흐타르 씨는 날 좋아하지 않았어. 난 알아. 날 볼 때마다 자신의 삶이 부질없다는 것을 깨달았겠지!"

외메르는 화가 난 듯 말했다.

"넌 역시 자신을 아주 대단하게 여기는구나!"

무히틴이 이렇게 말하고 조심스럽게 덧붙였다.

"화내지 마……. 우린 무슨 일이 있었는지 모르잖아……."

그는 몸을 굽혀 접시에서 집은 살라미 소시지를 먹기 시작했다. 외메르가 그에게 말했다.

"자, 이제 네 얘기를 해 봐! 넌 말 안 할 거야? 얘기도 안 하고 마시지도 않고. 그럴 거면 왜 왔어……."

"좋아, 나도 마실게!"

무히틴은 이렇게 말하더니 갑자기 자리에서 일어났다. 그러자 외메르가 큰 소리로 말했다.

"그래, 그렇지! 브라보! 우정이란 건 이런 거야! 우정이란 건 바로 이런……!"

57
해파리

"……때 확연해지지!"

무히틴은 '내가 왜 마시겠다고 했지!' 하고 생각했다. 그는 스스로 술을 금지했다. 하지만 지금은 해가 되지 않을 거라는 생각이 들어서, 자기가 술을 금지한 이유를 터무니없다고 생각할까 봐 두려웠다.

"자, 이제 이미 결정을 했으니까……. 이 잔을 받아……."

"하지만 너한테 넘어가서 마시는 건 절대 아냐!"

무히틴은 외메르가 건넨 잔을 받으며 말했다.

"너도 알다시피 넌 속아 넘어갈 사람이 아니야. 다른 사람을 속이면 속였지. 넌 악마야! 우린 알지……. 하지만 이건 모르겠어. 어떤 악마가 널 투란주의자로 만든 거야?"

외메르는 폭소를 터뜨리며 술을 들이켰다.

"넌 중독됐구나. 문화로 중독이 된 그…… 그…… 그, 해파리야, 알겠어?"

"왜 해파리지? 시적으로 말하고 싶은 거야?"

"아, 나도 해파리 아주 싫어해!"

"나도 모르겠어. 그냥 그런 말이 나와 버렸어!"

무히틴은 레피크의 말에 갑자기 웃음을 터뜨렸다.

"브라보!"

외메르는 큰 소리로 말하며 자리에서 일어났다.

"봐, 지금 내가 뭘 하는지……. 난 너의 볼에 입을 맞출 거야……. 난 술에 취하지 않았으니 아무도 술에 취해서 볼에 입을 맞췄다곤 말 못하겠지."

그는 단호하게 무히틴에게 다가가 몸을 숙이고 그의 볼에 입을 맞췄다. 그러자 레피크도 덧붙였다.

"좋아, 이젠 냉담하게 굴면 안 돼, 알았지?"

무히틴은 덫에 걸린 느낌이 들었다. 하지만 그리 신경 쓰이진 않았다. '약간은 특별한 경험도 필요하지!'라고 생각하며 자신을 진정시켰다. 그는 외메르가 채운 잔을 들어 한 모금 마셨다. 잠시 후 한 모금을 더 마셨다. 그러고는 '일단 입에 댄 후에는 한 모금이나 한 병이나 다를 게 없어!'라고 생각하며 잔에 든 술을 모두 마셔 버렸다. 외메르는 즐거워했다.

"자, 이제 진짜 시작이야! 너도 마셔, 레피크……. 하긴 넌 마실 필요도 없지……."

"맞아, 잰 항상 좋으니까……. 아니면 모든 걸 있는 그대로 보든지……. 그러니까 행복하지……."

"친구들아, 내가 그렇게 행복하다곤 생각하지 마!"

"그럼 네 고민을 말해 봐, 들어 보자!"

"얘기했잖아. 지금도 말하고 있고……. 이 집에선 마음이 편하지 않아……. 하는 일도 싫고……. 새로운 인생을……."

"모색하고 있는데 그걸 못 찾고 있지."

무히틴이 끼어들었다. 그러고는 갑자기 화를 냈다.

"레피크, 난 네 말을 믿지 않아, 안 믿는다고! 그 모색이라는 건 예전 삶을 지속하게 할 뿐 다른 영향은 주지 못해……. 그리고 네가 말하는 것, 그래, '모색'이라는 단어는 내가 꺼냈지……. 어쨌든 넌 양심이 편해지고 싶어 그러고 있는 거잖아! 무슨 고민이 있다고 모색을 하는 거야!"

"모든 게 구태의연하게 느껴져! 예전에 했던 일은 이제 못 하겠어!"

"아, 그 말을 몇 번이나 했는지 알아?"

"그래, 맞아."

레피크는 이렇게 말하면서 마치 죄라도 지은 듯 고개를 숙였다.

"잘 안 되고 있어, 얘들아, 시작을 못하고 있잖아! 같은 말만 계속하고. 난 지루해!"

"너희에겐 신념이란 게 없어! 그래서 너희가 추해지는 거야!"

외메르의 말에 무히틴이 발끈하며 말했다.

"그러니까 넌 우리가 추하다고 생각하는구나!"

레피크가 말했다.

"이론적으론 그래. 친구로서도 서서히 그렇게 생각되기 시작했어."

"어차피 우리 우정도 끝났다고 생각해!"

"자존심 때문에 그렇게 말한다는 거 알아! 이 말을 네가 먼저 꺼내지 않아서 넌 불편한 거야……."

외메르의 말에 다시 무히틴이 대꾸했다.

"아냐……. 좋아, 그렇다고 쳐……. 하지만 정말 중요한 건 네가 우릴 피한다는 거지! 왜 피하는 거야! 여기 올 때도 다른 데 가야 한다면서 시간이 없다고 했잖아. 시간이 그렇게 중요해? 절대 그렇게 생각하지 않아! 우리가 널 조롱할까 봐 두려운 거야! 네가 쓴 투란주의 시는 끔찍하기도 했지만 우습기도 했어, 친구!"

"그래, 난 여기 오지 말았어야 했어!"

"우스워, 무히틴, 어쩌겠어, 우스운데!"

외메르의 말에 무히틴은 술을 한 잔 더 따랐다.

"넌 어떻게 생각해, 레피크? 너도 그 잡지 읽어 봤어?"

"읽었지!"

"넌 우스워질까 봐 두려워서 아무것도 못하는 그런 부류구나! 뭔가 하면 사람들이 우습고 평범하고 피상적이라고 생각할까 봐 잔뜩 겁을 먹고 있어! 그래서 아무것도 안 하는 거야! 누군가 너에 대해 뭔가 생각하는 걸 싫어해. 평범해지는 걸 두려워하지. 하지만 추해지는 건 두려워하지 않아! 이런 생각 해 본 적 있어?"

무히틴이 이렇게 묻자 외메르는 조롱하는 듯한 미소를 지으며 대꾸했다.

"그러게, 전혀 생각해 본 적이 없네!"

무히틴은 그에게 상처를 줬다는 걸 깨달았다. 그래도 자신이 옳다고 생각했다.

"우스워지는 건 그렇게 두려워하면서 왜 추하고 부당하게 되는 건 두려워하지 않는 거야? 그래, 어쩌면 전에도 말했던 것처럼, 너한텐 똑똑해 보이는 게 제일 중요해……. 하지만 뭔가를 한다는 게 왜 너를 바보처럼 보이게 만들겠어? 어쨌거나, 뭔가를 하는 게 왜 사람을 바보로 보이게 하지?"

"난 나 자신을 믿어."

외메르는 짐짓 쾌활한 척했다.

"믿었겠지……. 넌 파티흐가 될 거라고, 돈을 많이 벌겠다고 했지. 이스탄불을, 터키를 정복하겠다고 했지……. 거기서 추악한 면은 제쳐 두겠어. 하지만 결국은 그렇게도 하지 않았잖아! 다른 사람들이 너의 결혼에 대해 비아냥거릴 거라고 생각해서 결혼도 하지 않았어. 넌 아무것도 하고 있지 않아. 항상 자신의 똑똑함을 높이 평가받고 싶으니까. 만약 뭔가 한다면 비판할, 아냐, 아냐, 조롱할 권리가 사라질 거라고 생각하고 있지. 넌 결혼하지 않았어. 결혼을 하게 되면, 다른 사람들의 결혼을 단순하고 추악하고 평범하고 가식적이라고 생각할 권리가 없어지니까. 이스탄불에서 도망쳐서 거기로 몸을 피한 거야. 그럼 여긴 왜 온 거지? 다른 사람들이 뭘 하는지 보고 싶었기 때문이겠지. 사람들이 얼마나 단순한지 비난하면 기분이 좋아지니까. 넌 궁금해서 왔다고 했지? 궁금해서가 아니라, 바로 이것 때문에, 좋아하지 않으려고, 트집을 잡으려고 온 거야. 내 잡지를 손에 들고 잔뜩 흥분했을 네 모습이 눈에 선해. 얼마나 우스운 것이 있을까, 있어야 할 텐데, 하고 혼자 기도까지 했을 거야……."

"내가 그렇게 단순한 사람이야, 무히틴?"

"어쩌면 복잡한 사람일 수도 있겠지. 하지만 나한텐 단순해 보여."

"좋아, 말해 봐, 삶을 살아가는 사람이 그걸 조롱할 수도 있다고 생각해? 행복한 사람이 현실이 나쁠 수도 있다는 걸 설명할 수 있다고 생각해?"

외메르는 이렇게 묻더니 스스로 대답했다.

"그럴 수 없어!"

"그럴 수 있지! 있고말고. 믿는다면 그럴 수 있어!"

"하지만 네가 믿는 건 어차피 우스운 것인걸! 게다가 난 네가 믿는다는 사실을 믿을 수 없어!"

"넌 불편하고 두렵겠지, 그렇지? 어딘가에 매인다는 게 말이야!"

"아니, 난 우습다고 생각할 뿐이야! 너를 알기 때문에, 정말 네가 사람들 사이에서 어떻게 행동하는지 궁금해……."

"어떤 사람들?"

레피크가 끼어들어 물었다. 그도 이제 계속 술을 마시고 있었다.

"터키주의자, 투란주의자 들이지, 뭐!"

"추악한 언어로 조롱하듯 그들을 언급하지 마, 다시는. 알았어?"

“누구도 내가 원하는 대로 표현할 권리를 빼앗을 수 없어!”

“끔찍하게 추악하고 지독히 평범해. 넌 무척, 무척 너 자신을 좋아하는구나. 표현할 권리라고! 비아냥거리는군! 무슨 근거로 그러는 거야? 네게 옳은 건 뭔데? 넌 뭔데? 아무것도 아냐! 하지만 난 네 약혼식에서 널 봤어. 모두에게 미소를 짓더군. 모두가 널 좋아했어. 난 그때 너의 시선과 태도에서 ‘비아냥거리지 마, 무히틴!’ 하고 말하는 가련함을 봤어. 그곳에 있는 널, 케마흐인지 알프인지, 어디든지 간에 그곳의 일상 속에서 널 보고 싶군!”

“얘들아, 이제 그만해! 너희가 무서워질 것 같아. 기분이 좋아지도록 우스운 얘기 하나 해 줄게. 어떤 얘기를 할까?”

레피크는 이렇게 말한 후 우스운 얘기를 떠올려 봤지만 생각나는 게 없었다.

“너희가 하나가 돼서 날 놀릴까 봐 두려웠는데……. 옛날엔 그랬잖아. 최소한 난 그렇게 생각했어. 하지만 지금 너희들은 우리가 오랫동안 친구였다는 것조차 잊게 하고 있어, 대단해…….”

“모든 것엔 한계가 있는 법이야!”

무히틴이 말했다.

“아하, 분위기를 부드럽게 만들려고 하는군! 분위기를 부드럽게 만들어서 내가 ‘그에 대해 어떻게 생각하는지 말하지 말아야겠어, 말한다고 해도 좀 유하게 말해야지.’ 하고 생각하길 원하는군. 조금 전 그 가슴 아픈 장광설도 이것 때문이었어! ‘엔지니어들이여! 날 좋게 봐 줘, 난 믿지 않아!’라고 했지.

하지만 난 조롱하면서 내 영리한 두뇌에 보답해야만 해! 무엇보다 나에게는, 그래, 무히틴, 네가 말했던 것처럼 이성이 있어……. 이성 만세!"

외메르는 이렇게 말하다가 갑자기 뭔가 떠올린 듯 레피크를 쳐다봤다.

"참, 헤르 루돌프한테 연락 와?"

"응, 편지를 주고받아……."

"그 사람 누군데?"

"독일 사람이야. 하지만 너희 부류는 아냐! 존경할 만한 사람이지!"

"조롱하는 거야, 진지하게 말하는 거야, 알 수가 없네!"

외메르의 말에 레피크는 모욕을 당한 듯한 표정이었다.

"모르겠는걸! 무엇에 의거한 조롱이며, 무엇에 의거한 진지함이지? 난 모르겠어. 참, 좀 전에 이성이라는 말을 했지? 그 사람은 바로……."

외메르는 다시 레피크를 보며 무시하는 듯한 손짓을 하며 말했다.

"서로 무슨 얘길 쓰고 있어? 늘 같은 얘기, 똑같은 말이야? 광명, 암흑, 영혼, 사상, 노예……. 다른 건? 여전히 이런 거야?"

"그래, 그런 거야!"

"그 광명, 암흑이란 게 뭔데?"

무히틴이 물었다.

"너나 나처럼 야망과 열정의 늪에 빠진 사람은 이해할 수 없는 순수하고 깨끗하며, 영혼처럼 가벼운 말이야, 사랑하는 무히틴! 터키나 동양은 멍청함과 더러움의 나라니까…….”

“아냐, 그렇지 않아, 전혀 그렇지 않아!”

레피크가 끼어들었다.

“그럼, 그게 뭔지 설명해 봐!”

무히틴은 이렇게 말하며 자리에서 일어났다. 그는 “알겠군.” 하고 말하며 레피크를 노려봤고, 레피크가 약간 부끄러워하자 자신의 생각이 틀리지 않았다는 걸 알았다.

“너의 순수함이 추악함에 이를 거라곤 생각하지 않았어! 우리의 야만스러움과 이성의 빛에 대해 넌 나한테 말한 적이 있지. 하지만 이 정도일 줄은 몰랐어……. 기독교도와 편지를 주고받다니…….”

그는 레피크가 부끄러워하는 걸 보고 덧붙였다.

“하긴 그렇지 않아도 난 네가 기독교도와 닮았다고 생각해 왔어. 말했지, 넌 유럽인이 돼 버렸다고!”

“무슨 일이야! 진지하게 하는 말이야?”

외메르가 물었다.

‘내가 지나친 것 같아.’ 무히틴은 레피크가 대꾸를 하지 않자 놀랐다. ‘그는 정말 행복한가 봐! 싸움도 좋아하지 않고 공격적이지도 않아! 어쩌면 자신의 생각이 옳다고 여길 것이고, 나한테 대답하지 못하는 걸 안타까워할 거야. 나를 안타깝게 생각하겠지!’ 그는 손을 등 뒤로 모으고 방 안을 서성거렸다. 그러다 갑자기 몸을 돌렸다.

“레피크, 기분 상한 거 아니지? 농담이었어.”

그러나 이렇게 말한 걸 금세 후회했다.

"알아, 무히틴, 넌 좋은 사람이야!"

"그럼 나쁜 사람들이 내 생각을 지지한다고 말하고 싶은 거야?"

무히틴은 처음으로 레피크가 무슨 생각을 하고 있는지 궁금해졌다. 그가 횔덜린을 읽고 있는 걸 본 적이 있다는 게 떠올랐다.

"아직도 횔덜린을 읽어?"

"너한테도 그 사람 얘길 했어? 그 독일인이 바로 그 사람 책을 읽었어!"

"얘기 안 했어. 내가 본 거야! 그러니까 독일인한테 배웠다 이거지. 그 독일인한테 또 뭘 배웠어?"

"네가 보들레르한테 배웠던 것과 같은 거지……."

"기막힌 대답이군! 정곡을 찌른다는 건 바로 이런 걸 두고 하는 말이지!"

외메르는 이렇게 말하며 폭소를 터뜨렸다.

"아니, 그건 아니야! 그들은 서로 닮지 않았어. 횔덜린은 그래도 약간은 건전한 걸 찾고 있어. 아니면 그는……."

"건전한 것? 이야! 이것도 새로운 말인데!"

레피크의 말에 외메르가 대꾸했다.

"난 이제 그런 주제에 관심 없어. 하지만 내 생각엔 별 차이가 없는 것 같은데!"

무히틴이 말했다.

"그래, 나도 몰라! 몰라, 우린 아무것도 몰라. 더 많이 읽어야 돼. 모두가 읽어야만 돼. 좋아, 술 마신 김에 용기를 내서 말해 볼게. 난 출판사를 열 생각이야. 싸고 좋은 책을, 루소나 디포의 책을 모두가 읽을 수 있게 하고 싶어."

레피크가 부끄러운 듯 친구들을 쳐다봤다.

"어떻게 생각해?"

"파산하겠지!"

외메르가 하품을 하며 대답했다.

"돈은 중요하지 않아! 그리고 왜 파산한다는 거야? 좋은 책은 사람들이 읽어……."

이번에는 무히틴을 바라보며 물었다.

"내가 몽상가라고 생각해?"

"르네상스……. 그리스 고전!"

무히틴은 이렇게 중얼거렸다. 그는 술에 취했다는 걸 느끼지 못하고 스스로에게 화를 냈다. 레피크는 흥분하며 대꾸했다.

"그래, 그런 것들!"

무히틴이 사나운 표정을 짓자 이번에는 외메르를 보며 말했다.

"내 말이 맞아. 그래, 우리에게 필요한 건 그런 거야. 어제 헤이벨리 섬에 갔어. 조카가 할례를 받았거든. 아주 혐오스러운 의식이었어. 아주 흉측했지. 여자, 심지어 소녀들까지 할례받는 아이 주위로 모였고, 마술사도 왔어. 그들은……."

'얘가 지금 무슨 말을 하는 거야? 난 이미 취해 버렸어. 좀 앉아야지. 몇 잔이나 마셨지? 조심하지도 않고! 뭐라도 먹어야겠어!' 무히틴은 생각했다. 그는 접시에 살라미 소시지와 가지 튀김을 덜고 비틀거리며 외메르 맞은편에 있는 빈 의자에 앉았다.

"뭐야, 듣고 있지도 않잖아!"

"그래, 아무도 다른 사람 말을 안 들어! 우린 바보처럼 술에 취해 버렸어. 아냐, 그 때문이 아냐. 이제 우린 서로에게서 흥미를 못 느끼는 것 같아. 자기 자신만을 생각하고 있어. 자신의 삶에 빠져 있어. 삶! 우리가 뭘 했지! 아무것도 안 했어!"

외메르가 이렇게 말하며 컵에 술을 따랐다. 무히틴은 외메르가 혐오스럽게 느껴졌다.

"넌 너 자신에 대해 말하고 있는 거야, 우리나 내가 아니라!"

"그래? 참, 넌 좋은 시인이 되지 못하면 자살하겠다고 했잖아?"

"말했잖아, 난 머리부터 발끝까지 변했다고! 그런 시인이 되는 것도, 그런 비관론도 그만뒀어. 어차피 내가 쓴 시는 진정한 시라고도 할 수 없어……."

"그래, 그저 그런 운문이지……."

"난 시를 난쟁이들에게 넘겼어! 작은 사람들에게, 단순한 영혼을 지닌 사람들에게 넘겼다고!"

"그거 봐! 그것 보라고! 자살 못하지! 내가 말하지 않았어? 뭐든 핑계를 찾을 거라고……."

"초라한 터키인이 되고 싶지 않다고 하는 사람과 왜 내가 얘기하고 있지!"

"두려워하지 마, 곧 오늘을 잊어버릴 테니……."

"파티흐라고……. 파티흐 좀 봐……. 난 파티흐가 이렇게 가련하고 신념도 없이 비참하게 패배할 거라곤 생각도 못했어. 현대적인 파티흐인가……. 현대적인 파티흐! 가련한 파티흐는 현대적이지만 그가 사는 나라는 현대적이지 않아……. 뭐였지, 레피크, 넌 더 나은 말을 알고 있잖아? '그가 사는 나라는 계몽되지 않았어.'라고 해야 하나, 그런가? 그럼 파티흐는 뭘 하는데? 파티흐가 되지 못해서 삐치게 되지! 파티흐는 야망과 열정을 마음속에서 키워! 그리고 자주 그 마음속을 들여다보지. '아, 난 정말 대단한 사람이야.'라고 하면서. 하지만 '이 세상은 불가능해, 조롱하지 않으면 뭘 하겠어.'라고 생각하겠지. 그렇지 않나, 파티흐 나리?"

"그러는 넌 어떻고? 넌 사람들 사이로 들어가겠다고 결정했어! 완전히 형편없는 시인이기 때문에……. 넌 이성을 잊어버리려고 하지만 그건 네 뒤를 따라다니지. 네가 나한테 말한 것처럼 너도 문화에 중독되고 말았으니까, 너도, 너도! 절대 이성은 잊어버릴 수 없지……. 네가 터키주의를 믿는다는 말도 난 믿지 않아……. 너도 알 거야. 하지만 뭔가를 한다는 생각으로 스스로를 위로하고 있지……. 우리, 우리 둘은 그 무엇도 믿을 수 있는 사람들이 아냐. 난 알아! 레피크는 어떤지 모르겠지만!"

"신소리 마, 라스티냐크! 난 터키인이야! 여기 오지 말걸 그랬어. 오염되고 가련한 너희들의 세계는 아주 멀어, 나한테는……. 진정한 우정으로 결속되어 있는 이상주의자이자 헌신적인 내 친구들과……."

무히틴이 이렇게 말하는데 레피크가 끼어들었다.

“아, 그 군인들 계속 만나고 있어? 좋은 아이들이던데!”

“군인들? 진짜 군인들……. 군인들……. 그들을 감언이설로 꾀었어?”

외메르가 물었다.

“하느님, 내가 여길 왜 왔을까, 왜 왔을까? 추해……. 저놈은 가련하고……. 왜 여기 와서 이렇게 마셨을까? 왜 지금, 왜 이렇지? 왜 이런…….”

“그들을 감언이설로 꾀었냐고? 그러니까 군인들이라는 거지……. 우리한테도 운문을 한번 읊어 봐. 빨간 사과*, 회색 이리** 같은 운문을 읊어 줘! 하하! 시를 쓰고 나서 다른 사람보다 자신이 먼저 웃겠지……. 자기도 해파리니까…….”

외메르는 이렇게 투덜거리며, 머리를 안락의자에 기대고 천장을 쳐다보며 중얼거렸다.

“해파리, 해파리……. 아, 천장에서 천사들이 날아다니는구나, 아!”

“그거 처음 봤어?”

레피크가 물었다.

“화장실이 어디 있었지?”

“빨리도 잊었구나, 위층에 있어!”

무히틴의 말에 레피크가 대답했다.

---

* 튀르크 신화에서 ‘생각할수록 멀어지지만 멀어진 만큼 매력이 증가하는 이상이나 꿈’을 상징한다.

** 터키 서사시에 자주 등장하는 신성한 동물.

“좌식은 아래층이고!”

외메르도 말했다.

‘얼굴에 찬물을 끼얹어야겠어.’ 무히틴은 거실을 나가 위층으로 올라갔다. 그들의 목소리가 들리지 않자 마음이 편안해졌다. 마음을 진정시키기 위해 ‘그래, 무히틴, 넌 여기 잘못 왔어. 하지만 넌 이 상황을 정돈할 수 있어. 커피를 한 잔 마셔야지……. 좀 걷고. 몇 시지? 2시……. 하루 중 제일 더운 시간이군……. 집에 가서 잠을 자야겠어…….’ 하고 생각했다. 층계참에서 시계가 똑딱거리는 소리가 들려왔다. ‘누가 시계에 밥을 줬을까? 레피크……. 아니면 오스만이 주중에 와서 시계에 밥을 주겠지!’ 그는 커다란 괘종이 달린 시계 옆을 조심스레 지나갔다. 화장실 문을 열면서 ‘왜 그 시계를 두려워하지, 깨부술 수도 있는데 말이야!’ 하고 생각했다. 손과 얼굴을 씻으면서 그들과 처음으로 친구가 되었던 시절을 떠올렸다. ‘학창 시절이 제일 좋았어!’ 밖으로 나가자 다시 시계 소리가 들려 화가 났다. ‘시계를 부셔 버려야겠어! 다들 아주 놀라겠지! 가련한 오스만은 아무것도 할 수 없을 거고, 더 이상 아무것도 나란히 둘 수 없을 거야!’ 시계 옆에 있는 탁자 위에 재떨이가 놓여 있었다. 그걸 집어 들었다. 시계를 향해 내리치려고 손을 들었고, 내리쳤다. 하지만 아무 일도 일어나지 않았다. 마지막 순간에 자신을 억제하고 손을 천천히 내렸기 때문이다. ‘깨지 않았어! 깨지 못했어!’ 그는 재떨이를 제자리에 놓았다. 아무 생각도 하지 않고 옆에 있는 문을 통해 안으로, 서재로 들어갔다. ‘여기서 오랫동안 포커를 쳤지! 그런데 지금 우린 어떤 모습이지……. 아냐, 아냐, 난……. 그야세틴 카안에게 가서 다른 사람들이, 마히르 알타일르가 배신을 했다고 해야겠어……. 우리 함께 일합시다……. 잡지를 당신의…….' 그러다 문득 제브데트 씨의 사진으로 고개를 돌렸다. "제브데트 씨……. 제브데트 씨의 삶! 물건들, 물건들, 가족, 많은 사람들, 즐거움, 행복!" 그는 중얼거렸다. 제브데트 씨가 무히틴을 보며 '주의해! 조심해!'라고 말하는 것 같았다. 그는 서재에서 나왔다. 아래층으로 내려가려다가 호기심을 느꼈다. '다른 방에는 뭐가 있을까?' 맨 처음 나타난 문을 열었다. 오스만과 네르민의 방일 것이다……. 블라인드가 닫혀 있어서 다른 방들처럼 어두웠다. '커다란 침대……. 상인과 그의 아내…….비누와 향수 냄새……. 벨벳, 안락의자……. 그들은 여기 살고 있어…….' 그는 모든 걸 깨부수고 싶은 생각이 들었다. 웃고도 싶었다. 하지만 그렇게 할 수 있을 것 같지 않았다. 침대보를 들췄다. 베개 밑에서 오스만의 파자마를 꺼내 펼쳐 보았다……. 푸른색과 흰색 줄무늬였다. 옷깃을 보니 부자의 파자마라는 걸 알 수 있었다……. '다시는 파자마를 입지 않을 거야!' 오스만이 파자마를 입고 사업을 고민하는 모습, 비누 냄새가 날 것 같은 목소리로 네르민과 대화를 하는 모습을 상상해 보았다. 잠시 후 그는 모든 걸 제자리에 두고 다른 쪽에 있는 방으로 들어갔다. '제브데트 씨의 방, 침대!' 역시 벽에는 제브데트 씨의 사진이 걸려 있었고, 이번에도 '조심해!' 하면서 바라보는 것 같았다. 제브데트 씨가 이 침대에서 오랜 세월 동안 잠을 잤을 거라고 생각했다. 그는 "제브데트 씨, 제브데트 씨!" 하고 중얼거렸다. 명절날의 흥겨운 소리가 들리는 것 같았다. 문이 열리고 닫히고, 많은 손님이 오고, 많은 사람들이 나가고, 이야기를 하고, 웃고, 재미있는 얘기를 들려주며 살고 있는데 무히틴은 멀리서 그 소리만 들을 수 있는 것 같았다. '내가 취했군!' 방의 어두운 구석에 놓여 있는 옷장을 보았다. 달려가 급히 옷장 문을 열어 봤다. 한쪽에 니갼 부인의 옷이 걸려 있었다. 거기엔 관심이 가지 않았다. 다른 쪽 서랍을 열어 봤다. 수건, 식탁보, 비단 천, 도자기 잔 몇 개……. 갑자기 머리가 어지러웠다. '그들은 이걸 사용해……. 이걸 사용하면서, 삶을 믿으며 살아가고 있어!' 그는 바닥에 쓰러질까 두려워 '저기서 잠시 눈을 붙여야지!' 하고 생각하면서 침대에 몸을 던졌다. '누가 오면 일어나야지! 그야세틴 카안에게 가서 다른 사람들이 인종주의를 포기했다고 말해야겠어! 그는 나한테 뭐라고 할까? '당신의 글을 읽고 있습니다.'라고 할까? 침대가 부드러워……. 시계 가는 소리가 들려! 마히르와 하이다르! 발소리가 들리나? 어차피 일어나려고 했어. 취했다고 생각하지 않도록 일어나야지……. 일어나서 레피크에게 괜찮다고 해야지……. 그가 왔어! 그냥 잠시 누워 있었던 것뿐이야. 술을 좀 마시면 그럴 수도 있지, 뭐! 몇 년간…….'

"아, 여기 있었어? 뭐 하고 있는 거야? 누워 있군! 안 좋아? 토하지 그랬어!"

외메르였다.

"아니, 아무렇지도 않아!"

무히틴은 이렇게 말하며 일어났다.

"아, 서랍을 열었구나. 안을 들여다본 거야, 그래?"

"한번 볼까 해서. 뭐가 있는지 한번 볼까 해서. 어떤 게 있는지 말이야."

무히틴은 미소를 지으려고 애를 썼다.

"넌 정말 불행하구나, 그렇지? 물건들! 니갼 부인의 물건들?"

"닫아, 닫아, 레피크가 오는 것 같아!"

외메르는 서랍과 물건 그리고 깨끗한 방을 돌아보면서 물었다.

"이 문화를 보고 뭘 해야 할지 알 수가 없었겠구나, 그렇지?"

"제브데트 씨는 그래도 웬만해. 다른 방, 오스만의 방은 더 형편없어!"

외메르는 이해한다는 듯 고개를 끄덕이며 말했다.

"넌 이런 문화 속에서, 이런 물건들과 함께, 살 수도 없고 안 살 수도 없어! 이런 문화에 화를 내는 거야, 자신에게 화를 내는 거야? 이런 물건에 화가 나는 거야, 너의 우유부단함에 화가 나는 거야?"

"레피크처럼 될 수 있다면 얼마나 좋을까?"

"음식, 웃음, 유희……. 너도 이런 걸……."

외메르가 천천히 서랍을 닫으며 말했다.

"빨리 닫아! 이런 짓 좀 하면 안 돼? 장난이란 거 모르겠어? 그러니까, 내 장난을 믿었단 말이지!"

외메르가 옷장 문을 닫을 때 레피크가 들어왔다.

"얘들아, 무슨 일이야? 휴, 여긴 정말 공기가 탁하구나!"

"수건을 찾고 있었어!"

무히틴이 대답했다.

"걱정했잖아! 괜찮아, 응? 우리 잘못이야, 이 더위에 술을 마시다니. 이 방은 환기를 좀 시켜야겠다! 조금 있다가 커피 끓일게!"

레피크는 커튼과 창문, 블라인드를 열었다. 갑자기 방 안으로 무척 깨끗하고 반짝거리는 빛이 들어왔다.

"아, 밖은 정말 멋지구나! 정원도 정말 멋져! 바람이 불어! 커피는 정원에서 마시자. 나무 밑이 서늘해졌을 거야. 너희도 귀뚜라미 소리 들려?"

"이제 다시는 너희를 만나지 않을 거야!"

무히틴이 말했다.

58
어느 일요일

“아이고, 오스만, 천천히 몰아라!”

“어머니, 더 이상 어떻게 천천히 가요, 오십도 안 넘는데!”

“나 말고 길을 봐야지, 길을!”

“잘 보고 있어요. 하지만 어머니가…….”

오스만은 투덜거렸다. 화가 나서 말을 끝맺지 못하는 표정이었다. 하지만 신경질을 내지는 않았다. ‘케리만! 오후에 케리만을 만날 거야!’ 하고 생각하며 마음을 진정시켰다. 매주 일요일 오후, 오스만은 그녀에게 마련해 준 집에서 그녀를 만나 왔던 것이다.

“애들아, 제발 그 짓 좀 그만하고 바깥 구경을 해라!”

니갼 부인은 드라이브 때마다 제밀과 랄레가 ‘눈감기 놀이’를 하는 걸 싫어했다. 오스만은 규칙이 뭔지는 잘 몰랐지만, 아이들이 눈을 감고 창밖을 보지 않는다는 건 알고 있었다.

"얘들아, 자, 그만해, 그건. 저기 봐, 배가 지나가고 있어! 할머니를 화나게 하지 말고. 너희 때문에 드라이브 나온 거잖아. 그런데 눈을 감고 있으면 어떡해!"

네르민도 거들었다.

"갈 때 다 봤어요!"

제밀의 말에 니갼 부인이 웃음을 터뜨렸다. 네르민도 웃었다. 그들은 일요일 아침 드라이브에서 돌아오는 길이었다. 9월 초였지만 아직 더웠다. 올해는 섬에서 일찍 돌아왔다. 전쟁이 터지자 니갼 부인이 니샨타쉬의 집에 있고 싶다고, 집이 어떻게 됐는지 궁금하다고 했던 것이다. 터키는 참전을 하지 않을 것이고, 한다 해도 섬에 있는 게 더 안전하다고 하자 그녀는 인상을 쓰면서 아이셰의 약혼 준비를 해야 한다고 말했다. 아이셰의 약혼식까지는 아직 석 달이나 남았고 전쟁은 아주 멀리서 벌어지고 있었다. 하지만 니갼 부인의 불편한 심기가 무엇보다 중요했기 때문에 니샨타쉬로 옮겨 왔다. '일 년도 다 가 버렸군! 우린 일요일 아침마다 자동차를 타고 보스포루스로 가고, 생선을 사고, 회사에…….' 오스만은 이런 생각을 하다가, 문득 전쟁이 독일과의 무역에 장애가 될 수 있다는 데 생각이 미쳐 최근에 자주 그랬던 것처럼 마음이 다급해졌다.

"생선이 햇빛을 받아서 상하면 안 되는데!"

"아주 싱싱했어요!"

니갼 부인의 말에 네르민이 대답했다.

"그래도, 얘, 아이셰. 자, 이 꾸러미를 안고 있어! 이거 구울 거지, 그렇지? 레피크 가족이 식사에 늦지 말아야 할 텐데…….”

“안 늦을 거예요, 안 늦어요!”

오스만이 이렇게 말하고 나자 침묵이 흘렀다. 레피크는 사흘 전 점심 식사 때 페리한과 다른 집에서 살고 싶다고 했다. 니갼 부인은 처음에는 화를 냈고, 나중에는 울음을 터뜨렸다. 아들은 속 시원하게 설명도 해 주지 않았기 때문에, 안 좋은 일이 생기면 늘 그렇듯, 이번에도 제브데트 씨가 없어서 그렇다고 생각했다. 하지만 다른 이유도 찾아보려고 애썼다.

“왜 우리 곁을 떠나려는 거지? 오스만, 말해 봐, 왜지?”

“어머니, 제발 그 문제는 지금 꺼내지 마세요! 걔가 그러잖아요……. 방이 좁다고……. 애도 크고 있고!”

“아이를 위해서라면 원하는 방을 주면 되지!”

니갼 부인은 갑자기 아이셰를 쳐다봤다.

“네가 말해 봐……. 페리한이 뭐라고 했어? 넌 그 애와 친구처럼 지내잖아? 너한테는 말을 했겠지…….”

“방이 좁다고……. 다른 말은 안 했어요!”

“왜, 왜! 이제 곧 너도 결혼해서 나갈 텐데!”

“그러니까 우리도 다른 사람들처럼 아파트를 짓자니까요!”

니갼 부인이 투덜거리자 오스만도 참지 못하고 화를 냈다.

“아파트는 날 제브데트 옆으로 보낸 후에 너희들끼리 지어! 아, 제브데트, 당신은…….”

그녀는 울음을 터뜨릴 것 같았다.

‘케리만! 점심을 먹고 나서……. 그녀에게 안 가면 뭘 하겠어? 케리만……. 스카프!’ 오스만은 다시 생각에 잠겼다. 그는 정부에게 주려고 스카프를 샀다. 그걸 그녀에게 어떻게 줄까 궁리하기 시작했다. 그러다 문득 네르민과 결혼하던 때를 떠올렸다. 그는 "난 늙었어!" 하고 중얼거리며 옆에 앉아 있는 네르민을 곁눈질했다. 그녀도 혼자만의 생각에 잠겨 있었다. '이제 우린 함께가 아니야. 하지만 내 잘못이 아니지! 그럼 누구 잘못일까? 그냥 이렇게 돼 버렸어! 하지만 회사는 잘 돌아가니까!' 전쟁이 터지자마자 판매가 두 배로 증가했다. '아이셰가 렘지하고 결혼하게 된 것도 아주 잘된 일이야! 이제 회사가 분리될까 봐 걱정하지 않아도 돼. 오히려 힘을 얻게 됐지.' 그는 회사가 성장해 가는 모습을 상상했다. '터키에도 전구 공장이 생겨야 돼! 전기 설비를 위해……. 이건 아버지의 유언이기도 하고……. 지멘스와…….'

"이곳을 불태워 버렸어!"

차가 베쉭타시를 지날 때 니갼 부인이 말했다. 바르바로스*의 묘가 잘 보이는 곳으로 이전될 것이며, 옛날 집은 허물고 그 자리에 공원을 만들 거라는 기사를 오스만은 신문에서 읽은 적이 있다.

"여기 레피크의 친구가 살았는데. 걔 요즘 어디 있니, 전혀 안 보이던데……."

"무히틴 말이에요?"

"늘 뚱한 표정이었지. 혹시 레피크가 아직도 그 애와 어울리니?"

---

* 1466~1546. 터키의 해군 함장.

"어머니, 제발 또 시작이에요!"

"그럼 우리가 무슨 얘길 해야 하는 거니? 이제 아무 말도 못 하겠구나!"

"어머니, 내일 함께 베이올루에 나가요!"

네르민의 말에 니갼 부인이 웃기 시작했다. 아이셰도 따라 웃었다. 오스만도 마음이 편해져서 생선으로 무슨 요리를 할지 다시 한 번 물었다. 그러자 아이셰가 푸아트 씨 집에서 먹었던 생선 요리 얘기를 했다. 마치카를 지나갈 때 니갼 부인은 올 여름 세상을 떠난 쿠트시예 부인을 떠올리며 슬퍼했다. 하지만 테시비키예 사원 앞에서는 어린 시절과 처녀 시절을 떠올리며 즐겁게 자신의 어머니 얘기를 들려주었다. 다음 주엔 자매들 집을 방문할 거라고 했다. 이모들에게 통 연락을 안 한다고 오스만을 꾸짖기도 했다. 아지즈의 청과물 가게가 보이자 이제 그들 집 정원이 제대로 관리되긴 다 틀렸다고 하면서도, 멀리 그들 집과 그 옆에서 시작된 공사가 보이자 어차피 이제는 정원에도 나가지 않을 거라고 했다. 하지만 차에서 내려서는 공사가 어떻게 돼 가는지 보려고 정원에 잠시 머물렀다.

오스만은 홀에 걸려 있는 거울에 자신을 비춰 보며 케리만을 떠올렸고, 그러다 자신이 늙었다는 생각을 했다. 담배를 줄여야겠다고 결심하고, 그러면 규칙적인 일상에 새로운 변화가 될 거라고 생각하며 급히 계단을 올라갔다. 마지막 계단에서는 자신이 하나도 늙지 않았다고 생각했다. 방으로 들어가 감춰 둔 스카프가 제자리에 있는지 점검했다. 거기 그대로 있었다. 그는 쾌활한 기분으로 방에서 나왔다. 네르민이 계단을 올라오는 걸 보고는 화장실로 들어가 기분 좋게 손을 씻었고, 식사 때까지 시간을 활용하기로 한 결정을 떠올리며 아래층으로 내려가 신문을 펼쳐 들고 읽기 시작했다. 신문은 처음부터 끝까지 전쟁 기사뿐이었다. "프랑스군이 지크프리트 전선에서 전진하고 있다……. 독일군의 대응 공격에……." 전에 본 영화와 군 복무 시절을 떠올리며, 전쟁터의 상황을 눈앞에 그려 보고 그들이 어떤 심정일지 공감해 보려 했다. 하지만 마음속에 떠오르는 건 재앙과 피난뿐이었다. 그에게 재앙이란 이스탄불이 폭격당하고 카라쾨이와 시르케지에 있는 창고가 불타고 대차대조표와 매매증서와 거래처와 재고가 사라지는 것이었다. 그는 밖으로 나오지 않고 숨어서 모든 게 끝날 때까지 잠을 자고 싶었다. 두 번째로 하품을 하고 나니 베벡에서의 짧은 산책이 몸에 좋았다는 생각이 들었다. 자신이 건강하다고 생각하자 다시 케리만이, 그녀와 오늘 오후에 할 일이 떠올랐고, 점점 더 흥분되는 것을 느꼈다. 몸을 움직이고 싶은 생각이 들어서 자리에서 벌떡 일어나 부엌으로 내려가는 계단을 안달하는 아이처럼 뛰어 내려갔다.

부엌에서는 요리사 일마즈와 에미네 부인이 생선을 손질하고 있었다.

"언제 먹을 수 있어요?"

오스만은 이렇게 물었다. 그러다 그 두 사람이 몇 분 후라고 대답하지 않고 그때까지 남은 과정을 설명할 거라는 생각이 들어, 노래를 부르듯 홍겹게 "시간이 돈이다!" 하고 중얼거렸다.

"레피크네는 왔어요?"

에미네 부인이 물었다.

"아직 안 왔어요? 1시에 도착하겠다고 했는데. 빨리 생선을 불에 올려요!"

부엌 창문 밖으로 정원을 걷는 어머니가 보였다.

니갼 부인은 정원을 천천히 걷고 있었고, 손주들은 그 뒤를 따라가다가 그녀와 함께 가끔 멈춰 서서 공사 중인 옆집을 내다보았다. 니갼 부인의 시선에 적의가 묻어나자 아이들은 왜 그런지 궁금해하면서 쳐다보았다.

오스만은 부엌에서 나와 어렸을 때처럼 "하나, 둘, 셋, 넷, 다음엔 여섯!" 하고 세면서 마지막 계단을 건너뛰고 급히 올라가 거실로 들어갔다. "난 어렸어……. 여기서 태어났어! 삼십삼 년 전에!" 하고 중얼거렸다. 삼십 년 동안 이 계단을 오르내리고, 몇 번의 짧은 여행과 군 복무 말고는 이 집을 떠난 적이 없다는 생각을 했다. 구석에서 네르민과 아이셰를 발견하고는 범인을 현장에서 잡았다는 듯 "무슨 말을 하고 있는 거야! 뭔데? 말해 봐, 말해 봐!" 하고 소리쳤다. 하지만 곧 그들이 왜 그렇게 즐거워하는지를 기억해 내고, 안락의자에 앉아 신문 뒤로 얼굴을 숨겼다.

"아이셰의 약혼식에 대해 얘기하고 있어!"

"뭘 입을지에 대해서!"

오스만은 신문을 내리며 미소를 지었다. 자신이 기대했던 대로 '난 한편으로 너희들의 대화를 듣고 있고, 다른 한편으로는 신문을 읽고 있고, 또 다른 한편으로는 살아가고 있어!'라는 의미의 미소가 지어진 것 같아 기분이 좋았다. 하지만 벽에 걸린 아버지 사진을 보자 마음이 어두워졌다. '난 정부를 두고 있어. 아주 추악하지! 하지만 어쩌겠어, 그녀가 없으면 어떻게 살아갈지, 뭘 기다리며 살아갈지 모르겠는걸!' 그는 신문의 연예면을 읽었다. "조니 와이즈뮬러* 이혼!" 그는 이혼에 대해서는 한 번도 생각해 본 적이 없었다. '네르민은 주부로서, 아이들의 엄마로서 부족함이 없어!' 하지만 그녀에게 화를 내고 싶은 마음에 '이해심이 없잖아!' 하고 생각했다. 방 안에서는 대화가 계속 이어졌다. 그는 신문을 넘겼다. '그렇다면 아버지와 어머니는 사이가 어땠을까? 아버지는 평생 어머니 외에 다른 여자는 알지 못했어! 그래, 어머니는 이해심이 많았으니까. 지금은 신경질적이지만 예전엔 이해심이 많았어!' 그래서 어떻게 하고 싶은지는 생각하고 싶지 않았다. "아니, 음식은 언제 되는 거야!" 하고 투덜거리며 신문을 던지고 자리에서 일어났다. 그는 마음속의 불안감을 진정시키려고 '셀라하틴도 정부가 있고 데미르지 무스타파도 있어. 게다가 푸아트 씨도 전에 있었다고 했어! 무스타파의 아내는 알면서도 아무 말 하지 않았다지!' 하고 생각했다.

"무슨 생각을 하고 있는 거야?"

갑자기 네르민이 물었다.

"레피크네는 왜 안 오는 거지?"

"곧 오겠지!"

아이셰가 말했다.

---

* 1904~1984. 「타잔」에 출연했던 영화배우.

"이건 옳지 않아!"

오스만은 무엇에 대해 말한 건지 해명해야 할 것 같아 덧붙였다.

"이렇게까지 자기들만 생각하는 건 옳지 않아!"

하지만 네르민과 아이셰는 아무 대답 없이 자기들끼리 얘기를 나누었다. 오스만은 자개 장식품이 있는 방과 부엌으로 내려가는 계단 사이에서 서성거렸다.

"당신 왜 이렇게 신경질적이야. 좀 앉지그래! 오후에 뭘 할 건데?"

"클럽에 갈 거야!"

오스만은 이렇게 대답했지만 쓸데없이 클럽에 가야 하는 상황이 되자 더 화가 났다. '오래 있지 않으면 돼! 들어갔다 금방 나와야지! 사람들에게 내 모습을 보여 주긴 해야 돼! 아, 음식이 다 준비됐군!'

하지만 들어온 사람은 니갼 부인이었다. 그녀는 천천히 걸어왔다.

"아니, 레피크는 어디 있니?"

"안 왔어요!"

"생선을 올려놓았던데! 아니, 음식도 따로 먹는 거야? 이제 이렇게까지 하는 거야?"

"오겠죠, 이제 올 거예요!"

오스만은 이렇게 말하면서 자리에서 일어났다.

"누가 생선 올리라고 했어?"

"제가 올리라고 했어요, 걔들이 곧 올 거라고."

"그러면 되겠니? 최소한 식탁에서라도 함께 있어야지……. 이것마저 깨 버리면……."

니갼 부인이 이렇게 말하는데 오스만이 말을 끊었다.

"어머니, 곧 온다고 했잖아요. 올 거예요, 이제 올 거예요!"

그는 자신의 손이 담뱃갑으로 향하자 화가 났다. '담배를 못 피우고 여자에게 관심을 갖지 않으면 뭘 해야 하지?' 그는 부당한 대우를 받은 것 같아 오히려 약간 기분이 상쾌해졌다.

"옆집을 건너다봤어. 눈물이 날 것만 같더구나!"

오스만은 말없이 고개를 끄덕이고 다시 자리에 앉았다.

"니샨타쉬를 엉망으로 만들고 있어!"

니갼 부인은 잠시 침묵을 지키다가 다시 입을 열었다.

"날씨가 정말 덥구나!"

"예, 어머니, 덥네요!"

네르민이 대꾸했다.

"아이들은 어디에 있어?"

"어머니와 같이 정원에 있지 않았어요?"

"정원에 있었는데……."

"저기 오네요……."

"음식도 오네!"

오스만은 거의 고함치듯 말했다. 다들 이상하게 쳐다보는 것 같았다.

"배고파 죽을 지경이에요! 야, 냄새가 끝내주는걸, 월계수 잎은 어디 갔지?"

에미네 부인이 미소를 짓자 쾌활한 기분으로 식탁에 앉았다. 하지만 어머니는 앉은 자리에서 일어나지 않았다.

니갼 부인이 식탁에 앉지 않았기 때문에 아이셰와 네르민도 자리에서 일어나지 않았다. 오스만은 그들을 불렀다. 레피크네가 곧 올 거라며 농담도 했다. 하지만 니갼 부인은 네르민이 온갖 말을 다 한 다음에야 겨우 식탁에 앉았다. 이 일도 제브데트 씨가 없기 때문이라고 했다. 이때 방울 소리가 들렸다.

"아, 왔어요!"

"왔구나, 하지만 우린 이미 식탁에 앉아 버렸어!"

잠시 후 레피크와 페리한이 들어왔다. 자기들끼리 계속 얘기를 하고 있다가, 사람들이 식탁에 둘러앉은 걸 보고는 페리한이 미소를 지었다. 레피크도 웃으며 말했다.

"우릴 안 기다리셨군요, 잘하셨어요!"

"잘한 거 아니다, 절대 잘한 거 아냐!"

니갼 부인은 중얼거렸다.

"집을 좀 둘러보고 왔어요!"

"우리한테서 도망치려고, 그렇지?"

레피크는 식탁 위에 올려놓은 어머니의 손을 쓰다듬었다.

"어떻게 그런 생각을 하세요, 말도 안 돼요!"

레피크 부부는 옷을 갈아입고 손을 씻기 위해 밖으로 나갔다.

"재가 어쩌다 저렇게 됐니?"

"우린 좋아요, 우린 모두 좋아요, 신께 감사드려야지요. 모든 게 다 좋고, 우린 모두 건강해요, 회사도 좋고요. 불만 가질 게 없지 않아요?"

오스만은 이렇게 말하고서 자신이 다리를 신경질적으로 떨고 있다는 걸 깨닫자 화가 났다. 잠시 후 무슨 말이든 해야 할 것 같아 금요일에 사무실에서 있었던 우스운 사건을 들려주었다. 하지만 곧 이미 얘기한 적이 있다는 걸 기억하고는, 생선이 아주 맛있다며 입을 다물었다.

"라마단은 언제 시작되니?"

"10월 15일에요!"

오스만이 대답했다.

"10월 15일, 한 달을 더하면 11월 15일이구나."

그러고는 아이셰에게 물었다.

"넌 명절 사이*에 약혼하는 거니? 오렌지가 있으면 일마즈가 오렌지가 들어간 카다이프를 만들 텐데! 귤로도 만들 수 있나? 아니, 얘들은 안 오고 뭐 하는 거야? 어디 있지? 생선이 식었잖아!"

그녀는 떠오르는 생각을 급히 쏟아 냈다. 그때 레피크와 페리한이 들어왔다.

"애가 울어서요!"

페리한은 아기를 안고 있었다. 아기에게 "앉자!"라고 하며, 구석에 있는 의자 위에 아기를 앉히고 자신도 그 옆에 앉았다. 레피크가 말을 꺼냈다.

"지한기르에서 아주 좋은 집을 찾았어요! 10월 초에 세를 들기로 했어요!"

---

* 한 달간의 라마단이 끝나고 2달 후에 희생절이 있다.

"거긴 벼락부자들이 사는 지역이야!"

니갼 부인이 대꾸했다.

"어머니, 바다가 보여요! 라디에이터도 달려 있고요. 바다가 보이는, 새로 지은 깨끗한 아파트예요. 창도 크고요. 햇빛이 잘 들어요. 벽은 새하얗고……."

갑자기 오스만이 끼어들었다.

"난 생선 다 먹었어. 후식은 뭐예요?"

"쟤도 정말 애 같군, 애!"

니갼 부인은 이렇게 말하며 웃기 시작했다. 오스만도 같이 웃었다.

"예, 예, 정말 배가 고파서요!"

'우린 정말 멋지게 살고 있어! 몇 시지? 1시 20분이 지났군……. 아, 이 시간에 클럽에 가서 얼굴을 비춰야 하다니!'

"여기도 자주 올 거지, 그렇지? 멜렉이 보고 싶을 거야! 아버지가 가시고 일주일이 지나서 날 위로해 주려고 태어난 아이란 말이야!"

59
좌절인가?

"엔지니어라니 아주 흥미롭군!"

"왜 그렇습니까?"

"민족에 관심을 갖고, 무엇보다도 민족을 먼저 생각하는 엔지니어라!"

그야세틴 카안은 다시 한 번 말했다. 자기 자신을 생각하는 것 같았다. 무히틴은 다시 물었다.

"엔지니어들은 정확한 문제가 아니면 관심이 없다는 말씀인가요?"

"그렇네, 정확성, 정확성!"

그야세틴 카안은 이렇게 중얼거리다가 부끄러운 듯 덧붙였다.

"나의 인종주의 이론에도 정확성과 학문적 강박관념이 있다고들 하던데?"

"누가요?"

"그들 있잖나……. 당신의 옛 친구들……. 마히르 알타일르와 그 주위 사람들. 그들은 'Rassen Psychologie' 같은 헛소리를 하면서 인종주의를 희석시켰네!"

"아, 예!"

무히틴은 고개를 끄덕였다. 이 말을 처음 들었고, 그래서 놀랐다는 듯이 눈썹을 추켜올렸다. 그는 조금 전에 위스퀴다르에 있는 그야세틴 카안의 집에 왔고, 전에 전화 통화를 하며 은근히 내비친 말을 되풀이했다. 그는 마히르 알타일르와 그 주위 사람들과는 더 이상 함께할 수 없다는 걸 깨달았고, 자신에게 권한이 있는 잡지《황금빛》을 경험 많은 이 교수의 도움으로 계속 발간하고 싶다는 말이었다.

"당신은 옛 친구들을 빨리도 잊는군!"

"아닙니다, 어르신, 전 그들을 잊지 않았습니다!"

무히틴은 그야세틴 카안의 말에 대답하며 자리에서 일어났다. 그는 책으로 둘러싸인 방의 창문 쪽으로 걸어갔다.

"그들도 당신을 쉽게 잊지 못할 걸세……. 당신에게 분노할 거야, 물론 예상은 하고 있겠지!"

그야세틴 카안은 모든 것을 안다는 태도였다. 무히틴은 계속 창밖 뜰을 바라보았다. 오래된 저택의 뒤뜰은 손질이 잘되어 있었다. 과실수 잎사귀 사이로 멀리 있는 닭장이 보였다.

"저한테는 중요하지 않습니다!"

"아주 다혈질인 친구로군! 참, 'Rassen Psychologie'! 그들 중에 이 말을 제대로 발음하는 사람이나 있나?"

"마히르는 독일어를 압니다!"

"독일어……. 그는 모든 걸 독일에서 가져오지. 그러면서 우리에게 파시스트라고 한단 말이야. 우린 파시스트가 아냐. 우린 터키 민족주의자라고!"

그는 고함을 지르며 말을 이어 갔다.

"그에게 이렇게 말했지만 이해를 못하더군. 내가 자기를 속인다고 생각하는 거야. 내 진짜 생각을 감추고 있다고 말이지. 진짜 생각과 밖으로 말하고 사용하는 생각에 무슨 차이가 있다고! 내가 한 건 진짜야! 내 말 듣고 있나?"

"듣고 있습니다!"

무히틴은 창문 앞에서 물러나며 대답했다.

"나는 그에게 '들어 보게. 무슨 차이가 있다고 그러나. 우리는 파시스트가 아닐세, 우리는 어차피 다 같은 터키인이지.'라고 했네. 그들은 내가 솔직하지 않다고 화를 내고 있지. 하지만 정말 화가 난 건 그 때문이 아니었네! 그는 내 말을 따라하고 있어. 알아듣겠나? 이해를 못하는군!"

무히틴은 '이 사람은 자기가 뭐라고 생각하는 거지?' 하는 생각이 들어 화가 났다.

"마히르는 똑똑한 사람이네. 그래, 영리하지. 나의 적이지만 영리하고 다재다능한 사람이야. 멋있는 사람이고, 또 나와 완전히 적이라고 할 수도 없지. 그에게 내가 한 말을 전하게!"

"그를 다시 만날 생각은 없습니다!"

"만날 거야, 만나게. 감정이 상한 사람들끼리는 화해를 해야지! 우리가 모두 몇이나 된다고. 섭섭한 것도 한순간이네!"

"한순간이라고 생각하지 않습니다! 그렇게 생각했다면 어르신에게 오지 않았을 겁니다!"

그야세틴 카안은 작고 늙은 눈을 깜박였다. 사랑스럽다고도 할 수 있었다. 그는 노인이 아니라 아이처럼 급하게 자리에서 일어났다. 천천히 걸으며 "그렇지, 그렇지!" 하고 중얼거렸다. 그는 '나는 마히르가 하는 말을 믿는 것처럼 행동하지!' 하는 표정을 지었다.

"그들과 관계를 맺을 생각이 없다는 걸 다시 한 번 말씀드리겠습니다!"

"좋네, 좋아! 다시는 그들을 만나지 않겠다는 말을 믿겠네."

그야세틴 씨는 웃으며 이렇게 말하고는 방 한가운데에 멈춰 섰다.

"그를 안 만나겠다고? 마히르를 안 만나겠다는 거군!"

그는 혼자 중얼거리다가 갑자기 물었다.

"그럼 그들은 나에 대해 뭐라고 했나?"

"누구 말씀입니까?"

무히틴은 이 늙은 터키주의자가 뭘 궁금해하는지 알 것 같았지만 이렇게 물었다. 그는 이런 질문이 즐겁다는 듯 그야세틴 씨의 얼굴을 가만히 쳐다봤다.

"그들, 그러니까, 그들 말이네! 마히르와 그 주위 사람들!"

"좋게 말하지는 않습니다, 어르신!"

"말해 보게, 뭐라고 하는지, 말해 보게!"

무히틴은 부적절한 얘기는 하고 싶지 않았다. '내가 이 사람을 너무 과대평가했군!' 하는 생각도 들었다.

"이보게, 말해 보게, 나에 대해 뭐라고 하던가?"

"두개골주의자라고 합니다!"

"아, 그건 알고 있네! 숨기려고도 하지 않는군! 다른 말은?"

"어르신 생각이 옳다고 하지 않습니다……."

"그것도 알고 있네. 그런 말을 듣자는 게 아니야! 내 인성에 대해 뭐라고 하던가?"

"어르신, 어르신께서는 이제 저와 잡지 일을 함께하실 테니, 그런 뒷얘기들은 아무런 의미가 없습니다. 전 그들과 관계를 끊었습니다!"

그야세틴 카안은 '아, 교활한 사람이군!' 하는 듯한 시선으로 그를 노려보고는 고개를 흔들었다. 무히틴에게서 돌아서서 책상 위에 놓인 담배를 집어 들고 불을 붙였다. 그러다 갑자기 속삭이듯이 말했다.

"젊은이들, 젊은이들은 나를 존경하나?"

"어르신이 뜰에서 닭을 키운다는 얘기를 하고 있습니다."

그야세틴 카안은 인상을 썼다. 보이지 않는 손이 잡아당긴 것처럼 뺨이 이마 쪽으로 팽팽해졌고 턱은 늘어졌다.

'그래, 난 좋아 죽을 지경이야. 하지만 이번엔 좋지 않군! 이런 말은 할 필요가 없었는데. 내 무덤을 파고 있어!' 무히틴은 생각했다.

"그러니까 뭐라고 한다고? 닭? 난 늙었어! 열정이 남아 있지 않다고! 그런가?"

뒷얘기를 한 사람이 아니라 무히틴에게 화가 난 것 같았다.

"어르신, 그들이 하는 말에는 신경 쓰지 마십시오!"

무히틴은 이렇게 말하고 '그 말이 무척 거슬리는 모양이군!' 하고 생각했다.

"누가 그렇게 말하던가? 마히르인가? 그를 키운 사람이 바로 난데!"

"어르신은 우리 모두를 키우신 분입니다."

그는 이렇게 말하며 다시 자리에 앉았다. 하지만 노인이 자리에 앉지 않아서 불편해졌다.

"제가 어르신에 대해 썼던 글에서 그렇게 밝혔습니다!"

"말해 보게. 만약 터키주의가 역사를 근간으로 한다면, 할크에브레리*와 국민당의 터키주의가 무슨 차이가 있겠는가?"

"저도 그 생각을 했습니다!"

"게다가 전쟁이 시작되었네! 만약 이 전쟁이 새로운 세계를 이끌어 낸다면, 우리도 새로운 얘기를 해야지. 할크에브레리의 터키주의만 되풀이하는 게 무슨 의미가 있겠나? 그들에게 이걸 설명하게!"

"어르신, 전 그들을……."

"아, 그렇지, 말했지!"

그야세틴 씨는 책상에 앉았다. 얼굴에는 무히틴이 이해할 수 없는 미소가 어려 있었다. 그는 책상 위에 놓인 종이와 책을 살펴보고 시계를 확인했다.

"알겠소, 그러니까 당신이 찾아온 이유가 그렇게 요약되는

* 1932년부터 1951년까지 터키 공화국 초기 아타튀르크 사상을 형성한 단체.

군요. 다시 말해 보시오."

"저는 이제 마히르 알타일르와 그 주위 친구들과 함께 잡지《황금빛》에서 일하고 싶지 않습니다! 그 잡지를 우리가 함께……."

무히틴은 예상치 못한 그의 사무적인 태도에 놀라서, 꼼꼼한 의사에게 자신의 증상을 말하듯 반복해서 설명했다.

"나이가 어떻게 되오?"

"스물아홉입니다!"

"정말 젊군! 엔지니어라고 했소? 달리 하는 일은 있소?"

"다른 일이요? 저는 잡지를 만들고 있습니다, 어르신!"

"옛날엔 무슨 일을 했소?"

"엔지니어 관련……."

무히틴은 이렇게 대답하면서 '무슨 꿍꿍이지?' 하고 생각했다.

"아니! 다른……. 시를 쓴다고 하던데, 내가 듣기로는!"

"예, 형편없는 시집 한 권이 있습니다!"

무히틴은 자신이 갈피를 못 잡고 있고, 늙은 터키주의자가 무슨 생각을 하는지 모르겠다고 생각했다.

"왜 형편없다고 생각하오?"

"제 신념이 없었기 때문입니다, 어르신!"

"신념이란 말이지!"

그야세틴 카안은 이렇게 중얼거리더니 다시 물었다.

"여러 신념 중 하나를 말하오?"

"아닙니다! 올바른 관점을 말하는 겁니다!"

그는 이렇게 말하면서 '저 사람은 나보다 명석한가?' 하고 생각했다.

그야세틴 씨는 앞에 있는 신문을 가리키며 물었다.

"프로이트가 죽었다던데! 어떻게 생각하오?"

"무슨 뜻입니까?"

"그의 책을 읽어 본 적 있소? 그를 어떻게 생각하오?"

무히틴은 그에게 똑똑하게 보여야 할지 믿음이 가게 보여야 할지 판단이 서지 않았다.

"읽었습니다!"

그야세틴 씨는 생각에 잠긴 표정으로 미소를 지었다.

"우연히 비엔나에서 그를 만난 적이 있소. 동양에 관한 세미나가 열리는 장소에 가깝도록 베르크가세 9번지에 방을 잡았지. 아래층에 연구소가 있다는 건 알았지만 무슨 연구소인지는 몰랐다오! 어느 날 저녁 집주인 여자가 와서 교수가 나를 만나고 싶어 한다고 전하더군. 그가 프로이트라고 했소. 연구소에는 예민한 기구가 있으니, 슬리퍼를 신어 달라고 하더군. 나는 그의 책을 읽은 적이 있지만 마음에 들지는 않았다오. 예닐곱 살짜리 딸이 욕망을 품고 아버지를 바라보고 아들이 욕망을 품고 어머니를 바라보는 건 터키인에게 맞지 않는다고 그에게 말했소. 그는 웃더군."

늙은 터키주의자는 갑자기 무히틴의 덜미를 잡고 싶은 듯 물었다.

"당신은 그의 철학을 어떻게 생각하오?"

"어떤 면에서는 옳다고 봅니다."

"그렇다니까, 그렇다니까! 난 당신이 터키주의자가 될 수 있을 거라고 생각하지 않소. 이미 알고 있었지!"

그는 이렇게 말하며 자리에서 일어났다.

"예? 뭐라고요?"

"당신은 터키주의를 믿지 않소!"

"뭐라고 하셨습니까?"

무히틴도 자리에서 일어났다.

"당신은 뭔가를 믿을 거라고는 생각하지 않소. 당신은 자기애가 너무 강하고 오만하며, 자신의 총명함을 증명하고 싶어 하는 사람이오."

늙은 터키주의자는 무히틴 쪽으로 몇 걸음 다가와 한동안 아무 말도 하지 않았다. 잠시 후 천천히, 마치 기계처럼 건조하게 덧붙였다.

"하지만 나 같은 사람에겐 그게 무례한 행동이라는 걸 알아주었으면 하오. 당신은 이미 자아도취에 빠져 있소. 개성과 자존심에 집착하는 사람은 이런 활동을 할 생각도 하지 말아야 하오……."

그는 얼굴을 찡그렸다.

"마히르가 자네 자존심을 상하게 했고, 그래서 나에게 왔지, 그렇지? 내일은 또 다른 사람에게 갈 사람이야, 자네는. 빨리 여기서 나가……. 난 마히르도 잘 알고 있어. 그와 만나기도 하지. 자네가 그의 딸을 어떤 눈길로 본다더라?"

그는 문으로 걸어갔다. 무히틴도 문을 향해 걸음을 옮겼다.

"뭔가 오해가 있다고는 말하지 않겠습니다!"

"아직도 자기 생각에 빠져 있군!"

그야세틴 씨는 문의 손잡이를 잡고 다시 말했다.

"어떤 면에서는 프로이트가 옳다고! 자네가 아주 이해심이 많다는 것을 보여 주고 싶은 건가? 자네는 손에 검을 들고 사는 민족의 후손이 될 수 없어!"

잠시 그의 얼굴이 환해지는 것 같았다.

"난 자네에게서 들을 말은 다 들었어. 난 다 알고 있었어. 그러니까 닭들이라고! 이 말은 왜 했지? 자네는 자만심에 가득 차 있어. 하지만 난 자네를 손아귀에 쥐고 있지!"

그러고는 문을 열었다.

"멍청한 사람 같으니!"

"좋습니다, 좋아요!"

무히틴은 문지방을 넘으며 중얼거렸다.

"자네 아버지 이름이 어떻게 되나?"

'내 아버지 이름은 알아서 뭐하려고! 내 아버지는 군인이야!' 무히틴은 이렇게 생각하며 현관을 향해 걸어갔다.

"이름이 뭐냐니까? 하이다르? 알레비*로군!"

그야세틴 카안은 무히틴 한 걸음 뒤에서 걸어왔다.

"마히르는 알고 있어. 나한테도 말했지. 자네 아버지를 군대에서 알게 되었다고. 별로 명예로운 사람은 아니었다지, 아마? 놀랐나, 그래? 마히르는 자네를 어떻게 꼬드겼는지도 내게 말했어. 자네 아버지가 위대한 사람이었다고 하니 흥분하

---

* 4대 칼리프 알리를 추종하는 사람들.

더라고 하더군. 당연하지, 자네는 어린애니까!"

'내 뒤를 따라오며, 내 목덜미를 보고 말하고 있어!'

문이 열리고, 차 쟁반을 든 젊은이가 들어왔다.

"차는 됐어! 손님은 지금 가니까!"

그야세틴 씨가 말했다. 무히틴은 갑자기 돌아섰다.

"오해하셨습니다, 오해하셨어요! 아버지는 모범적인 분이셨습니다!"

"어쩌면 내가 자네 아버지를 오해했을 수도 있겠지. 하지만 자네에 관해선 아니야! 자네 같은 사람들을 잘 알아. 똑똑한 걸 자랑하면서 자존심을 위해서라면 뭐든 할 사람들이지!"

늙은 터키주의자는 무히틴에게 정중하게 문을 열어 주며 말했다.

"정말 아는 것도 많으시군요!"

무히틴은 조롱하듯이 대꾸했다.

"알지! 최소한 자네 같은 사람들과 함께 일할 수 없다는 것 정도는 말이야!"

그야세틴은 손을 호주머니에 넣고 있었다.

"알겠습니다, 그 정도면 충분합니다!"

무히틴은 이렇게 말하며 등을 돌렸다. 서너 걸음 정도 되는 앞뜰을 지나갔다. '나의 뒷모습을 바라보고 있을 거야! 뒤를 돌아볼까? 뭐하러?' 그는 이렇게 생각하며 돌아보지 않았다. 거리로 나갔다. 걷기 시작했다.

날이 어두워지고 있었다. 네모난 돌이 깔린 위스퀴다르 거리는 사람들로 붐볐다. 하늘은 청명했다. 갈매기가 몇 마리 날고 있었다. '어떻게 된 거지? 조금 전엔 천국에 있었는데 지금은 지옥에 있어! 난 이렇게 천국에서 쫓겨났어. 서류가 부족하대! 정말 웃기는군!' 그는 웃고 싶었다. '내가 총명하지 않다는 증명서를 시청에서 발급받아야겠군!' 갈매기 한 마리가 낮게 날며 다가오더니 울면서 멀어져 갔다. 무히틴은 "비가 오겠군!" 하고 중얼거렸다. '비……. 세상……. 그래, 난 천국에서 쫓겨났어……. 왜지?' 이제는 쾌활해질 수 없을 것 같았지만 안간힘을 썼다. '그 영감은 정말로 화를 냈어! 진짜 웃겨! 왜지? 왜 그렇게 되었지?' 그는 부두를 향해 걸어갔다. '왜 그렇게 되었지, 왜 그렇게 되었지, 왜 그렇게 된 거냐고! 그가 화를 냈어! 왜지? 닭을 키운다는 말에 화가 난 거야! 청년들이 자신을 존경하지 않는다고 하자 신경을 곤두세웠어. 그것 때문에 화가 난 건가? 아냐! 내가 몇 달 전에 쓴 글 때문에 화가 난 거겠지. 우리가 조롱했다는 걸 알아챈 거야. 그 글 이야기는 왜 안 꺼냈을까?' 그는 갑자기 멈춰 섰다. '그는 다 알고 있었어! 마히르가 나에 대해 다 얘기한 거야! 하지만 그와도 싸웠잖아!' 그는 두려워졌다. "혹시 거짓으로 싸운 거 아냐?" 하고 중얼거렸다. '하지만 마히르의 모든 말이 속임수일 리는 없어! 그렇다면 우리가 왜 그를 찬양했지? 우리가 아냐, 내가 찬양했어! 더 정확히 말하면 내가 찬양하게 만들었어! 그들은 나를 하수인처럼 이용했어!' 그는 점점 놀라고 있었다. '이게 어떻게 된 거지? 왜?' 그는 갑자기 중얼거렸다. "모두 다 그 프로이트 때문이야! 그래, 프로이트 때문이야! 하지만 나도 입조심을 못했어! 아냐, 모두 게임이야! 어떻게 된 거지? 저들은 만나고 있어. 그럼 나는 중간에서?" 그는 갑자기 절망에 휩싸였다. '나를 없애 버린 거지! 어쩌면 마히르가 날 시험한 건지도 몰라. 나는 그 시험을 통과하지 못하고 속아 넘어가고 말았어. 아!' 그는 더 이상 생각하고 싶지 않아 매표소에서 표를 샀다. 하지만 생각은 그를 놓아주지 않았다. '그는 나를 쫓아냈어. 영감이 날 내쫓았어! 그가 화를 내는 건 당연해. 그에게 건방을 떨었으니까. 그를 조롱하려 했으니까. 닭을 키운다고! 그의 얼굴이 일그러졌어. 이제 난 쫓겨났어. 왜지? 나의 오만함과 총명함에 집착하기 때문이지!' 그는 지난여름 레피크의 집에서 만나 벌였던 논쟁을 떠올렸다. "외메르한테 했던 짓 중에서 한 가지도 하지 않았는데 나를 내쫓았어. 마히르에게도 말하겠지! 하느님, 이제 어쩌지?" 그는 혼자 중얼거리다가 불안해하며 자리에서 일어났다. '삶? 이제 뭘 할 수 있지? 그들은 모든 것을 모든 사람들에게 말할 거야. 내가 마히르의 딸을 어떤 눈길로 봤다는 거야!' 그는 마히르 알타일르의 집에서 주눅이 들지 않는 걸 증명하려고 그렇게 행동했던 것이다. '아버지가 알레비라고! 거짓말! 하이다르라는 이름은……. 난 아버지가 모범적인 사람이라고 말했어! 전에는 아버지처럼 되지 않으려고 매일 혼자 맹세하곤 했지! 무히틴, 너 지금 어떻게 된 거야?' 그는 담배를 한 대 피워 물었다. 웬 젊은이가 다가와서 그의 담배에서 불을 붙여 갔다. '얘는 몇 살일까? 열여덟? 담배 피우는 걸 선망하는 거겠지. 나도 다른 사람 담배에서 불을 붙이는 걸 좋아했어. 난 이제 늙었어, 늙었어. 스물아홉 살! 그는 내게 몇 살인지 물었어. 그는 다 알고 있었어. 서른 살까지는 넉 달이 남았어.' 배가 접근했고, 사람들이 내렸다. 무히틴은 갑자기 '그래, 자살할 거야!' 하고 생각했고, 그러자 마음이 편해지는 것 같았다. '어차피 난 늘 믿고 있었어. 죽음 너머는 없잖아!' 문이 열렸다. 그는 천천히 배 쪽으로 걸어갔다. 시원한 바람에 머리칼이 뒤엉켰다. 배 안은 더웠다. "하지만 아직 할 일이 남아 있어!" 그는 이렇게 중얼거리며 자리에 앉았다. '뭘 할 수 있지? 어떻게 이 일에서 벗어나지?《황금빛》다음 호에 이런 글을 실으면 어떨까. '마히르 알타일르와 그야세틴 카안의 비밀스러운 음모!' 아냐, 평범해! 그렇다면 이렇게. '터키주의에 두개골주의를 희석하고 싶은 사람들과 역사주의를 희석하고 싶은 사람들이 손잡다.' 그 많은 적들을 어떻게 다 상대하지?' 그는 창밖을 내다보았다. '한 번 더 생각해 보자. 마히르는 그야세틴과 사이가 안 좋았는데 그래도 만나고 있어. 마히르는 역사를 중요시하고 두개골주의를 비판하고 있어. 왜? 혹시 그가 그루지야계나 체르케스계는 아니겠지? 하지만 그는 하이다르도 언급했잖아? 그렇다면 잡지 발행 권한을 왜 나한테 줬을까? 그가 뭘 할 수 있지? 예전처럼 시를 써야겠어. 진짜 시를. 그들은 나를 혐오하겠지!' 그는 일어나 밖으로 나갔다. 차를 마시고 싶어서 주문을 하려고 기다리면서 자신을 위로했다. 천천히 차를 마셨다. 멀리 베쉭타시 부두가 보였다. '배와 부두 사이로 몸을 던져야지!' 그는 어렸을 때부터 접근하는 배와 부두 사이로 떨어지는 걸 두려워했다. '신문에 기사가 나겠지. 비평가들은 내 시집에 관심을 갖게 될 거야! 그렇지 않아도 내 시에 죽음의 냄새가 났다고 쓰겠지. 게다가 난 약속을 지킨 셈이 되고! 그래, 이게 가장 좋아!' 그는 갑자기 흥분이 되었다. '일 분 남았어!' 그는 주위를 둘러봤다. 키가 크고 마른 남자가 담배를 피우고 있었다. '됐어! 이제 저 남자 얼굴도 절대로 잊지 못하겠지! 편지라도 써 놓았어야 하는 건데! 공포스럽고 긴 자살 편지! 어딘가에서 그런 걸 읽은 적이 있는 것 같은데! 누구한테 쓰지? 레피크. 아냐, 아냐, 어떻게 해야 하지? 지능!' 그는 또다시 어떻게 이 일에서 벗어날지 생각해 봤다. '모두 내가 너무 똑똑해서 생긴 일이야! 내 죄가 아냐! 편지도 쓸 필요 없어. 약속을 지킨 시인!' 배가 접근하고 있었다. '바다에 몸을 던져 버려야지! 그러면 머릿속의 이 잡담도 모두 끝날 거야! 열, 아홉, 둘에서 몸을 던지자.' 그는 숫자를 잘못 셌다. 부둣가에 밧줄이 던져졌다. '지금이야, 지금!' 그는 신발 바닥으로 배를 밀었다……. "팔짝, 아!" 육지에 발을 디뎠다. 무서웠다…….

"아이고, 얘야, 넘어지겠다, 왜 그렇게 서둘러?"

무히틴은 늙은 직원을 노려봤다.

'편지를 쓰기 전엔 안 되겠어!'

60
비망록 III

1939년 9월 26일 화요일

이 난리 통에 난 왜 일기를 쓰기로 결심했을까? 갑자기 시간이 너무 빨리 흐른다는 느낌이 들었기 때문인지 모른다! 책과 종이, 서류를 모으다가 비망록을 발견했다. 나흘 뒤면 페리한과 지한기르로 이사한다. 지금은 서재, 그때 우리가 포커를 쳤던 그 방에 앉아 집 안에서 들려오는 소리를 듣고 있다. 그러면서 이 공책을 훑어봤다. 마지막으로 쓴 게 일 년 반 전이었다. 케마흐와 헤르 루돌프, 내 계획에 대해 써 놓았다. 그 허튼 계획은 농림부의 도움으로 아무도 읽지 않는 책이 돼 버렸다. 지금 갑자기 모든 걸 다 쓰고 싶은 생각이 든다. 하지만 꾸준한 게 낫다. 나중에 써야지. 아래층에서 저녁을 먹으라고 부른다.

한 시간 반 후! 9시 반. 저녁을 먹었다. 쾨프테와 콩. 이 공책을 펼쳤을 때는 쓰고 싶은 의욕이 솟았지만 그러다 그만둬 버린다. 뭘 쓰려고 했지? 서랍에서 아버지의 비망록을 발견했다. '반세기 동안의 나의 사업 인생'이라고 쓰여 있다. 그런 후 단편적인 글과 낙서…….

우린 모두 죽을 것이다!

아버지가 쓴 글을 읽었다. 내 마음에 스쳐 지나가는 것과 단어의 거리가 아주 멀었다.

9월 27일 수요일

책을 궤짝에 넣고 있다. 책을 뒤적이느라 많은 시간을 허비하고 있다. 조금 전 『가련한 네즈데트』*를 뒤적였다! 아주 평범한 책이다! 나는 열여섯 살이던 어느 저녁에 이 책을 읽으며 흥분했고 무척 감동받았다. 하지만 다음 날 친구들과 축구를 하면서 내가 그렇게 흥분했다는 게 부끄러워졌던 기억이 난다! 내용도 기억나지 않는 책도 있었다. 휘세인 라흐미**의 책이 눈에 들어왔다. 나는 이 작품에 나오는 마을 아낙네들이 마음에 들지 않았고, 정확히 말하면 역겹기까지 했다. 하지만 사랑하는 루소는 어떤가! 또다시 『고백록』을 들춰 봤다. 하지만 그 책은 서서 뒤적일 책이 아니다. 그의 사상은…….

방금 페리한이 왔다 갔다. 우리 방문 앞 계단에 있는 서랍을 가져갈지 물었다. 놀랐다. 전에는 대부분의 물건이 누구의 소

* 금지된 사랑을 소재로 한 사페트 네지트의 소설.
** 1864~1944. 터키의 소설가.

유가 아니라 이 집의 소유였다. 누군가 혹은 모두가 사용했다. 이제 물건들이 우리 것과 그들 것으로 나뉘지고 있다. 예를 들면 그 서랍이 그렇다! 우리가 결혼할 때 산 건 아니었다. 하지만 오랫동안 우리가 사용했다. 우리에게는 식기 세트도 없다. 어머니는 이렇게 물건을 나누는 걸 볼 때마다 불같이 화를 냈고, 우리가 역겹다는 듯 인상을 찌푸렸다. 우리를 비난했다. 하지만 사실 우리를 이해하지는 못한다. 내가 옳다. 내가 왜 집에서 나가는지를 이 공책에 전부 써야겠다!

9월 30일

우리는 이사했다. 새벽 3시. 페리한은 방으로 가서 잠자리에 들었다. 나도 무척 피곤하다. 잠들지 못할까 봐 두려워 술을 마시면서 이 글을 쓰고 있다. 하루 종일 물건을 날랐다……. 난 이 집에 익숙해지고 있다!

10월 1일 일요일

물건을 정리하고 있는데 요리사 일마즈가 왔다. 오스만이 보낸 편지 두 통을 가져왔다. 한 통은 무히틴이, 다른 한 통은 오스만이 보낸 것이었다. 오스만이 보낸 편지를 바로 열었다. 이틀 전에 왔는데 그냥 방치되어 있었다는 내용이었다.(무히틴의 편지가.) 오늘 아침 무히틴이 니샨타쉬의 집에 와서 나에 대해 물었다고 한다. 내가 이사했다는 걸 알자 자기가 보낸 편지를 돌려달라고 했다고 한다. 오스만은 놀란 것 같았고(놀랐다고는 쓰지 않았지만.) 편지를 돌려주지 않았다고 한다. 편지를 부치고, 그 편지가 수신처에 도착하면, 그건 받는 사람 것이라면서 말이다! 무히틴이 나와 얘기하고 싶다고 주소를 알려 달라고 했지만, 오스만은 내 주소도 알려 주지 않았다고 한다. 나쁜 친구에게서 날 보호하고 싶어서이기도 하지만, 무히틴을 좋아하지 않기 때문이기도 하다. 그러고는 무히틴이 가자마자 일마즈를 통해 내게 편지를 보낸 것이다. 그는 내 주소를 무히틴에게 알려 주지 않은 이유에 대해 장황하게 썼다. 무히틴이 과거에 아버지에게 했던 무례한 행동들, 자신에게 사납고 오만하게 굴었던 일들을 자세히 써 놓았다…….

오스만의 편지를 읽은 후 급히 무히틴의 편지를 열었다. 끔찍한 편지였다. 저녁 무렵 무히틴이 와서 그 편지를 가져갔기 때문에(길에서 일마즈를 만나 내 주소를 알아냈다고 했다!) 내 머리에 남은 내용을 요약해 보려 한다. 그가 쓴 편지의 내용은 이랬다.

"레피크, 난 자살하기로 결심했어. 누군가에겐 알려야 한다고 생각했는데, 네가 떠올랐어! 서른 살에 좋은 시인이 되지 못해서(아직 정확히 서른이 되진 않았지만!) 자살하는 게 아냐. 행복하지 못하고, 앞으로도 행복해지지 못할 거라서 자살하는 거야. 난 절대 행복하지 못할 거야. 행복할 수 없을 정도로 너무나 똑똑하기 때문이지." 이런 내용이었다! 아마 이보다 조금 더 길었던 것 같다. 편지 끝에서는 우리의 우정에 대해 언급하며, 나의 행복을 빌어 주고 있었다. 무히틴이 죽지 않은 것을 봐선 장난 같았다. 이 편지를 보낸 후 그가 후회했을 거라는 생각이 들었다. 무히틴도 장난이라고 했다.

그가(그러니까 무히틴이) 집으로 와서 내게 쓴 편지가 니샨타쉬 집에 있다고 했다. 그러다 그 편지가 지금 나한테 있고 내가 이미 읽었다는 걸 알고는 자신이 친 장난을 어떻게 생각하느냐고 물으며 웃었다. 오스만이 왜 그 편지를 내게 즉시 보냈으며, 내 주소를 주지 않았는지도 물었다. 내가 그의 장난에 놀랐고, 진지하게 그런 장난을 하는 게 걱정된다고 하자, 그는 내가 아주 순진하다고 했다. 우리는 이 얘기를 문 앞에 서서 나누었다. 그는 안으로 들어오려 하지 않았다. 하지만 궁금한지 안을 들여다보기는 했다. 무히틴이 늘 그러듯이 말이다. 그가 장난이라고 하도 끈질기게 말해서 나도 장난이라고 믿을 지경이었다. 하지만 그는 진지했을 것이다. 무히틴은 그런 결정을 했다가 나중에 후회한 것 같았다. 그런데 편지는 왜 썼을까?

나는 이 얘기를 페리한에게 했고, 그녀는 들었다. 무히틴이 가엾다고 했다.

무히틴은 다시는 나를 만나지 않겠다고 했다. 확고하다고 했다! 지난여름 함께 술을 마셨던 날에도 그렇게 말한 적이 있었다. 나는 그와 얘기를 하고, 다시는 이런 장난을 치지 말라고 말하려 했지만 그는 듣지 않았다. 그는 신경질적으로 집 안을 들여다봤다. 그가 막 가려고 하면서 계단 전등을 켤 때 내가 "무히틴, 결혼하지그래!" 하고 말해 버렸다. 그는 폭소를 터뜨리고는 돌아갔다.

내가 쓴 글을 읽어 봤다. 역시 일어난 일을 잘 반영하지 못하고 있다.

10월 3일 화요일

사무실에서 돌아왔다. 아침에는 걸어서 회사에 가고, 돌아오는 길에는 택시나 전차로 탁심까지 나와서 오늘처럼 걷는다. 6시. 페리한과 잠시 얘기를 나누었다. 그녀는 오늘 한 일들에 대해 말해 주었다. 아침에는 아이를 공원으로 데려갔고, 오후에는 집에 있었다고 했다. 내일은 세마에게 간다고 했다. 대화를 나누고 나는 이 방으로 들어왔다, 차 한 잔을 들고. 지금부터 뭘 하지? 계획? 프로젝트?

10월 5일 목요일

사무실에서 돌아왔다. 가을에는 사무실에 나가지 않겠다고 하지 않았나? 분가를 했다. 출판사 일에 대해 진짜 계획을 세운 후 회사를 그만두고 싶다. 이제 페리한과 극장에 갈 것이다. 빈 집에 아이를 재워 놓고. 더 규칙적이고 더 일목요연하게 쓰고 싶다.

10월 15일 일요일

지한기르로 이사한 지 이십 일이 다 돼 가지만, 아직도 집을 꾸미고 있다! 페리한이 침대보로 쓸 천을 사서 보여 주었는데, 우리는 그만 싸우고 말았다. 페리한은 천을 보여 주었고, 나는 읽고 있던 책을 보고 있었다. 책에서 고개는 들었지만 내 눈은 여전히 책을 보고 있었다.(쇼펜하우어의 경구들이었다!) 페리한은 내 생각을 물었고, 나는 "좋아, 좋아!"라고 말해 버렸다. 그녀는 내가 집이나 자신에게는 관심이 없고, 곧장 이 방으로 들어와 버렸다고 했다. 나도 내 인생을 침대보와 커튼용 천을 고르며 보낼 수 없다고 대꾸했다! 서로 소리를 질러 댔다. 나중에는 그녀가 울었다. 눈물과 화해, 입맞춤! 나는 차를 들고 이리로 왔다. 쇼펜하우어보다 내가 더 가련하고 더 속수무책으로 느껴진다.

10월 20일 금요일

지난 봄과 여름 내내 연구했던, 혹은 연구하는 척하며 책을 읽었던 프로젝트를 이젠 끝마칠 생각이다. 터키에는 새로운 문화 운동이 절실하다……. 모두가 나의 이런 생각을, 나의 다른 계획처럼 유토피아적이라고 생각하리란 것을 안다. 농촌 개발에 대한 환상은 적용되지 않을 것이었기 때문에 현실과 거리가 멀었다. 하지만 이 프로그램은 나 자신이, 내 돈과 연구로 실행할 것이다. 나는 쉬지 않고 모두가 읽어야 할 책 목록을 작성하고, 어떤 건 지우고, 새로운 걸 추가하고 있다.

10월 27일 금요일

쉴레이만 아이첼릭에게서 편지를 받았다. 내가 사고의 어느 지점에 와 있는지 물었다. 편지의 말투가 내가 순진하다고 조롱하는 것 같아 아주 신경에 거슬렸다. 답장을 하지 않기로 결심했다.

10월 28일 토요일

외메르에게서 편지가 왔다. 일상에 대해 쓰고, 겨울을 거기서 날 거라면서 우리를 초대했다……. 지난여름에 그를 만났을 때도 건성으로 놀러 오라고 한 적이 있었다. 지금 또 그렇게 쓰고 있다. 안 될 이유가 뭐겠는가?

한 시간 후! 페리한에게 이 말을 전했다. 그녀는 "물론이지, 가자!"라고 했다. 나는 놀랐다. "좋아, 그럼 가자!"라고 대답했다. 우린 그곳으로 간다! 페리한은 "집 꾸미는 일도 좀 쉴 겸!" 하고 말했다. 아주 흥분된다! 내가 가끔 아주 어린아이 같아지는 걸 알고 있다. 이제 니샨타쉬로 식사하러 간다. 어찌 됐든 이 바보 같은 습관에서 벗어나기는 어려울 것 같다.

저녁! 식사를 하고 집으로 돌아왔다. 페리한과 쉬지 않고 이 여행에 대해 얘기를 나누고 있다. 우린 갈 거다. 식사를 하면서 니샨타쉬 식구들에게도 말했다. 페리한도 함께 간다는 걸 알고는 다들 별말이 없었다. 어차피 일주일 예정으로 가는 거니까. 어머니는 이 추위에 무슨 볼일이 있다고 거길 가느냐고 했다. 어머니에게 작은 거짓말을 했으면 좋았을 텐데. 하지만 멜렉을 그들에게 맡길 테니 그럴 수는 없었다.

10월 29일 일요일

표를 사 왔다! 이제 진짜로 가는 것이다. 페리한은 두꺼운 옷을 옷장에서 꺼냈다. 내일 오후에 아이를 맡기고 올 것이다. 외메르에게 편지를 썼다. 페리한과 내일 출발할 것이며, 우릴 보고 놀라지 말라고 썼다.

10월 30일 월요일

우리는 기차를 탔다. 흔들리는 객실에서 이 글을 쓰고 있다. 작은 가방을 책상으로 사용한다! 아, 우리는 이틀 동안 기차를 탈 것이다! 책을 읽고, 이 공책에 글도 많이 쓰겠다고 결심했다. 페리한도 책을 읽고 있다. 조르주 상드를 읽고 있다. 하지만 별로 마음에 드는 것 같진 않다. 자주 하품을 하거나 책을 덮고 차창 밖을 멍하니 바라보기 때문이다. 나는 가끔 곁눈질로 그녀를 본다. 객실은 아주 덥고, 창문은 얼음 같다. 나는 기분이 좋아 담배를 피우고 있다. 페리한은 "자기 전엔 피우지 마, 환기 좀 하게!"라고 했다. 내가 뭘 쓰려고 했지?

머릿속에 이런 것이 떠오른다. 나는 오스만에게, 페리한은 네르민에게, 다른 사람과의 관계에 대해 말하지 않았다. 니샨타쉬의 삶은 갈수록 추해지고 있다. 지한기르로 이사한 건 잘한 일이다…….

우리는 왜 외메르에게 가는 걸까? 어쩌면 변화를 주기 위해서일 수도 있다. 페리한이 이 나라의 실정을 봤으면 해서일 수도 있고. 그녀가 나라의 실상을 보고 그동안 이해하지 못했던 나의 정신적 위기에 수긍했으면 해서 말이다. '정신적 위기'라는 말은 무히틴이 나에게 한 말이다. 무히틴은 뭘 하고 있을까? 그 이상한 편지 사건 이후 전혀 연락이 없다. 두 번 전화를 걸었지만 사무실에 없었다. 없다고 하라고 했는지도 모른다.

기차가 이즈미트를 지나고 있다. 이 공책을 가져오길 잘한 것 같다. 역과 창문에 국기가 걸려 있다……. 지난 국경일에 나는 앙카라에 있었다.

10월 31일 화요일

정오. 우리는 앙카라에서 기차가 출발하기를 기다리고 있다. 지나가는 사람들이 내가 공책에 무얼 쓰고 있는지 쳐다본다. 페리한은 차를 마시고 있다. 나는 그녀가 차에 설탕을 너무 많이 넣었다고, 아직도 어린애라고 농담을 했다. 현재. "이따금씩 뭘 그렇게 써?" 그녀가 물었다. 나는 차 한 잔을 더 주문했다. 아, 살아 있다는 게 다행스럽다!

앙카라를 떠났다. 12시 30분. 《울루스》 신문을 샀다. 전쟁 소식.

저녁. 무척 피곤했다.

11월 1일 수요일

아침. 시와스를 지났다는 건 조금 전 승무원에게 들어 알았다. 페리한은 조르주 상드를 다 읽었다. 나는 아나톨 프랑스*를 읽고 있다. 디브릭**! 나는 기차에서 내렸다. 호루라기를 불기에 다시 기차에 올랐다. 산을 볼수록 흥분이 된다. 페리한과 얘기를 나눴다. 그녀는 다시 "뭘 쓰고 있어?" 하고 물었다. 11시. 기차가 터널에 들어갔다 나온다……. 12시. 우리는 목적지에 가까워지고 있다. 기차가 케마흐에서 멈췄다. 알프에 도착할 때까지는 삼십 분 정도밖에 남지 않았다. 밖에 나갔다 왔다. 복도에서는 늘 공고문을 읽었다. "객실 내에서 침을 뱉지 마시

* 1844~1924. 프랑스의 소설가.
** 터키 동부에 위치한 도시.

오!” 기차가 출발했다. 우리는 짐을 챙겼다……. 신이 났다.

저녁. 이제 뭘 쓰지? 외메르를 만났다. 페리한과 나는 ‘오지 말걸!’ 하고 생각했다. 어디서부터 설명해야 할까? 발전기는 작동하지 않았다. 우리는 가스램프로 밝힌 추운 방에 있다. 추위에 떨고 있다.

알프에서 우리는 기차에서 내렸다. 눈이 약간 내리고 있었고 진흙탕 길을 십오 분 정도 걸었다. 나는 전에도 이 저택에 온 적이 있었다. 처음에 하즈를 보았고, 그는 놀랐다. 그는 외메르를 부르며 우리를 안으로 안내했다……. 외메르는 커다란 난로가 타고 있는 커다란 방에서 체스 문제를 풀고 있었다. 우리를 보고 깜짝 놀랐다. 편지를 받지 못했다고 했다. 이런저런 얘기를 나누었다……. 앉아서……. 그에게 무히틴의 편지 사건에 대해 말해 줬다. 내가 이스탄불에서 하고 있는 일과 우리가 분가한 일 등 모든 걸 설명했다. 그는 여기서 아무것도 하지 않으며, 가끔 에르진잔에 가서 포커를 한다고 했다. 혼자서 체스를 두고, 기차역 역무원들과 타울라를 한다고 했다……. 이야기가 끝났다. 그는 우리에게 방을 준비해 주었다. 우리는 짐을 정리하고 아래층으로 내려갔다. 이제 뭘 하지? 침묵, 냉기가 흘렀다……. 우리는 학창 시절에 대해 이야기했다. 외메르는 자꾸 페리한을 보며 얘기했다. 우리는 많은 세월이 흐른 후 우연히 만나 몇 시간을 함께 보내야 하는 동창들 같았다. 누구는 뭘 하고 있고, 또 누구는 뭘 하고 있는지 얘기했다. 하즈가 음식을 차려 주어서 먹었다. 삼십 분 전에 위층으로 올라왔다……. “우리가 여기 왜 왔을까?”

11월 2일

기차를 타고 케마흐로 가서 돌아다녔다. 다들 우리를, 페리한을 쳐다봤다. 우리 뒤로 아이들이 따라왔다. 우리는 아이들을 뒤에 달고 성으로 올라갔다. 문이 닫혀 있었다. 한 아이가 돌 사이에 있는 구멍을 가리켰다. 하지만 페리한이 거기로 들어가려 하지 않았기 때문에 그냥 돌아왔다. 계단과 거리를 지나 역으로 내려갔다. 다들 상점과 집 앞에 서서 우리를 바라보았다. 페리한은 "거기 가자, 저기 가자, 여긴 뭐가 있지?" 하고 계속 말했다. 기차역에서 네 시간 동안 기차를 기다렸다. 역무원이 "가지 마세요, 기차가 언제든 올 수 있으니까요, 놓칠지도 몰라요!"라고 했다. 아침에는 날씨가 좋다가 다시 나빠졌다. 기차역 안에서 수심에 잠겨 앉아 있었다. 우리는 모레 이스탄불로 돌아간다. 표를 샀다. 이 글은 저녁때 램프 아래서 쓰고 있다. 외메르가 "내일 에르진잔에 가자, 새 친구들을 소개해 줄게!"라고 했다. 나는 "아냐, 됐어!"라고 대답했다. 거기 가서 뭘 하겠는가? 하지만 지금은 내일 뭘 할지가 걱정된다. 어쩌면 외메르와 얘기를 나누겠지. 그가 여기서 뭘 할지, 그의 의도는 무엇인지, 또 다른 것들……. 삶?

11월 4일, 오후

기차 안이다. 한 시간 전에 페리한이 울음을 터뜨렸다. "왜 우는 거야?" 물어도 대답하지 않았다. 하지만 난 알고 있다. 나도 울고 싶었기 때문이다. 그녀를 껴안고 위로를 해 주었다. 나는 객실에서 나왔다. 식당 칸에서 빈자리를 발견했다.

어제는 하루 종일 외메르의 저택에만 있었다. 외메르가 나와 얘기하고 싶어 하는 것 같았다. 난 페리한의 눈치를 봤다. 우리는 몇 시간 동안 체스를 뒀다……. 나는 가끔 "뭘 할 거야, 이스탄불에는 언제 올 거야?" 하고 물었다. 그는 어물거릴 뿐 대답하지 않았다. 지금은 여기 삶에 만족한다고 했다. 우리는 농담을 하고 웃는 척했다. 하즈가 식사를 가지고 왔다. 오후에도 똑같은 것들……. 이번에는 어딘가에서 술을 꺼내 왔다. 코냑! 우리는 술을 마시며 체스를 뒀다! 밖에서는 약하게 눈이 흩날리고 있다. 오후 내내 체스를 뒀다. 저녁에 또 식사! 또 체스! 페리한은 위층으로 올라갔다. 외메르는 약간 많이 마셨다. "난 체스 판을 안 보고 두고 싶어!"라고 했다. 그는 전에도 한 번 그런 시도를 한 적이 있었다. 그는 체스 판을 등지고 앉았다. 몇 번 체스를 두었다. 그가 한 판 이기기도 했다. 그는 쉬지 않고 마셨다. 나도 마셨고, 취해 버렸다. 그에게 직설적으로 이곳에서(그곳에서?) 뭘 하는지 물었다. 그는 나를 조롱했다. 이런 얘기가 오갔을 뿐이다. 그가 "나즐르와 무흐타르 씨가 어떻게 지내는지 알아?" 하고 물었다. "몰라!" "약혼식 때 내 모습을 기억해?" "응!" "아, 참 나, 잊어, 잊어 줘! 나는 청혼 의식, 약혼식, 철도 공사도 다 잊었어……. 학창 시절도 다시는 떠올리지 마!" 그런 후 웃었다.(오늘 아침 기차를 기다리면서, 침묵을 깨기 위해서였는지 모르지만, 그는 학창 시절에 대해 언급했다!) 그런 후 한 번 더 체스를 뒀다……. 어떤 미국인이 있는데, 그는 체스 판을 등지고, 쳐다보지도 않고 여섯 명과 동시에 체스를 둔다고 했다. 나중에는 사람들이 그를 병원에 입원시켰다고 했다……. 외메르는 "얼마나 재미있을까……. 삶의 가장 큰 재미는 그렇게 지능을 집중하는 거야!"(이와 비슷한 말이었다!) 하고 말했다. 체스가 끝났다. 나는 위층으로 올라가 잠들었다……. 아침에 외메르는 우리와 함께 기차역까지 왔다. 기차가 연착했다……. 우리는 할 말도 없었다. 나는 또다시 무히틴에 대해, 지한기르에 대해 말했다. 그는 고개를 끄덕였다……. 이스탄불에 꼭 올 것이며, 편지하겠다고 했다……. 기차가 와서 자리에 앉았다. 그 뒤 몇 시간이 지났고, 페리한이 갑자기 울기 시작했다.

왜 울까? 아직도 울고 있을까? 가서 그녀를 위로해 줄까? 나는 창밖을 바라보았다……. 산, 들판, 바위, 나무……. 여기 무엇이 있나? 인생에서 무엇을 해야 하는가?

11월 6일 월요일

우리는 집에 있다. 니샨타쉬에 가서 아이를 보고, 식사를 하고, 가족들과 함께 앉아 그곳 이야기를 해 주고 돌아왔다.

11월 7일 화요일

오늘 난 무엇을 했지? 사무실. 페리한과 함께 그녀의 친구 세마에게 갔다. 그녀의 남편은 흥미로운 사람이었다. 프랑스에서 경제학을 공부했다고 한다. 내게 마르크스의 책을 읽으라며 줬다. 궁금하다.

1939년 11월 14일 화요일

사탕절. 니샨타쉬에서 점심 식사. 오후에는 우리 집에 있었다. 잠시 잠을 잤다! 마르크스한테선 내가 찾는 걸 발견하지 못했다. 관심 없다.

11월 27일 월요일

집, 사무실, 아기, 페리한, 니샨타쉬, 책 몇 권, 계획, 계획, 사무실, 사무실!

11월 28일 화요일

옳은 삶을 위한 프로젝트는 어떻게 된 거야? 이 프로젝트를 적용하는 건? 하지만 난 꼭 출판업을 할 거야!

12월 1일 금요일

미국에서 헤르 루돌프의 편지……. 그는 전쟁 얘기를 하고 있다……. 광명과 암흑에 대해서도 쓰고 있다. 모든 게 바보 같은 짓이라는 걸 알지만 나는 그래도 살고 있다.

12월 2일 토요일

페리한이 임신했다고 했다. 믿을 수가 없었다! 그렇게 조심했는데! 이제 내 삶은 어떻게 될까? 내가 늙었나?

12월 10일 일요일

헤르 루돌프에게 편지를 쓰다가 멈췄다. 아이셰의 약혼식에 참석하기 위해 니샨타쉬에 간다. 감기에 걸린 페리한은 아파서 갈 수가 없다……. 내 삶에는 반드시 목표가 있어야 하고, 난 명예롭게 살 것이다. 헤르 루돌프에게 썼던 똑같은 딜레마. 어둠과 빛? 그럼에도 불구하고 나는 행복하다. 살아 있기 때문에 자연에 감사하는 마음을 느낀다!

십 분 후. 아니다! 모든 게 바보 같다! 아무에게도 편지 따위는 쓰지 않겠다. 나는 끝까지 입을 다물고 싶었다. 하지만 그렇게 할 수 없다는 것을 안다. 난 바보 천치니까.

61
시끌벅적

아이셰는 문을 열고 부엌으로 들어가서 '나는 지금 사랑하는 그들이 여느 때처럼 또 일하는 모습을 보고 미소를 짓고 있어!' 하고 생각했다.

"아이셰 아가씨, 오늘은 부엌에 들어오지 마요!"

"왜요? 제가 도와줄 일도 있을지 모르잖아요. 오렌지 껍질을 벗길까요? 카다이프용으로!"

"오늘은, 특히 오늘은 절대 신경 쓰지 마요! 아, 만약 내가 약혼을 한다면, 옷이 더러워지지 않도록 조심할 텐데……. 그 옷 정말 잘 어울려요! 아가씨 좀 봐, 보라고!"

에미네 부인은 일마즈에게 이렇게 말했고, 일마즈는 눈길이 어딘가에 머물까 봐 두려운 듯 한순간 힐끔 아이셰를 쳐다보고는 고개를 돌렸다.

아이셰는 속으로 '봐, 보라고, 오늘은 봐도 돼!'라고 말하고 싶었지만 그저 미소만 지어 보였다. '그들은 나를 사랑해, 모두 나를 사랑해! 그들은 우리 부엌에서 일하고, 손님들을 위해 맛있는 음식들을 만들지. 우리 부엌은 따뜻해……. 창문 밖으로 정원이 보여. 우리 집 정원……. 난 그들을 여기 남겨 두고 나갈 거야!' 그녀는 계단을 올라가 거실로 들어갔다. '정말 붐비는구나! 축제 같고 시끌벅적하고 멋지고 정말 즐거워 보여! 어디로 갈까? 난 어디라도 갈 수 있어. 사람들과 한두 마디씩 얘기를 나누고 웃어도 돼. 아, 저기서 사진을 찍는구나. 나도 아티예 부인 옆으로…….' 그녀는 이렇게 생각했다.

"기다려요, 기다려, 아이셰가 오고 있어요!"

귈레르 부인이 소리쳤다. 그녀는 자기 옆에 아이셰의 자리를 만들었다.

아이셰는 그들을 향해 걸어가면서 '그들은 사진을 찍고 있어. 안락의자에 세 명이 앉게 되겠지. 레일라 부인, 귈레르 부인 그리고 나! 뒤에는 오스만 오빠, 푸아트 씨, 사이트 씨. 세월이 많이 흐른 후에 이 사진을 보겠지!' 하고 생각했다.

플래시가 터졌다. 아티예 부인은 "한 번 더 찍어요! 렘지 씨 이쪽으로 와요!"라고 했다.

'그래, 그래, 그는 신사 그 자체야!' 아이셰는 이렇게 생각하며 한 번 더 사진을 찍은 후 의자에서 일어났다. 자개 장식품이 있는 방 앞에서 푸아트 씨가 친한 친구인 세미흐 씨와 얘기를 나누고 있었다. 아이셰는 '제게 무슨 말을 하고 싶거나 장난을 치고 싶거나 농담이 하고 싶으면 얼마든지 하세요!' 하는 듯한 눈길을 던지며 그들을 지나쳤다. 그들은 그녀를 봐서 기쁘다는 듯 미소를 지어 보였다. '나를 보고 미소를 지으셨어! 푸아트 씨, 내 미래의 시아버지 그리고 비누 사업가 세미흐 씨!'

"반지에 익숙해졌니?"

이렇게 말한 사람은 쉬크란 이모였다. 그녀는 피아노 옆의 의자에 앉아 있었다.

"예, 익숙해졌어요, 이모!"

"내 사랑스러운 조카! 정말 귀엽지요?"

쉬크란 이모는 세미흐 씨의 부인에게 말했다.

'아, 이들은 전부터 알고 지냈구나! 모두가 서로를 알고 있어! 모두가 웃고 있어. 모두가 함께 있어. 나도 그들처럼 살아가겠지!'

"지금도 피아노 치니?"

"치고 싶을 때만요!"

"결혼해도 피아노는 절대 그만두지 마라! 렘지는 피아노 좋아하니?"

아이셰는 대답으로 미소를 지으며 피아노 앞으로 가서 뚜껑을 열고, 손가락으로 건반을 매만졌지만 치지는 않았다. '사랑하는 피아노! 사랑하는 자개 방에 놓여 있어!' 그녀는 다시 미소를 지으며 일어나 물건들을 바라보았다. '자개 장식 세트……. 안락의자……. 어렸을 땐 덮개의 비즈가 다리를 찔러서 앉지 못했는데. 그래도 저 안락의자들이 좋아.'

여자들끼리 담소를 나누는 걸 보고는 그 방에서 나왔다. '사랑하는 커다란 방……. 샹들리에……. 높은 천장을 바라보고 있어……. 어렸을 때는 무서웠던 천사들……. 아버지의 안락의자……. 벨벳으로 된 안락의자……. 키 큰 램프의 마디들……. 장식장에 있는 엄마의 도자기……. 오늘은 어떤 세트를 꺼냈을까? 파란 장미가 있는 거? 하지만 그건 깨지고 낡았는데…….' 그녀는 아티예 부인과 변호사 제납 씨에게 미소를 지어 보이며 호기심을 해소하기 위해 장식장 쪽으로 걸어갔다. '그럼 그렇지, 빨간색을 꺼냈구나!' 그런 후 늘 같은 안락의자에 앉아 있는 어머니 옆으로 갔다.

"어떠니, 얘야, 기쁘니?"

니갼 부인이 물었다.

"예!"

"우리 모두 기쁩니다!"

오스만은 이렇게 말했다. 그는 제브데트 씨의 안락의자에 앉아 담배를 피우고 있었다.

"페리한이 없어 섭섭하구나!"

"어머니, 아시잖아요, 아주 아파요. 오후에는 열이 삼십팔 도였어요."

레피크가 이렇게 대답한 후 아이셰에게도 말했다.

"얼마나 오고 싶어 했는지는 말하지 않아도 알겠지?"

"물론, 물론이야……. 게다가 지금 그녀는……."

아이셰는 '아이를 가졌잖아요!'라고 하는 듯 미소를 지어 보였다. 그녀는 자리에서 일어났다. '나도 아이를 갖겠지. 이제 어디로 가지? 약혼자 곁으로! 나도 아이를 가질 것이고, 자개 장식품과 물건들을…….'

렘지는 친구와 얘기를 나누고 있었다. 친구는 키가 크고 말랐기 때문에, 렘지는 그와 말할 때마다 고개를 위로 들었고 친구는 등을 굽혔다. '그래, 약간 살이 쪘지만 다들 저 정도야!' 아이셰는 렘지 곁으로 갔다. 렘지는 새로 산 축음기와 LP판 얘기를 하고 있었다. 이제 그는 어떤 물건에 대해 얘기할 때 특별한 사용법뿐 아니라 가격도 말하곤 했다. 렘지는 푸아트 씨와 함께 사무실에 나가기 시작했다. 그의 친구는 변호사 인턴으로 일하고 있었다. 그도 곧 약혼한다고 했다. '나중에 우리는 서로를 방문하고 함께 식사를 하며 웃겠지!' 아이셰는 이렇게 생각하면서 그들 곁을 지났다. '사람들이 이야기를 나누고 있어!' 어디선가 웃음소리가 들려왔다. '이제 어디로 가지? 아, 회계원 사득 씨! 왜 저렇게 구석에 있을까?' 그녀는 표정에 사랑을 담아 미소를 지으며 사람들을 쳐다봤다. 처음으로 본 아이에게도 그런 미소를 지으며 다가갔다. 아이 곁으로 가서 몸을 숙였다. 몸을 숙이자 옷이 바스락거리는 소리가 들려 고개를 들었다.

"아, 얘가 카드리예 부인 아이예요?"

"응, 정말 많이 컸지?"

"근데 지루한가 봐요?"

"아니야, 시끄러워서 겁먹은 거야. 너한테 할 말이 있는데, 넌 날이 갈수록 네 엄마를 닮는구나!"

"정말요?"

"그렇다니까! 난 네가 아버지를 닮을 거라고 생각했는데……. 눈도 깜박거리잖아! 지금 몇 살이니?"

"열아홉이에요!"

아이셰는 이렇게 말하고 미소를 지으며 다른 곳으로 가야 한다는 듯 안달하는 모습으로 급히 걸어갔다.

카드리예 부인이 자신의 뒷모습을 보고 있는 걸 느꼈다. '카드리예 부인!' 그녀는 유명한 부인과 의사 아갸흐 씨의 아내였다. 그녀는 아갸흐 씨의 아들들도 알고 있었다. 그들 가족을 떠올리며 '우리도 그렇게 될 거야! 우리에겐 더 여력이 있지!' 하고 생각했다. 오스만은 이 결혼이 회사를 위해서도 좋은 기회이자 행운이라고 한 적이 있다. 그녀는 '우리 집!' 하고 생각했다. 그녀의 눈앞에 아파트가 떠올랐다. 그 집은 늘 방과 방 안의 행복과 함께 눈앞에 떠올랐다. 잠시 후 한구석에서 얘기를 나누고 있는 사이트 네딤 씨와 네르민에게 다가갔다. 아티예 부인도 거기 있었다. 사이트 씨는 개 얘기를 하고 있었다. 아이셰를 보자 한순간 입을 다물었다. 하지만 잠시 후 아티예 부인이 아이셰의 옷을 칭찬하자 다시 얘기를 시작했다. 아이셰는 '나도 집에서 키우게 개를 살까?' 하고 생각했다. 하지만 자신에게 어울리지 않을 뿐만 아니라 렘지도 개나, 집 안을 거만하게 돌아다닐 동물을 좋아할 사람이 아니라고 생각했다. "그는 어떤 사람이지?" 하고 중얼거렸지만 깊이 생각하지 않고 싶지 않았다. '사람 좋고 여유롭고 착하고 신사지…….' 다른 단어도 있겠지만 입 밖으로 나오지 않았다. 사이트 씨가 전쟁 얘기를 꺼냈기 때문에 자리를 옮겼다.

'이제 어디로 가지?' 이런 생각을 하다가 레피크 오빠를 보자 슬퍼졌다. '오빠는 왜 저렇게 됐을까? 왜 오빠는 저렇게 조용히 생각에 잠겨서 우울해할까? 옛날에는 정말 쾌활한 사람이었는데! 옛날에는 침울하고 인상을 쓰는 사람이 나였고, 오빠는 쾌활한 사람이었는데. 나한테 장난을 치며, 땋은 머리를 아프지 않게 잡아당기며 놀리곤 했는데!' 그녀는 레피크 맞은편으로 가서 앉았다.

"페리한은 어때?"

"열이 있어! 기력도 없고. 감기야……."

"애라도 데려오지 그랬어!"

니갼 부인이 말했다.

"감기에 걸릴까 봐요."

"아무 일도 없을 거다! 난 너희들이 여섯 달밖에 안 됐을 때 제일 추운 날씨에도 밖에 데리고 나갔어!"

니갼 부인은 세 자녀를 쳐다보며 말했다.

"아, 가족 모임인가요?"

네딤 씨가 즐겁게 미소를 지으며 말했다. 전쟁 이야기가 끝났던 것이다.

"아, 제브데트 씨!"

니갼 부인이 중얼거렸다. 그녀는 벽에 걸린 그의 사진을 보고 있었다. 머리를 흔들더니 사이트 씨에게 말했다.

"사이트 씨, 여기 와서 좀 앉으세요! 당신은 제브데트를 잘 알잖아요. 당신 저택에서, 네딤 씨의 저택에서 우리가……."

"가장 잘 아는 사람은 푸아트 씨지요!"

그는 자리에서 일어나 세미흐 씨와 얘기를 나누고 있는 푸아트 씨에게 걸어갔다. 그에게 무슨 말인가를 했다. 푸아트 씨는 미소를 지으며, 천천히 그들 곁으로 와서 앉았다.

니갼 부인은 푸아트 씨에게 제브데트 씨에 대해 말해 달라고 했다. 집 안은 방마다 활기가 넘쳤고, 반짝이며 파도치는 소리로 가득했다. 푸아트 씨는 가게를 열려고 셀라니크에서 이스탄불로 왔을 때 처음 제브데트 씨를 알게 되었다고 했다. 그게 몇 년이었는지 기억해 내려고 가래 낀 목소리로 중얼거렸다.

아이셰는 조용히 자리에서 일어났다. 여전히 친구들과 얘기를 나누고 있는 렘지에게 다가갔다.

"무슨 얘기들 하고 있어요?"

그들은 그녀를 보며 미소를 지었다. 등을 구부리고 있던 친구가 뭔가 말하자 아이셰는 웃었다. 그녀는 장식장 쪽으로 갔다. '도자기들! 이모들, 옛 저택! 난 오늘 약혼했어. 지금 우리 집 커다란 거실에 있어. 난 열아홉 살이야. 즐거워하는 사람들의 소리가 들려. 달콤하게 파도치는 소리를 듣고 있어. 내가 지금 어디로 가고 있지? 부엌이구나! 그곳에 있는 그들…….
하지만 여긴 너무 조용한걸!'

"아이고 참 나, 또 왔네!"

에미네 부인이 말했다.

"뭐 하는지 한번 보려고요."

"방금 후식을 오븐에 넣었어요!"

이렇게 말한 사람은 일마즈였다.

'아, 그가 말을 했어!' 아이셰는 요리사 누리를 떠올렸다. 아버지를 떠올렸다. 제즈미를 떠올렸다. 아무것도 하지 않고 있으려니 멋쩍어서 그녀는 냉장고 문을 열고 물을 마셨다. 물을 마시면서 냉장고 위에 있던 신문을 읽었다. 컵을 물병 옆에 놓고 부엌에서 나왔다. 하지만 계단이 아니라, 좁고 어두운 복도로 걸어갔다. 세탁실, 집안일을 하는 사람들의 방, 좌식 화장실에서 나오는 냄새가 복도에 쌓여 어린 시절을 떠올리게 했다. 그녀는 냄새를 들이마시며 "씨앗! 황새, 황새, 씨앗……. 여행, 유럽 여행, 유희……." 하고 중얼거렸다. 그녀는 계단 쪽으로 가서 층계를 올라갔다. '집, 물건, 방, 아이들, 세월, 사진, 카펫, 커튼 그리고 소리! 정말 좋아! 여전히 내가 두고 온 그대로야. 시끌벅적, 소란스러움, 흥겨움! 삶! 이번엔 어디로 갈까?'

62
다 괜찮아

푸아트 씨는 제브데트 씨를 알게 된 해를 설명하고 다른 시절로 넘어갔다. 그는 입헌 공화정 시절과 입헌 공화정 이후 활기를 띠게 된 사업, 제브데트 씨가 얼마나 열심히 일했는지 등을 얘기해 주었다. 아버지가 살아 계실 때도 푸아트 씨에게 들은 이야기지만 레피크는 다시 귀를 기울였고, 가끔 여기서 어떤 결론을 도출하기도 했다. 최근에는 죄책감을 느끼는 사람처럼, 자기 삶을 다른 사람과 비교하고, 어떤 부분에서 잘못했는지를 찾거나 다른 잘못을 하지 않기 위해 다른 사람들의 삶을 모델로 삼아야 한다는 결론을 도출하지만, 이러한 걸 대부분 자기도 모르게 하게 된다는 걸 그는 느끼고 있었다. 제브데트 씨가 입헌 공화정 이후 진보 공화당원과 프리메이슨이 되지 않고도 그들과 좋은 관계를 맺는 데 성공한 몇 안 되는 사람이라고 푸아트 씨가 말하자, 처음에는 아버지가 자신보다 단호하고, 자신이 하는 일을 잘 아는 사람이라고 생각하다가, 나중에는 자신이 또 다른 삶의 사례를 모으고 있다는 걸 깨닫고 스스로에게 화가 났고, 페리한을 생각하며 집으로 돌아가고 싶었다. 하지만 푸아트 씨가 니갼 부인보다는 레피크가 더 자신의 말에 귀를 기울인다는 걸 알고 그를 보며 이야기했기 때문에 자리에서 일어날 수 없었다.

아티예 부인이 사진을 찍자며 끼어드는 바람에 푸아트 씨의 이야기가 중단되었다. 모두 니갼 부인 주위로 모였다. 레피크는 플래시가 몇 번 터진 후 거실에서 나왔다. 서둘러 계단을 올라가 서재로 들어갔다. 그가 집을 나올 때 지한기르로 가져가는 걸 잊어버린 책이 있을 것 같았고, 그리고 그 책에 그가 찾는 걸 설명해 주는 정보가 있을 것 같았다. 하지만 서재에 들어서자마자 이 느낌 대신 후회와 죄책감이 밀려왔다. '난 여전히 결론에 도달하지 못했어!' 서재의 텅 빈 책장에서는 그가 찾는 걸 발견할 수 없으리라는 걸 깨달았다. 전에 책이 꽂혀 있었던 책장 한 곳에는 뜨개질감과 대바늘이 놓여 있었다. 책상 위에는 제밀의 산수 책과 터키어 강독 책이 놓여 있었다. 다른 책장에는 잼이 가득 든 병 네 개가 나란히 놓여 있었다. 페리한은 그에게 재미있게 보내고 집에는 늦게 오라고 했지만, 레피크는 '페리한에게 미안한 일이 되고 말았어!'라고 생각했다. '집에 돌아가야지, 시간을 헛되이 보내지 말아야지!' 그는 이 방에서 공부하고 독서하고 친구들과 포커를 치던 시절을 오랫동안 생각하게 될까 봐 서둘러 서재에서 나왔다. 시계가 똑딱거리는 소리를 들으며 계단을 내려갔다. "아이셰가 서운해하지 않길 바라야지, 뭐!" 하고 중얼거리며 말소리로 가득한 거실로 들어갔다. 아이셰를 찾다가 알지 못하는 누군가에게 인사를 건넨 다음 귈레르 부인을 보자 언짢아졌다. 그는 다시 "페리한에게 미안한 일이야!" 하고 중얼거렸다. 마음속에서 뭔가에 화를 내고 싶은 생각이 들었다. 곁눈질로 다시 그녀를 쳐다보았다. 귈레르는 다시 그를 이해심 많은 눈길로 바라보고 있었다. '집에 가야 하는데 아이셰는 도대체 어디 있는 거야?' 하고 생각하는데 마침 사이트 네딤 씨가 여동생 곁을 떠나 그에게 다가왔다. 사이트 씨가 뭔가 물어볼 것 같아 기다렸다. 그는 레피크의 팔짱을 꼈다.

"우리의 라스티냐크에게 갔다 온 얘길 오스만이 하더군."

"누구요?"

레피크는 순간 놀라며 물었다.

"라스티냐크, 외메르 씨 말이네! 아티예가 그 별명을 붙여 주었지. 기차에서 우연히 만난 적이 있거든."

"아, 예, 예. 그도 말해 줬어요!"

"그는 지금 뭘 하나?"

"농업요!"

레피크는 어떻게 말해야 할지 결정하지 못하다가 이렇게 대답했다.

"농업이라고? 정말인가? 멋지군!"

사이트 씨는 이 단어의 맛을 만끽하려는 듯 몇 번 되뇌었다. 잠시 후 웃으며 다시 물었다.

"그런데 왜, 달리 할 일이 없다던가?"

그는 스스로 대답했다.

"이 세상이 좁다고 느껴졌겠지, 그렇지 않나?"

그는 자신의 말이 마음에 들었는지 폭소를 터뜨렸다. 그러고는 눈썹을 추켜올리며 덧붙였다.

"안됐어, 안됐어! 아주 열정적인 청년이었는데. 그는 자신이 야망 있는 사람이라고 했지. 정말 그렇기도 했고. 아티예, 우리가 지금 누구 얘기를 하고 있는 줄 알아, 당신의 그 라스티냐크에 대해 얘기하는 중이야!"

그는 자신의 아내에게 큰 소리로 말했다.

"아, 정말요? 그 사람 지금 뭐 한대요? 우리한테 그 사람 사진이 있는데. 그를 만나고 싶군요!"

아티예 부인은 이렇게 말하고 자기 곁으로 다가온 아이의 머리를 쓰다듬었다.

"왜 그래?"

그녀는 인상을 쓰며 아이가 하는 말을 들었다. 그녀는 "아, 그래, 알았어, 알았어!"라고 한 후, 부끄러운 듯 네르민 쪽으로 걸어갔다. 네르민의 귀에 대고 뭔가 속삭였다. 한편으로는 검지를 흔들며 아이를 꾸짖었다.

"보고 있나? 아무도 오늘날의 라스티냐크에게 관심을 갖지 않는다네!"

사이트 씨는 다시 폭소를 터뜨렸다. 그러고는 예상치 않게 레피크의 어깨에 손을 올렸다.

"하지만 자네도 좋아 보이지는 않는군! 얼굴을 찌푸리고 말도 없고 웃지도 않으니 말이야……. 항상 생각에 빠져 있는 것 같아……. 무슨 생각을 하나?"

"모르겠는데요! 제가 그런가요?"

"이 집에서 나갔다고 하더군!"

사이트 씨는 미소를 지으며 말했다.

"아이를 위해 좋을 거라고 생각했습니다!"

"아이를 위해!"

사이트 씨는 이렇게 말했지만, 그의 머릿속에는 다른 생각이 있는 것 같았다. 그는 자기 옆을 지나가는 여자에게 미소를 지어 보이며 뭔가 말을 하려다 그만두었다. 하지만 손은 레피크의 어깨에서 거두었다.

"레피크 씨, 쾌활한 기분으로 살게! 쾌활하게! 쾌활하게 살고, 삶 속으로 들어가게. 삶을 살게! 돌아가신 자네 아버지가 말했던 것처럼, 주위 사람들을 이해하고 그들과 타협하게. 그렇지 않으면 아주 불행해질 테니! 나이가 들면 그런 신랄함이 쓸데없었다는 걸 알게 될 걸세. 지금 우리의 라스티냐크가 하는 일이 옳은 건가?"

"아니, 생각하시는 것과는 다릅니다. 게다가 외메르는 이스탄불에……."

하지만 사이트 씨는 레피크가 중얼거리는 말을 듣는 것 같지 않았다.

"삶을 살게! 저 거대한 흐름에 몸을 맡기고! 우리가 뭐 대단한 존재라도 되는 줄 아는가? 저 거대한 역사에서는 흘러가는 강물 속의 물 한 방울도 아니라네……. 자신을 옥죄지 말고……."

레피크는 사이트 씨의 말에서는 삶의 교훈을 얻어 내기가 싫어서 대꾸했다.

"하지만 그건 새로운 생각이 아닌걸요!"

"그렇지, 돌아가신 나의 아버님도 말씀하셨네. 물론 새롭지는 않지. 자네에게 우리 저택을 예로 들면서 말해 주지 않았나? 우리의 옛 저택을 새롭게……."

"예, 말씀하셨습니다!"

레피크는 화를 내며 대답했다.

"그래, 말했지……. 자네 아버지는 아주 좋은 예라네! 그러면 어떻게 해야 하나? 이런 신랄함은 아무런 득이 되지 않는다네. 아무런 과실도 내지 못하는 신랄함. 이건 사람에게……."

레피크는 순간 루소와 디포를 번역하여 출판할 계획이라는 걸 사이트 씨에게 말할까 하다가 그만두었다. 어머니 옆에 있는 아이셰를 보았기 때문이다.

"또 무슨 얘길 하는 거야, 사이트 오빠? 당신을 붙잡고, 또 우리 아버지 얘길 하고 있는 거예요?"

이렇게 말한 사람은 귈레르였다.

"예, 예!"

레피크는 중얼거렸다. 그러고는 멋쩍게 웃었다. 그는 "아, 저기들 있네!" 하고 중얼거리며 니갼 부인을 가리키고는 그들이 앉아 있는 곳으로 걸어갔다.

"앉아라! 어디 갔었니?"

니갼 부인은 말했다. 하지만 자신이 습관처럼 불평을 했다는 걸 깨닫고 웃었다.

"앉아, 앉아, 오빠!"

"기다리고 있으마! 페리한이 나오면 바로 어린 멜렉을 데리고 오너라!"

니갼 부인은 이렇게 말한 후, 옆에 앉아 있던 레일라 부인에게 가장 어린 손녀에 대해 이야기하기 시작했다.

아이셰는 레피크를 현관문 앞까지 배웅했다. 레피크는 그녀의 볼에 입을 맞추고 기쁜 마음으로 밖으로 나왔다. 그는 정적을 들이마셨다. 방울이 딸랑거렸다. 니샨타쉬의 하늘은 구름 한 점 없는 군청색이었다. 바람이 외투 자락을 흔들었다. '별이 없는 여름 하늘 같아!' 옆에 있는 공사장 나무 벽에 포스터가 붙어 있었다. '도피처로 가는 길!'이라는 간판도 벽에 붙어 있었다. 시계를 봤다. 7시가 되어 가고 있었다. '페리한이 날 보면 놀라겠지. 얼마나 놀랄까?' 니샨타쉬는 붐비지 않았다. 외투를 입은 사람 한둘이 빠른 걸음으로 걸어가고 있었다. 레피크는 정거장을 향해 걸어갔다. 새로 지은 아파트 아래층에 간식 가게가 생겼고, 일요일 저녁인데도 열려 있었다. '페리한에게 뭘 좀 사다 줘야겠어. 그런데 먹기나 할까? 아이한테 사다 주지 뭐!' 그는 가게 앞을 지나갔다. '아이……. 두 번째 아이도 태어날 거야……. 난 뭘 하지? 머릿속에 있는 걸 꼭 실행하고 말 거야. 하지만……. 루소. 사이트 씨에게 설명할 뻔했어……. 흥미로운 남자……. 귈레르!' 그는 정거장에서 기다렸다. 하지만 자기 말고는 기다리는 사람이 없어서 조바심이 났다. '이 오염된 지역에서 벗어나야지! 난 어린 시절과 젊은 시절을 여기서 보냈어. 하지만 그래도 나무와 바람은 좋군!' 그는 빈 택시를 발견하고 잡아탔다. '집에 가면 뭘 하지? 페리한에게 스프나 끓여 줘야지. 아이에게는 뭘 좀 먹이고. 그런 후 책상에 앉아야지……. 앉아서 뭘 하지? 정말 뭘 해야 하지?' 그는 자신에게 화가 나기 시작했다. '나에겐 한 가지 분명한 생각이 없어! 내 이성이 쇼펜하우어의 십 분의 일만큼만이라도 확연했다면 어떻게 됐을까? 하지만 내 이성은 명징해! 문화 운동……. 번역……. 나는 삶을 사랑해! 저 운전사는 무슨 생각을 하고 있을까? 아무리 흔적이 작더라도 저 남자의 삶에서도 보일 만한 일을 해야 돼! 그래, 농촌 개발 계획은, 나도 인정해, 공상적이었어. 마르크스! 그에게서는 내가 찾는 걸 발견하지 못했어! 그의 사상이 확연한 건 마음에 들어. 하지만 뭘 해야 할지, 내가 뭘 할지에 대해서는 답을 찾지 못했어. 그의 책을 읽을수록 그를 비난하게 됐고, 죄책감을 느껴야 할 것 같았어……. 그래, 나는 유산과 사무실에서 벗어나야 돼! 출판사를 세워야 해……. 외메르는 뭘 하고 있을까? 무흐타르 씨는…….' 그는 하품을 했다. '정말 시끄러웠어. 그 집에서, 그 소음 속에서 어떻게 그렇게 오래 살았지? 어쩌면 외메르 말이 맞을지도 몰라……. 자연과 정적이 제일 좋은 거야……. 맑고 깨끗한 공기……. 내겐 이런 게 필요해……. 깨끗한 공기를 마시려면 뭘 해야 하지? 일요일마다 축구 경기장에 가야 돼……. 하지만 페리한은 이것에 대해…….' 운전사는 지한기르 어디로 가느냐고 물었다. 레피크는 길을 알려 주었다. 잠시 후 집이 가까워지자, 매번 그랬던 것처럼 자신이 한 일과

할 일을 생각하기 시작했다. '아침에 책을 좀 읽었어. 그리고 약혼식에도 갔고……. 아이셰도 결혼을 하는구나……. 아이들……. 나의 두 번째 아이……. 아들이었으면 좋겠어……. 그 아이는 나 같은 사람이 되지 말고 다른 사람들처럼 됐으면 좋겠어. 그리고 이름도 지어야겠지. 아흐메트! 그 아이는 어떤 사람이 될까?' 집이 가까워지고 있었다. '약혼식도 끝났어. 아, 렘지에게 축하 인사도 못했네! 집에서 나올 때 작별 인사도 잊었어……. 신경 쓰지 말자!' 그는 요금을 지불하고 택시에서 내렸다. 엘리베이터가 없는 아파트 계단을 올라가면서 심장 소리를 들었다. '나도 늙었구나!' 다른 집 앞을 지나면서는 여느 때처럼 그 안의 삶이 궁금했지만, 역시 여느 때처럼 아무 실마리도 찾지 못했다. 그 집에는 그리스계가 살고, 주로 그리스어를 사용했기 때문이다.

열쇠로 문을 열고 안으로 들어가자마자 페리한이 큰 소리로 물었다.

"왔어?"

"응, 왔어, 좀 괜찮아?"

"응, 괜찮아!"

페리한의 목소리가 좋았다. 레피크는 외투를 벗으면서 조바심이 들어 신발도 벗지 않고 페리한 곁으로 갔다. 그는 침대 끝에 앉았다.

"정말 괜찮아?"

"나도 이해할 수 없어! 열이 내린 것 같아!"

레피크는 그녀의 볼에 입을 맞췄다.

"체온계 어디 있어? 한 번 더 재 봐!"

그는 체온계를 찾아 그녀에게 내밀었다. 페리한은 체온계를 겨드랑이 밑에 끼웠다.

"약혼식은 어땠어?"

"어땠냐고? 좋았지, 뭐, 그냥! 여기로 이사 온 게 얼마나 다행인지 몰라. 애는 뭐 하고 있어?"

"아까 혼자 놀고 있었는데! 누구누구 왔어?"

"모두! 너의 그 컬레르 부인도 왔더군!"

"그 여자가 왜 나의 컬레르 부인이야?"

레피크는 손으로 이불 한가운데를 가볍게 눌렀다

"아들이면 이름을 아흐메트라고 짓자! 내가 뭘 생각했는지 알아?"

"먼저 약혼식 얘기 좀 해 봐! 아이셰는 뭘 입었어?"

레피크는 자신의 쾌활함에 그림자가 드리워질까 두려웠다.

"드레스! 초록색이었지, 아마……."

그는 자리에서 일어났다.

"어머, 진흙 묻은 신발을 신고 집 안에 들어왔네! 가서 빨리 슬리퍼로 갈아 신어!"

"슬리퍼, 슬리퍼!"

레피크는 방에서 나오면서 중얼거렸다. 외메르가 한 말이 떠오르려 했지만 깊이 생각하지 않았다. '난 옛날에는 슬리퍼를 신지 않았어. 니샨타쉬에 살았으니까. 그 집에서는 슬리퍼를 신을 필요가 없었어!' 그는 불평하며 슬리퍼를 신었다. 잠시 후 서재로 들어갔다. 책상 위에 비망록이 펼쳐진 채 그대로 있었다. 자신이 쓴 글을 읽자 부끄러웠고, 헤르 루돌프에게 쓴 편지를 읽자 가슴이 답답해졌다. '당장 일을 시작해야겠어. 번역도 시작하고!' 그는 편지를 한쪽으로 치우고 비망록을 덮었다. 책상 앞에 앉았다.

"열이 내렸어, 아주 정상이야! 다 괜찮아, 다 정상이야, 다 좋아……."

안에서 페리한의 목소리가 들렸다. 아마도 혼자 웃는 것 같았다.

3부
에필로그

1
하루가 시작되다

아흐메트는 일어나자마자 시계를 봤다. 12시 반. '새벽 5시에 잤으니까, 일곱 시간 반이군! 너무 많이 잤어!' 그는 급히 침대에서 일어나 파자마를 벗고 하품을 했다. 옷을 입으면서 '또 현관문을 안 잠갔네!' 하고 생각했다. 방 안에서는 또 아마인유와 가솔린 냄새가 났다. 어디선가 아마인유가 암을 유발한다는 글을 읽은 적이 있다. 오 년 전 아버지가 암으로 돌아가신 뒤부터 그런 것에 주의하고 있었다. 옷을 입으며 '자기 전에 문 잠그는 거 잊지 말라고 어디 써 놓아야겠어!' 하고 생각했다. 그러다 자신이 지나치게 조심스럽다는 생각이 들었다. '난 조심성 많은 사람은 좋아하지 않아. 하지만 콜레라가 돌았을 때 누구보다 먼저 병원에 뛰어간 사람은 나였지! 그렇지만 난 오래 살고 싶어. 내가 원하는 그림은 쉰 살이 넘어서야 그릴 수 있으니까. 고야는 여든두 살까지 살았어. 피카소는 여전히 그림을 그리고 있고. 러셀은 올해 죽었고. 버나드 쇼 역시 오래 살라고 충고한 것 같은데.' 예술가가 얼마나 살아야 하는지에 대해, 오래 사는 것의 유용성에 대해 생각하고 읽고 들었던 것이 머릿속에 많았지만 다시 생각하지는 않았다. 방에서 나왔다. 화장실로 가다가 멈춰 서서 큰 방 벽에 기대 놓은 그림을 쳐다봤다. 그저께부터 그리기 시작한 그림으로, 오늘도 계속 그릴 생각이었다. 손가락으로 화폭을 만져 봤다. 물감이 원하는 만큼 말라 있어서 기쁜 마음으로 화장실에 들어갔다.

안으로 들어가자 매일 아침 그랬던 것처럼 맨발로 화장실에 들어온 자신에게 화가 났고, 곧 오늘 하루의 일정을 생각하기 시작했다. 토요일은 아무도 프랑스어와 그림 교습을 받으려 하지 않기 때문에 대부분의 시간이 자신의 것이었다. 저녁 무렵 어쩌면 일크누르가 올 것이다. '할머니는 어떠실까?' 할머니의 건강이 좋지 않았다. 의사는 할머니가 돌아가실 수도 있다고 했다. 할머니는 하루 종일 침대에 누워서 이상한 말을 중얼거렸고, 머리맡에는 항상 간호사가 대기하고 있었다. '참, 할아버지를 그릴 생각이었는데!' 턱수염이 난 허름한 보헤미안처럼 보이지 않으려고 매일 아침 면도를 했다. "내 얼굴이 고야와 닮았나? 이젠 고야에 대한 열정까지 새로 생각해 냈군!" 그는 이렇게 중얼거렸다. 자신에게 화가 난 척하면서 세수를 하고 화장실에서 나왔다. 현관문에 던져져 있는 신문을 집어 들었다. 신문 옆에 봉투가 하나 떨어져 있었다. 전시회 초대장이었다. 뜯어 보았다! '겐자이가 전시회 초대장을 찍었군! 내가 몇 번이나 말했는데도 결국 보냈어! 웃기는 놈이야!' 그는 초대장을 한 번 더 들여다봤다. 결혼식 초대장 같았다. 그에 대해 '소부르주아 놈!'이라고 하려다가 그만두었다. 겐자이를 좋아한다고 생각하며 신문을 들고 구석에 앉았다.

신문에는 좋은 기사가 하나도 없었다. "장례식은 성대하게 치러졌다. 청년 5000명이 자유를 수호하기로 맹세했다. 1970년 12월 12일." 관을 껴안고 우는 스카프를 쓴 여자의 사진이 실려 있었다. '휘세인 아슬란타쉬*의 어머니!' 그는 사진 아래에 쓰여 있는 글을 읽었다. "불행한 어머니는 아들의 관에 엎어져 울음을 터뜨렸다!" 그는 갑자기 소름이 돋았다. '가장 엄숙해야 할 기사마저도 이렇게 터키 영화 같은 말투로…….' 다른 기사로 눈길을 돌렸다. "바투르**가 수나이***에게 경고 메시지를 보냈다!" 그는 흥분하면서 읽어 나갔다. "공군 참모총장 무흐신 바투르는 1970년 11월 24일에 대통령을 예방하여, 터키군 내 여러 계급에서 극도로 확연해진 불편함에 대해 언급하면서……." 그는 신문에서 고개를 들고 '지야 씨 말이 맞군!' 하고 생각했다. 어제 아버지의 사촌인 퇴역 대령 지야가 니갼 부인을 방문했다가 아흐메트를 보고는 위층으로 올라와 군대

---

* 1965년 총선에서 좌익계 터키 노동당이 처음으로 국회에 진출한 이후 터키는 정치적 사회적 격동기를 맞는다. 대학가에서도 좌우익 학생들의 충돌이 계속되어 1971년 터키 군부는 계엄령을 선포하기에 이른다. 휘세인 아슬란타쉬는 이러한 좌우익 충돌의 희생자로 추정된다.

** 1920~1999. 터키의 군인 출신 정치인.

*** 1899~1982. 군인 출신으로 터키 공화국 5대 대통령을 지냈다.(재임 1966~1973)

가 이제는 무슨 조치를 취할 거라고 했다. 그는 늘 그랬던 것처럼 자기는 많은 걸 알지만 숨겨야 한다는 듯한 비밀스러운 분위기로 오늘내일 무슨 일이 일어날 거라고 했다. 그러면서 방위군이나 사관 고등학교 같은 단어는 누설하고 말았다. 어쩌면 누설한 척한 것일지도 모른다. 그는 '그렇고말고, 군대는 의무를 다하고 자기 몫을 챙기지!'라는 표정이었다. 아흐메트는 나머지 기사도 읽었다. "바투르는 경고 메시지의 복사본을 타으마치*에게 건네주었다. 참모총장 타으마치는……. 대화가 길어질수록 타으마치가 바투르의 견해를 수용했다는 것을 알 수 있다!" '그렇군, 바투르가 그를 감언이설로 꾀었군! 쿠데타를 일으킬 거야!' 그러다 문득 이 문제에 대해 전에 읽은 글을 떠올리며 "말도 안 돼, 어떻게 그런 일이 일어날 수 있어!" 하고 중얼거렸다. 그런 후 흥분하면서 "혹시 일어난다면?" 하며 일어났다. 방 안을 서성거렸다. 잠시 후 다시 앉아 기사를 자세히, 단어 하나하나를 꼼꼼하게 읽었다. 기사의 표현 하나하나가 아주 조심스럽게 쓰여 있었다. '이 소식을 누가 언론에 누설했을까? 극도로 확연해진 불편함이 무슨 의미지? 왜 불편해졌지? 누가 그들을 불편하게 했지? 물론 그들은 조국을 걱정하고 있어. 국내 문제, 사회 문제!' 그는 기사를 한 번 더 읽었다. "수나이는 경고 메시지에 대해 이번 주에 데미렐**에게 알렸다고 한다!" 그는 다시 자리에서 일어났다. '그는

* 1904~1978. 터키군 14대 참모총장.

** 1924~ . 터키의 정치인으로, 1965년부터 여러 차례 총리를 지낸 후 1993년 대통령이 되었다.

어떻게 했을까?' 마음속에서 흥분이 일었고, 무언가 하고 싶은 생각이 들어 테라스로 나갔다. 난간까지 가서 거기 기대어 니샨타쉬를 바라보았다.

토요일 오후 1시경의 니샨타쉬 광장은 사람들로 들끓었다. 교통은 정체되고 있었다. 거리 한가운데서 경찰이 팔을 흔들며 호루라기를 불고 있었다. 무궤도 버스의 팬터그래프가 떨어져서 길 쪽으로 굽어 있었다. 열린 문으로 운전사가 나왔고, 교복을 입은 고등학생 둘이 그를 보고 있었다. 맞은편 인도에서는 집시들이 바구니를 늘어놓고 꽃을 팔고 있었다. 돌무쉬* 정거장에서 승객 정리원이 가느다란 목소리를 높여 누군가에게 말을 하고 있었다. 구두닦이 셋이 구두를 닦고 있었고, 아마 기다리는 손님도 있는 것 같았다. 잘 차려입은 여자가 토요일 쇼핑에서 돌아오고 있었다. 미니스커트를 입은 젊은 여자가 부티크의 쇼윈도를 들여다보고 있었다. 시에서 정해 놓은 것보다 하얀 빵을 파는 '불법 빵 장수'가 바구니에 덮개를 덮은 채 무궤도 버스의 팬터그래프를 보고 있었다. 옆에는 톰발라 장수가 있었다. 한 여자가 개를 끌고 그들 앞을 지나고 있었다. 이시 은행 앞에서는 초등학생 둘이 서로를 밀치고 있었다. 교통체증이 풀리고, 머리에 스카프를 쓴 여자가 한쪽 구석에 있는 복권 장수에게 다가갔다. 벨벳 재킷을 입은 남자가 가루 커피 가게로 들어갔다. '쿠데타! 이 모든 걸 뿌리째 흔드는 것. 모든 걸 단박에 어지럽히고, 니샨타쉬와 부르주아들을 뒤

* 일정한 지역을 왕래하는 마을버스 같은 승합차.

흔드는 쿠데타!' 아흐메트는 갑자기 기지개를 켜며 하품을 했다. '아무 일도 없을 거야! 저 아래의 소란은 오랜 세월 동안 계속될 거야.' 그러면서도 "만약 일어난다면!" 하고 중얼거리며 웃었다. '어느 날 쿠데타가 일어나면 아무도 거리에 못 나가겠지.' 지야 씨를 떠올렸다. "우린 둘 다 니샨타쉬를 혐오해!" 그는 중얼거리며 고개를 들어 위를 쳐다봤다. 창백한 하늘은 아무것도 결정하지 못하고 주저하는 것 같았다. 할머니가 애지중지하는 보리수나무의 헐벗은 가지들이 하늘에 닿을 듯했다. 하지만 가지들 뒤로 아파트들이 보였다. 아흐메트는 니샨타쉬를 등지고, 지붕 층 창문들을 바라보며 '난 뭐지?' 하고 생각했다.

그는 지난 사 년 동안 여기 니샨타쉬의 아파트 지붕 층에서 살았다. '그림 공부'를 하기 위해 갔던 파리에서 사 년 전에 돌아왔고, 아버지 레피크의 유산에 대해 오래 계산한 끝에 아흐메트와 멜렉에게 남은 것이라곤 겨우 이 지붕 층보다 가치 없는 것들 정도라는 걸 알게 되었고, 누나에게는 필요가 없었기 때문에 방이 두 개 딸린 이 집에 살게 되었다. 세를 내지 않고, 아파트의 난방비도 내지 않고, 식사는 아래층 할머니 집에서 해결했기 때문에 돈은 많이 필요하지 않았다. 가끔 그림을 팔았고, 신문에 광고를 내서 세 명에게 프랑스어를, 한 아이에게 미술을 가르쳤다. "난 뭐지?" 그는 한 번 더 중얼거렸다. 그렇다고 우울해지지는 않았다. '난 내가 뭘 하는지 알아! 예술의 나무에서 과실을 따기 위해 인생을 바치고 있지!' 어딘가에서 읽은 적이 있었다. 하지만 자신에게 화를 내지도 조롱하지도 않았다. 할머니를 들여다보고 배를 채우기 위해 아래층으로 내려가기로 하고, 열쇠를 가지고 나갔다.

의사는 니갼 부인의 병이 '노환'이라고 했다. 특히 동맥경화증 비슷한 뭔가가 있는 것 같았다. 아흐메트는 계단을 내려가면서 자신이 이 문제에 별로 관심이 없다는 생각을 했다. 확실히 아는 건 있었다. 혈관에 문제가 생겨 니갼 부인의 뇌로 피가 충분히 가지 않는다는 것이다. 그래서 할머니는 자주 시간과 장소와 사람들을 혼동했고, 이러한 상태는 때로는 슬픔을, 때로는 웃음을 주고 있었다. 아래층에 사는 니갼 부인의 증손주들은 최근 몇 주 동안 위층으로 올라오는 것이 금지되었다. 이 아이들이 아픈 증조할머니에게 장난을 쳤기 때문이다. 아흐메트는 할머니의 상태를 궁금해하며 열쇠로 아파트의 문을 열고 들어갔다.

안으로 들어가자마자 복도 끝에 있는 괘종 달린 커다란 시계가 똑딱거리는 소리가 들려왔다. 요리사 일마즈에게 자기가 왔으며 뭘 좀 먹고 싶다고 말하려고 곧장 부엌으로 갔지만 아무도 없었다. 거실로 열리는 문 쪽으로 걸어가다가 안쪽에서 들리는 웃음소리에 걸음을 멈췄다. 뒤를 이어 요리사 일마즈의 웃음소리도 들리기에 문틈으로 안을 들여다보았고 거의 경악할 만한 장면을 목격하게 되었다. 할머니 머리 위에 이상한 것이 올려져 있었다. 자세히 보니 곁탁자 위에 있던 손뜨개 레이스였다.

"니갼 부인, 부인에게 얼마나 어울리는지 몰라요! 정말 새신부처럼 됐어요!"

간호사가 큰 소리로 말하고 폭소를 터뜨렸다.

"아, 제발 그러지 마요! 쯧쯧!"

에미네 부인은 이렇게 중얼거렸고 요리사 일마즈는 옆에서 물었다.

"니갼 부인, 니갼 부인, 저에 대해 어떻게 생각하세요? 제 아버지는 삼십 년 동안 당신 집에서 요리를 했어요. 저도 삼십 년 동안 했고요. 제가 마음에 드세요?"

"응, 네가 맘에 들어!"

니갼 부인은 그곳이 아니라 아주 멀리 있는 잘 모르는 사람들과 얘기하듯이 대답했다. 에미네 부인이 옆에서 말했다.

"그만하면 됐어요. 하지 마세요. 어떠신지 보이잖아요!"

"담배 피우시겠어요?"

간호사는 자기 말에 니갼 부인이 고개를 끄덕이자 담배에 불을 붙여 건네주었다.

니갼 부인은 연기를 들이마시려고 했지만 담뱃불이 꺼져 버렸다. 몇 번 연기를 내뿜는 시늉을 하다가 불평 섞인 목소리로 뭐라고 중얼거렸다. 요리사 일마즈가 폭소를 터뜨렸다. 간호사가 다시 담배에 불을 붙여 내밀었다. 에미네 부인은 불평을 하면서 자리에서 일어나 니갼 부인의 머리에서 손뜨개 레이스와 담배를 거두려고 했지만, 니갼 부인은 담배를 내주려 하지 않았다.

아흐메트는 부엌의 다른 문을 온 힘을 다해 잡아당기며 큰 소리로 기침을 했다. 그들에게 잠시 시간을 준 후 안으로 들어갔다. 약간 분노를 느꼈지만 그럴 필요가 없다는 생각도 들었다.

"신경 안정에 좋거든요!"

간호사는 담배를 가리키며 말했다.

"몸에는 안 좋지 않나요? 할머니는 어때요?"

"어제보다 좋아요!"

"아흐메트 씨, 뭐 좀 만들어 드릴까요?"

일마즈가 물었다. 그런 후 니갼 부인이 여전히 담배를 매만지는 걸 보고 웃었다.

"아, 정말, 마님은 많이 안 좋으세요, 안되셨어요! 아흐메트 씨, 지금 웃고 있지만 진심이 아니라는 거 아시죠? 마음이 아파서 그러는 걸 모르겠어요? 제 마음이 어떤지 아신다면! 뭘 만들어 줄까요? 계란 삶을까요? 쾨프테가 있는데……."

"예, 계란 줘요, 요구르트도 주고요. 그냥 있는 거 가져와요!"

아흐메트는 할머니 맞은편에 앉았다. 에미네 부인은 손뜨개 레이스를 조심스럽게 곁탁자 위에 펴 놓았다.

"다행히 오늘은 좀 괜찮아지셨어요!"

"할머니, 안녕하세요!"

"너니? 어디 있었어?"

아흐메트의 목소리에 니갼 부인이 중얼거렸다. 그는 바보 같은 아이에게 말하듯 또박또박 대답했다.

"위층에 있다가 내려왔어요!"

"네 아버지는 어딨니?"

"아버지는 없잖아요……."

잠시 침묵이 흘렀다. 니갼 부인은 생각에 잠겼다. 두꺼운 안경 너머로 아흐메트를 의심스러운 눈초리로 바라보았다. 자신에게 뭔가 숨기고 있다고 생각하며 그게 뭔지 찾으려는 것 같았다.

"아버지 오라고 해라!"

"걔 아버지는 죽었잖아요!"

간호사가 거칠게 대답하며 담배를 빼앗았다.

"그래, 죽었어! 어쩌겠니, 그게 내 잘못이야? 그 여자애와 결혼하지 말았어야 했는데!"

아흐메트는 할머니의 머리가 온전한 것 같아서 기뻤다.

"오늘은 기분이 어떠세요?"

"귀에서 계속 노랫소리가 들려!"

니갼 부인의 또 다른 문제는 누군가 귀 밑에서 어린 시절과 처녀 시절에 부르던 노래를 계속 흥얼거린다는 것이었다.

"똑같은 노래예요?"

"응, 똑같은 노래들!"

"하나만 불러 보세요, 좀 들어 보게!"

간호사는 이렇게 말하고 아흐메트가 자신을 불쾌한 시선으로 쳐다보자 자리에서 일어나 부엌으로 갔다.

"저 여자 누구야?"

"주할 부인이요! 간호사요!"

니갼 부인이 간호사를 가리키며 묻자 에미네 부인이 대답해 주었다. 그녀는 몸을 굽혀 담요 끝을 당기는 니갼 부인의 손을 잡아 가만히 놓았다. 영양 주사를 꽂고 빼느라 여기저기 구멍이 생긴 새파란 손이 떨리기 시작했다.

"아직도 음식을 안 드시나요? 영양 주사는 언제 포기할 거죠?"

할머니가 듣지 못할 걸 알기에 아흐메트는 마음 편히 물었다.

"간호사가 알겠죠!"

요리사 일마즈가 아흐메트가 먹을 음식을 가져왔다. 그는 쟁반을 곁탁자 위에 올려놓았다.

"절인 과일도 드릴까요?"

"아니요, 됐어요!"

접시에는 요구르트, 계란, 쾨프테가 담겨 있었다.

"무슨 얘기를 하고 있어?"

니갼 부인이 물었다.

"밥 먹고 있어요!"

"넌 어디 있었어?"

"위층에요, 할머니. 위층에서 그림 그리잖아요!"

"아, 너의 그 재능, 너의 그 재능! 그건 신이 내린 선물이야. 감사하게 생각해!"

"알아요……. 전 그림을 그려요!"

니갼 부인이 갑자기 흥분한 듯 말을 시작하자 아흐메트는 기뻤다. 그러나 니갼 부인은 의심스럽다는 듯 물었다.

"계속 그림만 그리니?"

"예!"

"돈은? 결혼은 안 할 거니? 계속 집에만 있을 거야?"

"가끔 밖에도 나가요!"

아흐메트는 웃으며 대답했다.

"나도 은행에 가서 금고를 봐야 하는데!"

아흐메트는 말없이 고개를 끄덕였다. 간호사가 들어왔다. 일마즈도 손을 장식장에 기댄 채 니갼 부인을 쳐다보고 있었다. 모두들 좋든 나쁘든 재미있는 일이 일어나서 나중에 나눌 얘깃거리가 생기길 기다리는 것 같았다. 일마즈는 가끔 아흐메트에게 쾨프테가 잘됐는지, 절인 과일을 먹을 건지 물었다. 그때 현관문이 열리고 발소리가 나자 니갼 부인의 머리맡에서 있던 사람들이 흩어졌다. 아흐메트는 발소리를 듣고 그들이 네르민과 오스만이라는 것을 알았다.

2
니샨타쉬의 아파트

"어떠세요, 어머니?"

오스만은 어머니의 곁으로 가자마자 이렇게 소리를 질렀다. 어머니만큼이나 자기 귀도 잘 들리지 않았던 것이다.

"어디 있었니?"

"공장에 있었어요!"

그는 어머니가 잘 듣지 못한다는 걸 알았다.

"공장에 있었다고요! 제밀하고 오늘 공장에 갔어요!"

니갼 부인은 얼굴을 찡그렸다. 그런 후 자기에게 다가오는 네르민을 걱정하는 눈빛으로 바라보았다.

"저예요, 어머니, 저요, 몰라보시겠어요?"

"저 여자 누구야?"

니갼 부인은 아흐메트에게 물었다.

"큰어머니 네르민이에요, 할머니, 큰어머니 네르민!"

"또 날 못 알아보시네!"

니갼 부인은 병이 악화된 지난 두 달 동안 사람들을 기억하지 못했다. 자기도 그중 한 사람이라는 데 대해 네르민은 억울해했다.

"페리한이야?"

니갼 부인은 의심스럽다는 듯 중얼거렸다.

"페리한은 다른 사람하고 결혼했잖아요! 어머니의 며느리는 저예요! 절 못 알아보시겠어요, 어머니?"

네르민은 큰 소리로 말했다. 그러고는 오스만을 바라보며 화가 난 듯 덧붙였다.

"일부러 그러시는 거야!"

"아니, 여보, 왜 일부러 그러시겠어! 그냥 못 알아보시는 거야. 아프시잖아, 어쩌겠어!"

네르민은 투덜거리며 한쪽에 앉았다. 아흐메트는 큰아버지와 큰어머니가 또 다툴까 봐 불안했다. 오스만이 담배에 불을 붙였다. 네르민은 그에게 피우지 말라고 했다. 오스만이 투덜거렸다. 잠시 침묵이 흘렀다.

"공장에서 뭐 했니?"

"공장에서 뭘 하겠어요? 그냥 둘러봤어요! 일이 잘 돌아가는지 봤죠! 아무 일도 없어요, 모든 게 좋아요. 직원들이 일하고 있어요. 아주 잘하고 있어요!"

니갼 부인의 물음에 오스만은 신경질적으로 큰 소리로 대답했다.

"뭘 하고 있는데?"

"전구를 만들잖아요, 어머니! 전구!"

"아, 우리가 이렇게 될 줄 누가 알았겠니?"

니갼 부인은 중얼거렸다. 아마도 이 년 전 공장에서 일어났던 파업을 다시 떠올린 것 같았다. 그 파업 이후에 니갼 부인은 공장을 재앙처럼 기억하게 되었다. 그것이 신문에서 떠들던 '악화일로'와 관계가 있다고 믿고, 정치뿐 아니라 자신이 들은 나쁜 소식들과 뒤섞어, 일이 잘돼 가지 않는다고 생각했다.

"별일 없어요, 걱정 마세요!"

"어떻게 걱정을 안 하겠어? 우리가 이런 꼴이 되다니! 우리가 이렇게 돼야 하니? 제브데트가 세워 놓은 게 이렇게 돼야 했니? 그가 이런 걸 바랐단 말이야? 이젠 서로 인사도 안 해. 어제 지야가 뭐라고 했는지 아니?"

"뭐라고 했는데요?"

"교양 없고 무례하고 거만한 놈!"

"그가 다시 오면 집 안에 들이지 마요. 아래층에 있는 우리 집으로 보내요. 그가 원하는 게 뭐랍디까?"

오스만은 에미네 부인에게 물었다.

"아흐메트 씨와 얘기했어요!"

"정말이야, 무슨 얘기 했어?"

"별말 없었어요!"

아흐메트는 오스만이 걱정하고 있다는 걸 알아채고 가볍게 대답했지만 속으로는 '큰아버지한테 말할까? 쿠데타가 일어난다고 해요. 좌익 쿠데타! 니샨타쉬는 무너질 거예요…….' 라고 생각하면서, 쿠데타가 일어났으면 싶었다.

"너한테 뭐라 그러디, 또 무슨 얘기를 하더냐? 무슨 거짓말을 했어? 일흔다섯 살인데 아직도 거짓말과 협박을 그치지 않는구먼! 뭐라 그러디?"

"군대가 5월 27일쯤 뭔가 할 거라고 했어요!"

아흐메트는 자신을 억누르지 못하고 결국 이렇게 말해 버렸다.

"그는 그런 걸 어디서 들어서 아는 거야? 그리고 그게 우리하고 무슨 상관인데?"

"조립 업체를 겨냥한 쿠데타라고 하던데요! 그렇게 말했어요! 데미렐과 조립 업체에 대항하는 좌익 쿠데타!"

아흐메트는 점점 더 즐거워하며 대답했다. 오스만의 표정은 복잡했다. 아흐메트는 웃고 싶었다. 데미렐만큼이나 조립 업체에도 반대하는 움직임이 있는 게 사실이었다. 이건 오스만이 무척 화를 내는 주제였다. 그는 전구 회사에서는 전구를 조립을 하는 게 아니라 제조한다고 했고, 이걸 설명할 때는 늘 비율을 들먹였다.

"그럼 공장에선 조립을 하지 않는다고 말하지 그랬어!"

오스만은 걱정스러운 목소리로 이렇게 말한 후 그런 걱정을 하는 게 부끄러운 듯한 표정을 지었다. 아흐메트는 웃으면서 대답했다.

"전구 공장 얘긴 안 했어요! 게다가 전 비율도 몰라요. 퍼센트가 어떻게 되죠?"

"84퍼센트!"

"84퍼센트라면 이제 조립이라고 할 수 없겠네요."

"또 무슨 말을 했어?"

오스만은 신경질적으로 물었다.

"아버지와 할아버지 얘기요."

"그는 레피크를 잘 모를 텐데?"

"사실은 자기 아버지 얘길 했어요……. 저도 물어봤고요. 아주 흥미로운 분 같던데요……. 정치에도 관여한 적이 있다고 하던데……."

"아버지는 큰아버지가 술주정뱅이라고 하셨어."

"혁명가였다고 하던데요."

이번에는 아흐메트가 화를 내며 대꾸하고 오스만은 웃으며 말했다.

"그래, 아버지는 큰아버지 누스레트의 몽상가적인 면에 대해서도 말씀하셨지!"

"아주 이상한 일이 있었대요!"

아흐메트는 이렇게 중얼거리다가 자신이 앞서 나갔다는 생각이 들어 후회했다.

"무슨 일이 있었는데? 또 무슨 말을 꾸며 대든?"

오스만은 아흐메트가 기분 좋아하는 것 같자 화를 내며 자리에서 일어났다. 그는 '너도 그들 편이군! 넌 도대체 어떻게 된 인간이냐?'라고 하는 듯했다. 아흐메트 앞에 있던 빈 접시를 가져가는 요리사를 보고 뭔가 기억났다는 듯 희미하게 미소를 지었다.

"얘, 아흐메트, 오늘 저녁 우리 집에 식사하러 오려무나."

그는 이렇게 말한 뒤 네르민을 쳐다보았다.

"오늘 저녁은 우리 집에서 먹으라고 할 거지, 그렇지?"

"물론, 물론이지! 오늘 저녁에 우리 집에 사람들이 잔뜩 모일 거다!"

네르민이 말했다. 오스만은 방 안을 서성거리기 시작했다.

"그러니까, 우리보고 조립 업체라고 한단 말이지! 그리고 넌 아무 해명도 하지 않았고!"

"제발, 신경 좀 그만 써!"

"난 예순네 살이야! 오늘까지도 사업 문제에 있어서만큼은 신경이 예민해지지 않을 방법을 못 배웠다고. 이후에도 어쩔 수 없어!"

네르민의 말에 오스만이 버럭 화를 냈다.

"쟤는 어디 가?"

"저 어디 안 가요! 제발 어머니, 저 여기 있잖아요!"

니갼 부인이 묻자 오스만이 대답했다. 네르민이 갑자기 자리에서 일어났다. 교활하고, 거의 악의적인 눈길로 니갼 부인에게 얼굴을 들이대고는 빠르게 물었다.

"어머니, 제가 누구예요, 절 알아보시겠어요? 자, 말씀해 보세요, 제가 누구지요?"

"넌 페리한이야, 넌 일찍 결혼했어!"

오스만이 폭소를 터뜨렸고, 네르민은 기분이 상해서 다시 자리에 앉았다. 요리사 일마즈는 커피를 마실지 물었고, 네르민은 화가 나서 아래층으로 내려갈 거라고 했다.

"전 아버지 방에 가 보려고요! 어제 오래된 책을 봤거든요."

"책들……. 그러니까 어제 그에게 대답을 해 주지 않았다는 거지! 그가 오면 아래층으로 내려보내. 국내 산업을 일으키기 위해서는 조립 단계가 필수라는 걸 잊지 말고!"

"큰아버지, 정말 제 생각이 궁금하시다면 말씀드리죠. 전 혁명가들을 반대합니다!"

아흐메트는 이렇게 말하고 안쪽으로 걸어갔다. '좀 전의 말은 사실이지만 입 밖에 내지 말아야 했어! 휴! 도덕주의도 이제 질렸어!' 그는 똑딱거리는 시계 소리를 들으며 복도를 지났다. 그의 어머니와 이혼한 후 죽을 때까지, 아버지는 십 년 동안 여기 있는 방에서 살았다. 일주일 전, 니갼 부인의 병이 악화되자 아흐메트는 웬일인지 옛날 물건에 관심이 생겨서 아버지의 책과 서랍을 뒤지기 시작했다. 전에도 한번 살펴보고 원하는 건 가져갔다. 하지만 여전히 뭔가를 발견했다. 일주일 전에는 비망록을 찾았다. 아버지가 쓰던 비망록이라는 걸 알고도 오스만어를 읽을 수 없어서 일크누르에게 건네주었다. 일크누르는 예술학 박사 과정 중이인데 오스만어를 읽을 수 있다고 했던 것이다. 이제 비망록의 내용뿐 아니라, 일크누르가 오스만어를 얼마나 읽을 수 있는지도 알게 될 것이다. 방문에 다가가다가 간호사가 거기 있을 거라는 생각이 들었다. 니갼 부인이 잠을 자거나 머리맡에서 대기할 필요가 없을 때 그녀는 여기서 쉬곤 했다. 아흐메트는 문을 두드리고 들어갔다. 그녀는 침대에 앉아 담배를 피우고 있었다.

"죄송합니다, 제가 불편하게 했군요. 여기 있는 책을 좀 보려고요."

아흐메트는 이렇게 말하며 미소를 지었다. '진짜 정중하게

도 말했지 뭐야!'

"별말씀을요, 여긴 당신들 집인걸요!"

아흐메트는 서재 쪽으로 걸어가 꽂혀 있는 책을 살펴보았다. 별로 흥미로운 책도 없었다. 간호사가 담배를 피우며 자신을 바라보고 있어 불편하기도 했다. 자기가 찾는 책이 거기 있다고 확신하는 듯 아래 서랍을 열었다. 지난주에 비망록을 발견했던 곳을 뒤적였지만 아무것도 없었다.

"조금 전에 저한테 화난 거 아니죠?"

간호사가 물었다.

"왜요?"

"제가 할머니에게 무례하게 대했다고 생각하는 거 아니죠, 그렇죠?"

"왜 그렇게 생각하죠?"

아흐메트는 서랍 쪽으로 몸을 굽히며 물었다.

"장난을 좀 한 것뿐이에요! 입주 간호사 일은 정말 힘들거든요! 지루하고 지겹고 진력이 나죠. 물론 할머니께선 괜찮으시지만, 오물 치우는 일을 할 때도 있어요."

"예, 물론, 안 좋겠죠!"

아흐메트는 중얼거렸다.

"장난한 거예요. 신경도 예민해지고 해서."

아흐메트는 계속 뒤졌지만 아무것도 없었다.

"전 늘 이 집처럼 좋은 가정에서 일해요. 귈멘 씨 댁을 아세요? 오후에는 그녀와 보스포루스로 산책을 나가곤 했어요."

아흐메트는 공책을 한 권 발견하고 흥분해서 펼쳐 보았다.

첫 장에는 역시 오스만어로 뭔가 쓰여 있었다. 그는 서랍을 닫고 몸을 일으켰다.

"갑갑하네요! 좋은 소설이 있으면 한 권 주실래요, 읽어 보게. 기분 좋게 읽고 나서 다 잊어버리고 싶어요. 이 책은 다 아버님 거였어요? 교수셨나요?"

"모르겠는데요, 정말!"

아흐메트는 중얼거리며 방을 나갔다. 거실을 지났다. 잔뜩 쌓여 있는 물건 사이를 지나 벽에 걸려 있는 제브데트 씨의 사진 쪽으로 다가갔다. 그는 제브데트 씨의 초상화를 그릴 생각이었다. 하지만 사진을 가까이서 보고는 이 계획이 충분히 무르익지 않았다는 생각이 들어 좀 연기하기로 마음먹었다. 그럼에도 불구하고 한동안 제브데트 씨를 가까이서 들여다보았고, 그의 내면세계를 쉽게 포착해 내기는 어려울 거라고 생각했다.

"거기서 뭘 하니?"

"보면 몰라, 사진을 보고 있잖아! 참, 정말 아버지 초상화를 그려 보지 그러니?"

네르민의 물음에 오스만이 나서서 대꾸했다. 아흐메트는 그들에게 미소를 지어 보이고 자기 집으로 돌아오기 전에 할머니를 한 번 더 살폈다. 네르민은 저녁 식사 때 기다리겠다고 다시 말했다.

그는 최근에 그린 그림들을 한번 둘러봤다. 잠에서 깨어 뭔가를 좀 먹은 후 삼십 분이 지나면, 그는 최근 작업을 그렇게 검토하곤 했다. 이때 내린 판단이 다른 때에 내린 판단보다 더 온전하고 현실적이라고 믿었다. 그는 벽에 나란히 기대어 있는 그림들을 한 번 더 점검했다. '그래, 이 그림에는 분명한 모방이 감지돼……. 불필요한 것들……. 이건 좋아. 이건 왜 그렸는지 모르겠군. 시간 낭비였어. 식사하는 사람들을 그린 건 내가 나아가야 할 길이 뭔지 보여 주고 있어. 이건 분명 사람들이 나를 좋아하도록 만들려고 그린 거야. 이건 터키 문제를 걱정하는 터키 화가로서의 고민이 가득한 그림이군. 하지만 마음에 안 들어. 저 노인들도 다시 그려야 돼. 고양이를 지우고 그 자리에 화분을 넣어야겠어. 그림에다 장난기를 표현하면 안 돼! 이 그림에서는 고야의 영향이 확연히 느껴져! 앉아 있는 사람들을 그린 건 마음에 들어! 축구 시리즈도 마음에 들고!' 그는 그림을 다시 한 번 더 봤지만, 이번에는 작품 하나하나가 아니라, 화가로서의 자질에 대해 판단을 내리며 검토했다. 그러고는 일어나자마자 아래층으로 내려가기 전에 얼마나 말랐는지 점검했던 커다란 캔버스를 앞에 놓고 작업에 들어갔다. 시계를 봤다. 2시. 작업을 시작하기 위해 고야 복제품을 보지 않아도 되었기 때문에 기뻤다.

3
누나

현관 벨이 울리자 아흐메트는 시계를 봤다. 3시 반이 다 되어 가고 있었다. 그는 문득 '일크누르구나!' 하고 생각했다. 하지만 문으로 다가가면서 그녀가 아니라는 걸 알게 되었다. 벨이 몇 번 더 장난치듯, 노래를 부르듯 울렸기 때문이다. 문을 열자 커다란 몸 하나가 어둠침침한 곳에서 공처럼 튀어나왔다. 그런 후 그의 뺨에 향기롭고 부드러운 여자의 피부가 닿았다. 아흐메트는 '누나야!' 하고 생각하며 다른 쪽 뺨도 내밀었다.

"어디 보자, 잘 지냈어? 즐거워 보이진 않는걸!"

멜렉은 폭풍처럼 방으로 들어와 한 번 빙 돌며 둘러봤다.

"아냐, 좋아……."

"그래? 아, 그 셔츠 아주 멋진걸! 어디서 샀어?"

"늘 입는 옛날……."

"이 부츠 어때?"

"새거야?"

"응, 네 매형이 사다 줬어!"

"외국에서?"

"아흐메트, 너 정말 건망증이 심하구나!"

그녀는 아흐메트에게 등을 돌리고 그림을 바라보았다.

"매형이 너한테 물감을 사다 주려고 했는데, 네가 필요 없다고 했잖아……."

"정말 빨리도 갔다 왔네!"

"넌 여기서 허송세월을 보내느라……. 아, 이거 정말 멋있다!"

아흐메트는 궁금해서 쳐다봤다. 하나도 중요하게 생각되지 않아 다 긁어 내고 그 위에 다른 걸 그리려고 했던 그림이었다. '이 그림의 어디가 마음에 든다는 거지?' 하지만 이런 생각에 익숙했기 때문에 별로 의미를 두지 않았다.

"정말 멋진 색을 발견했구나! 약간 이상한 그림도 그려 보지그래……. 터키어로 뭐라고 하지? 형태가 없는 거. 그림 같지 않고……."

"추상!"

"아, 그래 추상! 미안해, 새로운 단어는 익숙하지 않아서! 스튜어디스. 손님을 맞이하는 하늘의 여자."

그녀는 이렇게 말하고 킥킥 웃었다.

"추상! 정말 추상화도 좀 그려 봐! 네 매형이 그러는데 이제 유럽에서는 모두 추상화를 그린대……. 또 뭘 하고 지내? 이

걸 그리고 있었어?"

"응!"

멜렉은 누구의 눈치도 보지 않고 물건을 만질 수 있다는 듯, 그림을 탁자에서 집어 들고, 얼굴 가까이 갖다 대고, 나중에는 매번 그러듯 냄새를 맡았다. 무게를 재는 것처럼 손으로 들어 보면서 좌우로 돌려 보고 빛을 향해 들어 보았다.

아흐메트는 누구보다 누나가 그림이 하나의 오브제라는 걸 본능적으로 이해하는 사람이라고 생각하곤 했다. 그는 두려울 정도로 거대한 누나의 몸을 바라보았다.

"음, 이 작품은 완전히 이해 못하겠어. 추상이 아닌데도 이해가 안 돼. 이 그림으로 뭘 말하려는 거야?"

"아직 완성된 거 아니야!"

"완성되면 어떻게 될지 궁금한걸!"

멜렉은 현명한 아버지와 함께 수수께끼를 푸는 버릇없는 아이처럼 웃으며 "칫!" 하고 말했다. 그런 후 다시 흥분하며 다른 그림을 가리켰다.

"좋아, 이건 완성된 거네. 이 그림으로는 무슨 말을 하고 싶은 건지 말해 봐! 넥타이를 맨 멋진 남자와 안경 낀 여자가 앉아 있군……. 이건 의미가 뭐야? 뭘 말하고 싶은 거야?"

"그림은 뭔가 말하는 게 있어, 그게 뭐든지!"

"넌 늘 그렇게 도망치더라!"

잠시 후 그녀는 이번에 전부 물어보려는 듯 또다시 호기심 가득한 눈으로 주위를 둘러보며 얼굴을 찌푸렸다.

"할머니가 안 좋으신가 봐……."

"응."

"정말 걱정돼."

"뭐가?"

"그냥! 마음이 아파. 어젯밤 내내 할머니를……."

그녀는 등받이가 없는 의자에 앉았다가 갑자기 의심스럽다는 듯 몸을 움찔했다.

"앉아, 앉아, 그 의자 위는 말랐어. 얼룩 안 져!"

"잠깐 움찔했어! 여기 정말 어수선하다!"

"아, 그 말은 서운한걸. 하루걸러 한 번씩은 정리한단 말이야!"

"그래? 바닥은 누가 쓸어? 에미네 부인이?"

"파트마가 보름에 한 번씩 와."

아흐메트는 지겨운 듯 대답했다.

"누구? 제밀의 집에서 일하는 여자? 알아, 우리 집에서 일하던 사람은 도망쳤어. 왜 도망쳤는지 이유를 모르겠어. 사흘 전에……."

그러고는 갑자기 입을 다물고 아흐메트의 얼굴을 걱정스러운 눈길로 쳐다보며 한숨을 쉬었다.

"할머니가 정말 걱정돼!"

"아!"

"나 때문에 지루하니? 담배 한 대만 피우고 갈게. 불편하다면 안 피우고. 매형이 널 본보기로 내세우는데. 넌 사 년 전 담배를 안 피우겠다고 단번에 딱 끊었잖아!"

그녀는 가방을 열고 성냥을 꺼내 불을 붙였다.

"매형이 뭐라고 하는지 알아? 예술가잖아, 그러더라고. 하지만 반대로 예술가들은 담배나 술을 즐기지 않니? 참, 너도 턱수염 길러 보지그래!"

"손을 데겠네!"

"미안! 내가 말을 너무 많이 하나?"

멜렉은 담배에 불을 붙이고 아흐메트가 의자에 앉자 다시 말을 건넸다.

"할머니가 걱정돼!"

"할머니 만나 봤어?"

"물론이지……. 외투와 꾸러미를 거기 두고 왔어……."

"얘기는 나눠 봤어?"

"나하곤 늘 말씀하시잖아! 얘기를 나눴지! 금방 알아보시고는 기뻐하셨어. 그런 다음 내가 몇 살인지 물으셨어. 서른세 살이라고 하니까 또 '제브데트가 죽고, 일주일 후에 나를 위로하기 위해 네가 태어났어. 넌 내게 특별해.'라고 하셨어. 네 매형 안부도 묻고. 그런 후엔 내가 말을 했지. 정신은 멀쩡하셔."

"정말? 내가 갔을 때는……."

"간호사도 놀라더라. 날 보면 기뻐하시잖아. 간호사가 할머니를 너무 피곤하게 하지 말라며 나가라고 했어……. 마음이 아파!"

"그래……."

잠시 침묵이 흘렀다. 아흐메트는 '좀 있으면 불편해서 가겠지!' 하고 생각했다. 하지만 멜렉은 그리 쉽게 지루해하지 않았다. 그녀는 다시 자리에서 일어나 그림을 보기 시작했다. 아흐메트는 누나의 거대한 몸, 커다란 엉덩이, 긴 다리를 쳐다봤다. 이 거대한 뒷모습을 볼 때마다 매형이 어떤 사람인지 생각했고, 저녁을 먹으면서 무슨 얘기를 나누는지 궁금해졌다. 그는 유명한 변호사였다.

멜렉은 미소를 지으며 돌아섰다.

"그리고 다른 건 뭘 해? 누굴 만나? 어딜 가?"

아흐메트는 '누나의 머릿속에 뭔가 있군!' 하고 생각했다.

"참! 매형이 경찰서 모퉁이에서 네가 어떤 여자하고 있는 걸 봤대!"

"그래?"

"아주 괜찮은 여자라고 하던데. 너희들 옆을 지나갔대. 그러면서 그 여자를 자세히 봤대. 그 여자 누군지 말해 봐! 무슨 일을 하지? 참 나, 아흐메트, 너하곤 아무 얘기도 못하는 거야? 매형은 그 여자가 아주 분별 있어 보인다던데. 정말 그 여자 누구야?"

그녀는 아흐메트가 역시 대답하지 않을 걸 알고는 다시 말을 이었다.

"넌 정말 다가가기 어려운 사람이야! 결혼해! 너 결혼해!"

"그건 또 무슨 생뚱맞은 소리야?"

멜렉은 의자에 앉았다.

"매형은 네가 결혼하면 많은 일을 하게 될 거라고 했어. 분별 있는 여자라면 널 안정된 삶으로 이끌 거라면서."

"알았어, 알았어!"

"알지, 매형이 널 아주 좋아하는 거! 그는 나한테 '나도 젊었을 때 아흐메트 같았어. 아무것도 좋아하지 않았지. 하지만 당신을 만나고 나서 정신을 차렸어.'라고 했어."

"난 서른 살이야!"

멜렉은 이때다 싶은지 말을 시작했다.

"그래, 그래, 네 매형은 날 만났을 때 스물여덟이었어. 매형은 '나도 아흐메트 같았지만, 그렇다고 변호사로 성공하는 데 장애가 되지는 않았어.'라고 했단 말이야. 근데 그 여자 정말 누구야?"

"제발 쓸데없는 소리 좀 그만해!"

"좋아, 그럼 내가 너하고 무슨 얘길 해야 하지? 그렇지 않아도 가려고 했어!"

"더 있다 가! 아직 담배도 다 안 피웠잖아!"

아흐메트는 누나가 화난 것 같아서 이렇게 말했다. 잠시 후 다시 시간을 허비하고 있다는 두려움에 휩싸였다.

"담배를 다 피우고 가란 말이지, 그렇지? 시간을 허비하고 있다는 너의 두려움은, 화내지 마, 그리 똑똑한 생각이 아니야. 좀 쉬고 여행도 하고 돌아다녀 봐……. 예술가 친구는 없니? 모두 너 같아? 아닐걸……. 좀 쉬어야 돼. 네 매형은 휴가의 가치를 알지. '열한 달 동안 할 일을 열두 달 동안 하지는 않아.'라고 해. 알겠어? 너도 사람들이 얼마나 즐기고 휴식을 취하는지를 알면 정말 좋을 텐데. 참, 얼마 전에 식당에서 네 갈라타사라이 동창과 함께 식사했는데. 툰제르……."

"그 야비한 놈은 뭐 한대?"

"왜? 좋은 애던데. 변호사래! 부인도 아주 사랑스럽고. 네 매형은 그 친구 장래가 촉망된다고 했어."

"나하고 무슨 상관이야!"

"그냥 하는 얘기지!"

멜렉은 슬퍼 보였다.

"아흐메트, 너 왜 그래? 무척 신경질적이야. 좋아 보이지 않아. 좀 쉬어. 우리 집에 저녁 먹으러도 오고! 매형이 널 아주 보고 싶어 해! 아니면 외식을 하러 가든지. 물론 우리를 '매판 자본가'로 여기지 않는다면……."

"그런 유행어는 생각하지 않아!"

"브라보, 브라보, 브라보!"

멜렉은 조롱하는 듯 말하며 웃었고 이렇게 덧붙였다.

"정말 내 동생은 똑똑해! 네가 자랑스러워! 누구보다 영리하다니까!"

아흐메트는 기분이 상했다. '이제 그만 좀 갔으면 좋겠군, 일 좀 하게!'

"좋아, 그럼 약속해, 날을 잡아 함께 외식하자. 어디로 가고 싶어?"

"압둘라흐!"

이 년 전에 누나와 매형이 그를 데리고 간 식당인데, 두 테이블 건너에 젤랄 바야르가 앉아 있어서 그를 쳐다보느라 식사를 못했던 곳이었다.

"압둘라흐를 좋아하는구나!"

"두 테이블 건너에서 전 대통령이 의치를 딱딱거리다니 재미있잖아! 정말 잘도 먹더군! 그렇게 먹으면 백 년이 아니라

이백 년은 살 거야!"

멜렉은 처음에는 웃다가 곧 다시 슬픈 표정을 지었다.

"넌 너무 공격적이야! 왜 그렇게 공격적인 사람이 됐어? 전에도 그랬어? 어렸을 땐 정말 쾌활하고 사랑스러웠는데! 모두 다 널 아주 사랑했어. 너하고 정말 재미있게 놀았는데!"

"엄마는 만나?"

"사흘 전 오후에 엄마 집에 갔어……. 저녁때 갔다가 그 남자를 보고 싶진 않으니까!"

"왜? 그 사람도 변호사잖아! 게다가 아주 유명하다고 하던데. 변호사 제납 소라르! 이 이름은 어쩐지 신문을 읽는 것 같은, 정확히 말하면 민법 책을 뒤적이는 것 같은 발음이 나."

아흐메트는 웃으며 말했다.

"내가 말했지, 그렇지? 그는 코를 후빈다니까! 엄마가 왜 아버지를 버리고 그 사람과 결혼했다고 생각하니?"

"엄마가 옳아, 엄마가 옳아……."

"그래, 넌 이 문제에 대해 페리한을 지지하고, 난 레피크를 지지하지!"

그녀는 가끔 부모님 이름을 언급하며 이상한 희열을 느끼는 것 같았다.

"엄마는 뭐 해, 뭐라고 하셔?"

"류머티즘이 있어! 류머티즘에 대해 불평하시지."

"어떻게 나날을 보내신대?"

"어떻게 보내냐고?"

멜렉은 이렇게 말하더니, 생각에 잠겨 미소를 지었다.

"친구가 몇 명 있어서 극장에 가시지. 어떻게 보내겠어?"

그녀는 갑자기 하품을 했다.

"담배도 다 피웠네. 이제 일어날게."

그녀는 이렇게 말하며 일어났다.

"우리 집에 저녁 식사 손님들이 오거든. 그럴 일이 없길 바라지만, 혹 할머니 상태가 악화되면 나한테 알려 줘."

그녀는 문으로 걸어갔다. 아흐메트는 갑자기 어떤 생각이 떠올랐다.

"누나, 지야 아저씨 알아? 아버지 사촌 지야 아저씨!"

"한 번 본 것 같아!"

"어제 여기 와서 나하고 얘기를 나눴어!"

"계단을 어떻게 올라왔대?"

"아주 정정하던데!"

아흐메트는 뭔가 말해 버리고 싶었지만 자신이 음흉해 보일까 봐 두려웠다.

"아주 흥미로운 말을 하더군. 그분의 아버지 누스레트, 그러니까 아버지의 큰아버지가 혁명가였나 봐!"

"그때도 그런 게 있었어?"

'누나는 이해 못할 거야. 이해 못해! 일크누르에게 설명해 줘야지!'

"아, 너 여기 페인트칠을 했구나! 잘했어, 아주 멋진걸!"

"지붕이 샜거든!"

"지붕이 샌단 말이지! 예술가의 아틀리에답네!"

멜릭은 귀엽게 보이려고 애쓰면서 웃었다. 문손잡이를 잡고 다시 한 번 방을 재빨리 둘러보았다. 마음이 울컥한 것 같았다.

"건강 조심해 알았지? 좀 쉬고, 밖에도 나가서 좀 돌아다녀. 그럼 작업이 더 잘될 거야……. 네 매형이 그러는데, 열한 달 동안……."

"군대가 쿠데타를 일으킬 거래!"

아흐메트는 참지 못하고 이렇게 말한 후, 흥분해서 다시 덧붙였다.

"좌익 쿠데타!"

"쿠데타를 일으킨다고?"

"지야 아저씨가 말해 줬어."

아흐메트는 멜렉의 얼굴을 가만히 들여다봤다.

"언제?"

"곧!"

"그러면 밖에 나갈 수 없지, 그렇지? 뭐 오늘 밤만 아니면 언제든 일으키라고 해! 난 내일 오후엔 매형하고 극장에 갈 거야. 표를 샀거든!"

그녀는 이렇게 말하며 웃었다. 그런 후 아흐메트의 진지한 얼굴을 이해한다는 듯이 바라보았다.

"데미렐이 물러났으면 하는 거지, 그렇지?"

그녀는 잠시 생각했다.

"그는 너무 뚱뚱해!"

그녀는 이렇게 말하고 웃다가 다시 생각에 잠겨 뭔가 문제가 있다는 듯 말했다.

“모든 게 아주 나빠졌어! 나라 꼴이 말이 아냐! 얼마 전에 엄마한테 가는데, 니샨타쉬 한복판에서 나한테 무례한 말을 던지는 사람이 있었어! 어떻게 그럴 수 있어! 니샨타쉬 한복판에서 말이야!”

“뭐라고 했는데?”

멜렉은 문을 열면서 물었다.

“어이, 예쁜 아가씨, 뭐 그런 말. 하지만 난 미니스커트도 입지 않는걸……. 매형이 나보고 조심하래.”

“아, 매형에게 좌익 쿠데타가 일어날 거라고 말해 봐! 뭐라고 하는지 보자!”

매형이 이 소식을 들으면 어떤 표정을 지을지 궁금했다. 그의 얼굴을 떠올리며 희열을 느꼈다.

“믿을 만한 소식통이라고 해 봐!”

“매형은 네가 우리를 생각한다는 걸 알면 아주 좋아할 거야.”

그녀는 아흐메트의 뺨에 입을 맞추고 순식간에 사라졌다.

아흐메트는 자신의 공격성이 부끄러워서 “매형은 변호사야! 소부르주아! 쿠데타가 그를 겨냥하는 건 아냐!” 하고 중얼거렸다. 하지만 그는 옛날 책에 쓰여 있는 얘기보다 매형의 얼굴이 더 현실적이라고 생각했기 때문에 흥분했다. 그러나 곧 자신의 흥분에 화가 나서 ‘신경 쓰지 말자!’ 하고 생각했다. 그는 테라스로 나갔다. 니샨타쉬를 바라보았다. 광장은 여전히 붐볐고, 사람들이 아파트 사이로 지나갔다. 테라스 다른 쪽에서 비둘기 두 마리가 의심스러운 눈길로 그를 바라보았다.

"몇 시지? 일크누르는 언제 오지? 4시! 시간이 가고 있어!"

그는 이렇게 중얼거리며 안으로 뛰어 들어갔다. 방은 여전히 누나 냄새로 가득했다. 그는 작업을 시작했다.

4
친구

현관 벨이 한 번 울렸다. 아흐메트는 시계를 봤다. “6시! 일크누르야! 6시가 됐어!” 그는 이렇게 중얼거리며 달려갔다. “어디 있었어, 이 벌레야, 어디 있었냐고!” 하며 문을 열었다. 하산이 서 있었다.

“벌레라니 그건 또 누구야, 도대체? 안녕!”

하산은 이렇게 말하며 아흐메트를 안고 볼에 입을 맞췄다.

“지나가는 길에 한번 들러 봤어, 그냥!”

그는 이렇게 말하다가 잠시 멈추고는 “다른 생각도 있고 해서!” 하면서 미소를 지었다.

아흐메트는 ‘지조 있는 아이야, 하산은! 그래도 혁명가니까.’ 하고 생각했다.

“앉아, 앉아!”

“누굴 기다리고 있었다면, 다른 일이 있다면 안 앉을게!”

"아냐, 아냐, 앉아! 얘기나 좀 하자. 요즘 통 보이지 않던데!"

"나도 같은 말을 하려고 했는데!"

"차 마실래?"

"끓여 봐!"

하산은 이렇게 말하고 갑자기 아흐메트의 등을 세게 쳤다.

"잘 지냈어, 인마?"

아흐메트는 비틀거렸지만 눈치채지 못하게 하려고 애를 썼다. 작은 가스레인지에 불을 붙이는데 등이 마비된 것 같았다.

하산이 안에서 큰 소리로 물었다.

"아직도 그림이야? 만날 그림만 그려?"

"응!"

"세상에, 이런, 이런, 차 좀 빨리 끓여!"

아흐메트는 불을 붙여 물을 올려놓고 안으로 들어갔다. 하산은 방 한가운데에 있는 등받이 없는 의자에 앉아 워커를 신은 발을 뻗고는 담배를 피우며 그림을 바라보고 있었다. 아흐메트는 그의 마음에 상처를 주고 싶은 생각이 들었다.

"야, 인마, 넌 서른 살이 다 돼 가는데 아직도 열여덟 살짜리 혁명가처럼 파카를 입고 워커를 신고 거들먹거리는구나. 그게 갈라타사라이 출신에게 어울리니?"

"난 갈라타사라이 출신이지만 서민의 자식이야! 난 너처럼……."

그는 잠시 입을 다물었다.

"니샨타쉬에 올 때마다 증오심에 불이 붙어. 상점, 부티크, 여자 들을 보면 부르주아에 대한 증오심에 불이 붙는다니까."

"그래? 그럼 더 자주 와, 잘됐네."

"그런 거 필요 없어! 네게는 필요하겠지만. 네 심장도 이미 냉담해진 것 같은데!"

그들은 함께 웃었다. 아흐메트는 '그래, 우린 여느 때와 같아! 그는 내가 활동적이지 않다고 생각하지만 그래도 날 좋아해. 우린 옛날에도 이랬어……! 옛날에도!' 하고 생각했다.

그렇게 생각하니 괜히 마음이 울적해졌다. 그는 하산을 갈라타사라이 고등학교에서 알게 되었다. 하지만 그들의 우정은 나중에, 그러니까 아흐메트가 프랑스에서 돌아온 후에 더욱 두터워졌다. 하산은 아흐메트보다 세 살 어렸다. 아흐메트는 '아, 그 시절들!' 하고 생각하다가 자신에게 화가 났다. 그는 하산을 쳐다봤다. '파카를 입고 워커를 신었지만 내 눈은 속일 수 없지, 그도 나이가 들었어!' 하는 생각이 들었다.

"그건 그렇고, 넌 뭐 하고 지내?"

"노인네와 함께 살고 있어. 너도 알겠지만, 육 개월 전에 어머니가 돌아가셨잖아."

"알아! 번역을 하고 있다면서?"

"응, 그럭저럭 살고 있어."

"학교는 마칠 거야?"

"학교엔 안 가! 마칠지 안 마칠지도 모르고!"

"퇴학당한 건 아니고?"

"내 권리는 영원해. 참! 넌 대학을 파리에서 다녀서 여기 관행을 모르지!"

아흐메트는 기분이 상한 듯한 표정을 지었지만 사실은 그렇지 않았다. 만약 기분이 상한다면, 파리에서 공부했다는 말이 아니라 그림을 공부했다는 말 때문일 것이다. 그는 의자를 끌어당겨 하산 맞은편에 앉아 그의 얼굴을 바라보았다. 하산은 그가 자신을 본다는 걸 느낀 것 같았지만 그림에서 눈을 떼지 않았다. 그는 아주 진지하게, 뭔가 읽는 것처럼 주의 깊게 그림을 보고 있었다. 잠시 후 고개를 돌려 아흐메트에게 미소를 지었다.

"어떻게 생각해?"

"난 그림은 잘 몰라!"

"아주 조심스럽구나, 넌!"

"너처럼 조심스럽진 못하지, 이 자유 사회주의자야!"

하산은 이렇게 말하며 자리에서 일어났다.

"너 여전히 자유 사회주의자냐?"

하산은 노동당원이었다. 자신이 노동당원이라는 것과 아버지가 교사라는 걸 자랑스럽게 여기고 있었다.

"노동당원 말고도 수많은 사회주의자들이 있어! 게다가 소란은 그들이 다 피우잖아!"

"소란을 피우지만 필요한 일은 하지 않지!"

하산은 이렇게 말한 후 조심스럽게 덧붙였다.

"너한테 이걸 말해 주지. 날 완전한 당원으로 생각하진 마. 정당의 관점과 MDD* 사이에서 길을 찾는 나 같은 수많은 친

---

* Milli Demokratik Devrim, 민족 민주 혁명. 제국주의의 피해를 본 계급이 함께 행동하고, 혁명을 위해 군대와 국민이 협력해야 한다고 주장한 단체.

구들이 있어. 그 친구들과…….”

“넌 항상 나름의 관점을 갖고 있었지. 구석에 몰리면 단체의 관점이 아니라 자신을 보호하기 시작하고!”

“아, 집에만 앉아 있어서 화가 쌓였구나!”

“넌 선거로 터키에 사회주의를 가져올 수 있을 거라고 생각하는구나! 선거에서 너희들이 어떻게 됐는지 봤으면서!”

“우리 전에도 이런 얘기 하지 않았나? 한 번이면 족해…….”

“넌 내가 자유 사회주의자라고 놀리잖아. 나도 자유의 맛 좀 보게 내버려 둬…….”

“이봐, 넌 그 맛을 태어날 때부터 만끽했잖아. 그런데 아직도 그걸 찾고 있군. 그 맛을 누리고 싶으면 가끔이라도 뭔가 해야 해, 그렇지 않아?”

그는 아흐메트에게 상처를 주기 위해서가 아니라 다정하게 말했다. 아흐메트도 감동했지만 이렇게 대꾸했다.

“내가 아무것도 안 하면 어떻게 되는데? 난 아무것도 마음에 안 들어! 그게 다야! 안 좋아한다고!”

“좋아하지 않으면 비판해 봐, 논쟁해 보자고!”

아흐메트는 ‘저것도 맞는 말이야.’ 하고 생각했다. 대답을 찾아보았지만 이상한 생각만 머릿속을 지나갈 뿐이었다. ‘난 그냥 그림이나 그리지!’ 그는 손으로 그림을 가리켰다. 그런 후 죄책감에 사로잡힌 듯 웃으며 차를 가지러 뛰어갔다. ‘내가 대책 없는 인간처럼 보였을 거야. 하지만 하산은 좋은 애야! 나에 대해 나쁘게 생각하지 않을 거야!’ 그는 부엌에서 나왔다. 하산은 앉아서 그림을 보고 있었다.

"어떻게 생각해?"

"뭘?"

"그림 말이야! 계속 보기만 하고, 말은 안 하잖아!"

"네가 뭔가를 하고 있고 의도도 있겠지만, 난 이해를 못하겠어!"

아흐메트는 화가 났다가 곧 누그러졌다. '하산은 좋은 애야! 메틴이나 사지트 같으면 곧장 두려움이나 군중에 대한 불신이나 복종을 생각했을 텐데!'

"그래도 말해 봐. 어떤 생각이 들어?"

"모르겠어. 너도 의도가 있겠지. 나는 이렇게 섬세한 건 이해 못해."

그는 아흐메트를 보고는 뭔가 말을 해야 한다고 느껴서 이렇게 덧붙였다.

"난 이런 게 진지한 건지 조롱하는 건지 모르겠어!"

"진심이야?"

"진심이냐니, 그게 무슨 말이야?"

아흐메트가 흥분하며 묻자 하산은 놀란 표정이었다.

"그러니까 진지하게 말하는 건지 비꼬는 건지 모르겠다는 거지!"

아흐메트는 이렇게 말한 후 흥분해서 거의 소리 지르듯 말을 이었다.

"만세다, 만세! 고야에 대해서도 사람들이 그렇게 말했다는 거 알아? 그가 귀족을 조롱하는 건지 찬미하는 건지 궁금해했대!"

"네가 이 사람들을 찬미하는 건 아닐 테지!"

하산은 그림을 가리키며 말했다.

"물론 아냐! 하지만 그래도 그들을 이해하려고 노력하고 있어. 그들을 파악하고 터키에 대해……."

"너 아주 흥분했구나!"

아흐메트는 마음이 상했지만 대답하지 않고 뛰어가서 고야 화집을 가져왔다. 두꺼운 책을 넘기며 하산에게 보여 주었다.

"이것 좀 봐, 이것 좀! 난 고야를 이제서야 이해하기 시작했어……."

"너 지금 이런 걸 모방한다는 거야? 네가 그린 그림하곤 완전히 다른데. 아, 잠깐, 이거 「나체의 마야」 아냐? 이건 알아. 이런 영화도 들어왔는데, 봤어? 화가가 이 나체를 가지고 비꼬는 거야?"

아흐메트는 하산 옆에 서서 품에 든 책을 빠르게 넘겼다. 드디어 찾던 그림을 발견했다. 「1808년 5월 3일」.

"이 그림에 대해 어떻게 생각해?"

"세상에! 정말 멋지다! 안 그래도 이 그림을 알고 있어!"

"그래? 봤구나?"

아흐메트는 이렇게 말한 후 갑자기 놀라며 겁에 질렸다. 이젠 자신이 고야를 자랑스럽게 생각하는지 자신을 자랑스럽게 생각하는지 분간이 되지 않았기 때문이다. 조금 진정이 되는 듯하자 '내가 왜 이런 걸 보여 주고 있지? 나를 이해하길 바라서겠지……. 나를 이해하려면 고야를 이해해야 하나?' 하는 생각이 들어 화가 났다. 하산에게 나쁜 말을 하고 싶었다.

"덮어, 넌 그런 거 이해도 못하고 좋아하지도 않아!"

"정말 멋진 그림인걸!"

하산은 잠시 후 아무 생각 없이 이렇게 덧붙였다.

"우리는 요즘 예술을 소홀히 했어……."

그가 외워서 언급하곤 하는 문장이 있었다. 아흐메트는 자리를 떠났지만 하산은 계속 페이지를 넘기고 있었다.

"이것 좀 봐, 이것 좀 봐. 그도 너처럼 고양이를 그렸어! 아이, 새, 고양이……."

그는 어린아이 같은 표정을 지었다.

"이런 것도, 그래, 우스워. 왕, 우아한 여자……. 하하, 고야가 마음에 들어. 대단한 남자야!"

그는 갑자기 책을 덮고 일어서서 기지개를 켰고, 은근한 미소를 지었다. 그의 미소는 '브라보, 짧지만 너하고 재미있는 시간을 보냈어!'라는 의미 같았다.

"차를 가져올게!"

아흐메트는 주의 깊게 하산의 얼굴을 쳐다보았고, 그의 머릿속에서는 흐릿하게나마 혁명과 예술, 혁명가에 대한 생각이 스쳐 지나갔다.

하산은 다시 아흐메트의 그림을 쳐다봤다. 잠시 후 쾌활했던 얼굴이 꿈에서 현실로 돌아가며 굳어졌다.

"이봐, 너도 고양이를 그렸잖아……. 부르주아들이든, 그게 뭐든, 그들을 그렸고. 지금 보니 느껴지는 게 있어! 정말로 뭔가 감지하게 됐어……. 하지만, 이봐 친구, 너도 알 거야. 이런 걸로는 혁명이 되지 않아!"

그는 자신이 그런 죄를 짓게 만들기라도 한 듯 약간 부끄러운 표정이었다.

"그건 그래……. 하지만 이런 게, 이 그림들이 아무것도 아닌 건 아냐!"

"그럼, 당연하지!"

하산은 마음이 편해진 듯 하품을 했다.

아흐메트는 '어떻게 내가 저런 말에 속아 넘어갔지?' 하고 생각했다. 그는 신경질이 나서 소리를 질렀다.

"게다가 이 그림들이 혁명에 영향을 미치지 않을 거라는 말에도 논쟁의 여지가 있어!"

"그래, 하지만 지금은 그걸로 논쟁하지 말자! 얼마 전에 친구들과 얘기를 나누다가 네가 떠올랐어!"

하산은 다시 한 번 하품을 하고 담배에 불을 붙였다.

"잠깐, 차를 가져올게!"

아흐메트는 다시 이렇게 말하고 부엌으로 갔다. '이젠 왜 왔는지 말하겠지!' 그는 차를 따라서 방으로 들어갔다. 하산은 방 안을 걷고 있었다.

"그래, 네가 떠올랐어……."

"왜? 설탕 몇 개 넣어?"

"내가 넣을게……. 우린 잡지를 발행하고 있거든……."

"아!"

"예술 잡지야?"

"아니, 정치 잡지!"

아흐메트가 뻔히 알면서도 묻자 하산은 진지하게 대답했다.

"예술과 정치 잡지라는 거겠지. 요즘은 그렇게 하던데."

"아흐메트, 난 진지해. 내가 말하는데 막고 있잖아. 너도 알겠지만 TİP*와 MDD 사이를 오가거나 이 둘의 장점을 수용하려는 친구들이 많이 있어. 넌 아무렇게나 그들이 '우유부단하다.'라고 조롱할 수 있겠지. 하지만 그들은 그렇지 않아. 나도 TİP 당원이지만 그들 중 하나이기도 해. 좀 전에 말했듯이 그들은 TİP의 의회주의도, 다른 측의 난동도 믿지 않아. 잘 수습하기 위해서 양측 다 엄중하게 비판하고, 우리의 관점도 제시해야 하는 상황이야. 그러려면 잡지가 필요해. 지금 너한테 바라는 건 잡지의 표지, 지면 배치, 디자인 같은 걸 도와달라는 거야. 그래 줄 수 있어? 잠깐, 내 말 좀 들어! 두 번째로는, 우리에게 재정적 지원, 말하자면 순전히 금전적 도움을 줄 수 있어?"

"물론이지, 물론 해야지!"

아흐메트는 생각도 하지 않고 대답했다.

"잠깐, 생각 좀 해! 넌 바로 결정해 버리잖아!"

"넌 내가 도와주길 바라는 거야, 아닌 거야?"

"바라지 않았으면 오지도 않았겠지!"

그는 이렇게 말한 후 다급하게 덧붙였다.

"바라지 않았으면 이 문제를 언급하지도 않았을 거고! 하지만 네가 생각을 좀 더 해 보고 제대로 결정하길 바라!"

"난 깊이 생각했어. 이것만 말할게. 나는 돈이 별로 없어!

---

* Türkiye İşçi Partisi, 터키 노동당.

솔직히 말하면 하나도 없어!"

그러고는 기분 좋게 덧붙였다.

"아버지가 있는 것 없는 것 전부 탕진했대. 난 돈이 없어!"

그는 점점 더 기분이 좋아지며 흥분했다.

"지금 사는 이 집은 반만 내 몫이야. 건축 허가가 안 나면 이 무허가 층은 날아가. 너희 아버지에겐 집이 있지, 그 어디더라, 얄로와였나, 작지만 땅도 있고, 그렇지? 최선을 다할게. 난 개인 교습도 하고 있어!"

그는 하산의 얼굴을 보며 웃었다. 하산은 그를 위로하듯 말했다.

"돈은 중요하지 않아! 넌 지금 결정을 하는 중이잖아. 그런데 우리가 이념적으로 같은 선상에 있는 거야? 이 말을 하고 싶어!"

"왜 우리의 관점 차이를 과장해?"

"과장하는 거 아냐! 견고한 협력이 있었으면 해서야. 원리도 없고 비판도 없는 동반 관계는 곧장 와해될 수밖에 없어!"

"너 정말 교과서 같구나!"

그러자 하산은 초조해하며 자리에서 일어나 창문 쪽으로 걸어갔다. 아흐메트를 등지고 밖을 내다보았다. 날은 이미 어두웠고, 집 안의 불빛이 창에 반사되어 아무것도 보이지 않을 테지만, 그래도 밖을 바라보고 있었다.

"화났어? 미안해, 나 오늘 기분이 엉망이야!"

"너하고는 몇 마디 말도 나눌 수가 없구나! 곧장 가시 돋친 말, 장난, 조롱, 공격을 시작하니 말이야!"

아흐메트의 말에 하산은 몸을 돌리며 대답했다.

"미안해!"

아흐메트는 이렇게 말하고는 갑자기 '쿠데타가 일어날 거고, 그러면 모든 게 해결될 거야……. 일어날 테면 일어나라지!' 하고 생각했다.

"네가 이해되기도 해! 너도 여기서 분노하고 초초해하고 있겠지……."

하산은 갑자기 입을 다물었다. 현관 벨이 울렸던 것이다.

'아, 일크누르구나!'

하산이 그녀를 만나는 건 원하지 않았다. 그는 문지방에 몸을 싣고 문을 열었다.

"나 또 왔어!"

리듬감 있는 목소리. 누나였다.

"아이셰 고모가 왔어. 미네도 있고. 아래층에서 수다를 떨었어! 이제 집에 가. 손님이 올거거든. 너한테 할 말이 있어서 왔어."

멜렉은 아흐메트가 문을 잡고 서 있는 걸 보고는 집 안에 누가 있다는 걸 알아챘다.

"너한테 할 말이 있는데!"

그녀는 이렇게 중얼거리다가 갑자기 거대한 몸을 민첩하게 들이밀었다. 첫발을 내딛다가 하산을 보고 놀랐다.

'일크누르가 있다고 생각했군!'

"아, 안녕하세요, 하산 씨! 하마터면 못 알아볼 뻔했어요!"

"안녕하세요!"

하산은 커다란 워커를 삐걱대며 자리에서 일어났다. 그들은 악수를 했다. 아흐메트는 이 상황이 무척 우스웠다. 둘 다 불편해하면서도 호기심 어린 눈으로 서로를 관찰하고 있었다. '누가 더 인내심이 많은지 봐야지!' 아흐메트는 이렇게 생각하다 하산이 눈길을 돌리는 걸 보았다. 하산과 자신이 그런 생각을 했다는 걸 유감스러워하고 있는데 누나가 문으로 갔다.

"언제 외식하러 갈지 물어보러 왔어!"

아흐메트는 누나가 낮은 목소리로 말해 줘서 기뻤다. 하지만 그는 큰 소리로 대답했다.

"언제라도 가지, 뭐. 수요일 저녁 괜찮아? 내가 누나 집으로 갈게!"

"응!"

멜렉은 그가 큰 소리로 말하자 놀란 눈치였다. 뭐가 두려운지 아흐메트의 뺨에 입도 맞추지 않고 사라졌다. 아흐메트는 문을 닫으면서 하산을 바라보았다.

"누나지, 그렇지?"

"예, 하산 씨! 하마터면 그녀를 못 알아볼 뻔했지요?"

아흐메트는 누나를 흉내 냈다.

"많이 변했던걸, 그렇게 돼 버렸어……."

"구체적으로 말해, 말해 봐!"

하지만 하산이 진지해지자 자신이 덧붙였다.

"말할 수 없을걸. 넌 프랑스어로 가르치는 갈라타사라이 출신이지만 '아지매'라고 부르는 시골이나 변두리 문화도 아니까!"

"갈라타사라이라는 말은 좀 그만해! 이제 가 볼게! 완전히는 아니지만 대강 동의한 거지? 어차피 시작 단계야. 하지만 잡지를 중심으로 사람이 모이면, 물론 그렇게 되겠지만, 터키에 많은 변화가 일어난 거야!"

하산이 웃으며 일어났다. 아흐메트도 고개를 끄덕이며 '쿠데타가 일어날 거야, 쿠데타! 이제 말해 버릴까?' 하고 생각했다.

"이제 이해하겠지. 두 세력을 비판하면서 새로운 운동을 찾는 사람이 많아. 그게 옳은 길일 거야. 좋은 잡지는 모든 걸 정리해 주니까. 레닌이 『무엇을 할 것인가』에서 설명했던 것처럼……."

아흐메트는 '무엇을 할 것인가, 무엇을 할 것인가.' 하고 생각했다. 하지만 하산의 신경을 건드리지 않으려고 자신을 억눌렀다.

"물론 아직 시작 단계야. 한번 시작하면 끝까지 가야 돼. 『무엇을 할 것인가』에서처럼 마지막 단계는 정당을 만드는 거야……. 하지만 아직은 시작 단계지……. 다 끝난 후가 아니라 아직 시작 단계일 때 네게 알려 주고 싶었어!"

"내가 아는 사람은 누가 있어?"

"왜 궁금해하는 거야? 미안해! 나도 아직 언저리에 있어. 핵심에 있지 않아!"

하산은 책임감 있고 신중한 태도로 말했다. 아흐메트는 기분이 상했지만, 눈치채지 않도록 다시 물었다.

"메틴도 있어? 궁금해서 그러는 게 아니라 그냥 그가 떠올랐을 뿐이야. 얼마 전에 그가 쓴 글을 봤거든. 레닌 번역판을 읽었는지 계속 '이 남자들, 이 남자들…….' 하고 썼더라. 그를 만나면 좀 전해 줘. '남성'이 더 강한 느낌이라고!"

"만나면……."

하산은 역시나 신중하게 대답했다. 잠시 후 다른 곳을 보며 덧붙였다.

"내가 한 말을 아무에게도 전하지 말라고 당부할 필요는 없겠지?"

"어차피 만나는 사람도 없어!"

아흐메트는 화가 나서 쏘아붙이고 싶었지만 문득 미안한 마음이 들어 입을 다물었다. 하산은 문 쪽으로 걸어갔다.

"그것도 좋진 않아. 밖에도 좀 나가고 그래. 잡지 일이 시작되면 너도 사람들과 어울려야 하니까 미리 익숙해져 봐! 나즘은 뭐라고 해?"

아흐메트는 대답하지 않았다. 대꾸할 말이 떠오르지 않아서 화가 난 표정으로 그를 바라보았다.

"네가 찾는 건 방이 아니라 밖에 있어. 나즘이 나한텐 이렇게 말하던데!"

"여긴 방이 아니라 아틀리에야!"

그러나 이 말로는 충분한 것 같지 않았다. 아흐메트는 초조하게 손을 주머니에 찔러 넣었다.

"쿠데타가 일어날 거래! 아주 믿을 만한 데서 들은 거야!"

"누구한테? 정보국? 농담이야! 누구한테 들었어?"

하산이 웃으며 물었다. 아흐메트는 '아버지 사촌에게서!'라고 하려다가, 어쩐지 우스운 것 같았다.

"먼 친척한테서. 퇴역한 대령이야! 좀 이상한 사람이지."

이렇게 말하고 나니 괜히 마음이 이상해서 다시 덧붙였다.

"너네 애들한테 말해도 돼!"

"안 그래도 우린 파시즘에 반대하는 행사를 매주 하기로 했어! 그런데 좌익 쿠데타지, 그렇지?"

하산은 웃으면서 물었다.

"응……. 볼리비아의 토레스*처럼! 오늘 신문 읽었어?"

하산은 고개를 저었다. 그들은 서로를 바라보며 웃었다. 하산도 손을 주머니에 넣은 채였다. 아흐메트는 갑자기 그를 향한 애정이 솟아나자 어쩐지 기분이 우울해졌다.

"지금 극장에 가자!"

"안 돼! 시간 없어!"

아흐메트는 일크누르를 떠올리며 대답했다. 그는 '왜 아직 안 오지?' 하고 생각했다.

"넌 정말 집에만 있는구나! 한마디만 하자. 넌 아마 결혼을 하지 않고, 균형 잡힌 가정생활이 없고, 안정된 직업이 없는 걸 자랑스럽게 여기는 것 같은데, 그건 프롤레타리아의 장점과는 전혀 관계가 없어!"

"알아!"

아흐메트는 이렇게 말했지만 다시 반문했다.

"정말 없을까? 그럼 그림은?"

"난 그림을 이해 못해!"

---

* 1920~1976. 볼리비아의 군인이자 좌익 민족주의자.

"알았어!"

하산은 문을 열고 나가려다가 덧붙였다.

"니샨타쉬의 더러움에 오염되기 전에 빨리 도망쳐야지!"

"쿠데타에 대해 어떻게 생각해?"

아흐메트는 이렇게 묻고는 스스로 대답했다.

"아무 일도 안 일어나겠지, 그렇지? 여긴 터키니까. 뭘 하더라도, 일주일쯤 허튼소리를 늘어놓다가 결국 흐지부지되고, 모든 게 다 옛날로 돌아가잖아. 그렇지?"

"모르겠는걸!"

하산 역시 감상적이 되었던지 아흐메트의 뺨에 입을 맞췄다.

"나 갈게!"

"할 말이 없어도 그냥 찾아와!"

"그 일은 너에게도 좋을 거라고 생각했어!"

감상적이 돼 버린 상황이 자신에게 어울리지 않는다고 생각했던지 그는 아흐메트를 살짝 치고는 계단을 내려갔다.

5
전화

아흐메트는 방 안을 서성거렸다. 그림을 쳐다봤다. '이걸로는 혁명을 할 수 없단 말이지!' 그는 하산에게 화가 났다. '왜 대꾸하지 못했을까! 이것에 대해!' 그는 계속 그림을 바라보았다. 그림 속 늙은 상인과 가정주부, 우아한 소녀, 청년, 주인, 하인 들은 모두 똑같은 물건들과 함께, 썩어 가는 희미한 빛 아래나 빛바랜 정원, 계단이나 거실에 있었고, 서로 이야기를 하고 있었다. 뭔가를 기다리는 것처럼. 하지만 올 것이 오기 전에 일을 하고 싶은 듯 조급하게, 그러면서도 우물쭈물하고 게으르게, 약간은 안달하는, 늘 똑같은 반복이었다. '좋은 작품이 하나도 없어! 만약 내가 그린 그림이 하산에게도 아무런 의미를 보여 주지 못한다면 이렇게 열심히 그릴 필요가 있을까?' 그는 위안을 얻기 위해 '축구 경기' 시리즈를 쳐다보았다. 경기를 보려고 줄을 서서 기다리는 사람들, 쾨프테 장수들, 자기 팀을 열성적으로 응원하는 팬들, 소리를 지르는 사람들, 굳어 있는 축구 선수들을 그린 그림이었다. '이것도 의미가 없어! 그럼 이건 뭘까? 무슨 쓸모가 있지? 누굴 위해 그리는 거지? 전부 형편없어! 전부 설익고 피상적이고 가짜에다, 진정성이 없고 평범해! 고야나 보나르* 이후에 인상파 화가들이 수도 없이 반복했던 작업을 또다시 반복하는 것뿐이야.' 그는 두려워졌다. 이렇게 절망적인 순간이면 늘 그랬던 것처럼 작업을 하기 전에 내린 판단을 떠올려 보려고 애를 썼다. '그래! 그때는 마음에 들었어! 모두 형편없다고도 생각하지 않았고, 결점과 함께 잘된 것도 보였어! 지금도 그렇게 보려고 노력해야 돼!' 그는 정오쯤에 생각했던 대로 그림을 바라보려고 다시 한 번 그림을 들여다봤다. 하지만 모두 평범해 보여서 하산이 무심했던 것도 이해할 만하다고 생각했다. 이런 그림에 시간과 인생을 바쳤던 걸 후회할까 봐 두려워졌다. 그는 그런 후회에 잘 휩쓸리지 않았지만, 그래도 다른 걸 생각하려고 했다. "일크누르는 왜 안 오지?" 그는 중얼거렸다. 시계를 봤다. 7시가 지나고 있었다. '아마도 안 올 모양이야! 왜 안 올까? 오늘 그녀가 보고 싶은데!' 그는 화를 내며 아래층으로 내려가 전화를 해 봐야겠다고 생각했다.

열쇠로 문을 열고 들어가 거실로 갔다. 니갼 부인의 머리맡에 간호사와 오스만이 앉아 있었다. 오스만은 신문을 읽고 있었고, 간호사는 쾌활한 목소리로 니갼 부인에게 말을 건네면

---

* 1869~1947. 프랑스의 화가.

서 가끔 담요를 잡아당기는 환자의 손을 한쪽으로 거두었다.

"신문에도 기사가 났어!"

오스만이 아흐메트를 보더니 이렇게 말했다.

"뭐라고요?"

"군인들 말이야. 그러니까 지야는 신문에서 읽었던 거군!"

"하지만 지야 아저씨는 어제 말해 줬어요!"

아흐메트는 전화기가 있는 구석 쪽으로 걸어갔다. 오스만은 안락의자에서 몸을 움직였다.

"아무 일 없을 거야!"

"무슨 일인데요? 군인들이 장악한대요?"

간호사가 물었다. 아흐메트는 전화기 옆에 앉았다. 오스만과 간호사가 자기가 하는 말을 들을 것 같아 불편해졌다. 그는 수화기를 멍하니 바라보았다. 하지만 진짜 마음이 쓰이는 건 일크누르의 가족이었다. 전에 한 번 간 적이 있는데, 그를 좋아하지 않는 게 느껴져서 그 후부터는 일크누르에게 최대한 전화를 하지 않았다. 전화를 할 때는 미리 일크누르에게 말해 두고 그녀가 받도록 했다. 수화기를 멍하니 보고 있는데 문이 열렸고, 누군가가 들어왔다. 아흐메트는 다른 문을 통해 거실로 들어온 사람이 누구인지 발소리를 듣고 알았다. 네르민이었다. '이젠 더더욱 전화를 할 수 없어!' 네르민은 아흐메트의 모든 일상을 궁금해했다. '어쩌지? 위층으로 올라가야겠군! 이해를 못 받는다고 해서 터무니없이 화를 내고 스트레스를 받을 필요는 없지! 그럴 권리도 없고!' 잠시 후 네르민의 목소리가 들렸다.

"저녁은 우리 집에서 안 먹을 거야. 아래층 제밀네로 가!"

"그래?"

"아흐메트도 부르려고! 안 그러면 나중에 마음이 상해서 배를 곯으면서도 안 오니까! 가 봤는데 위층에 없던데!"

그녀는 오스만이 손짓을 했는지 "아, 여기 있어?"라고 큰 소리로 물었고 몸을 돌려 구석에 앉아 있는 아흐메트에게 미소를 지어 보였다. 아흐메트는 아무 일 없었던 척하려 했지만, 못 들은 척하는 게 더 나쁠 것 같은 생각이 들었다.

"전 여기서 먹을게요! 일마즈가 뭔가 해 주겠죠!"

"일마즈는 오늘 저녁에 일 안 해. 게다가 다들 널 보고 싶어 하는데!"

"내가 간단한 계란 요리는 해 줄 수 있어요!"

이렇게 말하며 거실로 들어오는 에미네 부인을 아흐메트는 애정 어린 시선으로 바라보았다.

"그럼 여기서 먹을게요!"

"제발 부탁이야. 다들 아래층에 모일 거야! 미네도 네가 왔으면 하고. 넌 거기도 안 들른다면서! 왜 그러니?"

네르민은 마음이 상한 것 같았다.

"알겠어요, 알겠어요! 몇 시죠?"

"삼십 분 후에 내려와!"

그녀는 이렇게 말하며 전화기를 쳐다봤다.

"전화할 거니?"

"안 하려고요!"

아흐메트는 이렇게 말하고 자리에서 일어났다. 네르민이

갈지도 모른다는 생각이 들어 조금 기다리기로 하고, 하품을 했다. 네르민은 오스만 앞을 지나 밖으로 나갔다.

"어쩌면 이번엔 당신을 알아보실지도 몰라. 여쭤 봐!"

"당신 지금 몇 살인데 아직도 어린애 같아!"

오스만이 큰 소리로 말하고 폭소를 터뜨리자 네르민은 이렇게 대꾸하고 밖으로 나갔다. 아흐메트는 전화기 앞에 앉아 급하게 다이얼을 돌리기 시작했다. '그녀에게 뭐라고 하지?' 심장이 빨리 뛰는 것 같았다.

웬 여자가 전화를 받았다. 일크누르의 어머니일 것이다.

"일크누르와 통화하고 싶습니다!"

아흐메트는 자신의 정중함에 화가 났다. 곁눈으로 오스만을 봤다. 신문을 읽고 있었다.

"누구신데요?"

"친구입니다!"

아주 짧은 침묵이 흘렀다. 여자는 무슨 말을 하려다 그만두는 것 같았다.

"잠깐 기다려요!"

아흐메트는 수화기를 귀에 바짝 갖다 대고 기다렸다. 그 집에서 들려오는 소리에 귀를 기울였다. 쾌활한 웃음소리, 고함소리, 민요 소리가 들렸다. 누군가 "어머, 너무해요, 니메트 부인!" 하고 소리쳤다. 아흐메트는 벽에 걸려 있는 제브데트 씨의 사진을 바라봤다. 미소를 짓고 있는 것 같았다. 하지만 충고하는 듯한 느낌도 들었다. 마치 '그래, 그렇게 주의 깊고, 꼼꼼하고, 결단력이 있어야 해!'라고 하는 것 같았다. 누군가 다시 폭소를 터뜨렸다. 잠시 후 가까워지는 발소리가 들렸다. 아흐메트는 심장이 더 빨리 뛰는 것 같았다.

"여보세요?"

"나야! 왜 안 왔어?"

"아, 너야? 갈 수가 없었어……. 미안해, 손님이 있어……."

"오겠다고 했잖아!"

"아냐, 갈 수도 있다고 했지!"

"손님들이 너하고 무슨 상관인데!"

"어렸을 때 이후로 못 만난 친구가 있어!"

"누군데? 그럼 난 오늘 널 못 만나는 거야?"

"어쩌면 저녁때 나갈 수 있을 거야!"

"이미 저녁인데!"

아흐메트는 비아냥거리며 말했다가 급하게 덧붙였다.

"언제 데리러 갈까?"

"지금 몇 시야? 7시 반! 좋아, 그럼 9시에 아래로 와!"

"8시는?"

"9시! 너 오늘 왜 그래?"

"아무 일 없어! 열을 좀 받았어. 넌 뭐 해?"

"손님이 있다니까! 9시, 알았지? 참, 내가 갈게, 넌 오지 마!"

"그 시간에 될 소리야! 게다가 그 멀리서!"

일크누르는 그의 집에서 걸어서 십 분 거리에 있는 테시비키예에 살았다. 아흐메트는 다른 핑계를 댔다. 재미난 생각이 들었다.

"그 시간에 말이 돼? 쿠데타가 일어난다는데!"

그는 억지로 웃음을 터뜨렸다. 그는 오스만을 쳐다봤다. 여전히 신문을 읽고 있었다.

"쿠데타가 일어난다고? 말도 안 돼!"

"농담이야! 나중에 얘기하자! 9시에 아래에 가 있을게!"

아흐메트는 감상적이 되었다. 뭔가 더 말하고 싶었지만, 신문을 읽는 오스만을 한 번 더 바라보다 그만두었다. 그러나 마지막 순간에 머리에 떠오르는 게 있었다.

"참! 공책도 가져와!"

"무슨 공책?"

"안 읽어 봤어? 오스만어로 쓴 우리 아버지……."

"읽었어, 읽었어! 아주 재미있었어……. 네 아버지는 아주 흥미로운 분 같아……."

일크누르는 쾌활하게 대답했다.

"좋아, 공책도 가져와."

"아주 재미있어!"

일크누르는 한 번 더 말했다.

"넌 이미 집에서 재미있게 놀고 있잖아!"

"알았어, 알았어!"

아흐메트는 전화를 끊었다. 손가락으로 탁자를 신경질적으로 두드리며 제브데트 씨의 사진과 오스만을 쳐다봤다. '그래, 할아버지를 그려야 해! 어떻게 그리지? 창고에 쌓여 있는 물건과 집 안에 놓여 있는 물건, 일꾼들과 가족들과 함께…….' 그는 미소를 지으며 일어섰다. '그래, 물건들!' 그는 방 안에 놓여 있는 물건을 둘러봤다. 사방이 물건들로 가득했다. 옛날 집에다 아파트를 지었을 때, 니갼 부인이 집 안의 물건을 모두 자신이 살 층으로 옮겼던 일을 아직도 가족들은 얘기하곤 했다. 벽에는 터번 보관함과 묵주, 장식품, 제브데트 씨의 사진이 걸려 있었다. 자재 세트나 의자, 금박을 입힌 안락의자, 곁탁자, 탁자 사이로 지나갈 공간이 거의 없을 지경이었다. 이제는 아무도 연주하지 않는 피아노는 장식품과 물건을 올려놓는 탁자가 돼 버렸다. 니갼 부인의 귀중한 도자기와 화병, 찻잔, 접시가 거기 놓여 있었다. 니갼 부인은 깨질까 봐 아무도 못 만지게 했고, 그녀도 지난 몇 달 동안은 그것들을 어루만지며 먼지를 닦아 낼 상황이 아니었기 때문에, 그 위에는 먼지가 두껍게 쌓여 있었다. 아흐메트는 문득 '이런 걸 돈으로 치면 얼마나 할까?' 하는 생각이 들어 겁이 났다. '몇 개만 훔쳐 가면 하산과 그 친구들이 여섯 달 동안 잡지를 출간할 수 있을 텐데!' 장식장에 들어 있는 것들이 아마 가장 비쌀 것이다. '어떻게 훔치지?' 어렸을 때부터 할머니 손에 들려 있던 열쇠 꾸러미를 떠올렸다. 그는 장식장 쪽으로 갔다. "열쇠!" 장식장 유리 안에 있는 도자기들이 처음으로 도달할 수 없는 먼 곳에 있는 것처럼 느껴졌다. 하지만 요즘엔 열쇠 꾸러미를 본 적도 없고 짤랑거리는 소리도 들은 적이 없었다. 그러다 '알아챌 거야! 내가 아니라 집안일을 하는 사람이 죄를 뒤집어쓰게 될 거야!' 하고 생각하며 포기했다.

"재는 장식장 앞에서 뭐 하는 거야?"

"아무것도 아니에요. 그냥 보고 있었어요!"

니갼 부인의 말에 아흐메트는 돌아서며 대답했다. '죄를 짓는 모습이었던 거야!' 그는 오스만을 쳐다봤다.

"너의 아버지, 너의 아버지는 아주 위대한 사람이었다!"

갑자기 니갼 부인이 말했다.

"누구요?"

아흐메트는 의심스러워 이렇게 물었다.

"너의 아버지! 너의 아버지 제브데트 씨 말이야! 그가 모든 걸 이루었어!"

그녀는 이렇게 말하며 눈을 깜박였다. 오스만은 미소를 지었다. 아흐메트는 아들이 아니라 손자라고 간호사가 설명했다. 니갼 부인은 다시 뭐라고 중얼거렸다.

아흐메트는 아침에는 제대로 살펴보지 못했던 책장과 서랍을 다시 뒤져 보려고 복도로 나갔다. 똑딱거리는 시계 옆에 있는 방으로 들어갔다. 아버지가 이 방에서 십 년을 살고, 여기서 죽었다는 생각을 하며 책장을 살피기 시작했다. 하지만 이번에도 아무것도 발견하지 못했다. 서랍에도 아무것도 없었다. 농림부에서 출판한 아버지의 책과 무히틴 니샨즈의 시집을 가지고 방에서 나왔다. 그 책들을 저녁을 먹으러 갈 때 가져가고 싶지는 않아서 위층에 갖다 두었다.

6
식사

아흐메트는 8시 십오 분 전에 계단을 내려갔다. 제밀의 집 앞에서 벨을 눌렀다. 가정부는 부엌문을 열 뿐 다른 사람에게처럼 달려 나와 현관문을 열어 주지는 않았다. 대신 재미있고 기분 좋은 뭔가를 본 것처럼 미소를 지으며 부엌문으로 그를 들여보냈다. 아흐메트는 부엌에서 나는 냄새를 맡고 분주한 모습을 구경하기 위해, 또 사람들 앞에 나서기 전에 마음의 준비를 하기 위해 부엌에서 물을 한 잔 마셨다. 신문광고처럼 뭔가가 덕지덕지 붙은 냉장고 문을 열면서 '그래, 난 화가야. 계속 그림을 그릴 거야!'라고 생각하고 거실로 들어갔다.

안으로 들어가자마자 아이셰 고모와 마주쳤다. 고모는 그를 보자 잊어버렸던 걸 떠올린 듯 머리를 뒤로 젖히며 말했다.

"참! 내가 위층으로 가 보려고 했는데! 우리 친구 딸이 결혼을 하는데, 선물로 네 그림을 가져가기로 했거든!"

“오세요, 한 점 선물해 드릴게요!”

“안 돼, 돈 내고 살 거야!”

아이셰 고모는 아흐메트의 표정을 살피다가 술을 마시고 있는 남편에게 말했다.

“그럼 안 가져갈래! 렘지, 얘가 선물로 주고 싶대!”

한구석에서는 세 남자, 렘지와 집 주인 제밀, 랄레의 남편인 네즈데트가 술을 마시고 있었다. 그들은 아흐메트를 보고 알은체를 했다. 아흐메트는 그들 곁으로 갔다. 방은 연기로 가득했다. 곁탁자 위에 땅콩과 피스타치오가 든 접시와 술잔이 놓여 있었다. 세 남자는 궁금해하는 눈길로 아흐메트를 바라보았다. 네즈데트는 아흐메트에게 옆자리를 권했다.

“술 마실래? 위스키, 진 토닉?”

“감사합니다만 안 마실게요!”

“그럼, 와인, 라크? 오렌지 주스? 좋아, 오렌지 주스!”

제밀은 아흐메트가 사양하는데도 식사 전에 뭘 좀 마셔야 한다는 표정이었다. 그는 집 안쪽을 향해 큰 소리로 주스를 주문했다.

“잘 지냈어, 사촌? 우리 집엔 전혀 안 오는구나!”

그는 늘 가깝게 지내야 한다고 말하곤 했다.

아흐메트는 뭔가 낮게 중얼거리고 그가 하는 말을 들었다. 네즈데트는 새로 산 전축에 대해 설명하고 있었다. 스피커를 거실 어디에 설치했는지 말하고는 렘지에게 그 자리가 적당한지 물었다. 하지만 렘지는 어딘지 모르겠다고 하면서 일주일 안에 그들 집에 가겠다고 약속하고 얘기를 끝냈다.

잠시 후 네즈데트는 제밀에게 보험에 관해 물었다. 렘지도 이 질문에 대해 한마디 거들었다. 제밀은 모든 주유소에서 가솔린에 물을 섞는다고 했다. 네즈데트는 제밀에게 새로 산 라디오가 만족스러운지 물었다. 렘지는 얼마 전에 앙카라에 갔다가 호텔에서 텔레비전을 봤는데, 터키 사람들은 그런 걸 못 만들 거라고 했다. 아흐메트는 랄레가 가져다준 오렌지 주스를 마셨다. 랄레와 네즈데트의 아들 타메르가 이제 막 군 복무를 마쳤고, 오랫동안 못 만난 친구들하고만 어울리느라 할머니 병문안은 못 왔다는 것도 알게 되었다. 아흐메트는 타메르의 여동생 퀴순은 뭘 하는지 물었다. 프랑스에서 문헌학을 공부했던 게 기억났다. 잠시 정적이 흘렀다. 네즈데트가 아흐메트에게 물었다.

"그래, 넌 잘 지내? 뭘 하고 지내는지 말 좀 해 봐. 그림을 그린다고?"

마치 '넌 예술가지. 얼마나 재미있고 흥미로운 경험을 하며, 얼마나 색다른 기쁨을 누리는지 우리에게도 좀 알려 줘!' 하는 듯한 표정이었다.

"예, 그림 그려요. 축구 경기에 관한 그림을 그리고 있어요!"

그들을 즐겁게 해 줄 만한 말을 해야 할 것 같았다.

"아주 흥미로운걸! 누구도 생각 못한 주제야. 소재를 모으느라 축구장에도 가겠네?"

아흐메트는 어쩔 수 없이 그림에 대해 짧게 몇 마디 더 했지만, 그림 얘기가 나오자 사람들이 관심을 보이지 않았다. 네즈데트는 '그래, 안타깝지만 네가 하는 일도 나름대로 고민이 있겠지'라는 시선으로 바라보았다. 그런 후 갑자기 팔을 벌리며 물었다.

"이 정도 크기로 그린 그림은 시세가 얼마나 돼?"

아흐메트가 망설이자 다시 한 번 "대략 말이야!" 하고 되풀이했다.

"4000이나 5000리라 정도 하겠죠!"

"아, 예술 얘기를 하는 거예요? 식사가 곧 준비될 텐데!"

미네가 옆에 앉으며 말했다. 아흐메트는 다시 그들을 즐겁게 해 줄 말을 해야 할 것 같아, 그림의 가격에 대해 얘기했다. 그들은 처음에 비싸다고 했다. 하지만 화가가 일 년에 팔 수 있는 그림이 몇 점 안 되고, 터키에서는 예술에 정당한 가치를 매기지 않는다며, 싼 편이라고도 했다. 아흐메트는 그들이 재미있어할 것 같은 이야기를 들려주었다. 십 년 전에는 아무도 거들떠보지 않던 프랑스 화가가 지금은 백만장자가 된 사연을 먼저 소개했다. 그다음엔 독일 교도소에 수감되어 있는 유명한 모작꾼의 이야기를 해 주었다. 렘지는 그 남자가 어떻게 사인을 모사하는지 물었고, 아흐메트는 그게 가장 쉬운 일이라고 답했다. 오래된 캔버스와 액자를 찾아내거나 물감을 말리는 과정이 진짜 어려운 일이라고 설명했다. 그는 문득 '에미네 부인의 계란 요리나 먹을걸!' 하고 생각했다. 제밀이 그런 모작꾼에 대한 영화를 본 적 있다고 하는데 오스만이 들어왔고, 다들 자리에서 일어나 식탁으로 가서 앉았다. 아흐메트는 시계를 봤다. 8시 10분이 지나고 있었다.

"시계를 보고 있네. 벌써 지루해졌구나!"

미네가 말했다.

"아니에요!"

"왜 한 번도 안 오는 거야?"

전에는 이 집에 들러 그녀와 잡담을 나누곤 했다. 하지만 요즘은 시간이 없었다. 그는 뭔가 중얼거리고 미소를 지었다.

아흐메트는 오스만과 제밀 사이에 앉았다. 음식이 식탁으로 날라져 왔다. 아흐메트는 부엌에서 본 요리를 한 번 더 자세히 봤다. 스테이크와 감자튀김. '계란을 안 먹길 잘했어! 난 영양 섭취에 신경 써야 돼!' 그는 이렇게 생각하며 짜증을 억눌렀다. 그는 접시를 내밀었다.

"그래, 어떻게 생각해, 어떻게 될 것 같아?"

이렇게 묻는 제밀의 얼굴에는 나라 문제를 언급할 때마다 드러나는 슬픈 표정이 어려 있었다. 그는 아흐메트를 보면 나라 문제를 떠올렸다.

"무슨 일이야 있겠어요?"

아흐메트는 이렇게 대답했다가 다시 말했다.

"무슨 일이든 일어나겠죠!"

"어떤?"

"군사 쿠데타가 일어날 거라고 하더라!"

오스만이 끼어들어 아들에게 훈계하듯이 말했다. 마치 '넌 공장과 가족밖에 생각 못하지!'라고 말하는 듯한 눈빛이었다. 그러자 제밀도 모르지 않는다는 듯 말했다.

"신문에 뭔가가 쓰여 있긴 했어요!"

"지야가 그랬단다, 지야가! 어젯밤에 와서는 군대가 모든 걸 차지할 거라고 했대!"

"아, 그분을 오랫동안 못 뵀네요!"

"하지만 아흐메트하고 얘기했는데, 우린 별일 없을 거라 그랬대! 그렇지, 아흐메트?"

"그렇게 말했던가?"

아흐메트는 이렇게 중얼거리고는 급히 스테이크를 잘랐다.

"지야 아저씨가 보고 싶네요!"

제밀은 이렇게 말한 뒤 네즈데트에게 설명했다.

"아버지 사촌이야……. 퇴역 대령인데 아주 흥미로운 분 같아!"

"오늘 올 줄 알고 위층에서 기다렸는데 안 왔어! 이젠 절대 안 올 거야. 몇 달, 몇 년이 지난 다음 어느 날 갑자기 나타나겠지! 물론 아주 오래 산다면!"

오스만은 자기 말이 부끄러웠는지 혼잣말처럼 덧붙였다.

"올 거야, 오고말고! 다시 올 거야. 마치 그것처럼……. 유령처럼……. 유령!"

"유령!"

제밀이 그 말을 따라 했다. 그러자 네즈데트가 웃으면서 끼어들었다.

"얼마 전에 타륵 씨 집에 갔는데, 그의 부인이 영혼을 부르자고 떼를 쓰더군요! 난 안 믿었어요. 랄레도 안 믿고요. 그런데 하도 우겨서 결국 탁자에 둘러앉았죠. 무섭던데요! 그 사람 부인은 완전히 푹 빠져 있더군요. 타륵이 정말 안쓰러웠어요. 그들 집에는《영혼과 물질》이라는 잡지가 잔뜩 쌓여 있어요!"

"그 사람 부인이 전에 우울증을 앓았죠, 그렇죠? 샐러드 좀 이쪽으로 좀 줄래요?"

미네가 말했다.

"응, 그래, 그 여자 머리가 약간……."

"아마 타륵 씨가 다른 여자와 그런 게 좀 있나 봐!"

제밀이 폭소를 터뜨리며 말하자 랄레도 끼어들었다.

"애들 앞에서 뒷얘기는 하지 말죠!"

미네가 시누이를 보고 웃으며 말했다.

"애는 누가 애야! 자동차 사 달라고 하는 게 애란 말이야?"

제밀의 말에 다들 제브데트와 카야를 쳐다봤다. 렘지가 물었다.

"아, 제브데트, 곧 고등학교 졸업하는데 어디로 갈 거야?"

"외국으로 보낼 거예요! 여기선 공부할 수가 없다니까요!"

제밀은 이렇게 말하고는 자기 결정에 동의하는지 보려는 듯 오스만을 곁눈질하며 덧붙였다.

"할아버지도 그걸 바라시고!"

"그래, 여기 대학은 그야말로 엉망이지! 천만다행으로 우리 애들은 대학을 졸업했어!"

"대학만 그런가요? 모든 게 다 엉망이에요! 머리부터 썩었는데 엉덩이가 어쩌겠어요!"

네즈데트의 말에 다들 한바탕 웃고 나자 잠시 정적이 흘렀다. 랄레는 남편에게 말했다.

"네즈데트, 당신 이제 그만 마셔!"

"그 말이 맞아요! 가솔린에 물을 섞는다고 내가 말했죠? 아무도 그걸 통제하지 못하는데, 아무도 벌을 주지 않는데 누가 안 섞겠어요? 다른 사람들도 다 섞는데 나만 바본가 생각하지……. 지금, 내가 우리 공장에서 전구 필라멘트에 대해 무슨 생각을 했는지 알아요…….”

“너도 많이 마시는구나!”

제밀이 회사 얘기를 꺼내자 오스만은 불편하다는 듯 끼어들었다. 그러자 제밀은 화가 나서 아버지를 바라보았다. 아흐메트는 두 사람 사이에 앉아 있었기 때문에 분위기를 풀어 줄 말을 해야 할 것 같았다. 하지만 아무것도 떠오르지 않았다. 식탁 이쪽에서 일어나는 불화에 대해서는 사람들이 눈치채지 못했다. 그때 랄레가 다른 얘기를 시작했다.

“얼마 전에 아지즈의 청과물 가게에 갔어요. 할아버지가 그 사람을 많이 도와줬다던데. 아버지와 어머니를 존경한다고 해 놓고는 제일 안 좋은 과일을 주더군요!”

“그것 봐요! 왜 그럴까요?”

네즈데트가 거들었다.

“습관 때문이지, 뭐!”

렘지가 접시를 내밀면서 이렇게 말하자 아이셰가 한마디 했다.

“당신 이미 많이 먹었잖아!”

“습관 때문이 아니라, 잘못된 시스템 때문이에요!”

미네는 이렇게 말하고는 아흐메트를 쳐다봤다. 제밀도 아흐메트를 보며 말했다.

“아, 그래, 잘못된 시스템! 매판자본의 잘못된 시스템! 시위를 해야 한다니까! 하하하! 그렇다면 이제 그 청과물 장수가 매판자본가가 되나?"

"아니요, 수입업자나 수출업자가 매판자본가죠."

아흐메트는 기분이 나빠져서 이렇게 말하고는 그들 심기를 불편하게 하려고 덧붙였다.

"조립 업체도 그렇고요."

"이런, 이런!"

오스만은 이렇게 말했지만 마음이 상한 것 같지는 않았다. 네즈데트도 끼어들어 아흐메트를 보며 말했다.

"다들 시스템에 대해 불평은 하지만, 뭔가 하는 사람은 없어요! 젊은이들 빼고는……."

"참, 대통령에 대한 유머 알아요?

제밀이 화제를 돌리며 그 얘기를 들려주자 네즈데트가 말했다.

"그건 다 아는 거고!"

그러자 그가 다른 얘기를 들려주었고, 모두 웃었다. 식탁으로 두 번째 음식인 올리브유로 요리한 시금치가 날라져 왔다.

"정말 좋아요. 좀 더 자주 함께 모여요!"

미네는 이렇게 말한 다음, 왜 오늘 여기로 모였는지 떠올리며 초조해했다.

"엄마는 어떠실까?"

아이셰가 이렇게 말하자 렘지가 분위기를 진정시켰다.

"식사 후에 올라가 보자!"

"예, 식사 후에 다 함께 올라가 봐요!"

랄레도 이렇게 말했다.

"오늘 저녁에도 의사가 오나?"

제밀이 물었다.

"응, 식사 후에 다 함께 올라가 봐요!"

미네는 이렇게 대답한 후 약간 주저하며 덧붙였다.

"정말, 왜 우린 자주 안 모이죠?"

"명절이 언제였지?"

"참 나, 이 주 전이었잖아!"

랄레의 말에 네즈데트가 대꾸했다.

"명절만 기다리지 말고 가끔 다 함께 모여요! 너희 누나 가족도 부르고!"

미네는 아흐메트를 돌아보며 말했다.

"우리는 새해에 외국에 가요!"

"정말이에요?"

네즈데트의 말에 미네는 한숨을 쉬고는 제밀을 쳐다봤다.

"멜렉 가족과는 거의 못 만나네, 우리! 페루흐 가족도! 그들이 전에 우릴 젠네트히사르로 초대한다고 했는데!"

랄레가 말했다.

"하지만 우리도 그들을 섬으로 초대 안 했잖아!"

"페루흐네는 그곳에서 어떻게 난방을 한대요?"

제밀이 물었다.

"벽난로를 피운대. 가스난로도 있고. 주위가 아주 조용해! 난 아주 좋던데!"

네즈데트는 이렇게 대답하고 아내를 바라보며 덧붙였다.

"그렇지 않았어? 주말을 보내기에 아주 좋은 곳이야! 공장에는 특별한 전기난로도 설치할 거야."

"페루흐의 부인은 어때요? 그녀 가슴에……."

미네가 물었다.

"작은 혹이었대. 다행히 제때에 발견했지. 똑똑한 여자야, 일 년에 한 번 건강검진을 해 왔다니까!"

"건강검진을 해야 한다니까! 당신도 건강에 신경을 하나도 안 쓰잖아!"

미네는 남편을 보고 말했다.

"이렇게 일이 많은데 어떻게 해? 유럽처럼 모든 게 질서정연하고 훌륭하게 착착 잘 돌아가면, 사람들도 정기적으로 의사한테 가서 검사를 받는 습관을 들이겠지만, 여기가 어디 그래?"

"여긴 모든 게 최악이야! 맞아! 어디부터 시작을 하겠어!"

네즈데트가 말했다.

아흐메트는 시금치 요리를 다 먹고 천천히 일어났다. 미네에게 다가가 속삭였다.

"이제 가야 돼요. 약속이 있어서……."

"가는 거야? 또 지루해졌구나! 후식도 네가 좋아하는 오렌지 카다이프를 만들라고 했는데! 가기 전에 맛이라도 봐!"

미네는 큰 소리로 가정부를 불렀다. 아흐메트는 한 번 더 미안하다고 말하고 부엌으로 갔다. 카다이프 한쪽을 잘라 입에 쑤셔 넣고, 부엌문으로 나갔다. 입안이 꽉 찬 채로 계단을 내려가면서 초등학교 시절을 떠올렸다. 거리로 나갔다.

토요일 저녁 9시 무렵의 니샨타쉬 광장은 사람들로 붐볐다. 상점은 거의 문을 닫았다. 제과점이나 간식 가게, 꽃 가게에는 오가는 사람이 몇 있었다. 가루 커피를 파는 가게는 문을 열어 놓고 병아리콩을 볶고 있었다. 톰발라 장수는 늘 있던 자리에 있었다. 길이 막히진 않았지만 차들은 천천히 지나갔다. 신문 장수는 은행 앞에 자리를 잡고 있었다. 이발소에서 인도로 더러운 물을 쏟았다. 버스 정거장엔 사람들이 많았다. 학교 앞에는 차가 주차돼 있었다. 경찰서 모퉁이에는 길이 막혔다. 자정을 기다리는 경찰 지프차의 경광등이 번쩍거렸다. 길을 걸으며 신선한 공기를 들이마시자 더러움에서 정화되어 깨끗해진 것 같았다. 아흐메트는 '내가 왜 아래층으로 내려갔지?' 하고 생각했다. 그러고는 "삶을 보기 위해서지! 사람들을 보고, 일상을 보고, 살아가기 위해서!" 하고 중얼거렸다. 하지만 곧 "하지만 살기 위해서가 아닌걸!" 하고 중얼거리며 생각을 고쳐먹었다. '그들과는 어울릴 수 없어. 그들과 어울리지 못하니 지루해지는 거지. 날 자기애로 가득한 사람으로 보겠지. 즐거운 분위기에 어울리지 못하니까 내가 그들을 질투하는 거야.' 그는 사원 앞을 지나갔다. "아냐, 그 정도는 아냐! 나를 초대했고, 꼭 오라고 해서 간 거야. 스테이크도 좋았어!" 하고 투덜거렸다. 테시비키예 모퉁이에서 왼쪽으로 접어들었다. 그는 "일크누르!" 하고 중얼거렸다. 그녀와는 모든 걸 얘기할 수 있을 거라 생각하자 마음이 편안해졌다. 9시 이 분 전, 그녀가 사는 아파트에서 조금 떨어진 곳에서 그녀를 기다리기 시작했다.

7
함께

잠시 후 아파트 출입문 안에 불이 켜지고 곧 일크누르가 나타났다. 아흐메트는 그녀 앞으로 다가갔다.

"안녕! 기다렸어?"

"아니, 방금 왔어!"

그는 장난을 치고 싶었다.

"천 가방 없이는 다니질 않는구나! 파카처럼 천 가방을……."

"공책 가져오라고 하지 않았나?"

일크누르가 정색을 하며 말했고, 아흐메트는 깜짝 놀랐다.

"참, 그렇지, 미안해!"

그들은 걷기 시작했다. 아흐메트는 '그녀가 화났어!' 하고 생각했다. 그들은 아무 얘기도 하지 않았다. '그녀에게 모든 걸 설명하려고 했는데!' 그는 절망에 빠질 것만 같았다. '나에겐 그림 그리는 것 말곤 아무것도 없어! 사소한 만남이나 수다는 위로가 안 돼! 작업할 힘을 얻기 위해 그런 데 기대하며 나 자신을 속이고 있어!' 이런 생각을 하자 갑자기 두려워졌다. '매번 속으로는 그녀가 갔으면 하고 바라면서 일을 시작하고 싶어 했잖아!' 그는 절망적으로 "아냐, 아냐!" 하고 중얼거렸다. 그는 그녀를 곁눈질로 쳐다봤다. '난 그녀를 많이 그리워했어! 예쁘진 않지만 사랑스러워! 난 이제 그녀 없이는 살 수 없어! 그럼 넌 왜 아무 말도 안 하는 거야?' 그들은 사원 앞을 지나갔다. 아흐메트는 무슨 말을 할까 생각했지만, 이미 기분이 침울해져 있었다. 그들은 고양이 한 마리를 보고 그 옆을 지나가며 쳐다봤지만, 서로 한마디도 하지 않았다.

경찰서 앞을 지나갈 때 갑자기 일크누르가 "부모님과 말다툼을 했어!"라고 했다. 자신의 침묵을 해명하려는 듯한 표정이었다. 경찰 지프차의 경광등은 여전히 번쩍거렸다.

'그러니까 그것 때문이었구나!' 하고 생각하자 아흐메트는 마음이 편안해졌다.

"무슨 일 있었어?"

"이 시간에 어디 가냐고 물으셨어. 널 만나러 간다고 했지. 늘 같은 얘기지, 뭐!"

"너희 부모님은 날 안 좋아하시지, 그렇지?"

"알잖아!"

"어쩌겠어, 좋아할 만한 사람이 아닌걸!"

그는 이렇게 말하고는 미소를 지으려고 애썼다. 다시 침묵이 흘렀다. 하지만 아흐메트는 이제 마음이 편안해져서 초조하지 않았다. '잠시 후면 긴장이 풀리고 우리 마음도 편안해질 거야!' 둘은 학교 옆에 있는 서점 앞에서 자연스럽게 발걸음을 멈추고 진열장을 들여다보았다. 삼류 추리소설과 로맨스 소설, 달력과 새해 선물, 고급스러운 책이 함께 전시돼 있었다. 이틀 전, 아흐메트는 비싼 책 사이에서 모딜리아니에 관한 책을 발견했고, 살 생각은 없었지만 한번 살펴나 보려고 들어갔다. 하지만 서점 주인은 그 책이 선물용이라는 걸 손님들에게 알려 주려는 듯 셀로판 종이로 싸고 리본으로 맨 포장을 풀지 않고 "사실 거면 풀어서 보여 드리겠습니다!"라고 했다. 아흐메트는 진열장 안에 있는 그 책을 보면서 일크누르에게 그 사건을 얘기하고 싶었지만 그만두었다. 막 서점 앞을 떠날 때쯤 일크누르가 기도 시간 일력에 관해 이야기하기 시작했다. 그녀의 어머니는 기도 시간 일력에 나오는 '오늘의 요리' 부분을 읽고 요리를 해 주는데, 아버지가 좋아하지 않으면 거기서 한 장을 더 찢어서 나오는 음식을 요리하고, 그래도 좋아하지 않으면 다시 한 장을 더 찢는다고 했다. 그래서 매년 달력은 2월 말이 되기도 전에 다 찢겨 나간다는 것이었다. 하지만 그래도 어머니는 그 낱장을 버리지 않고 보관해서 '오늘의 요리'을 유용하게 쓴다고 했다. 아흐메트는 이 이야기가 재미있어서 웃었고, 그녀의 부모님에 대해 호감을 느꼈지만, 그들이 자신을 좋아하지 않는다는 걸 기억해 내고 다시 우울해졌다. 니샨타쉬 모퉁이를 돌때 그는 자신의 이야기를 했다. 강조할 부분은 강조하고, 작은 세부 사항과 음색에 주의를 기울여 이야기를 잘해 주었기 때문에 일크누르는 한참을 웃었고 그도 기분이 밝아졌다. '모든 게 잘돼 가고 있어!' 모퉁이를 돈 후 불이 켜져 있는 아파트 4층을 쳐다봤다.

'오늘은 다들 제밀의 집에 있어! 할머니가 다시 안 좋아졌어. 더 나빠졌어.'

그들은 아무 말도 하지 않고, 천천히, 조용히 계단을 올라갔다. 엘리베이터는 이 주 전부터 고장 나 있었다. 4층 앞을 지날 때 안에서 소리가 들려왔다. 니갼 부인이 누워 있는 층은 조용했다. 아흐메트의 집 앞에 도착했을 때 일크누르는 숨을 헐떡였다. 담배를 많이 피워서 그런 거라고 한마디 하려다가 입을 다물었다. 그는 현관문을 열고 불을 켰다. 일크누르는 안으로 들어갔다.

"아! 이 냄새가 그리웠어, 정말 좋아!"

"냄새를 그리워한 거야, 날 그리워한 거야?"

아흐메트는 이렇게 말하고는 찻물을 올리려고 부엌으로 갔다. 불을 붙이면서 일크누르가 그림을 보고 있을 거라는 생각에 초조해졌다. 불 위에 물을 올리고 밖으로 나갔다.

"그래, 어떻게 생각해?"

"이게 가장 최근에 그린 것 같은데. 잘 그렸네! 하지만 이 늙은 상인은 망친 것 같아."

"망쳤다고? 어디가?"

아흐메트는 흥분하며 물었다.

"여기 좀 봐! 옷의 디테일, 네모 무늬, 손수건의 구김. 왜 이렇게 쓸데없는 데에 신경을 썼어?"

아흐메트는 마음이 상하는 것 같았다. 일크누르가 가장 좋은 비평가였다고 믿었던 것이다.

"넌 뭔가 그리기 시작해. 아이디어나 네가 말하고 싶어 하는 내용은 좋아. 그리고 그것들을 적재적소에 잘 그려 넣어. 하지만 그러다, 왜 그런지 모르겠어, 작은 부분을 묘사하기 시작하지. 손수건의 구김……. 음영을 표현하는 데선 마치 그림을 처음 배우는 젊은 화가처럼 기교를 보여 주려고 애쓰는 것 같아. 예를 들면 노인의 손등에 있는 검버섯과 점……. 어쩌면 옛날에는 모호해서 생각도 하지 않았을 부분이야. 전에는 거기 점이 있는 것 같은 느낌 정도였는데, 이젠 그걸 내 눈앞에 들이대는 것 같고, 네가 그런 것까지 생각했다는 것을 보여 주려고 하는 것 같아. 왜 그러는 거야?"

"자신이 없어서겠지!"

"어쩌면 감상자를 믿지 못해서, 이해받지 못할 것 같아 두려워서일지도 몰라! 내가 너무 잘난 척하는 건가?"

아흐메트는 주저하며 대답했지만 일크누르는 계속 물었다.

"오늘 하산이 왔어! 내가 그린 그림이 그에게는 어떤 얘기도 하지 않는다고 하더라!"

"넌 마음이 상했겠고……."

"약간! 하지만 이런 말도 했어. 내가 진지하게 그린 건지 조롱하는 건지 모르겠다고!"

"물론 그 말을 듣고 기분이 아주 좋았겠지. 네가 고야라고 생각하면서. 내 생각엔 그것도 왜곡이야."

"그래, 넌 너무 잘난 척해!"

아흐메트가 미소를 지으며 말하자 일크누르도 웃었다. 천 가방에서 담뱃갑을 꺼냈다. 늘 앉던 대로, 그녀는 그림뿐 아니라 아흐메트도 잘 보이는 의자에 앉아 담배에 불을 붙였다. 놀이를 하기 전에 준비를 하려는 듯 주위를 둘러봤다. 잠시 후 아흐메트에게 물었다.

"우리가 안 만나는 동안 뭘 했어? 닷새가 됐지, 그렇지? 하산은 뭘 한대?"

"너 하산을 알아?"

"물론 그 사람도 다른 사람들처럼, 네가 말해 줘서 알지."

"그럼 처음부터 설명해 줄게. 월요일 오후에 널 만났고, 저녁때는 그림을 그렸고, 화요일 오후에는 두 군데에 프랑스어 교습을 하러 갔어. 네가 비아냥거릴 만한, 설명할 가치가 있는 사건은 없지. 수요일에는 그 천재 아이에게 미술 교습을 했고. 사건은 이래. 아이에게 그림을 가르치고 있는데, 아이 어머니와 손님들이 왔어. 우리가 그림 그리는 걸 구경하고 싶다고 했지. 그들의 시선과 나의 명령에 따라 천재 아이는 나뭇잎에 물감을 칠했는데, 물감이 나뭇잎 테두리 밖으로 하나도 삐져나오지 않게 칠했어."

"난 학교 다닐 때 늘 물감이 삐져나오던데! 어렸을 때 색칠 공책이 있었는데, 거기서도 물감이 삐져나왔어!"

일크누르는 웃으며 말했다.

"넌 늘 규율을 따르지 않는다고 말했지!"

아흐메트는 의자에 앉아 계속 말을 이었다.

"내 말 끊지 마. 뉴스를 계속 전해 줄 테니……. 목요일에는 프랑스어 회화 교습을 하러 화려한 치장을 좋아하는 그 여자 집에 갔어. 밤 절임을 대접하길래 먹었지. 그런 다음 저녁을 먹으러 외제르 집에 갔어. 그와 그의 아내가 저녁 식사에 초대했거든. 그의 아내가 요리를 하고, 식탁을 차리고, 다시 치울 때 외제르와 나는 예술에 대해 논쟁을 벌였지. 하지만 먼저 외제르가, 알지, 그는 광고 회사에서 그래픽 작업을 하고 있어, 자기 일에 대해 불평을 했고, 내가 무척 부럽다고 했어. 이렇게 살짝 칭찬을 한 다음부터는 나를 한발 늦은 고전 예술 모방자라고 했지. 그런 후 나에게 자기가 바클라와를 그린 걸 보여주었어. 외제르의 그림 못 봤지? 큐비즘의 영향을 받았어. 모든 형태를 평형사변형이나 마름모로 보지. 아마도 어렸을 때 바클라와를 마음껏 못 먹은 모양이야! 가난한 집안의 아들이거든. 그가 왜 시골 사람들을 안 그리고 바클라와를 그리는지 궁금해……."

"너도 전에는 시골 사람을 그렸잖아……."

"계속 뉴스를 전해 드리겠습니다! 외제르와의 진짜 논쟁에 대해 얘기해 줄까? 알았어……. 짧게 얘기할게. 여느 때처럼 그날도 새벽 5시까지 작업을 했어. 어제 오후에는 또 교습을 하러 갔고. 저녁에는 상태가 안 좋아지고 있는 할머니에게 갔다가 우연히 아버지의 사촌인 지야 아저씨를 만났어. 여든 살이 다 된 퇴역 대령이야. 아주 흥미로운 분이지. 아저씨의 아버지는 혁명가였나 봐……."

"그러니까 부르주아 혁명가……."

"대단해, 역사와 마르크스주의 지식이 대단한걸."

그는 일크누르가 화내지 않도록 "농담이야!" 하고 덧붙이고 말을 이었다.

"잘 들어 봐, 이제부터 진짜 뉴스야. 전화로 말했잖아, 지야 아저씨는 군대가 쿠데타를 일으킬 거라고 했어!"

"다들 그 얘기를 하고 있어!"

"하지만 그는 언론에 나오기 전에 그 얘길 해 줬단 말이야."

"참 나, 아흐메트! 여긴 터키야. 두 달에 한 번씩 그런 소문이 돈다고!"

"그러니까 진지하게 받아들일 필요가 없다는 거야?"

아흐메트는 좌절감 비슷한 감정을 느꼈다. 잠시 후 그는 지야의 말과 태도를 떠올리며 흥분해서 자리에서 일어났다.

"그는 나에게 '방위군이 우리 손안에 있어.'라고 했어. 이렇게 손바닥을 폈다고. 마치 자기 손아귀에 터키가 들어 있다는 듯. 그런 얘기를 괜히 했겠어? 도대체 왜?"

그는 걱정이 됐다. 오스만의 초조한 모습과 할머니의 분노를 떠올렸다.

"난 이해가 안 돼, 이해할 수 없어! 우리 가족에게 무슨 일이 있었는지 궁금해! 공책을 읽어 봤지, 그렇지? 난 할아버지를 그릴까 생각 중이야."

"넌 늘 무너져 썩어 가는 옛날 사람들에게 관심을 갖잖아. 거기다 네 가족의 역사까지 궁금해하진 마!"

"네 말이 맞아. 하산도 아마 그 말이 하고 싶었던 것 같아. 하지만 난 시간과 삶의……."

"하산이 또 무슨 말을 했어?"

"다른 얘기?"

아흐메트는 잠깐 주저했다. 그러다 자신의 우유부단함에

화가 났다.

"잡지를 발행할 거라면서 나한테 도와달라고 했어!"

"무슨 잡지?"

"아무한테도 말하지 마, 알았지?"

아흐메트는 부끄러워하며 중얼거렸다.

"알았어! 무슨 잡지야?"

"MDD와 TİP 사이에서 길을 모색하는 젊은이들이 한데 모일 건가 봐. 하지만 아직 시작 단계래. 실현될지는 모르겠어."

그는 이렇게 말하다가 다시 쿠데타를 떠올렸지만 급하게 덧붙였다.

"그에게 최선을 다해 도와주겠다고 했어. 그 수프에 나도 조금 소금을 칠 거라고 생각하니 기뻐."

"진짜 수프야?"

"아니, 넌 말장난도 이해 못하는구나!"

일크누르는 새 담배에 불을 붙였다.

"또 다른 건?"

"다른 건, 아, 누나를 만났어. 여기로 찾아왔거든."

"누나는 뭘 해? 뭐라고 해?"

"늘 똑같지. '네 매형이 그러는데' 병에 걸렸잖아. 하지만 그래도 누나를 좋아해……."

"넌 늘 '그래도 좋아해.'라는 말로 타협을 하지."

"진심으로 하는 말이야?"

"알았어, 농담이야!"

"참, 매형이 우릴 봤대, 니샨타쉬에서. 기분이 안 좋았어. 널 아주 자세히 봤다더군."

일크누르도 마음이 편치 않은 모양이었다.

"왜 기분이 안 좋았는데?"

"그냥 모든 게 더럽혀진 것 같아서. 그는 우리를 자신의 카테고리와 개념으로 이해하려 했을 거야. 무슨 말인지 알지?"

"약간!"

"이해 좀 해 봐!"

아흐메트는 예민해져서 이렇게 말하고 마음이 뒤숭숭해져서 중얼거렸다.

"매형 같은 사람이 궁금해하는 거라고는 성적 친밀감, 결혼, 경제 상태, 가족……. 이런 시선으로 보는 사람에게 우리 모습을 노출했다는 게 소름 끼쳐!"

그는 자신의 말이 부끄러웠다.

"그럼 거리엔 절대 나가지 말자!"

"그래, 나가지 말자! 뭐 볼일이 있다고 밖에 나가는지 나도 모르겠어. 하산도 나즘의 시를 읽었대. '네가 찾는 건 방이 아니라 밖에 있어.'"

"하산 대단한걸! 마음에 들어."

"하산이 아니라 나즘 덕분이지! 그건 그렇고 넌 뭐 했어?"

"그냥, 학교나 오갔지."

"학교에선 뭘 했어?"

"뭘 했겠어? 수다, 아부, 학과 관련 뒷얘기."

"널 조교로 쓰겠대?"

"알잖아, 정규직 문제."

"항상 그 소리! 그들에게 싫은 소리 좀 해 봐!"

"그럴 생각이야! 박사 학위를 하러 오스트리아에 갈 거라고 했어."

"뭐?"

"오스트리아에 가려고 했잖아. 지원했고, 입학 허가도 받아 놨어."

"그러니까 간다는 거야?"

아흐메트가 다급하게 물었다. 자신의 음색이 두려웠다.

"여기선 뭐가 될 것 같지가 않아! 아마 가게 되겠지!"

"꼭 정규직 자리가 날 거야!"

아흐메트는 중얼거렸다. 그는 표정을 감추고 싶어서 "차!" 하고 중얼거렸다. 그는 불 앞으로 가서 주전자 뚜껑을 열었지만 차를 넣어 두는 통을 찾지 못했다. '그녀도 가는구나. 난 어쩌지?' 그는 갑자기 자신에게 화가 났다. '더 열심히 그림을 그릴 거야. 그리고 하산과 그 친구들과 함께 일할 거야. 어차피 여기서 이렇게 그림을 그린다는 핑계로 틀어박혀 있는 건 옳지 않아!' 갑자기 하산과 그의 친구들과 함께 일하는 자신의 모습이 보이는 것 같아 흥분이 됐다. "많은 걸 할 수 있어, 많은 걸!" 하고 중얼거렸다. 하지만 차를 우려내고 방으로 들어가면서 다시 일크누르를 보자 초조해졌다.

"그럼 여기서 시작한 박사 과정은 어떻게 되는 거야?"

"아, 그거? 어차피 너도 그거 별로라고 했잖아!"

일크누르의 박사 학위 주제는 '오스만제국 건축에서의 총체성 고민'이었다.

아흐메트는 가끔 일크누르에게 "그런 고민은 없었어. 걱정도 없었고!" 하고 시비를 걸었던 게 떠올랐다.

"장난이었어! 그 고민……."

"알아. 어차피 아직 확실하지 않아!"

"하지만 이제 모든 게 확실해진 거잖아!"

일크누르는 '제발 지금 그 문제는 언급하지 마!' 하는 듯한 눈길로 쳐다봤다.

"그리고 또 뭐 했어?"

"아무것도 안 했어. 그 정도가 다야!"

"그럼, 여기에 틀어박혀 있는 내가 더 말할 거리가 많은 거네. 그런 거야?"

아흐메트는 이렇게 말하고는 자랑스럽다는 듯 덧붙였다.

"내가 여기 틀어박혀 있으니 너희들이, 네가 착각을 하는 거야. 나는 풍부하고 심오하게 살고 있어. 사람들은 하루에 백 명을 만나고 부딪힐 수 있지만 표면 아래로는 내려가지 못해. 나는 깊이 내려가. 그래, 난 이 사회를 위해 깊이 내려가. 내가 충만하고 풍부하게 사는 것만큼 자연스러운 게 어디 있겠어?"

그는 흥분해서 일크누르를 보며 미소를 지었다. 하지만 '난 추해졌어, 제정신이 아냐!' 하고 생각했다.

"그 풍부하게 산다는 말이나 그 비슷한 게 너희 아버지의 공책에도 있었어!"

"참, 우리 그 얘길 하려고 했지! 뭘 해 왔는지 보자! 읽을 수 있었어? 새로 또 공책을 발견했는데!"

그는 공책을 놓아두었던 쪽으로 걸어갔다.

"뉴스는 끝났어. 이제 오늘의 분석을 듣겠습니다!"

그는 흥분하면서 공책을 일크누르에게 건넸다. 갑자기 옛날 농담이 떠올랐다.

"인생에서 뭘 해야 하지, 카챠 미하일로브나, 인생의 의미가 뭐지?"

"내 오랜 친구 스테판 스테파노비치! 자네는 또 틀렸네. 이젠 아무도 인생에서 뭘 해야 하는지 묻지 않는다네. 자네는 뒷북을 치고 있어. 이제 사람들은 삶의 의미가 아니라 민족의 해방을 묻는다네!"

일크누르는 웃으며 대답했다. 이것은 그들이 가끔 주고받던 농담이었다. 한번은 아흐메트가 모든 러시아 문학은 이 단순한 농담을 중심으로 돌아간다고 한 적이 있었다.

"세마외르나 몸을 덥힐 난로가 있으면 얼마나 좋을까!"

"여기는 터키야! 우리는 현실 자체가 아니라, 그것의 형편없는 모방과 마주하고 있어!"

아흐메트는 기분 좋게 대꾸했다.

"그건 너한테 해당되는 거야!"

"알았어, 알았어! 이제 그 공책 좀 보자! 그들이 뭘 했는지 보자고!"

8
옛날 공책들

“봐, 오늘 이 공책도 발견했어. 좀 읽어 봐, 내용이 뭔지 알고 싶어!”

일크누르는 공책을 받아 펼쳤지만 아무것도 발견할 수 없었고, 뒤를 돌려 보았지만 역시 아무것도 없었다.

“앞부분에만 몇 페이지 쓴 건가 봐!”

“너희 아버지도 그러셨던데! 글은 오른쪽에서 왼쪽으로 쓰여 있는데, 공책은 왼쪽에서 오른쪽으로, 그러니까 서양식으로 넘기게 돼 있어!”

“사고가 서양식이잖아!”

아흐메트는 웃으며 말했다.

“정말 그렇긴 해……. 난 우리가 더 서양식이라고 생각했어. 그런데 너희 아버지는 우리보다 더 이 나라와는 먼 분이더라!”

"과거를 하나의 총체성으로 여기는 건 역사만큼 오래된 착각이야! 과거를 천국이라고 여기는 사람들이나 그렇게 생각하지!"

아흐메트는 이렇게 말한 뒤 주저하며 덧붙였다.

"우리는 마르크스를 읽었잖아!"

"너희 아버지도 읽었대!"

"정말이야? 그런데 서재에는 그와 관련된 책이 한 권도 없던데!"

"친구한테서 빌렸다고 쓰여 있었어!"

"그렇다면 유럽에는 왜 가져가지 않았대? 프랑스에 있을 때……."

"나중에 프랑스에 가셨어? 언제?"

일크누르는 흥분하며 물었다.

"확실히 가셨어. 내가 봤거든. 네가 읽은 동화 속에 나오는 인물 중 하나가 나야! 그 공책 다 안 읽었구나!"

아흐메트는 공책을 가리키며 말했다. 일크누르는 몇 장을 넘기면서 뭔가를 보고 웃었다.

"반세기 동안의 나의 사업 인생!"

"좀 더 읽어 봐! 할아버지 공책이야!"

"별로 없어! 같은 문장이 열 번 쓰여 있어. 읽히지도 않아. 너희 아버지의 필체는 인쇄체에 가까운데, 이건 필기체야. 아랍 문자는 읽기가 아주 어려워."

"넌 박사 과정을 외국에서 하게 될 것 같다."

"제발 그 얘긴 꺼내지 마!"

그녀는 이렇게 말하고 공책을 천천히 읽어 나갔다.

"나는 이곳에 니간과 함께 있다……. 베를린……. 교훈적이었다……. 사진은 좋은 것이다……. 여긴 별거 없어. 다른 공책을 보자. 너희 아버지는 프랑스에 왜 가셨어?"

"모르겠어. 그냥 가고 싶어서 가셨겠지. 공책엔 또 뭐라고 쓰여 있어, 말 좀 해 봐!"

"생각과 고민을 쓰셨어. 너희 아버지는 좀 바보 같고 좀 재미있는 분 같아!"

"분석은 관두고 읽어 봐!"

일크누르는 읽기 시작했다.

"1937년 9월 13일 월요일. 어제 베쉭타시에 갔다. 무히틴을 만났다. 우리는 술집에서 이야기를 나누었다. 그는 내게 아무 말도 해 주지 못했다. 게다가 조롱하는 듯한 태도도 여전했다. 그와 얘기를 나누고 나니 일상생활이 내게 금지된 것처럼, 매 순간 저지르는 범죄처럼 보이기 시작했다. 문장 시작. 사무실에 갔다. 하루 종일 거기 앉아 있었다."

그녀는 킥킥 웃기 시작했다. 아흐메트는 초조해졌다.

"뭘 그렇게 웃어? 시간이 많은 사람들은 답답하게 그런 허튼 말이나 쓴다니까!"

"그 말 진심이야?"

일크누르는 허탈한 표정이었다. 하지만 아흐메트가 바라는 대로 공책을 뒤적이며 찾기 시작했다.

"그들은 왜 그렇고 우리는 왜 이럴까? 나는 왜 루소나 볼테르는 좋아하면서, 테브피크 피크레트나 나믁 케말은 좋아하지 않는 걸까? 이런 건 어때?"

그녀는 고개를 들면서 물었다.

"거기 쓰여 있는 게 다 그래?"

"응, 대충 다 그래. 물론 사건도 있어."

"뭔데? 구멍가게에 가서 물건 산 것도 썼어?"

"그렇게 관심도 없으면서 공책은 왜 준 거야?"

"나도 모르겠어. 흥미로운 내용이 있을 거라고 생각했겠지, 뭐."

일크누르는 다시 읽기 시작했다.

"매일 아침 내 인생을 바꾸고, 내 인생에 영향을 미칠 새로운 뭔가를 볼 거라는 희망을 품고 신문을 읽는다."

그녀는 페이지를 넘겼다.

"여기 쓴 걸 읽어 보았다. 내 일상을 사실적으로 반영하고 있지 않다. 내 일상은 대부분 페리한, 조카들, 아이셰 그리고 어머니와 수다를 떠는 사소하고 단순한 일로 가득하다."

"아, 그건 맞아! 평범한 삶이 바로 그거야. 표면적인 걸 넘지 못한 사람들이지."

"응, 아마도 네가 맞는 것 같아! 그런데 이게 마음에 들어?"

"다른 사람의 비망록은 항상 관심을 끌지!"

"그래. 나도 읽으면서 혹시 그래서 내가 좋아하는 건가 생각했어. 하지만 너희 아버지에게는 우매함과 관심을 끄는 순수함이 섞여 있어. 네가 말했잖아. 좀 더 말해 줬으면 좋겠어. 그런데 물어볼 게 있어. 아내와 두 아이와 함께 꽤 편안하게 사는 부유한 상인이 이런 걸 쓰는 거 본 적 있어?"

"터키에선 있을 수 있어! 아주 흔하지!"

"누구? 예를 들어 봐……. 은퇴하고 회고록을 쓰는 사람이나 예술을 하고 싶어 하는 사람은 말고. 너희 아버지는 상인이었는데 모든 걸 잃어버렸어……. 아내까지도!"

"엄마가 옳아!"

"그런 걸 따지자는 게 아니잖아. 좀 더 읽어 볼게. 내가 옳다고 할 거야!"

일크누르는 부드럽게 말했다.

"그렇게 원한다면 읽어 봐."

"1938년 3월 14일 월요일. 어제 저녁에도 우리는 헤르 루돌프에게 갔다."

"이 사람은 누구야?"

"독일 사람! 너희 아버지한테 이 사람 편지가 있을 거야. 옛날 물건들 사이에서 찾을 수 있을 거야. 한번 찾아봐! 쉴레이만 아이첼릭하고도 편지를 주고받으셨대."

"왜 그래? 곰팡이 슨 옛날 물건을 뒤지는 데 관심이 많아진 거야?"

일크누르는 '재미있잖아!'라는 듯 고개를 끄덕이며 웃고 다시 읽기 시작했다.

"루돌프는 횔덜린의 시를 또 읊었다. 동양의 영혼이나 외메르가 하는 일에 관한 자신의 생각을 얘기했고, 나에 대해서도 자기 생각을 말했다. 내게 합리주의를 포기하지 말라고 충고했다."

일크누르는 또 고개를 들었다.

"어떻게 생각해?"

"아무 생각도 안 해! 사건을 설명해 봐. 네가 사건이라고 생각하는 것 말이야."

"나는 나의 모든 걸, 모든 삶을 여기 쓴 이 글에, 농촌과 터키의 개발과 관련된 이 계획에 걸었다!"

"그건 케마흐에서 쓰신 것 같군."

"응! 알고 있었어?"

"어머니가 말해 주셨거든. 그 계획이란 것도 출판됐대. 그 책도 있었어!"

일크누르는 일어나 탁자 위에 있는 책을 집어 들고 뒤적였다. 책에서 신문 조각이 나왔다. 그녀는 큰 소리로 읽었다.

"「유토피아와 우리의 현실」! 누군가 너희 아버지를 비판한 것 같아."

"응, 제목에서부터 그가 옳다는 게 드러나고 있어. 우리의 현실! 우리의 현실이 어디 있지? 아버지는 그런 덴 접근조차 안 했어."

"맞아! 너희 아버지는 현실을 찾았던 게 아니야. 하지만 그 자신이 현실이야. 무슨 말인지 알겠어? 그가 유토피아를 위해 열심히 연구했다는 게 현실이야!"

"그래, 그래, 무슨 말인지 이해해. 하지만 그건 중요해 보이지 않아. 네 말처럼 서양식이기 때문이지."

"그래?"

"그렇지 않다면 뭐지? 그 공책에서 뭘 찾았는데?"

"모르겠어. 어쩌면 그리 많은 걸 찾진 못했을지 몰라. 그냥 관심이 가는 것뿐이야."

일크누르는 다시 희망을 찾은 듯 읽기 시작했다.

"1939년 9월 26일 화요일. 이 난리 통에 난 왜 일기를 쓰기로 결심했을까? 갑자기 시간이 너무 빨리 흐른다는 느낌이 들었기 때문인지도 모른다!"

그녀도 자신이 읽은 내용이 마음에 안 드는 것 같았다. 한동안 아무 말도 하지 않았다. 잠시 후 다시 킥킥 웃으며 읽기 시작했다.

"9시 반. 저녁을 먹었다. 쾨프테와 콩!"

아흐메트는 초초해하며 일어났다.

"그런 건 왜 읽어 주는 거야? 뭐가 우스워? 가련한 사람! 그런 걸 진지하게 써 놨군그래! 부끄럽다고 생각하지도 않고 보관했어. 쾨프테와 콩……. 넌 요즘 유행하는 그 이야기하고 비슷하다고 생각하는 거지? 하산에게 주자. 예술 잡지에 실으라고……. 너 《불 탄 저택들》이라는 잡지 읽어 봤어? 쾨프테와 콩……. 이게 뭐야, 도대체? 이제 관두자. 읽지 마, 짜증나니까."

"그럼 넌 뭘 기대했는데?"

"너도 알다시피 난 할아버지를 그릴 생각이었어. 이 공책들에 쓰여 있는 걸 읽으면 내가 그리고 싶은 분위기 속으로 약간은 들어갈 수 있을 거라고 생각했지. 착각이었어. 손수건의 음영……. 그래, 네가 옳아, 난 세부적인 걸 보여 주는 데 관심이 많아. 나의 기법을 과시하는 데에도! 좋지 않은 성향이지. 네가 읽은 글에도 그런 성향이 숨겨져 있어. 할아버지를 그릴 거라면, 이런 걸 볼 게 아니라 내가 상상해서 꾸며 내는 게 나아! 그게 더 사실적일 거야! 그 바보 같은 글은 착각하게 만들 뿐이니까. 총체가 어디 있지? 난 총체를 만들어야 돼, 꾸며 내야 한다고. 무슨 말인지 알겠어? 그래서 짜증이 나는 거야. 이 공책에서 삶, 구체적인 삶을 포착할 수 있을 거라고 생각했어. 또다시 절망과 후회와 슬픔을 느끼며 벌써 몇 번째 절감하는 거지만, 삶을 포착하고 구체적인 삶을 파악하려면 다른 데서 방법을 찾아야 해. 내가 꾸며 내고 상상하면서 열심히, 열심히 예술을 해야만 해!"

"방에서 나가지도 않지만, 그래도 가장 심오한 사실을 파악했다고 말하고 싶은 거야?"

"그래. 최소한 이런 걸 생각한다는 건 옳은 거 아냐?"

"그러니까 모든 것, 이 모든 흐름과 복잡한 삶, 역사, 외부 세계, 이런 모든 게 너의 그림을 위한 거야?"

"내게는 그래. 그렇다고 믿지 않으면 그림을 그릴 수가 없어!"

"지극히 개인적이고, 자기 중심적인 이론이야! 사실을 말하자면 난 놀랐어. 넌 그런 건 말한 적도 없잖아!"

일크누르는 약간 부끄러운 듯, 하지만 단호하게 말했다.

"알아! 나쁘다는 것도 알아. 하지만 부탁인데, 오늘 밤에는 책에서 읽은 걸로 날 판단하지 말아 줘. 마음속에서 우러나오는 걸로 날 평가해 줘. 당연히 넌 그 둘이 함께 있다고 하겠지. 하지만 오늘 밤만은 분리하려고 노력해 줘. 책에 쓰여 있는 것들, 나도 알아, 읽었어. 그게 옳다고 생각해. 내가 지금 말하는 게 틀리다는 것도 알아."

"알았어, 알았어."

그녀는 걱정스러운 눈길로 아흐메트를 쳐다보았다. 잠시 후 어린아이같이 물었다.

"그럼 이제 읽지 말까? 좋아! 그럼 우리 뭐 하지? 사건을 설명해 줄게. 그래, 공책에 쓰여 있는 걸로도 알 수 있듯이, 네 아버지는 지금 이 아파트 자리에 있던 집에서 가족들과 함께 살다가, 갑자기 그들처럼 살지 못하게 됐어. 그리고 케마흐로 가지. 그건 너도 알 거야. 거기 외메르라는 친구가 있었대. 외메르가 누구야?"

"넌 궁금한 것도 많구나! 외메르, 내가 어렸을 때 본 외메르 아저씨는 풍채가 좋고 잘생긴 사람이었어. 아버지의 학교 동창이었나 봐. 아직 살아 계실 거야. 지한기르에 있던 우리 집에 오곤 했지. 올 때마다 몸이 커지고 뚱뚱해졌어. 케마흐에 땅이 있을 거야……. 다른 건? 이마에 칼자국 같은 흉터가 두 군데 있었어. 어렸을 때는 그게 무서웠어. 에르진잔 지진 때 생긴 상처라고 하더군."

"결혼은 했대? 무슨 일을 했어?"

"응, 결혼했어. 기혼이야. 부인도 우리 집에 오곤 했어. 그의 부인이 아주 멍청하다는 건 알고 있어. 부자였어. 어머니는 그녀가 멍청하다는 것 말고는 그녀가 하고 있는 진주 목걸이나 반지에 대해 얘길 하셨지."

"너희 엄마도 소부르주아구나!"

"의사의 딸이지. 내 말 들을 거야?"

"이해할 수 없어!"

일크누르는 멍한 표정으로 말했다.

"뭘 이해하고 싶은데?"

"그들은 뭘 했어? 그들의 삶 말이야. 왜 그랬대? 외메르는 왜 케마흐에 가서, 이상한 저택에 틀어박혀 아무도 만나지 않고 혼자 체스를 뒀대. 왜?"

"권태! 권태 때문이지! 아마도 개성이 좀 있었으면 했겠지. 난 그를 좋아하지 않았어. 나한테 농담을 했어. 하지만 나를 즐겁게 해 주려는 게 아니라, 아버지와 어머니를 비꼬려고 농담을 했어. 그에 대해선 누나가 더 잘 알아."

"그럼 무히틴에 대해서도 말해 줘."

일크누르는 하품을 하며 말했다.

"너 그 사람 성이 뭔지 알아?"

"몰라!"

"니샨즈. 정의당 국회의원 무히틴 니샨즈가 그 사람이야."

"아!"

"그렇다니까, 봐, 여기 그가 쓴 시집도 있어!"

그들은 마주보며 웃었다. 아흐메트는 그의 시집을 일크누르에게 건네주었다. 일크누르는 조금 뒤적이다 첫 페이지를 펴고 읽었다.

"네 삶을 즐거이 주시하고 있는 젊은 상인 친구 레피크에게……."

"그 책은 제발 덮어! 왜 그런 데 관심을 갖는 거야? 난 관심 있다고 치자, 그런데 넌 왜 관심을 갖는데?"

"그럼 너희 어머니와 아버지는 왜 헤어지셨어?"

"어느 날 아버지가 또 술에 취하셨대. 그때 난 갈라타사라이 고등학교 기숙사에 있었어. 또 여느 때처럼 연설을 하기 시작하셨대. 나라의 90퍼센트가 굶고 있고 가난하고 비참한데 아무것도 하지 못하는 건 죄라고……."

"술에 취했다, 연설을 했다, 이런 말은 물론 너희 엄마의 해석이지?"

"어쨌든 연설을 했거나 다른 걸 계속 설명했고, 결국 '이제는 뭔가 해야 할 때'라고 하셨대. 그러니까 '행동! 행동!'이라고 말씀하셨다는 거야."

"아!"

"어머니도 이렇게 말씀하셨어. '내가 할 수 있는 건 한 가지밖에 없어. 가방을 싸는 것!' 그러고는 짐을 싸셨지!"

"아주 드라마틱한걸!"

"하지만 누구나 할 수 있는 일은 아니지……. 어머니는 그렇게 집을 나간 걸 오랫동안 자랑스러워하셨어."

"그 당시 네 아버지의 재정 상태는 어땠어?"

"제로에 가까웠지. 회사의 지분을 팔아 출판사를 세웠고, 돈을 다 써 버리셨대. 그리고 파리로 가셨고."

"파리에선 뭘 하셨어? 언제 가셨어?"

"몰라! 인생의 의미를 찾으러 가셨겠지. 아마 1951년일 거야."

"아냐, 너희 아버지는 인생의 의미만큼이나 조국의 구원도 찾고 계셨어. 누가 모든 걸 그만두고 하나도 팔리지 않을 책을 출판하겠어…….”

“그래, 조국의 구원을 방에서 찾는 로빈슨……. 파리에 있는 호텔 방이거나. 참, 너의 호기심을 자극할 게 하나 더 있어. 아버지는 파리의 한 카페에서 사르트르를 만났대.”

“정말이야? 사르트르가 뭘 하고 있었대?”

일크누르는 흥분하며 물었다.

“앉아 있었대! 다른 사람들처럼 의자에. 게다가 다른 사람들처럼 차를 마시고 있었대! 잠깐, 커피였던 것 같아!”

“너희 아버지는 어떻게 하셨대?”

“아무것도 안 했대! 그냥 쳐다봤대. ‘난 지금 이 순간 사르트르를 보고 있다!’라고 생각하셨겠지. 아니, 그런데 그런 게 왜 그렇게 궁금해?”

“그냥 얘기하는 거야!”

일크누르는 무안한 듯 대답했다.

“좋아, 그럼 설명해 주지. 아버지는 사르트르에게 ‘인생의 의미가 무엇입니까, 무슈 사르트르? 조국은 어떻게 구원됩니까?’ 하고 물으셨대.”

“그렇게 말하지 않으셨을 거야. ‘터키에 광명은 어떻게 옵니까?’ 하고 물으셨을 거야.”

“무슈 사르트르는 이렇게 대답했던 것 같아, 아마도. ‘무슈, 내가 당신이라면, 개발되지 않은 나라의 지식인으로서 여기 앉아 밀크커피나 마시는 대신, 조국으로 가서 선생을 했을 겁니다.’ 그런 후 사르트르는 자신의 밀크커피를 마시기 시작했대!”

"정말 웃겨! 웃어야지, 뭐!"

일크누르는 자신이 그에게 화가 났으며, 농담에 관심이 없다는 걸 보여 주려고 들고 있던 공책을 보기 시작했다. 아흐메트는 초조해했다.

"그 광명이라는 건 무슨 말이야?"

"참 나, 그러니까 광명의 날, 뭐 그렇게들 말하잖아! 너희 아버지도 그 말에 매료되셨던 것 같아. 광명, 암흑, 빛……. 그래, 무지에 관한 건 전부 그 단어로 이해하려 했던 거지……."

일크누르는 관심 없다는 듯 대답했다.

"알았어! 너도 이제 내가 옳다고 생각하는 거지, 그렇지?"

아흐메트는 하품을 하면서 웃었다.

"우리가 무슨 말을 하고 있었지? 말해 보세요, 카챠 미하일로브나, 우리가 무슨 얘길 하고 있었죠?"

"암흑에 대해, 빛에 대해, 삶에 대해, 조국의 구원에 대해, 다른 삶에 대해, 인생의 의미에 대해."

일크누르는 중얼거렸다.

"하지만 다른 삶과 오래된 공책은 이제 덮읍시다. 당신에게 예술에 대해서 좀 말하고 싶습니다!"

"좋아요, 예술에 대해 말해 보세요, 스테판 스테파노비치!"

일크누르는 미소를 지으며 덧붙였다.

"하지만 먼저 차 좀 가져오세요!"

"정말, 우리가 차를 잊고 있었네, 그렇지?"

9
인생–예술

아흐메트는 깨끗한 잔에 차를 따르고 작은 쟁반 위에 올려 방으로 가지고 들어갔다.

"아, 11시가 다 돼 가! 이제 가 봐야 돼!"

"어딜 가? 얘기도 안 했잖아!"

"얘기를 안 했다고?"

그녀는 생각에 잠겼다.

"온 지 얼마 안 됐잖아. 너한테 얘기하려고 했는데……."

"뭘?"

"전부 다!"

아흐메트는 이렇게 중얼거렸다.

"예술에 대해 얘기했잖아!"

"응! 가끔 예술을 믿는 게 두려울 때가 있어."

아흐메트는 일크누르가 어떻게 반응하는지 보려고 그녀를

쳐다봤다. 그러고는 덧붙였다.

"예술을 못 믿으면 어쩌지?"

일크누르는 긴장이 풀린 편안한 모습이었다. '곧 차를 다 마시고, 십 분 정도 걷고, 잠옷을 입고 자야지!'라고 생각하는 것 같았다.

"예술을 못 믿으면 어쩌지, 라고 했잖아!"

"응, 네 말 듣고 있어!"

"하지만 동화를 듣듯이 그러고 있잖아!"

"그러면 담배를 피울게. 동화는 담배를 피우며 못 들으니까, 그렇지?"

"내가 예술을 믿지 못하면 끔찍할 거야!"

"응, 그건 예술가에겐 안 좋은 일이지!"

"넌 이해를 못하는구나! 안 좋다는 말로는 부족해! 그건 재앙이야! 그리고 난 지금 그게 두려워. 두려워, 하산이 이런 걸로, 이런 그림으로는 혁명을 할 수 없다고 했는데, 그 말이 맞는 것 같아."

아흐메트는 일크누르의 대답을 기다리면 한동안 입을 다물었다. 그러나 곧 초조해하면서 자리에서 일어났다.

"뭘 생각하는지 말해 봐! 하산이 옳은 거야, 그래? 그가 옳지 않다고 말해 줘!"

"원한다면 말해 주지. 하산이 옳지 않아!"

아흐메트는 방 안을 서성거리기 시작했다. 그런 후 멈춰 서서 그림을 들여다봤다.

"지금 이런 게 무슨 의미가 있지?"

“그렇다면 너의 예술 이론은 어떻게 된 거야?”

“나는 그 이론이 나의 것인만큼 너의 것이기도 하다고 생각했어. 넌 예술사 박사 과정 중이잖아!”

“예술사지만 건축 분야야. 건축물은 필요성을 찾기가 어렵지 않아. 오스만제국 시기의 건축물은 더더욱 그렇고. 사원의 필요성에 대해선 아마 어떤 건축가도 의심하지 않을 거야. 굳이 의심한다면 형태 면에서의 의심이겠지. 하지만 네가 말하는 건 그런 게 아니잖아! 넌 그림이 필요한 거라고 믿지 않잖아!”

“그래, 내가 어쩌겠어?”

아흐메트는 절망적으로 말했다.

“그것 봐! 과거가 하나의 총체였던 건 오래된 착각인가, 그럼? 오스만 시기의 건축물에 대한 총체성 문제를 그 당시에 조롱할 수 있었을까?”

“복수하는 거야, 아니면 우정을 깨 버릴 생각이야?”

“내 생각을 말할게.”

“말해 봐.”

“이렇게 불편함을 느낄 때는 그 문제에 대해 생각하지 마. 그렇지 않으면 생각하고 끝까지 가든가.”

“끝까지 가면 어떻게 되는데?”

“그림 그리는 걸 그만두겠지. 아니면 이런 그림을 안 그리거나. 전처럼 시골 사람을 그릴지도 모르지, 어쩌면.”

“그렇게 하느니 차라리 정치를 하는 게 나아. 그게 지름길이니까.”

"아냐, 내 생각에 그런 딜레마는 설정되지 않아. 문제는 현실주의자가 될 수 있느냐야."

일크누르는 웃으며 덧붙였다.

"하지만 네가 왜 불편한지는 이해해. 하산을 도와주기로, 그 잡지를 위해 일하기로 했기 때문에 마음이 불편한 거야."

"어떻게 그렇게 말할 수 있어!"

아흐메트는 이렇게 말했지만 자신도 그 생각이 두려웠다.

"내 말 들어 봐. 넌 왜 잡지를 위해 일하기로 했지? 그들의 생각이 너와 비슷하다고 생각했기 때문이지. 하산이 왔고, 그가 그걸 기대했고, 거부하는 건 남자답지 않고……. 내 생각에 그런 건 하나도 중요하지 않아. '행동, 행동!'이라 말하고 다니는 사람들이 옳다는 걸 너 스스로 느꼈기 때문에 짜증이 난 거야. 그게 뭐든 간에 유용성이나 필요성을 더 쉽게 파악할 수 있고 설명할 수 있는 일을 하기로, 행동하기로 결정한 거야. 왜 그런 필요성을 느끼지?"

일크누르는 손으로 그림들을 가리키며 말을 이었다.

"저것들이 그 임무를 못하기 때문이지. 넌 그렇게 생각하는 거야. 그림이 모든 게 될 순 없으니까. 그렇지 않아?"

"그렇다고 쳐!"

"그렇다고 치자는 거야, 아니면 그런 거야?"

"그런 거야, 좋아, 그런 거야. 그래서 어쨌다는 거지?"

아흐메트는 신경질을 내며 대답했다.

"왜 화를 내? 바로 그런 이유로 넌 마음이 불편한 거야. 그림이 모든 게 되지 않고, 그림이 총체가 되지 않아서 불편한 거야. 하산의 잡지에서 일하기로 결정을 내린 게 바로 그 사실을 너도 모르게 받아들인 증거라는 걸 깨달았겠지."

"그럼 어떻게 해야 하는 거야?"

"네 이론을 다시 상기해 봐!"

그녀는 차를 다 마시고 잔을 조심스럽게 접시 위에 올려놓았다.

"내 이론. 내 이론? 그건 내가 발견한 게 아니야! 나는 그걸 믿으려고 노력했을 뿐이야. 예술은 지식의 한 영역이야. 그럼 어떻게 되는 거지? 이 그림들도 지식을 전달하고 있어. 하지만 그게 필요한 지식일까? 그 지식이 사람들에게 도달할지 안 할지는 차치하더라도 말이야. 이런 그림을 그리기 위해서는 바로 나처럼 약간 이상해야 돼! '행동'이라고 말하고 다니는 그 사람들, 날 조롱하는 사람들, 다 옳아. 분별 있는 사람이 예술을 하는 거 본 적 있어? 사람들은 예술을 무시해. 그게 옳을 수도 있지. 하지만 우리가 그들과 반대되는 의견을 주장하면 '아이고, 아이고, 관둬, 까다롭고 별스러운 것들에게 상처를 주지 말자!'라고 하지. 그러고는 '물론이야, 친구, 예술의 힘은 부정할 수 없지! 우리가 예술을 소홀히 했어!' 같은 듣기 좋은 말로 우리를 위로하지. 하산도 나한테 그런 말을 했어……. 차 한 잔 더 마셔, 제발!"

"연하게 해서 갖다 주면 마실게!"

아흐메트는 부엌으로 뛰어가면서 '그래, 그녀는 갈 거야.' 하고 생각했다. 그는 "그녀에겐 내가 그리 중요하지 않은가 봐. 나의 제일 깊은 문제를 다 털어놨는데 집에 돌아가서 잘 생각만 하고 있잖아. 어차피 오스트리아로 가 버리겠지. 나는 하산의 동료들과 함께할 거고. 직장에도 들어가야지. 외제르에게 말해 봐야겠어……. 광고회사에 써 달라고. 나를 곧장 고용해 줄 거야. 직장에 들어가서 혁명주의 운동에 동참해야지." 하고 중얼거렸다.

"무슨 혼잣말을 그렇게 하는 거야?"

일크누르가 오븐 옆에 서 있어서 아흐메트는 깜짝 놀랐다. 그녀의 발소리를 못 들었던 것이다.

"난, 난 어떻게 하지?"

아흐메트는 이렇게 중얼거리고는 일크누르를 확 껴안았다. 비틀거리며 어설프게 일크누르에게 입을 맞추고 다시 오븐 앞으로 돌아섰다. 잠시 침묵이 흘렀다. 아흐메트는 쟁반을 들고 방으로 들어갔다.

"내가 한 말 어떻게 생각해?"

"내가 뭐라고 하겠어! 너무 많이 생각하진 마!"

"그러니까 내 말이 맞는다는 거지. 내가 한 말이 맞지, 그렇지? 그림으로는 아무것도 할 수 없어."

그는 신문을 가리켰다.

"사람들이 죽어 가는데, 그림은 아무 의미가 없어……. 이런 데다 안간힘을 쓰는 건 바보짓이야. 바보짓이라는 단어로는 부족해. 오만이고 자만이야."

"그렇다면 예술을 하는 거나, 예술사, 아니 모든 학문이 다 그렇겠네. 더 나아가 직접적으로 정치와 관련 없는 데다 안간힘을 쓰는 건 다 허튼짓이겠네!"

"허튼짓이지!"

아흐메트는 이렇게 소리치고 다시 물었다.

"허튼짓인가? 어떻게 생각해?"

"잘못된 판단이라고 생각해."

"그래, 나도 물론 이성으로는 그걸 이해하고 있어. 하지만 내 감정은 휘세인 아슬란타쉬가 살해될 때 늙은 상인을 그리는 것도 그리 옳은 일은 아니라고 말하지. 무슨 뜻인지 알아? 내가 어떻게 해야 돼?"

이런 질문을 할 때면 늘 그랬지만 이번에도 그는 흥분했다.

"고야……. 고야는 죽음에 반대했고. 난 죽음에 무관심해. 「1808년 5월 3일」을 생각해 봐!"

"그래, 하지만 너도 무관심한 건 아니잖아!"

"난 어떻게 하지, 어쩌지?"

아흐메트는 중얼거렸다. 그러고는 다시 물었다.

"마라의 병사들이 사람들을 총살했을 때 그 사실을 안 고야는 무슨 생각을 했을까?"

"그런 건 일시적인 회의라고 생각해! 터키에서 예술은 한 번도 지금 너처럼 필요성에 대해 회의하지 않았어!"

일크누르도 중얼거렸다.

"그건 옛날이지! 옛날, 그러니까 예술이 서민 속에서 이루어질 때. 궁전이나 그 비슷한 다른 곳에서 자발적으로 이루어질 때. 지금? 지금 우리가 그런가? 나는 서민 속에 있는 사람도 아닐뿐더러 나한테 그런 걸 기대하는 사람도 없어. 게다가 십 년 전이나 이십 년 전만 해도 예술을 통해 암시적으로 설명되던 것들이 지금은 노골적으로 설명되고 있어!"

"아마 너도 알 거야. 그 말은 예술이 지식의 한 영역이라는 이론과는 모순이 돼. 노골적으로 설명되는 건 다른 종류의 지식이야. 예술로 설명되는 건 또 다른 종류야."

"그래, 그래, 난 다 알고 있어. 그런 것들도 알고 있어. 하지만 너도 보다시피 난 마음이 불편해. 내가 전처럼 믿음을 갖고 그림을 그릴 수 있도록 무슨 말이든 좀 해 줘!"

"이제 그림을 안 그릴 사람처럼 말하는구나!"

"어쩌면 불안이 빨리 사라질 수도 있겠지. 사라지지 않는다 해도 물론 그림은 그릴 거야. 하지만 의심은 어쩌지? 난 예술이 모든 게 되기를 바라!"

"어쩌겠어, 그렇게 되지 않는걸. 하지만 상황이 네 생각만큼 나쁘진 않아. 내가 어떻게 된 거지? 흥분해서 머리에 떠오르는 건 다 얘기하네."

일크누르는 웃으며 말했다. 그녀는 기지개를 켰다.

"졸려! 이 상황에 적당한 말 없어? 물론 있지. 네가 말해 봐. 누구더라? Ars longa, vita brevis.* 잘 기억하고 있지? 아! 집에 가서 자야겠어. 휴, 지금 부모님들도."

그녀는 하품을 했다.

"예술은 길고 인생은 짧다. 히포크라테스의 말이야. 괴테가 늘 되뇌곤 했지."

아흐메트는 흥분하며 중얼거렸다.

---

* '예술은 길고 인생은 짧다.'(라틴어)

"너도 요즘 좀 되뇌면 좋을 거야!"

"이 말을 아무리 되뇌도 내 마음이 편해지지 않을 거라는 건 내가 알아! 하산이 와서 다행이야. 터키에서 그림을 그린다는 건, 소리를 지르며 말해야 하는 나라에서 벙어리가 되기로 결심하는 것과 같아."

"참 나! 좀 전에는 모든 게, 모든 세계가 너의 그림을 위해 존재한다고 했잖아!"

"내가 그렇게 말했나, 그래?"

아흐메트는 놀라면서도 웃고 싶은 마음이 들었다.

"미안해. 난 예술가야. 예술가들이 하는 말은 일관성이 없다는 거 알지?"

"알아! 이미 알고 있어! 네가 농담이라고 할 거라는 걸 알고 있었다고!"

"그럼 내가 어떻게 해야 하는데?"

아흐메트는 화가 난 척하면서 물었다.

"자신을 그렇게 생각하지 마! 이제는 자신을 그렇게 생각하는 게, 화내면 안 돼, 좋게 보이지 않아. 왜 그런 걸 생각해?"

"그래, 난 아주 형편없는 개인주의자야!"

"넌 그렇게 솔직하게 말하거나 농담인 척하며 외면하려 하겠지. 하지만 형편없는 개인주의자가 되는 걸 두려워해 봐. 짜증이 좀 난다고 그동안 믿어 온 걸 바로 바꿔 버리지 말고."

"다른 건?"

"다른 거? 날 그렇게 안 좋은 눈길로 쳐다보지 마."

"정말로 오스트리아로 갈 거야?"

"지금은 집으로 갈 거야!"

그녀는 시계를 봤다.

"늦었어. 휴! 지금 집에서는!"

그녀는 자리에서 일어났다.

"조금 더 있지그래!"

"나 간다!"

"담배 한 대 더 피워. 잠이 깰 거야!"

아흐메트는 이렇게 말했지만, 일크누르가 문으로 걸어가자 열쇠를 집어 들었다. 일크누르를 좀 더 잡아 둘 만한 재미있는 이야기를 찾아보았지만, 아무것도 떠오르지 않았다. 문을 열면서 그저 지나가는 말로 투덜거렸다.

"그럼, 인생의 의미는 뭐야?"

"조국 구원! 하산이 널 찾아온 게 좋은 일인 것 같아!"

"그게 다야? 우리가 그것 때문에 사는 거야?"

"응! 나는 '인생의 의미, 조국 구원' 같은 말을 네가 진지하게 한다고 생각했어!"

"농담이라고 한 건 너야!"

아흐메트는 이렇게 말하고는 일크누르의 찡그린 얼굴을 보고 주저하며 덧붙였다.

"물론 난 진지해. 내가 어떤 사람인지 알잖아. 하지만 모든 게 조국 구원에 달렸다는 게 이상하기도 해."

"모든 게 거기 달려 있어!"

일크누르는 이렇게 대꾸했다. 그녀의 눈길은 '이제 이 문 좀 열어!'라고 말하고 있었다. 아흐메트는 문을 열었다.

"그렇다면 우리는 아무 가치가 없어. 그저 도구일 뿐이지! 우리에겐 아무것도 남지 않아!"

"걱정 마. 너한텐 많은 게 남아 있으니까! 알잖아……. 네게 과분하기까지 하지. 그 생각들, 너 자신을 생각하는 것, 이해하는 것, 초초해하는 희열! 그런 건 많지 않아?"

"그래, 많아!"

아흐메트는 고개를 끄덕이며 중얼거렸다.

그들은 계단을 내려가기 시작했다. 니갼 부인이 사는 층은 조용했다. 오스만의 문 앞을 지나갈 때, 네르민의 불평 담긴 목소리가 들리는 듯했다. 제밀의 집에서는 여전히 즐거운 소리가 흘러나왔다. 분명하진 않지만 "……을 봤어요, 새로 왔던데……." 하는 말소리가 들렸다. 다른 층도 조용했다. 관리인의 집은 불이 꺼져 있었다. 아흐메트는 발꿈치를 들고 내려왔다는 걸 깨달았다.

"그 스웨터만 입고 춥지 않겠어?"

아파트 출입문을 열 때 일크누르가 물었다.

아흐메트는 '괜찮아!'라고 말하는 듯한 몸짓을 했다. 그런 후 그 무엇도 신경 쓰지 않는 터프한 남자인 양 몸을 움직이며 "안 추워!" 하고 중얼거렸다.

그들은 밖으로 나가 걷기 시작했다. 니샨타쉬 광장은 한산했다. 가끔 자동차가 빠르게 지나갈 뿐 사거리엔 아무도 없었다. 상점을 청소하고 흘려보낸 비눗물이 인도로 퍼져서 보도블록 가장자리와 나무 아래에 고였고, 크고 흉한 플라스틱 간판과 네온 간판의 불빛이 비치고 있었다. 거리를 걷는 사람은 아무도 없었다. 자루를 등에 멘 남자가 인도에 넘어져 있는 쓰레기통을 뒤적였고, 옷 가게 진열장에선 맨발의 남자가 소나무를 장식하고 있었다. 경찰 지프차도 경찰서 앞에서 사라지고 없었다. 사원 앞을 지나다가 멋지게 차려입은 남자와 마주쳤다. 테시비키예 모퉁이에서 아흐메트는 일크누르를 곁눈질했다. '그녀는 무슨 생각을 하고 있을까? 잠시 후면 잠들겠지. 하지만 그 전에 나 때문에 부모님과 다투겠지!' 생각하고 싶지 않았다. 하품을 했다. 어렸을 적 버릇대로, 비슷하게 지어진 아파트의 이름을 읽었다. 다른 것들도 무심하게 읽어 봤다. 식당 이름, 전봇대에 붙어 있는 할례 광고, 이발소의 유리창에 쓰여 있는 글자들, 꽃집 간판, 식료품 가게 유리창에 그려진 화려한 광고, 부동산 업소 유리창에 적혀 있는 전화번호.

"자, 가 봐!"

문 앞에 도착하자 일크누르는 돌아서서 이렇게 말하며 천 가방을 뒤져 열쇠를 꺼냈다.

"그럼 언제 또 만나?"

"모르겠는걸!"

"수요일 오후?"

"수요일 오후에 천재 소년 교습 없어?"

"이번 주엔 없어! 천재 소년은 수학 시험이 있대!"

그들은 함께 웃었다.

"좋아, 그럼. 수요일 4시나 5시에 천재 화가 집에 들를게."

"기다릴게!"

"왜 부루퉁하고 있어?"

아흐메트는 애써 쾌활하게 대답했지만, 일크누르는 문을 열면서 이렇게 물었다. 그녀는 웃었다.

"여전히 그 생각을 하고 있는 거야? 이성적으로 행동해 봐! 우리 둘은 아직 살날이 많아! 우리가 무슨 일을 경험하게 될지 어떻게 알겠어!"

"오스트리아에는 갈 거야?"

"몰라!"

아흐메트는 뭔가 하려다가 그만두었다. 손을 주머니에 넣었다. 그의 입에서 이상하고 허스키한 목소리가 나왔다.

"우리 결혼할까?"

그는 자신의 얼굴이 일그러졌다고 생각했다.

"너 오늘 저녁에 이상해!"

일크누르는 이렇게 말했지만, 그녀 역시 여느 때처럼 행동하지 못했다.

"자, 이제 집으로 가. 너무 많이 생각하지는 말고, 열심히 일해……. 수요일까지 널 그리워할게!"

그녀는 아파트 안으로 들어가며 이렇게 말했다. 아흐메트도 마음이 편안해졌다.

"편히 잘 자!"

마음이 편안해진 게 놀라웠다. 일크누르는 문을 닫았다. 손을 흔들었다. 계단의 불을 켰다. 눈앞에서 사라졌다.

10
시간의 흐름에 보내는 찬사

'아니, 내가 무슨 말을 한 거지?' 아흐메트는 사원 쪽으로 걸어갔다. 더욱 부끄러워지도록 스스로를 벌주기 위해 "결혼!" 하고 중얼거렸다. 하지만 생각만큼 부끄럽지는 않았다. '아, 터무니없는 말 좀 했기로 뭐 어때! 일크누르는 이해할 거야!' 그는 몇 걸음 더 걸었다. '이해할까?' 오늘 저녁 그녀에게 했던 말을 되짚어 봤다.

'인생! 난 어떻게 할까? 예술? 그래, 난 오늘 너무 흥분했어! 그녀는 내가 한 말을 어떻게 생각할까?' 그는 계속 투덜거리며 몇 걸음 더 걸었다. '날 이해할 거야. 내가 한 말에도 일리는 있다고 생각할 거야. 게다가 그게 나만의 고민은 아니잖아!' 옆으로 스포츠카 한 대가 소음을 내며 지나갔다. '아냐! 그렇게 생각 안 할 거야. 그녀는 자기 생각을 말했잖아. 내가 지나치게 개인주의적이라고 생각해!' 그는 사원 앞을 지나갔다. '그녀가 옳은 면도 있어. 나는 내 고민을 너무 많이 생각해. 나의 고민!' 스스로를 조롱하듯 웃었다. '내 그림은 이해받지 못해. 아무도 그 그림을 보며 혁명을 일으키지 않아. 짜증나는 일이지. 다른 건?' 그는 자신이 원하는 대로 비아냥거리지도 못하고 자기 고민이 마땅히 필요하고 중요하다고도 생각지 못했다. '난 두 갈래의 길 사이에서 아무 결정도 내리지 못한 채 이쪽저쪽 비틀거리며 걷고 있어. 한쪽에는 인생, 다른 한쪽에는 예술! 아냐! 한쪽에는 혁명, 다른 한쪽에는?' 이렇게 나누는 게 마음에 들지 않았다. 잠시 생각해 보다가 그는 그런 것들이 자기 마음을 아프게 할 것 같아 마음에 들지 않는 거라 결론 내렸다. 그는 "그렇다면 나의 생각은 뭐지?" 하고 투덜거렸다. '난 나 자신에 대해 어떻게 평가하고 있지?' 그는 경찰서 앞을 지났다. '나쁜 평가를 내리는 게 두려워 말만 많이 하고 있어. 너무나 말을 많이 해서 이젠 평가를 못 내리는 거야!' 그는 몇 걸음 더 걷다가 이것 역시 쓸데없는 소리에 불과하다고 생각했다. 그는 다시 "내가 누구인지 다른 사람들은 다 알아!" 하고 투덜거렸다. 하산을 생각했다. '좋은 애야! 그래, 하지만 아직 애 같아! 어떻게 그렇게 그 잡지를 금방 믿을 수 있지? 그래도 어쩌면 뭔가는 이룰지 모르잖아!' 그는 잡지를 중심으로 한 활동이 강화되고, 더 나아가 정당까지 만들 정도로 확산되고 확대될 거라 믿고 싶었다. 흥분이 되었다. 자신도 이 활동 속 어딘가에 있는 게 보이는 듯했다. 잠시 후 그는 갑자기 "쿠데타가 일어날 거야, 쿠데타!" 하고 중얼거렸다. '쿠데타가 일어나면 모든 게 변할 거야!' 그는 젖은 인도를 바라봤다. 주인 없는 개 한 마리가 걱정스러운 눈빛으로 그를 쳐다봤다. '아무 일도 일어나지 않을 거야. 하산은 나에 대해 어떻게 생각할까?' 하산이 한번은 그에게 "넌 타락한 사람이 아냐!"라고 했던 걸 떠올리고는 그가 어린애 같다고 생각했다. 그가 입은 파카, 군화, 누나와 악수하던 모습을 떠올리며 웃었다. 소나무를 장식하는 사람은 아직도 진열장에 서 있었다. '새해가 오고 있어! 복권을 파는 산타클로스도 나타나겠지…….' 어른들이 산타클로스에게 복권을 살 때 어린 학생들이 그를 놀리는 걸 본 적이 있다. '새해! 또 한 해가 가고 있어……. 나도 평범한 신문 기사 제목 같은 생각을 하고 있군……. 1970년……. 신문에 실린 사진……. 흰 수염을 기른 노인은 가고, 1971년이라고 쓰여 있는 벨트를 한 튼튼한 아이를 기뻐하며 환영한다. 일요일 부록에 나온 캐리커처. 다가오는 해는 지난해보다 좋기를……. 소부르주아지는 미래를 두려워한다! 시간이 흐르길! 1970년! 6월 16~17일! 평가절하! 내 그림들! 그리고 쿠데타. 칠십 빼기 사십, 나는 서른 살이다. 난 아직도 모든 것의 중심에 선, 쓸모 있는 사람이 되지 못했다!' 군 복무 시절 자신에게 충고했던 늙은 대령이 생각났다. 그에게 직업을 물었고, 그가 무엇을 하는지 대답하자, 결혼을 하고 직장을 구하고 땅에 뿌리를 내리라고 충고했다……. '지금 그 군인들은……. 지야 아저씨…….' 그는 니샨타쉬 모퉁이에서 멈춰 섰다. 집이 아니라 맞은편의 신문 파는 곳으로 걸어갔다. 도색잡지, 아이들을 위한 카우보이 만화, 컬러로 된 어른들을 위한 영화와 가족 잡지를 내일자 신문과 함께 탁자 위와 바닥에 깔아 놓고 있었다. 아흐메트는 고개를 숙이고 신문의 헤드라인을 읽었다. "지휘관들이 어제도 회의를 했다……. 경고 메시지에는 아타튀르크주의를 표방하는 제헌 의회가 구성될 것임을 암시하고 있었다……." 아흐메트는 '바로 이거야! 그들이 정의당에서 사퇴했어. 보스포루스 다리 건설을 위한 공채 발행이 제안되고……. 의사들은 시위를 결정하고…….'라고 생각했다. 그는 신문을 사려다 그만두고 집을 향해 걷기 시작했다. '바로 이거야, 우린 곤경에 처했어. 쿠데타! 토레스! 어떤 쿠데타가 될까? 어차피 일어날 거면 빨리 일어났으면 좋겠군. 궁금하지 않게. 빨리, 빨리, 무슨 일이 일어나든 빨리 일어나고 끝났으면 좋겠어! 기다림에서 벗어났으면 좋겠어!' 그는 웃었다. 하품을 했다. 열쇠를 꺼내 문을 열었다. '흘러라 시간아, 흘러!' 갑자기 그의 뇌리에 이론과 말이 들끓었다. 자유의지, 군부 비판 같은 말을 중얼거렸다. 제밀이 사는 층에서는 아직도 소음이 흘러나왔다. 큰아버지 오스만의 집은 조용했다. 할머니 집에는 불이 켜져 있었다. 간호사가 누군가에게 소리치는 것 같았다. 그는 자기 집 문을 열면서 "난 그림을 그릴 거야!" 하고 중얼거렸다. 안으로 들어가 냄새를 들이마셨다. 그림과 자신이 마음에 들었다. 오랫동안 쉬지 않고 그림을 그리고 싶었다. 그는 흥분하며 오늘 오후에 그렸던 그림을 쳐다봤다. 한 곳에 당장 다시 붓을 대고 싶었지만, 흥분에 휩싸이지 않으려고 잠시 기다렸다. 일크누르가 피운 담배의 꽁초가 가득 든 재떨이와 찻잔을 가지고 들어갔다. 아버지의 책과 공책을 한쪽으로 치우려다가, 다시는 열어 보지도 않고 생각하지도 않으려고 아래층에 내려다 놓기로 했다. 계단을 내려가면서, 공책에서는 자기가 기대한 걸 못 찾았다고 생각했다.

열쇠로 문을 열었다. 방으로 들어가기 전에 간호사와 할머니에게 자기 모습을 보여 주려고 안으로 들어갔다. 그때 이상한 일이 일어났다는 걸 감지했다. 에미네 부인이 안락의자에 앉아 공포에 휩싸여 니갼 부인을 쳐다보고 있었다. 간호사는 아흐메트의 발소리를 듣고 돌아봤다.

"상황이 아주 나빠요! 도무지 맥을 잡을 수가 없어요!"

그녀는 중얼거리며 땀을 흘렸다.

"맥박이 약해요?"

간호사는 당황하면서 니갼 부인의 손을 잡고 손가락으로 맥박을 눌렀다. 아흐메트는 간호사의 얼굴을 쳐다봤다. 아무것도 읽어 낼 수가 없었다. 할머니를 바라봤다. 자고 있는 것 같았다. 다시 간호사를 쳐다봤다. 시간이 지났지만 간호사의 얼굴은 변하지 않았다. 아흐메트는 '이젠 맥박을 찾아낼 때가 됐는데!' 하고 생각했다. 간호사는 손목 다른 곳을 눌렀고, 잠시 후 다시 급하게 다른 곳을 눌렀다.

"아주 약해졌어요?"

"맥이 뛰는지도 모르겠어요!"

간호사는 니갼 부인의 얼굴을 보며 다른 손을 잡았다.

"뭐라고요?"

간호사는 아흐메트의 말에 대답하지 않았다. 맥을 짚으며 얼굴을 니갼 부인의 얼굴에 갖다 댔다.

"의사! 의사에게 전화할게요!"

"의사는 제시간에 못 올 거예요!"

그녀는 갑자기 거칠게 니갼 부인에게 엎어져 가슴을 문지르기 시작했다. 한동안 온 힘을 다해 가슴을 문질렀다. 잠시 후 그것도 소용없었다는 듯 아흐메트를 쳐다봤다. 무슨 말을 하려고 한 것 같지만, 입을 다물고 다급하게 다시 손목을 잡더니 맥박을 찾았다. 이번에는 맥박이 뛰지 않는 게 확실했던지 손목을 한동안 잡고 있었다. 그녀는 한숨을 쉬었다. 니갼 부인의 눈동자를 살폈다. 그녀는 '내가 이제 뭘 할 수 있겠어요?' 라는 시선으로 아흐메트를 바라보았다. 다시 한숨을 내쉬었다. "뛰지 않아요……. 뛰지 않아요!" 하고 중얼거렸다. 그런 후 잡고 있던 니갼 부인의 손목을, 고장 난 시계를 탁자 위에 내려놓듯, 조심스럽게 내려놓았다. 링거 때문에 바늘구멍이 숭숭 나고 새파래진 손은 움직이지 않았다.

'돌아가셨어!'

아흐메트는 간호사를 진정시킬 말을 해야 할 것 같았다. 간호사는 자리에서 일어나 땀을 닦았다.

"에미네 부인, 아래층에 소식을 전하세요!"

"뭐라고 하죠?"

에미네 부인은 당황하며 물었다.

"돌아가셨다고 해요!"

"아이고! 아, 마님!"

에미네 부인은 신음했다. 그녀는 여느 때처럼 물건들 사이를 조심스럽게 지나 밖으로 나갔다.

간호사가 아흐메트를 바라봤다. 그녀가 자신의 직업에 대해 뭔가 말을 할까 봐 아흐메트는 할머니에게 다가갔다. 할머니만을 생각하고 싶어서 니갼 부인의 얼굴만 들여다봤다. 어렸을 때 아버지와 함께 지한기르에서 여기 있던 집으로 온 일, 그가 반바지를 입어서 다리에 튄 흙물을 사람들에게 보여 주던 일, 할머니가 내는 슬리퍼 소리와 열쇠 꾸러미 소리, 명절 때의 불완전한 즐거움, 늘 두려워했던 할아버지의 사진을 보여 주던 모습이 떠올랐다. 조금 더 바라봤다. 하지만 아버지, 자신의 어린 시절, 죽음, 자신의 삶에 대한 생각이 들자 부끄러웠다. 잠시 후 자신이 주검을 보고 있다는 게 떠올라서, 할머니에게서 등을 돌리고 창문 쪽으로 갔다. 어렸을 때처럼, 이마를 창에 대고 니샨타쉬 광장을 내려다보았다.

잠시 후 오스만과 네르민이 왔다. 오스만은 급히 의자를 끌어당겨 어머니 옆에 앉았다. 네르민은 뭔가 중얼거렸다. 잠시 후 오스만은 간호사에게 왜 좀 더 빨리 소식을 전하지 않았느냐고 물었다. 간호사는 모든 일이 너무 순식간에 진행되었으며, 한순간도 환자 곁을 떠나지 않았는데도 맥박이 약해졌다는 걸 알아채지 못했다고 설명했다. 그런 후 자신은 최선을 다했으며, 심장 마사지도 효과가 없었다고 했다. 그러고는 아흐메트를 바라봤다.

"그래도 나한테 연락은 줄 수 있었잖아요! 일마즈는 어디 있어요?"

"그는 오늘 저녁 휴무야!"

네르민이 대답했다.

아이셰가 들어왔다. 어머니에게 다가가 주위를 둘러보며 울기 시작했다.

아흐메트는 자신이 여기 왜 내려왔는지를 떠올렸다. 한쪽에 두었던 공책과 책을 집어 복도 쪽으로 걸어갔다. 아버지의 방으로 들어갔다. 문을 닫았다. 희미한 죄책감을 느끼며 책과 공책을 제자리에 놓았다. 그런 다음엔 뭘 해야 할지 결정을 내리지 못하고 의자에 앉아 책을 살피기 시작했다. 창밖을 보듯 책을 바라보았다.

문이 열렸다. 안으로 들어온 간호사가 그를 보고 놀랐다.

"여기 계셨어요?"

"예, 나가는 길이에요!"

아흐메트는 이렇게 말하며 문 쪽으로 걸어갔다.

"저도 오늘 저녁에 집으로 돌아가려고요!"

"그렇게 하시죠!"

"누군가 저를 랄렐리까지 데려다 줄 수 있을까요?"

간호사는 조심스럽게 물었다.

"제밀 씨가 데려다 줄 겁니다. 제가 말해 놓죠!"

"번거롭지 않으시다면요!"

아흐메트는 방에서 나왔다. 복도를 한두 걸음 걸었을 때, 뭔가 빠진 것 같은 느낌이 들었다. 뭔지 알아챘다. 괘종시계가 똑딱거리지 않았던 것이다. 몸을 돌려 시계를 봤다. 9시를 가리키고 있었다. "시간아 흘러라!" 그는 이렇게 중얼거리며 시계에 밥을 주려다가 귀찮아서 그만두었다. 거실로 걸어가면서, 위층에 올라가 그림을 그려야겠다고 생각했다.

거실은 붐볐다. 제밀의 집에 있던 사람들이 다 올라왔던 것이다. 방은 뿌연 담배 연기로 가득했다. 모두들 서로 속삭였다. 아흐메트는 울고 있는 미네를 보고 놀랐다. 렘지는 아이셰를 위로하고 있었다. 랄레는 할머니를 들여다보고 있었다. 네즈데트는 제밀에게 뭐라고 말하고 있었다. 아흐메트를 보더니 갑자기 자리에서 일어나 다가와서 가볍게 등을 두드렸다. 그런 후 자신의 행동을 부인이 봤는지 확인하려고 뒤를 돌아왔고, 보고 있던 그녀에게 고개를 끄덕였다. 마치 '난 이렇게 될 줄 알았어!'라고 하는 듯했다.

아흐메트는 오스만과 얘기하고 있는 제밀에게 다가갔다.

"간호사가 가 보겠대요!"

"좀 기다리라고 하지!"

제밀은 이렇게 대답하고 오스만을 바라봤다.

"예, 아버지!"

"이번엔 네가 모든 걸 책임져라!"

"예!"

"잘해야 돼! 우리 가족에게 어울리도록. 신중해야 한다!"

"차는 애들이 가져갔어! 그 여자를 누가 데려다 줄지 모르겠네! 기다리라고 하지, 뭐!"

제밀은 아흐메트에게 이렇게 말한 후 다시 아버지를 바라봤다. 오스만이 그에게 속삭였다.

"부고 낼 때 실수 없이 해! 지난번에, 그러니까 아버지 때는 이름을 전부 잘못 썼더구나!"

"물론이죠, 알겠어요!"

제밀은 담배 연기를 자신의 아버지에게 뿜지 않기 위해 고개를 돌렸다.

아흐메트는 위층으로 올라가 버리는 건 적절한 행동이 아닌 것 같아 앉아 있기로 했다. 막 앉으려는데 아이셰가 그에게 물을 한 잔 부탁했다. 그는 부엌으로 갔다. 울고 있는 에미네 부인을 위로하기 위해 뭐라고 중얼거렸다. 물을 한 잔 따라서 아이셰에게 갖다 주었다. 그는 니갼 부인이 아니라 다른 곳을 보고 싶어서, 물건들과 제브데트 씨의 사진, 자기 찻잔, 장식장을 바라보았다. 장식장 유리 안에 넣어 둔 비싼 도자기를 보자 하산과 잡지가 떠올랐다. 위층으로 올라가 작업을 해야겠다는 생각이 들어 다시 자리에서 일어났다.

조용히 계단을 올라가 방으로 들어갔으나, 곧장 작업을 시작하진 못할 것 같아 발코니로 나갔다. 난간에 기대어 니샨타쉬를 바라보았다.

광장은 한산했다. 개 한 마리가 거리 한가운데로 걸어갔다. 신문 판매소 앞에는 자동차 한 대가 차문을 연 채 서 있었다. 거리 끝 쪽 어느 곳에서는 떨리는 간판 불빛이 보였다. 택시 한 대가 소리를 내며 지나갔다. 음악 같은 경적 소리가 아파트 창문에 부딪쳐 울려 퍼졌다. 잠시 후 신문 판매소 앞에 있던 자동차 문이 닫히고 차가 출발했다. 정적이 내려앉았다. 아흐메트가 있는 지붕 층에까지 저 멀리 모퉁이에 있는 간판이 지직거리는 소리가 들렸다. 갑자기 소리가 들려 몸을 내밀고 내다봤다. 양철 쓰레기통 뚜껑이 인도로 굴렀던 것이다. 쓰레기통에서 고양이들이 뛰쳐나와 구석으로 몸을 숨겼다. 고양이

들은 모든 게 여느 때와 같다는 걸 알고는 다시 쓰레기통으로 파고들었다. 아흐메트는 기분이 좋아질 것 같아 고개를 들어 위를 쳐다봤다. 별 특징 없는 하늘이었다. 그는 작업을 하기 위해 안으로 들어갔다.

(1974~1978)

작품 해설

2006년 노벨 문학상 수상자인 오르한 파묵은 『제브데트 씨와 아들들』로 1979년에 《밀리예트》 신문 소설상을 수상하면서 화려하게 문단에 데뷔했다. 이 작품은 1983년에 터키의 권위 있는 소설상인 오르한 케말 소설상까지 수상하면서 신예 작가의 위대한 탄생을 다시 한 번 각인시켰다.

유수한 문학상들을 수상했음에도 불구하고, 당시 터키 문단에서는 농촌 문제를 다룬 소설이 유행이었기 때문에, 이 소설은 삼 년 후인 1982년에야 출판되는 비운을 겪어야 했다. 이 문제로 당시 무척 고민스러웠던 파묵은 문예지에 '문학상 수상 작품을 팝니다.'라는 광고를 낼 생각까지 했다고 밝힌 바 있다. 수십 년이 흘러 세계 최고의 문학상을 받을 작가에게도 이러한 안타까운 사연이 있었을 거라고는 쉽게 상상이 가지 않는다.

터키의 유명한 문학 평론가인 페티 나지는 이 소설과 관련하여 "위대한 성공. 전혀 주저하지 않고 내가 가장 좋아하는 20세기 터키 소설로 꼽겠다."라고 했다. 또 다른 평론가인 귀르셀 아이타치는 "『제브데트 씨와 아들들』은 단지 작가의 첫 소설이기 때문이 아니라, 터키의 걸출한 현대소설 사이에 새로이 동참한 작품이라는 점에서 충분히 찬사를 받을 만하다." 라고 말했다.

이 시점에서 돌아본다면, 이 작품은 향후 그가 집요하게 다룰 동서양 문제, 공간적 배경으로 설정된 이스탄불과 니샨타쉬 지역, 상류층 사람들의 삶을 소재로 했다는 점에서 파묵 문학 세계의 시발점을 알리는 신호탄 같은 작품이라고 할 수 있다. 한편 이 작품이 사실주의의 틀로 쓰였기 때문에 전통적인 소설을 좋아하는 독자들의 관심을 여전히 끌고 있는 것 역시 사실이다. 사실주의 소설 스타일에 대해 파묵은 "이 소설을 탈고했을 때, 19세기 스타일로 소설을 쓰고자 했다는 것이 시대에 뒤떨어졌다는 생각이 들어 착잡하기도 했지만, 한편으로 19세기 소설 형식이 여전히 삶을 있는 그대로 표현할 수 있고, 좀 더 객관적이라고 생각했기 때문에 나에게는 중요했다. 그럼에도 불구하고, 나는 이 작품에서 본능적 혹은 의식적으로 단순한 사실주의에서 벗어나려고 노력했다." 라고 밝혔다.

현재까지 발표된 파묵의 모든 작품은 서로 긴밀하게 연결되어 있다. 파묵이 소설을 쓸 때 이후에 쓸 작품 구성을 미리 염두에 둔다는 의미이다. 이런 의미에서 파묵은 "나의 모든 소설은 이전에 발표한 소설 속에서 태어난다. 그 작품에 나온 세부적인 것이나 하나의 문장에서 나온다. 일례로 『제브데트 씨와 아들들』에 나오는 젊은이들에게서 『고요한 집』이 탄생했고, 『고요한 집』에 나오는 파룩에게서 『하얀 성』이 나왔다." 라고 말했다. 그러므로 『제브데트 씨와 아들들』은 파묵이 장차 발표할 작품들의 씨앗이었다는 점에서 중요한 소설이며, 이 작품을 발표한 후에 쓴 후속작들은 서서히 전통적인 사실주의 형식에서 벗어나 모더니즘이나 포스트모더니즘 형식으로 접근하게 된다.

단적으로 말하자면, 이 소설은 오스만제국의 몰락과 터키 공화국의 굴곡진 역사를 한눈에 볼 수 있는 걸작이자, 뛰어난 관찰력, 등장인물의 심리 분석, 세세한 묘사 면에서 파묵이 장차 대성할 작가라는 것을 암시해 주는 작품이라고 할 수 있다.

파묵은 자전 에세이 『이스탄불』에서도 밝힌 바 있듯이 스물두 살에 작가가 되기로 결심했다. 이때부터 자신이 나고 자랐던, 이스탄불 부유층들이 사는 니샨타쉬를 중심으로 한 한 가문의 삼대에 걸친 가족사를 다룬 『제브데트 씨와 아들들』을 집필하기 시작했으며, 스물여섯 살 즉 1978년에 탈고한다. 일반적으로 작가들의 첫 소설이 자서전적이 면을 강하다는 점을 감안할 때 파묵 역시 이런 평가에서 벗어나지 않는 듯하다.

이러한 점은 파묵이 "『제브데트 씨와 아들들』에는 나의 가족과 나의 삶이 많이 반영되어 있다. 나의 할아버지는 한때 철도 건설 사업을 했고, 니샨타쉬에 살았다. 소설에도 나오는 석조 건물에 살다가 나중에 '파묵 아파트'라는 아파트를 지어 이

사했다. 나의 할머니, 삼촌, 고모도 층은 달랐지만 같은 아파트에 살았다. 『검은 책』에 영감을 준 '파묵 아파트'에서 나도 아주 오랫동안 살았다. 소설에 나오는 가족의 생활, 예컨대 희생절 모임, 점심 식사, 베이올루 나들이, 마치카 산책, 일요일마다 아이들을 차에 태우고 보스포루스로 드라이브 가는 일, 가정불화, 가족 주변에서 일어난 이야기, 이웃들과의 관계 같은 것들은 나의 가족의 삶에서 나온 것들이다."라고 했던 것에서 증명된다. 또한 필자와의 인터뷰에서 파묵에게 작가 지망생들에게 해 주고 싶은 말이 무엇이냐는 질문에 그는 주저하지 않고 "자신이 가장 잘 아는 것을 쓰길 바란다."라고 말한 바 있다. 이는 그의 문학의 출발점이 자신의 주변이라는 것을 염두에 두고 한 말일 것이다.

『제브데트 씨와 아들들』은 한 가족의 삼대에 걸친 이야기를 통해 터키의 정치, 문화, 역사 그리고 사회상을 담고 있다. 이러한 면에서 이 소설은 전형적인 '가족 소설'이자 '시대 소설'로 볼 수 있다.

소설은 가난한 지역 출신인 제브데트 씨가 부자가 되고 싶은 욕망 그리고 현대적인 가족을 꾸리고 싶은 꿈을 시작으로 그의 가족사를 세밀화처럼 묘사한다. 제브데트 씨 집안의 분위기, 색깔, 시간의 흐름, 평범한 일상의 대화가 등장인물들을 통해 독자들에게 전달되는데, 특히 전통적인 사실주의 기법을 통해 막힘없이 읽히는 즐거움을 선사한다. 이러한 특성 때문에, 파묵은 이 작품에 대해 19세기 소설, 예컨대 『부덴브로크 가의 사람들』이나 『안나 카레니나』를 모델로 삼았다고 언급하기도 했다.

파묵은 이 소설에서 1905년부터 1970년까지의 터키 사회를 해부하고, 동서양 대립과 현실주의, 이상주의 관점을 등장인물들을 통해 그려내고 있다. 터키 사회가 거쳐 온 변화, 역사의 변동, 지식인들의 꿈, 터키 상업 부르주아의 발달, 터키 정치의 발전 과정, 터키 예술 세계 등을 한 가족의 구성원을 통해 펼쳐 보이는 것이다.

한편, 이 소설의 사건들이 작중 서술자의 시각을 통해 실제 역사를 토대로 구체화되기 때문에 '역사소설'적인 면도 강하게 나타난다. 이 작품이 구체적 사실로 구성된 역사소설적인 면이 다분히 있지만 이에 허구적 요소를 가미한 점에 대해, 파묵은 "역사는 순수하고 순결한 상상력을 부여해 준다."라고 밝히면서 이후의 작품에서도(예를 들면『내 이름은 빨강』,『하얀 성』 등) 실제 역자와 허구를 버무리는 작업을 계속하게 된다.

먼저 소설의 구조를 간략하게 살펴보면, 소설의 1부 프롤로그는 1905년 여름, 이스탄불에서 철물상을 하는 제브데트 씨의 결혼 준비를 중심으로 이야기가 펼쳐지고, 2부에서는 1936년에서 시작되어 제브데트 씨의 노년과 아들들, 특히 둘째 아들 레피크의 삶이 중점적으로 다루어지며, 3부에 해당하는 에필로그는 1970년 12월로, 제브데트 씨의 손자인 화가 아흐메트의 관점에서 서술된다. 제브데트 씨의 꿈에서 시작되고, 그의 손자인 아흐메트가 작업을 하기 위해 발코니에서 방으로 돌아가는 것으로 끝이 난다. 한 가족의 역사를 아버지, 아들, 손자의 삶을 다루면서 보여 주는 구조인 동시에, 이들이 각기 다른 형태로 자신들의 삶의 의미를 모색하는 이야기인 것이다.

『제브데트 씨와 아들들』은 오스만제국의 마지막 술탄인 압뒬하미트 시대에 작은 상점 주인이자, 초기 모슬렘 상인인 제브데트 씨의 사업 확장, 부유함을 갈망하는 그의 욕망으로 서막을 연다. 가난한 동네에서 자란 제브데트 씨의 가장 커다란 바람은 서구적인 의미의 현대적인 가족을 꾸리는 것이다. 그는 오스만제국 시절 고위직에 있던 파샤의 딸과 결혼하여, 오스만과 레피크라는 두 아들과 아이셰라는 딸을 낳고, 정원이 있는 저택에서 자신이 원하는 삶을 살아간다. 제브데트 씨가 행복한 가정을 이루고자 하는 부푼 꿈을 가지고 구입하여 세 세대가 함께 살았던 이 저택은 제브데트 씨 사후 아파트로 재건축되어 각 세대가 '층층이 지어진 상자'에 살게 된다. 제브데트 씨와 그의 아내가 간절히 지속되기를 바랐던 '모두 한 집에 살면서, 서로에게 관심을 갖고, 서로를 사랑하고, 서로의 생활을 숨기지 않는' 가족은 현대화 물결 속에 해체되고 말았던 것이다.

큰아들 오스만은 아버지의 사업을 이어 조명 기구 회사를 경영하며 성공적인 사업가로 부유한 삶을 살아간다. 작은아들 레피크는 이스탄불의 부르주아적인 삶을 뒤로 하고 동부 아나톨리아로 가서 농촌의 실상을 목격하고 향후 농촌을 계몽하고자 하는 의지를 품게 된다. 이스탄불로 돌아온 그는, 새로운 문화 운동을 시작하고자 하는 열망으로 아버지에게서 받은 유산으로 서양 서적들을 번역하여 출판하는 출판사를 세우려 한다. 하지만 그는 혼자의 힘으로 아무것도 성공할 수 없었던 이상주의자였다.

레피크의 친구인 무히틴은 서른 살 전에 진정한 시인이 되지 못하면 자살을 하겠다고 결심한 인물이지만, 이후 터키 민족주의 혹은 인종주의 이론에 심취하게 된다. 레피크의 또 다른 친구인 외메르는 정복자가 되고자 하는 욕망으로 불타고 있는 인물로 발자크의 소설 속 인물인 라스티냐크로 불린다. 그는 동부에서 철도 건설 사업으로 부자가 된 후 그 지역에 땅을 사고 지주가 된다.

이 두 친구들이 젊은 시절의 정신적 위기와 욕망 속에서 각기 삶을 방향을 찾으려고 분투하는 반면, 열정 없고, 침착하며, 평온한 가정생활을 하는 레피크의 삶은 그와 대비된다. 친구들은 그의 부르주아적이고 균형 잡힌 삶을 부러워하지만, 전형적인 '지식인' 캐릭터답게 그의 마음속은 삶의 의미를 찾는 질문들로 가득하다. 이 세 인물은 공화국 초기 격동기 터키에서 각자 나름대로 자신의 꿈을 펼치고자 하지만, 그 누구도 애초의 목적에 도달하지 못하는 불운한 사람들이다. 물론 이들에 대한 판단은 독자들의 몫이다.

세 번째 세대의 대표적인 인물인 손자 아흐메트(레피크의 아들)는 화가이다. 프랑스에서 유학하고 귀국해 생계유지를 위해 그림과 프랑스어 교습을 하고 있다. 자신의 가족들이 살고 있는 아파트의 지붕 층에서 살면서, 자신의 존재 이유에 대해 끊임없이 자문하는 인물로 아버지 레피크와 닮은 면이 있다. 1970년대는 터키 사회에서 좌우익 갈등이 만연했으며, 아흐메트의 친구 하산을 통해 당시 정치 및 사회 문제가 조명되고 있다.

소설 전반에서 터키의 사회, 문화, 정치 상황의 발전 단계가 다루어지고 있다는 점에서 앞에서 언급한 시대 소설의 특징이 부각된다. 각 세대마다 대표적인 인물을 선택한 구조는 독자가 시간의 흐름을 더 쉽게 파악할 수 있게 하는 장치라고 할 수 있다.

이 소설의 서술적 특징은 각 시대의 니샨타쉬 지역에 사는 서구화된 대가족의 삶이 세세하게 묘사되다는 점이다. 이런 서술은 가족 소설에서 눈에 띄는 전형적인 특징이다. 이 대가족의 삶은 파란만장하다. 서로 사랑하지만 남편의 이상주의적 인생관으로 인해 갈등하는 레피크 부부, 서로 바람을 피우지만 끝까지 결혼생활을 유지하는 오스만 부부, 남자 친구가 가난하다는 이유로 가족의 반대에 부딪쳐 만나지 못하고 가족이 정해 준 사람과 결혼하려는 아이셰……. 하지만 파묵이 이러한 것들을 열거하는 것으로 끝났다면 이 작품이 이렇게 커다란 성공을 거둘 수 없었을 것이다. 이 소설의 진정한 가치는 가족 구성원들의 심리와 정신 상태를 심도 있게 파헤쳤다는 데 있다고 할 수 있다. 귀르셀 아이타치는 소설의 이러한 면에 초점을 맞춰 "세대에서 세대로 연결되는 한 가족의 긍정적 혹은 부정적인 면에서의 발전, 상승 혹은 몰락을 치밀한 심리 파악"으로 묘사한 점이 탁월하다고 지적했다.

앞에서도 언급했듯이 추후 파묵의 모든 작품의 공통적인 맥을 형성하고 있는 '동서양 문제'가 처음으로 이 작품에서 중요하게 부각된다. 서구화된 현대적인 삶을 살고 싶어 하는 욕망을 가진 제브데트 씨를 비롯하여, 루소와 볼테르의 작품들을 끼고 살다시피 하는 아들 레피크와 영국 유학을 다녀온 그의 친구 외메르는 서구 선망자들이다. 이에 반해 터키 민족주의를 옹호하며 전 세계에 흩어져 있는 터키인들을 통합하려는 인물들(레피크의 친구인 시인 무히틴, 터키 민족주의에 관련한 잡지를 발행하는 마히르 알타일르 등)의 삶도 나란히 등장한다. 파묵은 이들의 사상적 갈등을 이들이 벌이는 논쟁을 통해 드러내고 있다.

이 작품의 또 다른 미덕은, 젊은 나이에 쓴 작품임에도 불구하고, 그동안 자신을 얼마나 치열하게 연마했으며, 얼마나 많은 자료를 조사하여 이것을 작품에 녹여 냈는지가 뚜렷이 드러난다는 점이다. 이 방대한 자료 조사에 관하여 파묵은 "내가 오랜 세월 동안 돌을 나르며 피라미드를 지었다 해도, 사람들이 그걸 보고 '저 사람 좀 봐, 정말 많은 돌을 쌓아서 피라미드를 만들었어.'라고 하는 건 원하지 않는다. '아주 아름답고 아주 멋진 경사를 이루고 있군.'이라는 말을 듣고 싶어서 피라미드를 지었으니까. '정말 많은 돌을 날랐군요, 파묵 씨, 노고를 치하합니다.'라는 말을 칭찬으로 받아들이지만 한편으로는 마음 한구석이 착잡해진다."라며, 자료 수집 자체가 중요한 것이 아니라 그것들을 소설에서 가장 적합한 자리에, 조화롭고, 아름답게 앉히는 것이 중요하다는 점을 강조했다.

지난겨울 파묵의 집필실을 방문했을 때, 그는 "터키에서 많은 드라마를 제작하여 성공시킨 제작사의 간곡한 요청에 못 이겨 『제브데트 씨와 아들들』의 텔레비전 드라마 제작을 허락했습니다." 하고 말했다. 이 소설은 터키에서 드라마로 제작되면서, 오래전에 발표되었던 작품이 재조명되고 새롭게 평가될 것이다.

파묵의 첫 소설을, 현재까지 발표된 그의 모든 소설을 번역한 후에야 손에 잡으면서 만감이 교차되었다. 역시 필자를 실망시키지 않는 대작이었다고 자신 있게 말할 수 있다. 평소 파묵 작품의 가장 커다란 특징은 각 작품들의 작품성이 편차가 적은 것이라고 생각했는데, 이 작품은 이러한 생각을 재확인시켜 주었다. 지금까지 발표된 그의 모든 소설을 완역하는 이 시점에서 『제브데트 씨와 아들들』은 그의 집필 철학, 그러니까 '바늘로 우물파기'가 아주 잘 드러난 대작이었고, 그 초심을 잃지 않고 부단히 작품 활동을 하는 파묵에 대한 나의 경외심이 더욱더 깊어졌음을 고백한다.

긴 여정을 마치고 잠시 숨을 고르고 있지만, 여러 가지로 부족한 나의 졸역을 접할 독자들에게는 송구할 따름이다. 많은 질책과 조언 부탁드리는 마음 간절하다.

2012년 9월

이난아

작가 연보

1952년 6월 7일 사업가인 아버지 귄뒤즈 파묵(Gündüz Pamuk)과 어머니 셰퀴레 파묵(Şeküre Pamuk) 사이에서 태어남. 『제브데트 씨와 아들들(Cevdet Bey ve Oğulları)』과 『검은 책(Kara Kitap)』에서 묘사된 이스탄불의 부유하고 서구화된 니샨타쉬 구역에 거주하는 대가족 속에서 자람.

1959년~1974년 7세 때부터 그림 그리기를 좋아해, 자전 에세이 『이스탄불(İstanbul)』에서도 밝혔듯이, 22세까지 화가의 꿈을 키우며 그림에 열중. 이스탄불 명문 학교인 미국계 로버트 칼리지 중고등학교 졸업.

1970년 아버지와 삼촌의 뒤를 이어 이스탄불 공과대학 건축학과 입학.

1973년 이스탄불 공과대학 건축학과 3학년 때 자퇴.

1974년 글쓰기를 자신의 유일한 직업으로 택한 후 전업 작가 선언.

1976년 이스탄불 대학 저널리즘 학과 졸업. 하지만 저널리스트로 일한 적은 없음.

1979년 한 가족의 삼대에 걸친 이야기를 통해 터키 사회와 역사를 다룬 가족사 소설이자 등단작인 『제브데트 씨와 아들들』이 《밀리예트》 신문 소설 공모에 당선.(공동 수상) 공모 당시 제목은 '어둠과 빛(Karanlık ve Işık).'

1982년 『제브데트 씨와 아들들』 출판. 당시 터키 문단은 농촌 소설이 대세였기 때문에 어떤 출판사도 이 소설을 출판해 주지 않아 당선 후 3년 후에 출판.
3월 1일 아일린 튀레귄(Aylin Türegün)과 결혼.

1983년 세 형제가 할머니의 집에 머무는 일주일 동안 드러나는 비밀스러운 가족사를 다룬 두 번째 소설 『고요한 집(Sessiz Ev)』 발표.
『제브데트 씨와 아들들』로 '오르한 케말 소설상' 수상.

1984년 『고요한 집』으로 '마다라르 소설상' 수상.

1985년 파묵의 관심사인 동서양 문제와 정체성 문제를 본격적으로 다룬 『하얀 성(Beyaz Kale)』 발표. 《뉴욕 타임스》가 '동양에서 새로운 별이 떠올랐다.'라고 극찬하는 등 처음으로 국제적인 명성을 얻음.

1985년~1988년 미국 컬럼비아 대학교 방문 학자로 초청되어 미국 체류. 이 기간에 『검은 책』 집필에 착수하여 대부분을 완성.

1990년 『검은 책』 발표. 이 소설로 파묵의 명성은 세계적으로 확산됨. 『검은 책』 프랑스 번역판으로 '프랑스 문화상' 수상.

『하얀 성』으로 영국의 '인디펜던트 외국 소설상' 수상.

1991년 『고요한 집』으로 프랑스에서 '1991년 유럽 발견상' 수상.

『검은 책』의 한 페이지를 바탕으로 시나리오를 쓴 영화 「비밀의 얼굴(Gizli Yüz)」이 '안탈리아 황금 오렌지 영화제'에서 최고 각본상 수상.

딸 뤼야(Rüya) 태어남.

1992년 『비밀의 얼굴』 출간.

1994년 한 권의 책에서 새로운 인생을 발견한 공대생이 그 인생을 찾아 떠나는 여행을 다룬 소설 『새로운 인생(Yeni Hayat)』 발표.

1998년 오스만 제국의 동서양 회화 충돌, 세밀화가들의 고뇌와 갈등을 그린 소설 『내 이름은 빨강(Benim Adım Kırmızı)』 발표. 출간되자마자 한 달 만에 11만 부 판매됨.

1999년 다양한 잡지와 신문에 쓴 문학, 예술관련 글들을 모은 에세이집 『다른 색들(Öteki Renkler)』 발표.

2001년 아일린과 이혼.

2002년 '처음이자 마지막으로 쓴 정치 소설'이라고 밝힌 『눈(Kar)』 발표.

『내 이름은 빨강』으로 프랑스 '최우스 외국문학상' 수상, 이탈리아 '그렌차네 카보우르 상' 수상

2003년 자전 에세이 『이스탄불』 발표.

『내 이름은 빨강』으로 '인터내셔널 임팩 더블린 문학상' 수상.

2004년 『눈』이 《뉴욕 타임즈》 '올해의 책'으로 선정됨.

2005년 1월에 스위스 《다스 마가진》과 했던 인터뷰에서 "오스만 제국 당시 백만 명의 아르메니아인과 3만 명의 쿠르드족이 학살되었다."라는 발언을 하여, 국가 정체성을 모독한 '터키인 명예훼손죄' 혐의로 형법 301조에 기소됨.

『눈』으로 프랑스의 '메디치 상' 외국어 소설 부문 수상.

2006년 『눈』으로 프랑스 '지중해 최고 소설상' 수상.

터키 문학사상 최초로 '노벨 문학상' 수상.

1월 22일 '터키인 명예훼손죄' 기각됨.

2006년부터 컬럼비아 대학 중동아시아어문화학과 예술학교에서 강의.

2008년 한 남자의 집착적이며 열정적인 사랑을 그린 소설 『순수 박물관(Masumiyet Müzesi)』 발표.

2010년　에세이집 『풍경의 조각들(Manzaradan Parçalar)』 발표.

하바드대 강연록 『소설과 소설가(The Naive and the Sentimental Novelist)』 발표

2012년　4월, 이스탄불에 '순수 박물관' 개관.

세계문학전집 296

제브데트 씨와 아들들 2

1판 1쇄 펴냄 2012년 9월 14일
1판 9쇄 펴냄 2023년 10월 17일

지은이 오르한 파묵
옮긴이 이난아
발행인 박근섭, 박상준
펴낸곳 (주)민음사

출판등록 1966. 5. 19. (제 16-490호)
서울특별시 강남구 도산대로1길 62(신사동) 강남출판문화센터 5층 (우편번호 06027)
대표전화 02-515-2000 팩시밀리 02-515-2007
www.minumsa.com

ISBN 978-89-374-6296-2 04800
ISBN 978-89-374-6000-5 (세트)

세계문학전집 목록

1·2 **변신 이야기 오비디우스 · 이윤기 옮김** 서울대 권장도서 100선
3 **햄릿 셰익스피어 · 최종철 옮김** 서울대 권장도서 100선 | 미국대학위원회 선정 SAT 추천도서
4 **변신 · 시골의사 카프카 · 전영애 옮김** 서울대 권장도서 100선
5 **동물농장 오웰 · 도정일 옮김** 미국대학위원회 선정 SAT 추천도서 | 《타임》 선정 현대 100대 영문소설
6 **허클베리 핀의 모험 트웨인 · 김욱동 옮김** 《뉴스위크》 선정 100대 명저
7 **암흑의 핵심 콘래드 · 이상옥 옮김** 미국대학위원회 선정 SAT 추천도서 | 《뉴스위크》 선정 10대 명저
8 **토니오 크뢰거 · 트리스탄 · 베네치아에서의 죽음 토마스 만 · 안삼환 외 옮김** 노벨 문학상 수상 작가
9 **문학이란 무엇인가 사르트르 · 정명환 옮김**
10 **한국단편문학선 1 김동인 외 · 이남호 엮음** 국립중앙도서관 선정 청소년 권장도서
11·12 **인간의 굴레에서 서머싯 몸 · 송무 옮김**
13 **이반 데니소비치, 수용소의 하루 솔제니친 · 이영의 옮김** 노벨 문학상 수상 작가
14 **너새니얼 호손 단편선 호손 · 천승걸 옮김**
15 **나의 미카엘 오즈 · 최창모 옮김**
16·17 **중국신화전설 위앤커 · 전인초, 김선자 옮김**
18 **고리오 영감 발자크 · 박영근 옮김**
19 **파리대왕 골딩 · 유종호 옮김** 노벨 문학상 수상 작가 | 《타임》 선정 현대 100대 영문소설
20 **한국단편문학선 2 김동리 외 · 이남호 엮음**
21·22 **파우스트 괴테 · 정서웅 옮김** 서울대 권장도서 100선 | 미국대학위원회 선정 SAT 추천도서
23·24 **빌헬름 마이스터의 수업시대 괴테 · 안삼환 옮김**
25 **젊은 베르테르의 슬픔 괴테 · 박찬기 옮김** 논술 및 수능에 출제된 책(1998~2005)
26 **이피게니에 · 스텔라 괴테 · 박찬기 외 옮김**
27 **다섯째 아이 레싱 · 정덕애 옮김** 노벨 문학상 수상 작가
28 **삶의 한가운데 린저 · 박찬일 옮김**
29 **농담 쿤데라 · 방미경 옮김**
30 **야성의 부름 런던 · 권택영 옮김**
31 **아메리칸 제임스 · 최경도 옮김**
32·33 **양철북 그라스 · 장희창 옮김** 노벨 문학상 수상 작가 | 서울대 권장도서 100선
34·35 **백년의 고독 마르케스 · 조구호 옮김** 노벨 문학상 수상 작가 | 서울대 권장도서 100선
36 **마담 보바리 플로베르 · 김화영 옮김** 서울대 권장도서 100선
37 **거미여인의 키스 푸익 · 송병선 옮김**
38 **달과 6펜스 서머싯 몸 · 송무 옮김**
39 **폴란드의 풍차 지오노 · 박인철 옮김**
40·41 **독일어 시간 렌츠 · 정서웅 옮김**
42 **말테의 수기 릴케 · 문현미 옮김**
43 **고도를 기다리며 베케트 · 오증자 옮김** 노벨 문학상 수상 작가 | 서울대 권장도서 100선
44 **데미안 헤세 · 전영애 옮김** 노벨 문학상 수상 작가
45 **젊은 예술가의 초상 조이스 · 이상옥 옮김** 서울대 권장도서 100선
46 **카탈로니아 찬가 오웰 · 정영목 옮김**
47 **호밀밭의 파수꾼 샐린저 · 정영목 옮김** 《타임》 선정 현대 100대 영문소설 | 미국대학위원회 선정 SAT 추천도서 | 《뉴스위크》 선정 100대 명저 | BBC 선정 꼭 읽어야 할 책
48·49 **파르마의 수도원 스탕달 · 원윤수, 임미경 옮김**
50 **수레바퀴 아래서 헤세 · 김이섭 옮김** 노벨 문학상 수상 작가 | 국립중앙도서관 선정 청소년 권장도서

51·52 **내 이름은 빨강** 파묵 · 이난아 옮김 노벨 문학상 수상 작가
53 **오셀로** 셰익스피어 · 최종철 옮김 서울대 권장도서 100선
54 **조서** 르 클레지오 · 김윤진 옮김 노벨 문학상 수상 작가
55 **모래의 여자** 아베 코보 · 김난주 옮김
56·57 **부덴브로크 가의 사람들** 토마스 만 · 홍성광 옮김 노벨 문학상 수상 작가
58 **싯다르타** 헤세 · 박병덕 옮김 노벨 문학상 수상 작가
59·60 **아들과 연인** 로렌스 · 정상준 옮김 《뉴스위크》 선정 100대 명저
61 **설국** 가와바타 야스나리 · 유숙자 옮김 노벨 문학상 수상 작가 | 서울대 권장도서 100선
62 **벨킨 이야기 · 스페이드 여왕** 푸슈킨 · 최선 옮김
63·64 **넙치** 그라스 · 김재혁 옮김 노벨 문학상 수상 작가
65 **소망 없는 불행** 한트케 · 윤용호 옮김 노벨 문학상 수상 작가
66 **나르치스와 골드문트** 헤세 · 임홍배 옮김 노벨 문학상 수상 작가
67 **황야의 이리** 헤세 · 김누리 옮김 노벨 문학상 수상 작가
68 **페테르부르크 이야기** 고골 · 조주관 옮김
69 **밤으로의 긴 여로** 오닐 · 민승남 옮김 노벨 문학상 수상 작가 | 미국대학위원회 선정 SAT 추천도서
70 **체호프 단편선** 체호프 · 박현섭 옮김
71 **버스 정류장** 가오싱젠 · 오수경 옮김 노벨 문학상 수상 작가
72 **구운몽** 김만중 · 송성욱 옮김 서울대 권장도서 100선 | 국립중앙도서관 선정 청소년 권장도서
73 **대머리 여가수** 이오네스코 · 오세곤 옮김
74 **이솝 우화집** 이솝 · 유종호 옮김 논술 및 수능에 출제된 책(1998~2005)
75 **위대한 개츠비** 피츠제럴드 · 김욱동 옮김 《타임》 선정 현대 100대 영문소설
76 **푸른 꽃** 노발리스 · 김재혁 옮김
77 **1984** 오웰 · 정회성 옮김 《타임》 선정 현대 100대 영문소설 | 《뉴스위크》 선정 100대 명저
78·79 **영혼의 집** 아옌데 · 권미선 옮김
80 **첫사랑** 투르게네프 · 이항재 옮김
81 **내가 죽어 누워 있을 때** 포크너 · 김명주 옮김 노벨 문학상 수상 작가
82 **런던 스케치** 레싱 · 서숙 옮김 노벨 문학상 수상 작가
83 **팡세** 파스칼 · 이환 옮김
84 **질투** 로브그리예 · 박이문, 박희원 옮김
85·86 **채털리 부인의 연인** 로렌스 · 이인규 옮김
87 **그 후** 나쓰메 소세키 · 윤상인 옮김
88 **오만과 편견** 오스틴 · 윤지관, 전승희 옮김 미국대학위원회 선정 SAT 추천도서
89·90 **부활** 톨스토이 · 연진희 옮김 논술 및 수능에 출제된 책(1998~2005)
91 **방드르디, 태평양의 끝** 투르니에 · 김화영 옮김
92 **미겔 스트리트** 나이폴 · 이상옥 옮김 노벨 문학상 수상 작가
93 **페드로 파라모** 룰포 · 정창 옮김
94 **차라투스트라는 이렇게 말했다** 니체 · 장희창 옮김 국립중앙도서관 선정 청소년 권장도서
95·96 **적과 흑** 스탕달 · 이동렬 옮김 국립중앙도서관 선정 청소년 권장도서
97·98 **콜레라 시대의 사랑** 마르케스 · 송병선 옮김 노벨 문학상 수상 작가 | BBC 선정 꼭 읽어야 할 책
99 **맥베스** 셰익스피어 · 최종철 옮김 서울대 권장도서 100선 | 미국대학위원회 선정 SAT 추천도서
100 **춘향전** 작자 미상 · 송성욱 풀어 옮김 서울대 권장도서 100선
101 **페르디두르케** 곰브로비치 · 윤진 옮김
102 **포르노그라피아** 곰브로비치 · 임미경 옮김
103 **인간 실격** 다자이 오사무 · 김춘미 옮김
104 **네루다의 우편배달부** 스카르메타 · 우석균 옮김

105·106 이탈리아 기행 괴테·박찬기 외 옮김
107 나무 위의 남작 칼비노·이현경 옮김
108 달콤 쌉싸름한 초콜릿 에스키벨·권미선 옮김
109·110 제인 에어 C. 브론테·유종호 옮김 BBC 선정 꼭 읽어야 할 책
111 크눌프 헤세·이노은 옮김 노벨 문학상 수상 작가
112 시계태엽 오렌지 버지스·박시영 옮김 《타임》 선정 현대 100대 영문소설 | 《뉴스위크》 선정 100대 명저
113·114 파리의 노트르담 위고·정기수 옮김 미국대학위원회 선정 SAT 추천도서
115 새로운 인생 단테·박우수 옮김
116·117 로드 짐 콘래드·이상옥 옮김 《뉴스위크》 선정 100대 명저
118 폭풍의 언덕 E. 브론테·김종길 옮김 미국대학위원회 선정 SAT 추천도서
119 텔크테에서의 만남 그라스·안삼환 옮김 노벨 문학상 수상 작가
120 검찰관 고골·조주관 옮김
121 안개 우나무노·조민현 옮김
122 나사의 회전 제임스·최경도 옮김 미국대학위원회 선정 SAT 추천도서
123 피츠제럴드 단편선 1 피츠제럴드·김욱동 옮김
124 목화밭의 고독 속에서 콜테스·임수현 옮김
125 돼지꿈 황석영
126 라셀라스 존슨·이인규 옮김
127 리어 왕 셰익스피어·최종철 옮김 서울대 권장도서 100선 | 《뉴스위크》 선정 100대 명저
128·129 쿠오 바디스 시엔키에비츠·최성은 옮김 노벨 문학상 수상 작가
130 자기만의 방·3기니 울프·이미애 옮김
131 시르트의 바닷가 그라크·송진석 옮김
132 이성과 감성 오스틴·윤지관 옮김
133 바덴바덴에서의 여름 치프킨·이장욱 옮김
134 새로운 인생 파묵·이난아 옮김 노벨 문학상 수상 작가
135·136 무지개 로렌스·김정매 옮김
137 인생의 베일 서머싯 몸·황소연 옮김
138 보이지 않는 도시들 칼비노·이현경 옮김
139·140·141 연초 도매상 바스·이운경 옮김 《타임》 선정 현대 100대 영문소설
142·143 플로스 강의 물방앗간 엘리엇·한애경, 이봉지 옮김 미국대학위원회 선정 SAT 추천도서
144 연인 뒤라스·김인환 옮김
145·146 이름 없는 주드 하디·정종화 옮김
147 제49호 품목의 경매 핀천·김성곤 옮김 《타임》 선정 현대 100대 영문소설
148 성역 포크너·이진준 옮김 노벨 문학상 수상 작가 | 퓰리처상 수상 작가
149 무진기행 김승옥
150·151·152 신곡(지옥편·연옥편·천국편) 단테·박상진 옮김 《뉴스위크》 선정 100대 명저
153 구덩이 플라토노프·정보라 옮김
154·155·156 카라마조프가의 형제들 도스토옙스키·김연경 옮김
157 지상의 양식 지드·김화영 옮김 노벨 문학상 수상 작가
158 밤의 군대들 메일러·권택영 옮김 퓰리처상 수상 작가
159 주홍 글자 호손·김욱동 옮김 서울대 권장도서 100선 | 미국대학위원회 선정 SAT 추천도서
160 깊은 강 엔도 슈사쿠·유숙자 옮김
161 욕망이라는 이름의 전차 윌리엄스·김소임 옮김
162 마사 퀘스트 레싱·나영균 옮김 노벨 문학상 수상 작가
163·164 운명의 딸 아옌데·권미선 옮김

165 모렐의 발명 비오이 카사레스 · 송병선 옮김

166 삼국유사 일연 · 김원중 옮김 서울대 권장도서 100선

167 풀잎은 노래한다 레싱 · 이태동 옮김 노벨 문학상 수상 작가

168 파리의 우울 보들레르 · 윤영애 옮김

169 포스트맨은 벨을 두 번 울린다 케인 · 이만식 옮김

170 썩은 잎 마르케스 · 송병선 옮김 노벨 문학상 수상 작가

171 모든 것이 산산이 부서지다 아체베 · 조규형 옮김 《타임》 선정 현대 100대 영문소설

172 한여름 밤의 꿈 셰익스피어 · 최종철 옮김 미국대학위원회 선정 SAT 추천도서

173 로미오와 줄리엣 셰익스피어 · 최종철 옮김 미국대학위원회 선정 SAT 추천도서

174·175 분노의 포도 스타인벡 · 김승욱 옮김 노벨 문학상 수상 작가 | 《타임》 선정 현대 100대 영문소설

176·177 괴테와의 대화 에커만 · 장희창 옮김

178 그물을 헤치고 머독 · 유종호 옮김 《타임》 선정 현대 100대 영문소설

179 브람스를 좋아하세요... 사강 · 김남주 옮김

180 카타리나 블룸의 잃어버린 명예 하인리히 뵐 · 김연수 옮김 노벨 문학상 수상 작가

181·182 에덴의 동쪽 스타인벡 · 정회성 옮김 노벨 문학상 수상 작가

183 순수의 시대 워튼 · 송은주 옮김 《뉴스위크》 선정 100대 명저 | 퓰리처상 수상작

184 도둑 일기 주네 · 박형섭 옮김

185 나자 브르통 · 오생근 옮김

186·187 캐치-22 헬러 · 안정효 옮김 《타임》 선정 현대 100대 영문소설

188 숄로호프 단편선 숄로호프 · 이항재 옮김 노벨 문학상 수상 작가

189 말 사르트르 · 정명환 옮김

190·191 보이지 않는 인간 엘리슨 · 조영환 옮김 《타임》 선정 현대 100대 영문소설

192 왑샷 가문 연대기 치버 · 김승욱 옮김 퓰리처상 수상 작가

193 왑샷 가문 몰락기 치버 · 김승욱 옮김 퓰리처상 수상 작가

194 필립과 다른 사람들 노터봄 · 지명숙 옮김

195·196 하드리아누스 황제의 회상록 유르스나르 · 곽광수 옮김

197·198 소피의 선택 스타이런 · 한정아 옮김 퓰리처상 수상 작가

199 피츠제럴드 단편선 2 피츠제럴드 · 한은경 옮김

200 홍길동전 허균 · 김탁환 옮김

201 요술 부지깽이 쿠버 · 양윤희 옮김

202 북호텔 다비 · 원윤수 옮김

203 톰 소여의 모험 트웨인 · 김욱동 옮김

204 금오신화 김시습 · 이지하 옮김

205·206 테스 하디 · 정종화 옮김 미국대학위원회 선정 SAT 추천도서 | BBC 선정 꼭 읽어야 할 책

207 브루스터플레이스의 여자들 네일러 · 이소영 옮김

208 더 이상 평안은 없다 아체베 · 이소영 옮김

209 그레인지 코플랜드의 세 번째 인생 워커 · 김시현 옮김 퓰리처상 수상 작가

210 어느 시골 신부의 일기 베르나노스 · 정영란 옮김

211 타라스 불바 고골 · 조주관 옮김

212·213 위대한 유산 디킨스 · 이인규 옮김 서울대 권장도서 100선 | BBC 선정 꼭 읽어야 할 책

214 면도날 서머싯 몸 · 안진환 옮김

215·216 성채 크로닌 · 이은정 옮김

217 오이디푸스 왕 소포클레스 · 강대진 옮김 서울대 권장도서 100선

218 세일즈맨의 죽음 밀러 · 강유나 옮김

219·220·221 안나 카레니나 톨스토이 · 연진희 옮김 서울대 권장도서 100선

222 **오스카 와일드 작품선** 와일드 · 정영목 옮김

223 **벨아미** 모파상 · 송덕호 옮김

224 **파스쿠알 두아르테 가족** 호세 셀라 · 정동섭 옮김 노벨 문학상 수상 작가

225 **시칠리아에서의 대화** 비토리니 · 김운찬 옮김

226·227 **길 위에서** 케루악 · 이만식 옮김 《타임》 선정 현대 100대 영문소설 | 《뉴스위크》 선정 100대 명저

228 **우리 시대의 영웅** 레르몬토프 · 오정미 옮김

229 **아우라** 푸엔테스 · 송상기 옮김

230 **클링조어의 마지막 여름** 헤세 · 황승환 옮김 노벨 문학상 수상 작가

231 **리스본의 겨울** 무뇨스 몰리나 · 나송주 옮김

232 **뻐꾸기 둥지 위로 날아간 새** 키지 · 정회성 옮김 《타임》 선정 현대 100대 영문소설

233 **페널티킥 앞에 선 골키퍼의 불안** 한트케 · 윤용호 옮김 노벨 문학상 수상 작가

234 **참을 수 없는 존재의 가벼움** 쿤데라 · 이재룡 옮김

235·236 **바다여, 바다여** 머독 · 최옥영 옮김

237 **한 줌의 먼지** 에벌린 워 · 안진환 옮김 《타임》 선정 현대 100대 영문소설

238 **뜨거운 양철 지붕 위의 고양이 · 유리 동물원** 윌리엄스 · 김소임 옮김 퓰리처상 수상작

239 **지하로부터의 수기** 도스토옙스키 · 김연경 옮김

240 **키메라** 바스 · 이운경 옮김

241 **반쪼가리 자작** 칼비노 · 이현경 옮김

242 **벌집** 호세 셀라 · 남진희 옮김 노벨 문학상 수상 작가

243 **불멸** 쿤데라 · 김병욱 옮김

244·245 **파우스트 박사** 토마스 만 · 임홍배, 박병덕 옮김 노벨 문학상 수상 작가

246 **사랑할 때와 죽을 때** 레마르크 · 장희창 옮김

247 **누가 버지니아 울프를 두려워하랴?** 올비 · 강유나 옮김

248 **인형의 집** 입센 · 안미란 옮김

249 **위폐범들** 지드 · 원윤수 옮김 노벨 문학상 수상 작가

250 **무정** 이광수 · 정영훈 책임 편집 서울대 권장도서 100선

251·252 **의지와 운명** 푸엔테스 · 김현철 옮김

253 **폭력적인 삶** 파솔리니 · 이승수 옮김

254 **거장과 마르가리타** 불가코프 · 정보라 옮김

255·256 **경이로운 도시** 멘도사 · 김현철 옮김

257 **야콥을 둘러싼 추측들** 욘존 · 손대영 옮김

258 **왕자와 거지** 트웨인 · 김욱동 옮김

259 **존재하지 않는 기사** 칼비노 · 이현경 옮김

260·261 **눈먼 암살자** 애트우드 · 차은정 옮김 《타임》 선정 현대 100대 영문소설

262 **베니스의 상인** 셰익스피어 · 최종철 옮김

263 **말리나** 바흐만 · 남정애 옮김

264 **사볼타 사건의 진실** 멘도사 · 권미선 옮김

265 **뒤렌마트 희곡선** 뒤렌마트 · 김혜숙 옮김

266 **이방인** 카뮈 · 김화영 옮김 노벨 문학상 수상 작가 | 미국대학위원회 선정 SAT 추천도서

267 **페스트** 카뮈 · 김화영 옮김 노벨 문학상 수상 작가 | 국립중앙도서관 선정 청소년 권장도서

268 **검은 튤립** 뒤마 · 송진석 옮김

269·270 **베를린 알렉산더 광장** 되블린 · 김재혁 옮김

271 **하얀 성** 파묵 · 이난아 옮김 노벨 문학상 수상 작가

272 **푸슈킨 선집** 푸슈킨 · 최선 옮김

273·274 **유리알 유희** 헤세 · 이영임 옮김 노벨 문학상 수상 작가

275 **픽션들** 보르헤스 · 송병선 옮김 서울대 권장도서 100선
276 **신의 화살** 아체베 · 이소영 옮김
277 **빌헬름 텔 · 간계와 사랑** 실러 · 홍성광 옮김
278 **노인과 바다** 헤밍웨이 · 김욱동 옮김 노벨 문학상 수상 작가 | 퓰리처상 수상작
279 **무기여 잘 있어라** 헤밍웨이 · 김욱동 옮김 미국대학위원회 선정 SAT 추천도서
280 **태양은 다시 떠오른다** 헤밍웨이 · 김욱동 옮김 《타임》 선정 현대 100대 영문 소설
281 **알레프** 보르헤스 · 송병선 옮김
282 **일곱 박공의 집** 호손 · 정소영 옮김
283 **에마** 오스틴 · 윤지관, 김영희 옮김
284·285 **죄와 벌** 도스토옙스키 · 김연경 옮김 미국대학위원회 선정 SAT 추천도서
286 **시련** 밀러 · 최영 옮김
287 **모두가 나의 아들** 밀러 · 최영 옮김
288·289 **누구를 위하여 종은 울리나** 헤밍웨이 · 김욱동 옮김 노벨 문학상 수상 작가
290 **구르브 연락 없다** 멘도사 · 정창 옮김
291·292·293 **데카메론** 보카치오 · 박상진 옮김
294 **나누어진 하늘** 볼프 · 전영애 옮김
295·296 **제브데트 씨와 아들들** 파묵 · 이난아 옮김 노벨 문학상 수상 작가
297·298 **여인의 초상** 제임스 · 최경도 옮김 미국대학위원회 선정 SAT 추천도서
299 **압살롬, 압살롬!** 포크너 · 이태동 옮김 노벨 문학상 수상 작가
300 **이상 소설 전집** 이상 · 권영민 책임 편집
301·302·303·304·305 **레 미제라블** 위고 · 정기수 옮김
306 **관객모독** 한트케 · 윤용호 옮김 노벨 문학상 수상 작가
307 **더블린 사람들** 조이스 · 이종일 옮김
308 **에드거 앨런 포 단편선** 앨런 포 · 전승희 옮김 미국대학위원회 선정 SAT 추천도서
309 **보이체크 · 당통의 죽음** 뷔히너 · 홍성광 옮김
310 **노르웨이의 숲** 무라카미 하루키 · 양억관 옮김
311 **운명론자 자크와 그의 주인** 디드로 · 김희영 옮김
312·313 **헤밍웨이 단편선** 헤밍웨이 · 김욱동 옮김 노벨 문학상 수상 작가
314 **피라미드** 골딩 · 안지현 옮김 노벨 문학상 수상 작가
315 **닫힌 방 · 악마와 선한 신** 사르트르 · 지영래 옮김
316 **등대로** 울프 · 이미애 옮김 《타임》 선정 현대 100대 영문소설 | 《뉴스위크》 선정 100대 명저
317·318 **한국 희곡선** 송영 외 · 양승국 엮음
319 **여자의 일생** 모파상 · 이동렬 옮김
320 **의식** 노터봄 · 김영중 옮김
321 **육체의 악마** 라디게 · 원윤수 옮김
322·323 **감정 교육** 플로베르 · 지영화 옮김
324 **불타는 평원** 룰포 · 정창 옮김
325 **위대한 몬느** 알랭푸르니에 · 박영근 옮김
326 **라쇼몬** 아쿠타가와 류노스케 · 서은혜 옮김
327 **반바지 당나귀** 보스코 · 정영란 옮김
328 **정복자들** 말로 · 최윤주 옮김
329·330 **우리 동네 아이들** 마흐푸즈 · 배혜경 옮김 노벨 문학상 수상 작가
331·332 **개선문** 레마르크 · 장희창 옮김
333 **사바나의 개미 언덕** 아체베 · 이소영 옮김
334 **게걸음으로** 그라스 · 장희창 옮김 노벨 문학상 수상 작가

335 코스모스 곰브로비치·최성은 옮김
336 좁은 문·전원교향곡·배덕자 지드·동성식 옮김 노벨 문학상 수상 작가
337·338 암 병동 솔제니친·이영의 옮김 노벨 문학상 수상 작가
339 피의 꽃잎들 응구기 와 시옹오·왕은철 옮김
340 운명 케르테스·유진일 옮김 노벨 문학상 수상 작가
341·342 벌거벗은 자와 죽은 자 메일러·이운경 옮김 퓰리처상 수상 작가
343 시지프 신화 카뮈·김화영 옮김 노벨 문학상 수상 작가
344 뇌우 차오위·오수경 옮김
345 모옌 중단편선 모옌·심규호, 유소영 옮김 노벨 문학상 수상 작가
346 일야서 한사오궁·심규호, 유소영 옮김
347 상속자들 골딩·안지현 옮김 노벨 문학상 수상 작가
348 설득 오스틴·전승희 옮김
349 히로시마 내 사랑 뒤라스·방미경 옮김
350 오 헨리 단편선 오 헨리·김희용 옮김
351·352 올리버 트위스트 디킨스·이인규 옮김
353·354·355·356 전쟁과 평화 톨스토이·연진희 옮김
357 다시 찾은 브라이즈헤드 에벌린 워·백지민 옮김
358 아무도 대령에게 편지하지 않다 마르케스·송병선 옮김
359 사양 다자이 오사무·유숙자 옮김
360 좌절 케르테스·한경민 옮김 노벨 문학상 수상 작가
361·362 닥터 지바고 파스테르나크·김연경 옮김 노벨 문학상 수상 작가
363 노생거 사원 오스틴·윤지관 옮김
364 개구리 모옌·심규호, 유소영 옮김 노벨 문학상 수상 작가
365 마왕 투르니에·이원복 옮김 공쿠르상 수상 작가
366 맨스필드 파크 오스틴·김영희 옮김
367 이선 프롬 이디스 워튼·김욱동 옮김 퓰리처상 수상 작가
368 여름 이디스 워튼·김욱동 옮김 퓰리처상 수상 작가
369·370·371 나는 고백한다 자우메 카브레·권가람 옮김
372·373·374 태엽 감는 새 연대기 무라카미 하루키·김난주 옮김
375·376 대사들 제임스·정소영 옮김
377 족장의 가을 마르케스·송병선 옮김 노벨 문학상 수상 작가
378 핏빛 자오선 매카시·김시현 옮김
379 모두 다 예쁜 말들 매카시·김시현 옮김
380 국경을 넘어 매카시·김시현 옮김
381 평원의 도시들 매카시·김시현 옮김
382 만년 다자이 오사무·유숙자 옮김
383 반항하는 인간 카뮈·김화영 옮김 노벨 문학상 수상 작가
384·385·386 악령 도스토옙스키·김연경 옮김
387 태평양을 막는 제방 뒤라스·윤진 옮김
388 남아 있는 나날 가즈오 이시구로·송은경 옮김
389 앙리 브륄라르의 생애 스탕달·원윤수 옮김
390 찻집 라오서·오수경 옮김
391 태어나지 않은 아이를 위한 기도 케르테스·이상동 옮김 노벨 문학상 수상 작가
392·393 서머싯 몸 단편선 서머싯 몸·황소연 옮김
394 케이크와 맥주 서머싯 몸·황소연 옮김

395 **월든** 소로 · 정회성 옮김
396 **모래 사나이** E. T. A. 호프만 · 신동화 옮김
397·398 **검은 책** 오르한 파묵 · 이난아 옮김 노벨 문학상 수상 작가
399 **방랑자들** 올가 토카르추크 · 최성은 옮김 노벨 문학상 수상 작가
400 **시여, 침을 뱉어라** 김수영 · 이영준 엮음
401·402 **환락의 집** 이디스 워튼 · 전승희 옮김
403 **달려라 메로스** 다자이 오사무 · 유숙자 옮김
404 **아버지와 자식** 투르게네프 · 연진희 옮김
405 **청부 살인자의 성모** 바예호 · 송병선 옮김
406 **세피아빛 초상** 아옌데 · 조영실 옮김
407·408·409·410 **사기 열전** 사마천 · 김원중 옮김 서울대 권장도서 100선
411 **이상 시 전집** 이상 · 권영민 책임 편집
412 **어둠 속의 사건** 발자크 · 이동렬 옮김
413 **태평천하** 채만식 · 권영민 책임 편집
414·415 **노스트로모** 콘래드 · 이미애 옮김
416·417 **제르미날** 졸라 · 강충권 옮김
418 **명인** 가와바타 야스나리 · 유숙자 옮김 노벨 문학상 수상 작가
419 **핀처 마틴** 골딩 · 백지민 옮김 노벨 문학상 수상 작가
420 **사라진 · 샤베르 대령** 발자크 · 선영아 옮김
421 **빅 서** 케루악 · 김재성 옮김
422 **코뿔소** 이오네스코 · 박형섭 옮김
423 **블랙박스** 오즈 · 윤성덕, 김영화 옮김
424·425 **고양이 눈** 애트우드 · 차은정 옮김
426·427 **도둑 신부** 애트우드 · 이은선 옮김
428 **슈니츨러 작품선** 슈니츨러 · 신동화 옮김
429·430 **세계의 끝과 하드보일드 원더랜드** 무라카미 하루키 · 김난주 옮김
431 **멜랑콜리아 I–II** 욘 포세 · 손화수 옮김 노벨 문학상 수상 작가

세계문학전집은 계속 간행됩니다.